SPECTRUM ATLAS VAN
HISTORISCHE PLAATSEN
IN DE LAGE LANDEN

SPECTRUM ATLAS VAN
HISTORISCHE PLAATSEN
IN DE LAGE LANDEN

onder redactie van
Prof. dr. A. F. Manning en prof. dr. M. de Vroede

fotografie
Jan van de Kam e.a.

UITGEVERIJ HET SPECTRUM ⇄ UTRECHT/ANTWERPEN

Vormgeving:	Henk Pen
	Rob de Nooy
Bureauredactie:	Myrrhe Buffing
	Joep Büttinghausen
	Jac. G. Constant
	Wim van Dam
	Rutger Dinger
	Drs. Heleen Froger
	Rob Poort
	Drs. Pieter de Wilde
Produktie:	S.A. Slothorst
	A. Turkenburg
Cartografie en tekeningen:	Gieb van Enckevort
Zetwerk:	Lumo-zet bv, Eindhoven
Lithografie:	Paul Pfau KG, Eindhoven
Druk:	Koninklijke Smeets Offset bv, Weert
	Eerste druk 1981
	Tweede druk 1981

58.0195.02 D/1981/0265/163 ISBN 90 274 9473 8

Voorplaat: de onlusten op de
Dam in Amsterdam nadat uit
de vensters van de Waag
twee leiders van het
pachtersoproer van juni
1748 waren opgehangen.
18de-eeuwse tekening van
Jan Schouten.
Achterplaat: de Meir en de
Meirbrug in 16de-eeuws
Antwerpen. Paneel van een
onbekend Antwerps
meester.
Bladzijde 2: het begijnhof
van Brugge.
Bladzijde 8: de werkkamer
van Erasmus in het
Erasmushuis te Anderlecht.

Inhoud

VOORWOORD

Wie in den lande plaatsen van historische betekenis wil bezoeken, kan toeristische gidsen ter hand nemen. Monumenten, landschappen en musea worden daarin beschreven. Wil men meer weten over de historische context, dan moet men naslagwerken of monografieën consulteren. De voorliggende Atlas van Historische Plaatsen heeft de bedoeling zowel die context toe te lichten als aan te wijzen wat van het verleden nog is te zien.

In het verleden zijn niet alleen gebeurtenissen belangrijk geweest. In de actuele geschiedschrijving is de aandacht van het politieke en militaire naar het sociaal-economische en het culturele verschoven, van de toppen van de samenleving naar het dagelijks leven van de gewone man. Historische plaatsen zijn dan ook verschillend van karakter. Het kan gaan om plekken waar unieke gebeurtenissen zoals veldslagen hebben plaatsgehad – van veldslagen valt overigens meestal weinig meer te zien – of om authentieke resten van het alledaagse leven in stad en dorp: stadhuizen en kastelen, kerken en abdijen, schilderateliers en drukkerijen, molens en boerderijen, aardewerkfabrieken en steenbakkerijen, stations en stoomgemalen, pakhuizen en veilingsplaatsen, herenwoningen en sloppen, enzovoort. Historische plaatsen zijn legio.

Veel is echter verdwenen. Op talrijke plekken heeft het verleden geen authentieke resten nagelaten. Het platteland vormde tot twee, drie generaties geleden het woon- en werkmilieu van het grootste deel der bevolking, maar wat valt vandaag van de gewezen plattelandscultuur nog terug te vinden? Interieurs van winkels en woonhuizen van vóór de 19de eeuw, in de stad zowel als op het platteland, bestaan nauwelijks meer. De tijd heeft vaak schoon schip gemaakt. Sedert de vorige eeuw hebben ingrijpende technische veranderingen de samenleving grondig gewijzigd, ook in haar uiterlijke verschijningsvormen.

De voorliggende atlas beperkt zich dan ook tot een eerste oriëntatie. Wel hebben de samenstellers ernaar gestreefd de gebruiker attent te maken op gelijksoortige historische plaatsen als deze die worden behandeld. De selectie omvat authentieke bezienswaardige overblijfselen uit de zeer verschillende sectoren van de menselijke bedrijvigheid. In de tijd strekt het overzicht zich uit van de prehistorie tot het begin van de twintigste eeuw. Gelet op het verdwijnen van de gewezen plattelandscultuur, wordt tot slot op de collecties daarvan in de twee belangrijkste openluchtmusea nader ingegaan.

Elk hoofdstuk belicht vooreerst de historische context waaruit het restant dateert dat vervolgens wordt beschreven. Kort wordt ook aangegeven wat de verdere geschiedenis daarvan is geweest en welke vergelijkbare overblijfselen nog aanwezig zijn.

Beeld, kaart en tekst mogen de gebruiker met het rijke en rijk-geschakeerde verleden van de Lage Landen nader vertrouwd maken en hem aansporen de plekken te bezoeken waar het verleden nog tastbaar is. Moet hij overigens daartoe worden aangespoord? Wil elke mens de draden naar zijn verleden niet kennen en voelen?

A.M./M.d.V.

Exportindustrie uit het stenen tijdperk

PROF. DR. J. NENQUIN

Links: uitgegraven mijngang in een vuursteenmijn van Rijckholt; onderzoekers hebben hier pijlers aangebracht om de ingang te stutten. De donkere plekken in de wand zijn vuursteen; het grote, waardevolle brok linksonder hebben de neolithische mijnwerkers laten zitten om instorting te voorkomen. In het plafond kan men nog de oorspronkelijke haksporen waarnemen.
Boven: de vuursteenmijnen van Rijckholt hebben in de 100 jaar sinds zij zijn ontdekt en grotendeels blootgelegd, een rijke oogst aan objecten opgeleverd. Op de foto linksonder drie hakken, met daarboven twee ronde kloppers (klopstenen), waarmee de hakken werden bijgepunt, en rechts twee kernstukken vuursteen waarvan splinters zijn afgeslagen, die dienden als gebruiksvoorwerpen.

Vuursteen is een door de prehistorische mens altijd bijzonder gewaardeerde grondstof geweest. In tal van landen worden op oude kampementen en slachtplaatsen, in woongrotten en vaste nederzettingen in indrukwekkende hoeveelheden werktuigen en wapens van vuursteen aangetroffen. In de Lage Landen liggen langs beide zijden van de Nederlands-Belgische grens in de Krijtlagen langs de oostelijke oever van de Maas tal van vuursteenwerkplaatsen. Bekend in Nederland zijn vooral de vuursteenmijnen van Rijckholt. Dit mijnencomplex ligt in het 176 ha grote natuurreservaat Savelsbos, in Gronsveld, Cadier en Keer, St. Geertruid en Eijsden.

Ofschoon in de prehistorie alle steensoorten, zelfs de meest ondankbare, als grondstof voor werktuigen werden gebruikt, genoot – waar aanwezig – vuursteen duidelijk de voorkeur. De amorfe, niet-kristallijne structuur van het materiaal (analoog aan glas) maakte het mogelijk door middel van aangepaste technieken een grote verscheidenheid in vormen te produceren: messen, stekers, krabbers, dolken, speer- en pijlpunten. Al deze vormen, dikwijls met een verbluffende vaardigheid en uiterst raffinement gemaakt, waren perfect aangepast aan het doel, waaraan ze moesten beantwoorden. Ook in de prehistorie blijkt elke belangrijke technologische vooruitgang aan de basis te hebben gelegen van een sterke toeneming van de bevolking. Zo heeft de ontdekking van de principes van de landbouw geleid tot de ontwikkeling van dorpen, steden en stadstaten. Het zal duidelijk zijn dat met het aangroeien van de bevolking de vraag naar grondstoffen stijgt. Die ontwikkeling heeft zich in Europa voorgedaan in het Neolithicum, een periode die op ons continent grofweg liep van ongeveer 6000 tot 2000 v. Chr.
De gestegen vraag naar grondstoffen maakt duidelijk, waarom de plaatsen waar vuursteen kon worden gedolven, in die periode van groot belang werden. Bekende centra van vuursteenexploitatie in Europa zijn onder meer Grimes Graves in Groot-Brittannië, Grand Pressigny in Frankrijk, Krzemionki in Polen, Spiennes in België en Rijckholt in Nederland. Behalve Rijckholt liggen er in het Nederlands-Belgische grensgebied langs de oostelijke oever van de Maas nog tal van andere vuursteenwerkplaatsen als Rullen, Remersdaal, St. Martensvoeren, St. Pietersvoeren, Mheer, Schieperberg en Valkenburg, waarbij in Duitsland nog de even ten noorden van Aken gelegen Lousberg moet worden gevoegd.

'Grand Atelier' door Belg ontdekt
De ontdekking van de vuursteenmijnen van Rijckholt, in 1881, dankt men aan de Belgische archeoloog Marcel De Puydt.

Deze was het opgevallen dat de met bos en struiken bedekte oostelijke helling van het Maasdal een opvallende gelijkenis vertoonde met een aantal prehistorische vindplaatsen in België. Hij besloot op onderzoek uit te gaan en wist aan de oppervlakte grote hoeveelheden bewerkte vuurstenen te verzamelen waaronder zich ook enkele werktuigen bevonden. Hij stelde wat later vast dat een belangrijke concentratie gesitueerd moest zijn in een ovale kom, 54 x 37 m groot en gelegen aan de rand van het plateau. Bij nader onderzoek bleek deze kom gevuld te zijn met afslagen van vuursteen, een laag die ter plaatse tot anderhalve meter dik was. Hier waren duidelijk de overblijfselen van een industriële ontginning te vinden; de plaats kreeg dan ook de naam 'Grand Atelier'.
Aangespoord door deze ontdekkingen liet vijf jaar later de eigenaar van het terrein, graaf René de Geloes, eveneens enige opgravingen verrichten. Pikant detail is dat zich onder de opgravers de Nederlandse student Eugène Dubois bevond, die later vermaard zou worden als de ontdekker van de *Homo erectus erectus* (de Pithecanthropus) op Java. De Puydt zette zijn onderzoek voort tot het uitbreken van de Eerste Wereldoorlog, waarbij zijn collecties niet alleen sterk werden uitgebreid met allerlei vuursteen artefacten, maar ook met werktuigen van been en hertshoorn. Intussen was in 1903 ook J. Hamal-Nandrin, professor aan de Luikse universiteit, begonnen met het systematisch onderzoek van Rijckholt, dat liefst 50 jaar zou duren. Al in 1910 kon hij het bestaan vaststellen van een aantal opgevulde schachten, waardoor kwam vast te staan dat hier sprake was geweest van prehistorische vuursteenwinning door middel van mijnbouw.

Late Nederlandse activiteit
Het eerste systematische onderzoek van Nederlandse zijde liet op zich wachten tot 1923, dus 40 jaar na de ontdekking van de werkplaats van Rijckholt. In 1923 liet prof. dr. A.E. van Giffen een eerste reeks proefsleuven graven in het Grand Atelier.

○ Michelsberger kultuur
▼ vuursteenmijnen
◉ Michelsberger kultuur en vuursteenmijnen

Van Giffen beperkte zich niet tot verzamelen, maar ging systematisch te werk
en liet alles nauwkeurig in kaart brengen.
Hierdoor werd duidelijk dat vanuit de helling van het Grand Atelier horizontale
mijngangen de heuvel binnendrongen.
Een aantal schachten werd ontdekt, terwijl
Van Giffen verder meende op het plateau
zelf een aantal hutkommen te kunnen
lokaliseren.
Na dit tot in 1925 voortgezette onderzoek
zou het opnieuw 40 jaar duren voor onder
leiding van prof. dr. H.T. Waterbolk van
het Biologisch-Archeologisch Instituut
van de Universiteit van Groningen een
nieuwe, moderne en grootscheepse opgra-
vingscampagne werd begonnen, die van
1964 tot in 1973 werd voortgezet. Binnen
het raam van dit onderzoek moet zeker
ook de Werkgroep Prehistorische
Vuursteenbouw (binnen de afdeling Limburg van de Nederlandse Geologische
Vereniging) met ere worden genoemd,
omdat deze werkgroep een bijzonder
actieve rol in het onderzoek heeft

gespeeld. Van de groep en met name van
W.M. Felder is het initiatief uitgegaan een
tunnel te graven vanuit de helling van het
Grand Atelier - en op het niveau van de
prehistorische mijngangen - naar het plateau waar Waterbolk een serie
mijnschachten had gelokaliseerd.
Intussen was ook gebleken dat de door
Van Giffen als hutkommen gekenmerkte
plekken in feite de bovenste delen waren
van opgevulde schachten, waarvan een
groot aantal werd blootgelegd. De tunnel,
die nu 150 m lang is, heeft een hele reeks
prehistorische mijngangen doorsneden,
waarvan ruim 3000 m² werd onderzocht.
Na de nodige consolidatiewerken werden
de vuursteenmijnen in 1979 officieel voor
een beperkt publiek opengesteld.

Evolutie van het onderzoek
Het voorgaande historische overzicht is
met een dubbele bedoeling enigszins in
detail gegeven: ten eerste is het nu, in
1981, exact 100 jaar geleden dat de
vuursteenmijnen van Rijckholt voor het

eerst onder de aandacht werden gebracht
van de wetenschappelijk geïnteresseerde
wereld; ten tweede is de evolutie van het
onderzoek ter plaatse een duidelijke
illustratie van de evolutie in de oudheid-
kundige belangstelling over het algemeen,
dat wil zeggen: een eerste fase van verzamelen van oppervlaktemateriaal met
pogingen tot interpretatie, via een
systematisch onderzoek door specialisten
waarbij de essentiële karakteristieken van
het *site*, het terrein van onderzoek, worden
herkend, tot een reeks opgravingscampag-
nes met behulp van grootscheepse middelen, waarbij samenwerking tussen
beroepsarcheologen en gemotiveerde amateurs een belangrijke rol speelt en waarbij
tevens als gevolg van het inschakelen van
parallelle wetenschappen het onderzoek
tot zeer gedetailleerde resultaten leidt.
Wat zijn nu de resultaten van dit langdurige onderzoek? Om enig idee te krijgen van
de ouderdom van dit prehistorische
industriegebied – want zo mag het wel
worden genoemd – is het interessant hier
enkele dateringen te geven die steunen op
de analyse van houtskool met behulp van
de zogeheten C14-methode, volgens welke
de natuurlijke radioactieve bestanddelen
van organische stoffen kunnen worden
gemeten. In schacht 19 moeten mensen
aan het werk zijn geweest omstreeks 3140
v. Chr. (met een foutberekening in tijd van
ca. 40 jaar). In schacht 3 moet dit het
geval zijn geweest omstreeks 3120 v. Chr.
(met een foutberekening van ca. 60 jaar).
In schacht 9 werd gewerkt omstreeks 3050
v. Chr. (met een foutberekening van
opnieuw 40 jaar).

Grootscheepse exploitatie
Welke techniek pasten de prehistorische
mijnwerkers nu toe om de gewenste
vuursteenknollen uit de dikke kalkafzet-
tingen te halen?
Van de oppervlakte werden verticale
mijnschachten met een gemiddelde
doorsnede van ruim 1 m gegraven tot de
ongeveer 30 cm dikke vuursteenlaag was
bereikt. De diepte van de schachten
varieerde van 10 tot 16 m. Uitgaand van
deze schachten werden, min of meer horizontaal, in alle richtingen gangen gegraven die de vuursteenlaag volgden:
doorgaans is de hoogte van een dergelijke
exploitatiegangen zo'n 70 cm. Deze gangen stonden, mede om veiligheidsredenen,
veelal met elkaar in verbinding. De

Linksboven: de exploitatie
van vuursteen in Rijckholt
is qua techniek sterk
verwant aan die in mijnen
rond Mons en in Haspengouw
tussen Namen en Luik. Daar
hier eveneens vondsten uit
de Michelsberger cultuur
werden gedaan, wijst dit
op een gemeenschappelijke
culturele basis.
Rechts: het laten zitten
van kleine ondersteuningen
tussen twee gangen wijst
volgens onderzoekers op
mijnbouwkundig inzicht.

vuursteenknollen werden ondergraven en vervolgens losgewrikt en -geslagen. Losgebroken kalkfragmenten, niet-bruikbare vuursteen en eventueel gebroken werktuigen werden opgestapeld in oude, uitgewerkte mijngangen die dan ook tot 80% opgevuld werden aangetroffen. Pijlers van kalk werden uitgespaard ter ondersteuning van het gewelf. Diepe slijpsporen langs de wanden van de schachten wijzen op het gebruik van touwen bij het toenmalige transport van het materiaal in de mijn. Sporen van kunstmatige verlichting werden niet aangetroffen: de verticale schachten blijken zo dicht bij elkaar te staan dat voldoende licht tot in de horizontale gangen kon doordringen. Evenmin werden ondergrondse werkplaatsen voor het maken van vuurstenen hakken, de voornaamste werktuigen van de mijnwerkers, aangetroffen; blijkbaar werden die bovengronds vervaardigd. Wat wel in de mijn zelf werd gedaan, was het bijpunten van stomp geworden hakken met behulp van zogenoemde kloppers, veelal kogelronde kwartsiet- of kalksteenbrokken. Een typische vuursteenhak is 15 tot 18 cm lang, 5 cm breed en 3,5 cm dik en werd gesteeld gebruikt; daarop wijzen ruim 10 cm lange slagsporen in de kalkwand, die zonder het hefboomeffect van een steel niet aangebracht hadden kunnen worden.

Enig idee over de produktiviteit krijgt men door de volgende getallen: in de 60 onderzochte mijnen vond men ongeveer 15.000 gebroken of stompe hakken, wat duidt op een verbruik van 5 exemplaren per m² (= 0,5 m³). De schachten werden ontdekt op een oppervlakte van nog geen 1/3 ha; daar het totale oppervlak van het mijngebied ongeveer 10 ha bedraagt, mag men aannemen dat er ongeveer 2000 mijnschachten zijn gegraven. Andere berekeningen geven aan dat er ruim 20.000 m³ vuursteen moet zijn gedolven. Uiteraard moeten dergelijke massale hoeveelheden de lokale behoeften ver overschreden hebben. Een verspreidingskaart van werktuigen, gemaakt van Rijckholtse vuursteen, laat dan ook zien dat reeds lang vóór het hoogtepunt van de schachtbouw in het Midden-Neolithicum artefacten van hieruit over grote afstanden werden getransporteerd. In het Vroeg-Neolithicum werden, zoals uit vondsten is gebleken, tot 300 km ver in het zogenoemde Bandkeramische gebied tussen Rijn en Maas Rijckholtse werktuigen aangevoerd; zelfs in het Michelsberg-site Ehrenstein bij Ulm, ruim 400 km van de mijn verwijderd, zijn artefacten van Rijckholtse vuursteen gevonden. In het Laat-Neolithicum blijkt de produktie te Rijckholt te zijn gestopt. Over de sociale organisatie en het leefpatroon van de vuursteenmijnwerkers heeft men weinig met zekerheid kunnen vaststellen. Van hun woningen zijn geen duidelijke sporen gevonden. Wel wijst onderzoek van beenderen in de opgevulde mijngangen op het voorkomen van rund, schaap, geit en varken, waarvan het vlees deel uitmaakte van het normale dieet van de Neolithische mens in Europa.

Conservering en openstelling

Bij bezoeken aan de opgraving bleek al gauw dat, wilde men deze voor het nageslacht bewaren, de hoofdgang geconserveerd moest worden, omdat de vochtige kalksteen de stalen ondersteuning aantastte en ook de oude mijngangen tekenen van verval vertoonden. In samenwerking met specialisten besloot de Werkgroep Prehistorische Vuursteenmijnbouw de hele hoofdgang in beton uit te voeren. Particuliere bedrijven en de minister van CRM werden benaderd om het hiervoor benodigde bedrag, ongeveer een half miljoen gulden, bijeen te krijgen. In 1975 zonden wetenschapsmensen uit geheel Europa, die in Maastricht deelnamen aan het 2de Internationaal Vuursteensymposium, een dringende oproep aan de minister van CRM de vuursteenmijnen te laten conserveren en tot nationaal monument te verklaren. Twee jaar later fourneerden CRM en een aantal bedrijven het benodigde geld, waarna de hoofdgang in beton kon worden uitgevoerd en een ontvanggebouwtje kon worden neergezet, dat evenals de hoofdgang en een deel van de mijngangen van elektrisch licht werd voorzien. Tijdens het 3de Vuursteensymposium, gehouden in 1979, kon – zoals reeds vermeld – het mijncomplex officieel worden geopend. Nu zijn de werkzaamheden vrijwel voltooid en voor groepen bestaat een beperkte mogelijkheid de opgravingen te bezoeken.

Naast de Rijckholtgroep van vuursteenmijnen zijn in België twee centra belangrijk: de linkeroever van de Maas in Haspengouw, met onder meer de mijnen van Jandrain-Jandrenouille, en het gebied rond Mons (Bergen), met Spiennes, Obourg, Mesvin enzovoort. Ook uit deze lokaliteiten werden in het verleden vuurstenen als knol, halffabrikaat of afgewerkt produkt uitgevoerd. Vooral door het onderzoek van Spiennes (dat al begon in 1867) heeft men een reeks stadia in de ontwikkeling van de exploitatietechniek kunnen onderscheiden, welke in essentie dezelfde is als de hiervoor beschreven techniek die in Rijckholt werd toegepast. Daar deze technologische verwantschap ook bestaat met bepaalde mijnbouwsites in Duitsland en Frankrijk, lijkt het niet onmogelijk dat hieraan een gemeenschappelijke culturele basis ten grondslag heeft gelegen.

Granieten graven voor de eerste boeren

DRS. O. H. HARSEMA

Boven: een in Drenthe opgegraven trechterbeker; dergelijke bekers, zo genoemd naar de typisch trechtervormige hals, fungeren als een soort gidsfossiel. Waar deze en andere typen aardewerk zijn of worden gevonden, hebben mensen geleefd met dezelfde materiële cultuur. Trechterbekers zijn kenmerkend voor de periode van de hunebedbouwers, reden waarom hun cultuur in de oudheidkunde Trechterbekercultuur heet. Onder: de hunebedden bij Drouwen, ten noorden van Borger; ze vormen een fraai voorbeeld van het opvallende feit dat hunebedden dikwijls in tweetallen voorkomen. Men treft ze onder meer ook aan bij Havelte, Midlaren en Noordsleen.

Ongeveer 150.000 jaar geleden waren delen van Nederland, waaronder Drenthe, bedekt met een honderden meters dikke laag sneeuw en ijs. Nergens in de Lage Landen vinden we een duidelijker bewijs voor die vroegere bedekking met ijs dan in de hunebedden. Vrijwel al die hunebedden, ruim vijftig, zijn gelegen in Drenthe. Ze zijn opgebouwd uit grote zwerfstenen, vaak van graniet, een gesteente dat als vaste rotsformatie niet in Drenthe zelf voorkomt.

Het transport, het aanvoeren van de geweldig grote, soms ruim twintig ton zware keien, gebeurde door het landijs, dat zich in de IJstijd van Scandinavië tot in Nederland had uitgebreid. Na het smelten van het ijs bleef het materiaal, dat door het ijs in Scandinavië van de rotsen was geschuurd, hier achter: het varieerde van heel fijn slijpsel tot kolossaal grote keien. Pas veel later, ongeveer 5000 jaar geleden, begonnen mensen deze zwerfstenen te gebruiken om er grafkamers van te bouwen. Die bouw vond plaats binnen het zogeheten Postglaciaal, dat ca. 10.000 jaar geleden een aanvang nam en waarin het klimaat, na een laatste koude periode, geleidelijk verbeterde; ongeveer 5000 jaar terug was het zelfs iets warmer dan tegenwoordig en een dicht loofbos bedekte toen Drenthe.

De bouwers van de hunebedden waren de eerste boeren in Drenthe, die het gebied op grotere schaal koloniseerden. Ze rooiden bomen in het bos, legden akkertjes aan op de vrijgekomen vruchtbare grond, verbouwden er graan, hielden ook vee en leefden in kleine nederzettingen, die bestonden uit eenvoudige houten huizen. Deze bevolking bouwde voor haar doden grafkamers, die wij nu als hunebedden kennen. Met de Hunnen hebben deze graven niets van doen, maar het woord hunebed is hier nu eenmaal meer ingeburgerd dan de algemene term megalietgraf – een graf opgebouwd uit grote stenen. Welke naam de bouwers van de hunebedden aan deze graven gaven, is niet bekend, maar zelf worden ze in de oudheidkunde aangeduid als de dragers van de Trechterbekercultuur.

Cultuur uit het noorden
Een der meest kenmerkende vormen van aardewerk uit die periode van de hunebedbouwers is een slanke 'beker' met trechtervormige hals, waaraan de archeologische benaming Trechterbekercultuur is ontleend. De trechterbeker is, met

andere typen aardewerk, een soort gids-fossiel; overal, waar deze vormen zijn of nog worden aangetroffen, hebben mensen gewoond die over dezelfde materiële cultuur beschikten. Hun gebied strekte zich uit van Noord-Nederland tot in Zuid-Zweden. In heel dit gebied treffen wij ook hunebedden aan die soms qua vorm een opvallende gelijkenis met die in Drenthe vertonen. Daar echter de typen hunebedden en de vormen van aardewerk in Drenthe tot een gevorderd stadium van ontwikkeling behoren, vergeleken met soortgelijke vondsten in Denemarken en Sleeswijk-Holstein, mag men aannemen dat de hunebedbouwers in Nederland kolonisten zijn geweest, die uit Denemarken en Sleeswijk-Holstein naar het westen zijn getrokken en onder meer in Nederland nieuwe gebieden in cultuur hebben gebracht. Bij hun trek naar Noord-Nederland brachten zij hun idee van het graf mee: het grote steengraf dat overal langs de Atlantische kust tussen 4000 en 3000 v. Chr. zijn intrede deed.

Zonder twijfel zijn de hunebedden de meest imponerende resten van deze mensen. Tot in de 17de eeuw kon men zich niet voorstellen dat het opeenstapelen van de enorm grote keien mensenwerk was geweest en men dacht dan ook aan het werk van reuzen.

In de vorige eeuw werden, meer energiek dan vakkundig, wel allerlei graverijen in de hunebedden verricht, maar het serieuze wetenschappelijke onderzoek dateert pas van het begin van onze eeuw; toen namelijk gingen vakmensen zich met het onderzoek bezighouden: eerst, in 1912-1913, de Leidse archeoloog dr. J. H. Holwerda en van 1918 af diens Groninger vakgenoot dr. A. E. van Giffen. In het kader van deze onderzoekingen werden grote hoeveelheden aardewerkscherven aangetroffen, maar ook vuurstenen bijlen, pijlspitsen en andere werktuigjes alsook barnstenen kralen. De vondsten wezen erop dat de bouwers zich kennelijk een leven na de dood voorstelden en hun doden daarom met allerlei voorwerpen voor dit volgende bestaan hadden uitgerust.

Die grafgiften geven ons een beeld van de materiële cultuur van de hunebedbouwers, ook al zullen niet alle aardewerk en stenen gereedschappen die men dagelijks gebruikte, zo fraai versierd zijn geweest als de giften voor hun doden.

Van vitaal belang moeten destijds de geslepen vuurstenen bijlen zijn geweest; daarmee werd immers het bos gekapt om bouwgrond te verkrijgen, terwijl er verder hout mee werd gekapt voor de bouw van eenvoudige boerderijen, voor het vervaardigen van werktuigen zoals ploegen en om brandstof te verkrijgen. De houtbewerking geschiedde ook hoofdzakelijk met deze bijlen.

De vuurstenen pijlspitsen wijzen erop dat er ook werd gejaagd, hoewel niet duidelijk is of het daarbij primair ging om het wild als voedsel of dat wild moest worden afge-

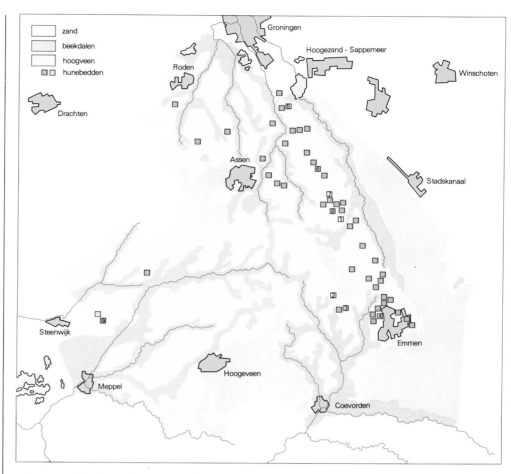

schoten ter bescherming van de akkerbouwgewassen. Zeker is wel dat er koeien, varkens en misschien ook geiten en schapen werden gehouden. Dat er akkerbouw werd bedreven, blijkt indirect uit de gevonden maalstenen en vuurstenen sikkels en direct uit de indrukken van graankorrels op het aardewerk; deze kwamen tijdens het vormen van de potten in de nog weke klei terecht.

Grafmonumenten met een zelfde bouwplan
De hunebedden behoren tot het type megalietgraven dat men ganggraven noemt, een naam die te danken is aan het meestal aanwezige, overigens slechts korte gangetje of portaal, dat in het midden van de lange zuidzijde van het graf toegang geeft tot de grafkamer.

Van boven af gezien heeft een hunebed vaak de vorm van een T, met een korte steel en een lange dwarsbalk. Het bouwplan van de graven is in principe zeer eenvoudig: de lange wanden van de langwerpige kamer bestaan uit een – per hunebed wisselend – aantal grote stenen, terwijl de korte zijden altijd met één sluitsteen zijn afgesloten. De stenen in de lange zijden, de draagstenen, staan met een tussenruimte van ca. 2 m tegenover elkaar en dragen telkens samen een deksteen, waarmee ze een soort poort vormen; terwille van de stabiliteit zijn de draagstenen gedeeltelijk in de bodem ingegraven. De breedte van de kamer wordt bepaald door de lengte van de dekstenen. De lengte hangt van het aantal 'poorten' af. Er zijn graven van slechts drie paar draagstenen

met een lengte van maar enkele meters, doch ook graven van wel twaalf paar draagstenen. Het grote hunebed van Borger heeft van alle hunebedden in Drenthe de langste kamer en meet wel 21 m. Door zijn geweldig grote dekstenen is het ook een van de indrukwekkendste hunebedden. Desondanks is het niet meer dan een

Boven: de nog resterende hunebedden staan op dit kaartje in zwart en de verdwenen hunebedden in wit (uitgezonderd op de Hondsrug) aangegeven.
1. Borger
2. De Papelooze Kerk
3. Noordsleen
4. Emmen (langgraf)
5. Midlaren
6. Eext (trapgraf)
7. Drouwen
8. Bronneger
9. Havelte
Boven: v.l.n.r. een kraagflesje, trechterbeker en steilwandige emmer, die men in Drenthe opgroef.

skelet, want net als bij alle andere hune-bedden in Drenthe zijn slechts de grote stenen van het bouwwerk overgebleven. Vroeger waren de kamers geheel gesloten en bedekt; eerst werden de ruimten tussen de grote keien met stenen van verschillend formaat gedicht, waarna een laag leem en aarde voor volledige afsluiting zorgde. Daardoor ontstond een soort heuvel, die het eigenlijke hunebed vrijwel geheel aan het zicht onttrok; slechts de ingang onder het toegangsportaal aan de zuidzijde bleef zichtbaar. Een krans van stenen omgaf de heuvel.

Kantelen in een kuil

Aangezien de vlakke kant van zowel de draag- als de dekstenen naar binnen gekeerd is, hebben de grafkamers, die er aan de buitenzijde erg onregelmatig uit-zien, van binnen strakke, rechte wanden en een dito 'plafond'; de ruimten tussen de stenen waren bovendien aan de bin-nenkant met platte stenen dichtgezet. De vloer tenslotte was bedekt met platte veld-keitjes, waarvan in enkele gevallen nog resten onder het huidige oppervlak bewaard zijn gebleven.
Hoe de bouw van de hunebedden in de Steentijd geschiedde, wordt verduidelijkt door bijgaande tekeningen. Men groef eerst kuilen, waarna met behulp van hou-ten rollers en hefbomen de zware draagstenen hierin gekanteld werden. Nadat men de tussenruimten had opge-

vuld, werd aan de buitenzijde een helling van zand en leem aangebracht, waarover-heen men de dekstenen op hun plaats rol-de. Wellicht is tijdens de werkzaamheden ook de kamer tijdelijk opgevuld geweest om te verhinderen dat de draagstenen onder de druk van boven naar binnen zouden gaan overhellen; later werd dan de kamer uitgegraven en de vloer geplaveid. Met de aanleg van de toegang, het afwer-ken van de heuvel en het aanbrengen van de stenenkrans rond de voet van de heuvel was de bouw voltooid.
Van de wijze waarop de doden werden bijgezet weten wij nauwelijks iets, daar slechts de bijgiften werden gevonden. Men neemt aan dat de stoffelijke overschotten intact op de vloer werden neergelegd, maar uit Duitse onderzoeken zijn aan-wijzingen gekomen dat de lijken eerst elders aan ontbinding werden prijs-gegeven, waarna slechts bepaalde lichaamsdelen werden bijgezet. Hoe het ook zij, zeker is dat in de grafkamers verscheidene doden of delen van hen wer-den bijgezet; de graven werden langdurig gebruikt voor de gehele bevolking van de bijbehorende nederzettingen.

De Papelooze Kerk

Het hunebed 'De Papelooze Kerk' bij Schoonoord werd in 1959 voor ruim de helft in zijn oorspronkelijke staat hersteld en voor het overige deel in dezelfde staat gebracht als waarin de andere Drentse

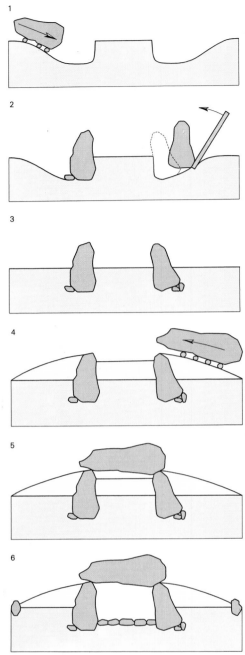

Boven: deze zes doorsneden geven van boven naar beneden aan hoe men in het grijze verleden bij de bouw van een hunebed te werk ging. Links: bij Eext staat dit hunebedje dat van een afwijkend type is: een steenkelder of trapgraf. De enige bewaarde deksteen van dit trapgraf vond men elders in Eext terug. Rechtsboven: het zeer imposante hunebed van Borger, dat van alle Drentse hunebedden de langste kamer heeft en wel 21 m meet. Overigens is ook dit hunebed slechts een skelet van het oorspronkelijke bouwwerk, omdat in vroeger eeuwen veel stenen voor de kerkenbouw en dergelijke werden gebruikt. Rechtsonder: vuurstenen bijlen uit Tynaarlo, waarmee ooit in Drenthe bomen werden gerooid.

hunebedden verkeren. We kunnen ons hier duidelijk voorstellen wat er gebeurt als men de kleinere stenen in de wand en tussen de dekstenen verwijdert: het zand van de dekheuvel loopt in de kamer en vult die gedeeltelijk op, waardoor de vloer aan het oog onttrokken en de kamer minder hoog wordt. Dat is gebeurd met alle hunebedden, waar ook in Drenthe.

De vernieling van de hunebedden heeft vermoedelijk een aanvang genomen in de middeleeuwen, toen men de zware stenen ging gebruiken voor de fundering van kerken en andere gebouwen; daarbij is zelfs een aantal hunebedden volledig opgeruimd, met name de hunebedden welke dichter bij de stad Groningen lagen.

Sinds de 17de eeuw hebben ook de andere hunebedden in Drenthe veel geleden. De resterende ruïnes kwamen de vorige eeuw in bezit van de overheid en in de jaren twintig van deze eeuw begon de archeoloog prof. dr. A. E. van Giffen met de restauratie; door opgravingen kon de oorspronkelijke plaats van de draagstenen worden vastgesteld. Met uitzondering van 'De Papelooze Kerk', waardoor bij de gedeeltelijke reconstructie stenen van elders werden aangevoerd, is bij de restauratie slechts gebruik gemaakt van stenen die nog ter plaatse aanwezig waren.

Op de Hondsrug
Het indrukwekkende hunebed van Borger ligt aan de oostkant van het op de Hondsrug gelegen dorp, ongeveer halverwege tussen Groningen en Emmen. Op de Hondsrug ligt overigens het merendeel van de Drentse hunebedden; zo vindt men vlakbij Borger de vijf dicht bij elkaar gelegen hunebedjes van Bronneger. Opvallend vaak komen hunebedden in tweetallen voor. Fraaie voorbeelden daarvan liggen bij Drouwen (ten noorden van Borger), bij Midlaren in de gemeente Zuidlaren, bij Noordsleen en bij Havelte, aan de voet van de Havelterberg in Zuidwest-Drenthe. Even ten noorden van Noordsleen ligt de al genoemde, deels gerestaureerde 'Papelooze Kerk'.

Twee megalietgraven in Drenthe wijken qua bouw enigszins af. Zo bevindt zich bij Emmen het zogenoemde langgraf: twee kleine hunebedden in één langwerpige heuvel, afgezet met een monumentale rechthoekige krans van stenen. Verder staat een hunebedje bij Eext bekend als steenkelder of trapgraf. De korte, diepe kamer in de hoge heuvel was toegankelijk via een stenen trap, waarvan geruime tijd geleden de onderste twee treden werden ontdekt. Pas enkele jaren terug kon de enige bewaarde deksteen van dit hunebed, die zich elders in Eext bevond, weer op de draagstenen worden geplaatst.

Slechts één van de 53 nog resterende hunebedden ligt buiten Drenthe en wel vlak over de provinciegrens met Groningen, bij Noordlaren.

Tot het voorjaar van 1980 kon men in het plaatselijke kleine museum van Borger veel belangwekkends over hunebedden zien; helaas werd dat museum door brand verwoest.

Wil men toch meer over hunebedden te weten komen, dan kan men nog slechts terecht in het Provinciaal Museum van Drenthe te Assen, waar aan de hand van vondsten uit hunebedden met tekst- en fotopanelen aanvullende informatie wordt verschaft.

Het Provinciaal Museum is open van dinsdag tot en met vrijdag van 9.30 tot 17.00 uur en op zaterdag en zondag van 13.00 tot 17.00 uur. Op nieuwjaarsdag en de beide kerstdagen is het museum gesloten.

De groeiende heuvels van Friesland

G. ELZINGA

In de geschiedenis en het culturele leven van Friesland nemen de terpen een belangrijke plaats in. Gelegen in een kleigebied dat bijna de helft van het Friese woongebied omvat, vormen ze door hun hoogte, hun bijzondere wegenpatroon en hun veelal van een zadeldak voorziene kerktorens een karakteristiek onderdeel van het landschap. Maar ook zijn ze niet weg te denken uit de geschiedenis van de hedendaagse agrarische middelen van bestaan in Friesland, met name uit die van de veeteelt. Het waren immers de bewoners van de terpen die zich, mede als gevolg van hun geïsoleerd bestaan, zeer intensief hebben beziggehouden met het fokken van rundvee en daarin zo'n grote hoogte bereikten dat 'Fries vee' al heel vroeg een begrip werd in veetelerskringen in een steeds wijder wordende omgeving. Van bijzondere betekenis voor het leren kennen van de ontwikkeling van de Friese cultuur bleken de vele materiële overblijfselen die te voorschijn kwamen tijdens het grootscheeps afgraven van de terpen in de 19de en 20ste eeuw.

Op deze luchtfoto van de nog vrijwel gave dorpsterp Mantgum is heel duidelijk te zien hoe de radiaire indeling van een terp (straten die straalsgewijs van het kerkterrein naar de omtrek lopen) zich heeft voortgezet in de velden die rondom de terp in cultuur zijn gebracht.

Voor een goed begrip van de term 'terp' diene dat het Friese kleigebied, dat als een halve maan het oosten, midden en zuiden van de provincie omsluit en afscheidt van Waddenzee en IJsselmeer, zijn ontstaan te danken heeft aan het stijgen van de zeespiegel, een verschijnsel dat onder meer veroorzaakt werd door het smelten van de grote ijskappen en de bodemdalingen van Nederland. De zee overspoelde steeds gro- tere delen van een slechts geleidelijk naar het noordwesten afhellend dek- zandlandschap, een proces waarbij in rustige tijden dikke kleilagen en kleiban- ken ontstonden. Bij de Nederlandse kust gebeurde dat vanaf ongeveer 4000 v. Chr. Van een ononderbroken proces was overi- gens geen sprake; bestudering van de klei- afzettingen leert dat er perioden van stilstand voorkwamen en zelfs tijden

waarin de zee zich weer terugtrok. Tijdens deze laatste, zogenoemde regressieperiode vormden zich tussen de eerder gevormde kleibanken en de hogere zandgronden zoetwaterbekkens waarin zich zware veenpakketten konden ontwikkelen. Zo'n veenpakket bevindt zich in Friesland onder meer in de zogeheten Lage Midden waarin men onder andere de vermaarde Friese meren aantreft.

Ontstaan van de terpen

In de 6de eeuw v. Chr. vestigden zich voor het eerst mensen op de hoogstopgeslibde kleigronden van de Friese kust, die er toen uitzag als een enorm, wadachtig kweldergebied dat doorsneden werd door geulen en kreken. Tot op dat moment hadden deze pioniers gewoond op de hogere zandgronden. Uit opgravingen en botanisch onderzoek is gebleken dat dit woongebied toen door allerlei oorzaken niet voldoende voedsel meer te bieden had. Op de jonge kleigronden daarentegen had zich een welige vegetatie ontwikkeld, veelal bestaand uit voor het vee eetbare gewassen. De kleibanken zelf bleven in deze rustige periode zeker in de zomer en een deel ervan waarschijnlijk ook in de winter vrij van overstromingen, waardoor de bovenlaag min of meer ontzilt raakte en de mens er eenvoudige graangewassen en andere voedselplanten op kon verbouwen. Ook bouwde hij er onderkomens voor zichzelf en voor zijn vee.

Pas omstreeks 300 v. Chr., toen de zeespiegel opnieuw een periode van stijgen doormaakte, ging men er toe over de vlakke kweldernederzettingen te beschermen tegen de vooral 's winters optredende hoge vloeden: men verhoogde ze met klei uit de onmiddellijke omgeving die dikwijls werd vermengd met mest van het op stal staande vee. Ook het blijven liggen van allerlei ander afval bevorderde het hoger worden van de woonheuvels. Zo ontstond de kunstmatig verhoogde woonplaats die, al naar behoefte, in de loop van de volgende eeuwen verder werd opgehoogd en de eigenlijke terp ging vormen. Aanvankelijk vormde elk huis een afzonderlijke eenheid, zij het dan dat er dikwijls een paar in elkaars nabijheid lagen. Stonden zulke woningen toch vrij dicht bij elkaar, dan groeiden de terpjes al snel aan elkaar vast en ontstond er een kleine dorpsterp, die op den duur tot een stadsterp kon uitgroeien. In Friesland is maar één terp bekend die in één keer tot 3 à 4 m hoogte werd opgetast. Dat is de terp waarop na de dood van Bonifatius (754) diens gedachteniskerk werd gebouwd en waartegenaan nu de huidige stadsterp van Dokkum ligt. Hoewel deze laatste van jongere datum is, werd hij door de opeenhoping van afval en dergelijke toch iets hoger.

Niet alle terpen zijn even oud; tussen de verschillende perioden waarin de zeespiegel weer steeg (de zogenoemde transgressieperioden) werden telkens nieuwe woonplaatsen gesticht en tot terp verhoogd. In verband met dit verschil in ouderdom

Tijdens het afgraven van de terpen kwamen, laag voor laag, de vele honderden voorwerpen te voorschijn die de terpbewoners in de loop der eeuwen hebben achtergelaten en waaruit zich, als van de bladzijden van een boek, de cultuurgeschiedenis van deze Friese boeren laat aflezen.
Boven: een verzameling bronzen beeldjes uit de Romeinse tijd zoals die nu te zien is in het Fries Museum te Leeuwarden.
Onder: in hetzelfde museum bevinden zich deze potten en vuurstenen sikkels uit de oudste tijd.

spreekt men wel van generaties van terpen. De jongste liggen meestal tot dicht bij de huidige kustlijn en bij de uiterste binnengrens van het kleigebied.

De kerk in het midden

Aan het proces van terpvorming kwam een einde omstreeks het jaar 1000, toen de techniek van de dijkenbouw steeds meer toepassing vond. De terpen kwamen binnen de dijken te liggen; tegen het water waren ze niet langer nodig maar ze behielden hun functie als standplaats voor één of meer boerderijen of voor dorpen en stadjes waarvan de kerk altijd in het midden stond of werd geplaatst. Na de bedijkingen vestigden zich op het vlakke land tussen de terpen in ook boeren, al zochten dezen veelal toch een hogergelegen stuk grond uit of hoogden ze hun perceel enigszins op met de uitgegraven grond van een meestal vierkant grachtenpatroon.

De meeste terpen zijn min of meer rond, dikwijls loopt er een rondweg omheen (soms zelfs twee) of ligt deze op de rand van de terp, terwijl de straten straalsgewijs van het kerkterrein naar de omtrek lopen. Deze zogenoemde radiaire indeling zet zich vaak voort in de velden rondom de terp, een vorm van landverdeling die vooral werd toegepast als er op de terp een paar boerderijen stonden.

Naast ronde terpen zijn er ook die min of meer rechthoekig zijn of die een langgerekte vorm hebben. De laatste zijn de zogeheten handels- of wijkterpen; ze lig-

gen meestal aan eertijds brede watergeulen waarin de grotere (handels)schepen konden afmeren. Holwerd is daar een goed voorbeeld van. De kerk stond op zulke terpen meestal aan een van de einden. De al in een vroeg stadium verlaten terpjes en huisplaatsen zijn soms nauwelijks nog zichtbaar; tijdens latere transgressies zijn ze vaak onder het slib geraakt. Van de oudste terpen ligt de zool, dat wil zeggen de oudste bewoningslaag, vaak belangrijk dieper dan het huidige maaiveld; ook dit is een gevolg van het nog regelmatig opnieuw afdekken met kleilagen van de omringende gronden.

Behalve mest kwamen ook talrijke andere resten in de ophogingslagen terecht: scherven van potten, beenderen, allerlei versleten en gebroken gebruiksvoorwerpen, gereedschap, kleding, schoeisel, hout enzovoort. Ook de onderste gedeelten van de houten huizen en stallingen liet men vaak zitten als deze bijvoorbeeld waren afgebrand of in verval geraakt; als deze gebouwen opnieuw werden opgetrokken, gebeurde dat dikwijls op een volgende ophogingslaag.

Vele terpen afgegraven

Dit alles kwam weer te voorschijn toen aan het einde van de 18de eeuw het afgraven van terpen in zwang kwam. Voor beveiliging tegen de zee waren ze al lang niet meer nodig omdat die taak was overgenomen door de dijken, en bovendien had men ontdekt dat de 'terpmodder' zeer

vruchtbaar was en uitstekend kon worden gebruikt voor de verrijking van met name de zandgronden en graslanden van De Lage Midden.

Vele van de ongeveer 1000 terpen die Friesland ooit heeft gehad, zijn op deze wijze geheel of grotendeels verdwenen, vooral in de 19de eeuw. Met scheepjes (de 'skûtsjes') werd de terpaarde weggevaren. Pas in de jaren veertig van deze eeuw kwam hieraan een einde, maar een heel karakteristiek onderdeel van het Friese kleilandschap was toen al voor een groot deel verdwenen. Vele terpen waren geheel afgegraven, van andere waren vaak alleen de kerktoren met de kerk, de toegangswegen erheen en de rondweg overge-

Boven: in Marssum, een mooie dorpsterp bij het Poptaslot, is aan de smalle, oplopende straatjes duidelijk het hellende karakter van de woonheuvel te herkennen.
Rechts: tot de vele fraaie sieraden die in de afgegraven terpen gevonden zijn, behoort ook deze hanger uit de Karolingische tijd, aanwezig in het Fries Museum.
Rechtsboven: een van de terpen waarvan nog slechts een klein deel bewaard is gebleven, is Hijum waarvan alleen de kerk, het kerkhof en een paar rijen huizen nog op de oude terphoogte liggen.

bleven. De dorps- en stadsterpen werden uiteraard niet of nagenoeg niet aangetast, al vertoont menige dorpsterp tussen de huizen diepe gaten, die in de winter vaak als ijsbaan worden gebruikt. Wat thans nog aan terpen en terpgedeelten rest valt gelukkig onder de bescherming van de Monumentenwet.

De mooiste terpdorpen

Over dit alles kan men mijmeren als men een tocht maakt door het Friese terpengebied en een bezoek brengt aan enige terpen die er, al het afgraven ten spijt, heus nog wel zijn. Men bereize daarvoor de twee grote gebieden van de Friese kleistreken: het vooral uit weidegronden bestaande Westergo en het meer op akkerbouw gerichte Oostergo. De twee streken zijn gescheiden door een vroegere, diepinsnijdende zeearm, de Middelzee, die destijds tot Sneek en Bolsward reikte, zeer breed uitmondde in de huidige Waddenzee en pas in 1506 werd afgesloten, waardoor Het Bildt ontstond.

Terpen in Westergo die een bezoek alleszins waard zijn en die men van Leeuwarden uit gemakkelijk kan bereiken, zijn onder meer Deinum, met een fraaie rondweg en kerk maar ook diep afgegraven gedeelten; Mantgum, dat een voorbeeld is van een nog vrijwel gave dorpsterp; Marssum, een mooie dorpsterp met aan de zuidoosthoek de oude Heeringa-State die thans Poptaslot heet; Beetgum met z'n hooggelegen kerk en Tzummarum, een langgerekt terpdorp. In het hart van Westergo ligt verder de grote en gave dorpsterp van Wommels; uit de omgeving ervan komen de oudste vondsten die wijzen op bewoning van de Friese klei. In Oostergo vinden we onder andere de dorpsterp van Stiens met zijn fraaie zadeldaktoren, en die van Hijum, waar alleen de kerk met het kerkhof en enige rijen huizen nog op terphoogte staan. Hoogebeintum is de hoogste terp van Friesland en bezit een prachtig en gaaf middeleeuws kerkje met zadeldaktoren en een bijzonder interieur. Aan deze terp is goed te zien welke wonden er tussen 1900 en 1906 zijn geslagen zonder dat ze hersteld werden. Foudgum, met z'n mooie

rondweg, is na de Tweede Wereldoorlog wél gerestaureerd, terwijl Dokkum een echte stadsterp is die zich heeft ontwikkeld naast de er nu aan vastgegroeide Bonifatius-gedachtenisterp. Beide terpen zijn in de 16de en 17de eeuw omringd door een stadsgracht (nog geheel aanwezig) en een onlangs hersteld stelsel van hoge bolwerken. In Aalsum en Wetzens is te zien welke invloed de boerderijen aan de rand van de terp op de afgravingen hadden, terwijl in Oostrum op een afgegraven gedeelte een ijsbaan is aangelegd.

In beide streken zijn ook kleinere terpjes te vinden, waarop één boerderij haar eenzaam bestaan is begonnen. Tenslotte kan men in de hoofdstad Leeuwarden, ook in Oostergo gelegen, waarnemen hoe drie afzonderlijke terpen in de stad vrij aanzienlijke hoogten vormen, die door brede 'dalen' van elkaar zijn gescheiden maar reeds in de late middeleeuwen door een vrij dichte stadsbebouwing tot één geografisch geheel zijn versmolten.

Bewoningsgeschiedenis in beeld

Het Fries Museum aan de Turfmarkt te Leeuwarden, gevestigd in het 18de-eeuwse Van Eysinga-huis en in enige daarnaast gelegen uitbreidingen van latere datum, toont in zijn archeologische collecties de gehele ontwikkeling van de bewoning van de Friese zand-, veen- en kleigronden. De verzameling van de zandgronden zijn het oudst en bevatten voorwerpen uit de

diverse Steentijden, vanaf ongeveer 11.000 v. Chr., en uit de Bronstijd tot ongeveer 600 v. Chr. Daarna valt hier een hiaat, onder meer doordat de mens verdreven werd door een klimaatverslechtering en later ook door de enorme hoogveengroei. Pas omstreeks het jaar 1200 keren de sporen van menselijke bewoning terug met de opkomst van het turfsteken, dat in de 17de en 18de eeuw zijn hoogtepunt bereikt.

De kleigronden werden, zoals hierboven al geschetst, sinds ongeveer 600 v. Chr. bewoond, terwijl de Friese laagveengebieden (nu het merengebied van De Lage Midden) aan de westelijke randen na het begin van de jaartelling enkele eeuwen bewoond zijn geweest. Daarna werden ze verlaten en raakten pas in de middeleeuwen geleidelijk weer bevolkt. Ook van deze ontwikkeling is in het museum de neerslag te vinden.

Naast de archeologische belicht het Fries Museum ook vele andere facetten van de Friese cultuur, waaronder de hoogstaande zilversmeedkunst uit de 17de en 18de eeuw, de volkskunst (Hindeloopen, Ameland), de schilderkunst en de klederdrachten van de 16de tot de 19de eeuw. Verder bevat het museum een grote collectie Chinees porselein zoals dat werd verzameld in de pronkkamers van de Friese boerderijen, zeer veel kunstnijverheid, talrijke voorwerpen die nauw verbonden zijn met de geschiedenis van de provincie en haar cultuur en grote verzamelingen op agrarisch gebied. Voorts is er een uitgebreid pren-

tenkabinet (topografie en kunst) en vormt het Friese Munt- en Penningkabinet (met collecties van de Romeinse tijd tot heden) het op één na grootste van het land; het is in Franeker als 'uithof' gevestigd. Andere uithoven zijn het Kerkmuseum te Janum, met middeleeuwse kerkelijke kunst, en Fogelsangh-State te Veenklooster, een deftig ingericht buitengoed met onder meer stijlkamers, keukenvertrekken, een jacht- en een speelgoedkamer. Het Fries Museum te Leeuwarden is van maandag tot en met zaterdag geopend van 10.00 tot 17.00 uur (zondags van 13.00 tot 17.00 uur).

Terpen elders

In het voorgaande is gesproken over de terpen in Friesland. Het verschijnsel terp is echter niet tot deze provincie beperkt. Men vindt ze ook verder oostelijk, in de aangrenzende kustgebieden van Groningen en in het Duitse Oost-Friesland tot over de rivier de Weser. Bovendien komen in Duitsland ook rond de Elbemonding en langs de westkust van Sleeswijk-Holstein terpen voor, maar die zijn over het algemeen van latere datum. In Nederland liggen tevens terpen in de kop van Noord-Holland en op het Kampereiland (eveneens jonger dan die in Friesland), terwijl verhoogde woonplaatsen worden aangetroffen in het gebied van de grote rivieren en in Zeeland, waar ze meestal dienden voor het veiligstellen van het vee of als verdedigbare hoogten.

Hart van het land der Tungri

PROF. DR. J.R. MERTENS

Boven: fragment van het beroemde itinerarium waarop het wegennet van Noord-Gallië was afgebeeld.
Onder: Romeinse stadsmuur met resten van een toren aan de Cottalaan.
Rechtsboven: situering van de belangrijkste Romeinse resten in Tongeren.
1. stadsmuur
2. noordtempel
3. aquaduct
4. tumuli van Koninksem
5. tweede Romeinse muur
6. Gallo-Romeins museum
7. basiliek
8. Grote Markt

Als schepping van het Romeinse bestuur mag Tongeren worden beschouwd als Belgiës oudste stad. Zij ligt in één van de rijkste landbouwgebieden van Midden-België, dat zich van Zuid-Brabant over Haspengouw tot Zuid-Limburg uitstrekt. Bovendien omvatte de Civitas Tungrorum – het Land van de Tongeren – het economisch niet minder belangrijke Maasdal en het zich ten zuiden ervan uitstrekkende Condrozplateau. Zelfs de Ardeense hoogvlakte met haar rijke wouden behoorde nog tot het Tongerse district, dat in het westen werd begrensd door de Dijle en de Rupel. In het noorden lagen de Kempen en een groot deel van Noord-Brabant binnen het Land van de Tongeren. De oostgrens liep ergens in de streek van Overmaas, ter hoogte van Heerlen. Tongeren was aldus het centrum van een gebied dat bijna tweederde van het huidige België omvatte.

Na de administratieve hervormingen van keizer Diocletianus werd de Civitas Tungrorum bij de provincie Germania ingelijfd, waarschijnlijk om redenen van militaire aard. Voordien behoorde het gebied tot de provincie Gallia Belgica. Deze provincie stond onder burgerlijk en niet onder militair bestuur en dat bracht niet te onderschatten voordelen met zich mee: de Romeinse inmenging in het plaatselijke bestuur was zeer gematigd, de ter-

ritoriale omschrijvingen van vroeger bleven behouden. De nederzettingen bleven grote dorpen waarvan één tot districthoofdplaats werd verheven. Tongeren bleef aldus steeds een provinciestadje. De ligging was in tweeledig opzicht gunstig voor zijn groei. Enerzijds was er de uitgestrekte militaire grenszone aan de Rijn waar sinds Claudius (midden 1ste eeuw) de legioenen waren samengetrokken en waar de talrijke troepeneenheden een gun-

stig afzetgebied vormden. Deze uitvoer van landbouwprodukten bracht anderzijds een druk handelsverkeer met zich mee. Allerlei goederen werden ingevoerd: aardewerk, wijn, olie uit Gallië en Italië, glazen en bronzen vaatwerk uit de Rhônevallei en het Rijnland. Dit alles werd te Tongeren verder verkocht aan de plattelandsbevolking. Zo groeide in de Romeinse periode Tongeren uit tot een welvarende marktplaats.

Strijd tegen de Eburonen

Toen Caesar Gallië veroverde, werd het gebied bewoond door de Eburonen, een volksstam die aanvankelijk door de Romeinse generaal werd gebruikt als dam tegen de Germanen, maar die later door Caesar in zijn 'Commentarii' werd gedoodverfd als 'ignobilem et humilem' (gemeen en minderwaardig). Eén van de leiders, Ambiorix, had namelijk anderhalf legioen uitgeroeid en dat kon Caesar niet vergeven. Het Eburonenvolk moest totaal worden uitgeroeid.

De afslachting van het Romeinse legioen vond plaats te Aduatuca, waar de legerleiding het winterkamp voor het jaar 54 v. Chr. had gevestigd. Daar Tongeren in de antieke bronnen wordt vermeld als Atua-(tu)ca Tungrorum (later afgekort tot Tungris, Tongeren) hebben velen dit Caesariaanse Atuatuca met het latere Tongeren vereenzelvigd. Deze hypothese is echter moeilijk houdbaar. Het Aduatuca van Caesar is blijkbaar niet het Atuatuca Tungrorum en de beruchte nederlaag moet elders worden gesitueerd. Generaties historici en archeologen hebben vergeefs getracht dit raadsel op te lossen.

Na de verovering van Gallië worden de Eburonen niet meer vermeld. Werden ze allen uitgegroeid? Of wisten velen met hun leider Ambiorix te ontkomen? Feit is dat na de territoriale hervormingen, door Augustus uitgevoerd in de jaren dertig v. Chr., het gebied werd bewoond door de Tungri.

Orde op zaken

Gedurende de eerste decennia na de verovering door de Romeinen, toen Caesars luitenants het beheer waarnamen, zal wel niet veel administratieve of ruimtelijke ordening op het programma hebben gestaan. Deze taak werd pas later door Augustus en zijn staf uitgevoerd. Grenzen van provincies en bestuursdistricten moesten toen worden vastgelegd, hoofdplaatsen aangeduid. Het veroverde gebied moest systematisch worden geëxploiteerd, een totaal nieuw wegennet diende te worden aangelegd. Reeds in 22 v. Chr. was de basis voor al die hervormingen gelegd. Het wegennet werd gepland met zowel militaire als economische doeleinden voor ogen. Vanuit het centrum Lyon werd in twee richtingen doorgestoten: enerzijds naar de Rijn, over Straatsburg, Mainz en Keulen, anderzijds naar de kusten van de Atlantische Oceaan en de Noordzee, over Reims, Amiens en Boulogne. De eind-

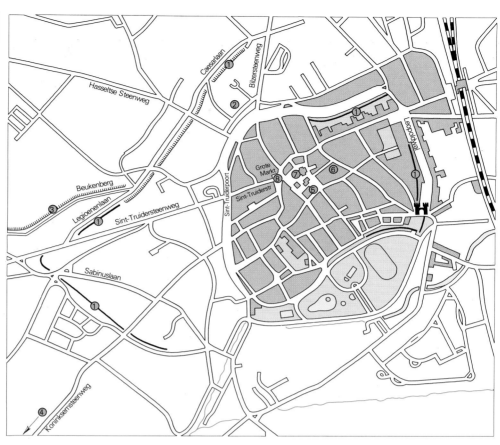

punten van deze driehoek werden met elkaar verbonden door de weg Keulen-Maastricht-Tongeren-Bavai-Cassel-Boulogne. Deze verbinding was voor onze streken de belangrijkste. Zij was aangelegd met een bewonderenswaardige kennis van de lokale geografie, bood weinig topografische hindernissen en doorkruiste een rijke landbouwstreek. Om de omweg over Bavai te vermijden werd een rechtlijnige verbinding aangelegd van Tongeren over Tienen, Kester, Kortrijk en Cassel. Op die wegen werden, op min of meer regelmatige afstanden, posten opgericht: kleine administratieve centra die tevens een militaire en economische functie hadden. Zij lagen op kruispunten met secundaire wegen die soms kleine, meer vooruitgeschoven posten verbonden, zoals bijvoorbeeld Elewijt of Velzeke. Vanuit Tongeren, hoofdplaats van Civitas Tungrorum, liepen wegen naar Nijmegen, Trier, Aarlen. Tot stadsstichtingen, echte Romeinse kolonies als Xanten of Keulen, kwam het in de provincie Belgica niet. Het bleef hier bij eenvoudige bestuurscentra die tevens als aanvoerbases dienden voor de in het frontgebied gelegerde legioenen. De activiteit die zich hier ontwikkelde, lokte handelaars aan.

Van de aanblik die deze posten boden, kunnen we ons een vaag idee vormen dank zij de opgravingen die te Tongeren werden uitgevoerd. De verdediging bestond uit een aarden wal met een houten palissade, omzoomd door een spitsgracht. Binnen de nederzetting werd reeds enigszins gestreefd naar ordening. De rechthoekige houten huizen waren met de korte gevel naar de straat gericht. De talrijke

hier gevonden bronzen muntjes, waaronder vele met het randschrift AVAVCIA, misschien een Tongerse muntslag, alsmede de zilveren munten uit de kolonies Lyon, Vienne en Nîmes, wijzen op druk handelsverkeer. De rijkdom weerspiegelt zich onder andere in het luxevaatwerk, de 'terra sigillata', uit Italië of Zuid-Gallië ingevoerd.

In de loop van de eerste helft van de 1ste eeuw n. Chr. werden de legioenen steeds meer op de Rijn samengetrokken; langzamerhand werd de versterkingslinie aldaar gestabiliseerd. Te Tongeren waren de vroegere verdedigingswerken reeds geruime tijd niet meer in gebruik toen onder keizer Claudius, midden 1ste eeuw, de nederzetting een meer stedelijk aanzien kreeg. Een regelmatig stratenplan in dambordschema wordt aangelegd, de huizen zijn rechthoekig met muren in vakwerkbouw, de daken afgedekt met stro of hout. Langs de straat treft men soms kleine houten galerijen aan. Aan de noordrand van de stad, in een bronrijk gebied, wordt een inheemse tempel opgericht. De doden worden begraven buiten de stad, langs de wegen naar Bavai of Keulen. Tongeren wordt nu een echte Romeinse stad. Tussen de jaren 68 en 70 kende Rome een kortstondige doch ingrijpende crisis. Diverse omstandigheden schiepen de grootste verwarring en onrust. Kampen, dorpen en steden werden platgebrand. Tongeren onderging hetzelfde lot. De orde werd door Vespasianus hersteld. Uit het puin verrees weldra een geheel nieuwe stad. Het oude stratenplan dat bewaard bleef, werd uitgebreid. Vele huizen werden in steen opgetrokken. De tempel aan de noordrand werd herbouwd. In de stad zelf werden thermen gebouwd. De watertoevoer geschiedde via een monumentaal aquaduct, de huidige Beukenberg. Aan de zuidwestrand van de stad, binnen het areaal van de vroegere militaire basis, werd een groot magazijnencomplex aangelegd.

Tijd van grote bloei
De 2de eeuw betekent voor de stad een bloeiperiode. Allerlei produkten uit het imperium worden er verhandeld. De muntomloop wijst op uitgebreide handelsbetrekkingen. Tongerse handelaars hebben hun kantoren te Vechten aan de Rijn. Allerlei ambachtslui zijn hier gevestigd: pottenbakkers, ijzer- en bronsbewerkers, leerlooiers, been- en ivoorsnijders. Bijna als statussymbool krijgt de stad, omstreeks het midden van de 2de eeuw, in volle Romeinse vrede, een grote omheining. Deze 4544 m lange stadsmuur, voorzien van ronde torens en monumentale toegangspoorten, beslaat een oppervlakte van ongeveer 136 ha. Buiten de muren, alsof ze tot een andere administratie behoorden, worden de 'horrea', de magazijnen, herbouwd: een lange reeks opslagruimten, rond een binnenplaats geschaard, biedt bijna 2000 m² bergruimte. Heel het complex wijst duidelijk op het belang van de aanvoer vanaf het platteland. De vroegere, naar inheemse traditie opgebouwde boerderijen in hout en vakwerk, zijn nu vervangen door statige villa's, in steen opgetrokken, met mozaïekvloeren, veelkleurige muurschilderingen en centrale verwarming. Vele zijn voorzien van een Romeins aandoende gevelgalerij. In de omgeving van Tongeren vinden we ze verspreid binnen regelmatige verkavelingen: Membruggen, Rosmeer, Valmeer, Millen, Haccourt enz. De rijkdom van de hereboeren weerspiegelt zich niet alleen in hun woningen, maar ook in hun graven. Onder statige 'tumuli' (grafheuvels), soms tot 16 m hoog, is in een houten of stenen grafkamer het rijke grafmeubilair opgestapeld (glazen en bronzen vaatwerk, bonte keramiek, sieraden en voorwerpen van goud, zilver, ivoor of git, gewone gebruiksvoorwerpen en luxe-artikelen). De 'tumuli' zijn kenmerkend voor Haspengouw. Vele verrijzen langs de wegen, voor iedereen goed zichtbaar. Bekend zijn de 'tumuli' van Koninksem, Riemst, Rosmeer, Berlingen, Hoepertingen, Sint-Huibrechts-Hern.
Wie van handel of nijverheid in de stad niet kon leven, of geen plaats had in een boerenbedrijf op het platteland, kon steeds bij het leger terecht. Vele Tongerse jongelui deden dienst in het Romeinse leger. We zouden het bijna als een Tongerse specialiteit kunnen beschouwen, zoiets als de Zwitserse of Pruisische lansknechten uit de middeleeuwen. Aanvankelijk waren ze in eigen eenheden ondergebracht, dicht bij huis gestatio-

Boven: ruiterstandbeeld uit de 2de eeuw, gevonden in de noordtempel; een van de merkwaardigste sculpturen uit deze periode.
Linksonder: Romeinse muur met torenfundamenten aan de Sabinuslaan.
Rechts: maquette van het Romeinse Tongeren in het Gallo-Romeins Museum van de stad. De twee omheiningen, met torens en poorten, tonen iets van het grote stadsoppervlak.

neerd. In de 2de en 3de eeuw vinden we Tungri gekantonneerd in Brittannië, de Donaugebieden, Italië. Sommigen brachten het tot keizerlijke lijfwacht. (In 193 was een zeker Tausius, een Tongenaar, de belhamel bij de moord op keizer Pertinax.) Zo drong geleidelijk de romanisering door, misschien meer oppervlakkig dan uit overtuiging.

Tijdelijk verval
De 3de eeuw is voor het Romeinse Imperium een eeuw van crises. De buitenlandse vijanden profiteren daarvan. Op de eerste invallen van Barbaren in de jaren vijftig volgt een vernielende Barbaarse stortvloed in 275-276. De westelijke provincies worden zwaar geteisterd. De rijke Civitas Tungrorum krijgt het hard te verduren: het platteland wordt geplunderd, vele villa's van rijken gaan in vlammen op. Ook de stad moet het ontgelden. Overal heeft de vroegere macht en welvaart plaatsgemaakt voor armoede en sociale aftakelingen. Ook in politiek en economisch opzicht is de teruggang duidelijk.
Doch reeds tegen het einde van de 3de eeuw nemen enkele dynamische keizers het roer weer in handen. De vroegere lijnverdediging langs de Rijngrens wordt omgebouwd tot een diepteverdediging die over heel Noord-Gallië wordt verspreid. De oude wegposten worden weer versterkt. In het binnenland worden versterkingen aangelegd, zowel voor landelijke milities als voor de lokale bevolking. Ook

de steden worden in staat van verdediging gebracht, met doeltreffende bolwerken die de meest belangrijke gebouwen van de vroegere stad omvatten. In vergelijking tot het beschermde areaal en de omheiningen van Maastricht (2 ha, 650 m), Aarlen (5 ha, 780 m) of Bavai (4 ha, 660 m) is Tongeren met zijn 2680 m lange omheiningsmuur en zijn 43 ha nog een aanzienlijke nederzetting. Het militaire belang prevaleert weer, Tongeren herneemt zijn rol als opslagplaats. De begraafplaatsen wijzen op een bevolking waarin het militaire, Germaanse element zeer sterk is vertegenwoordigd. Deze bloeitijd was slechts van korte duur. Waarschijnlijk was in Tongeren ook een christengemeenschap. Haar bisschop, de heilige Servatius, verliet in de tweede helft van de 4de eeuw de stad en vestigde zich te Maastricht.

Langs de resten van Romeins Tongeren
In de wirwar van daken, straten en tuintjes is het patroon van de antieke stad, haar grootse omwalling en haar situering in het Haspengouwse landschap alleen vanuit een vliegtuig duidelijk te onderkennen. Een donkergroene bomenrij verraadt hier en daar het tracé van de middeleeuwse omwalling, die aan de oostzijde de Romeinse dekt. Deze laatste is, ten noorden en ten westen, ver buiten het stadscentrum, nog goed bewaard. Naar het westen onderscheidt men in de verte het langgestrekte talud van de Beukenberg en bij nader toezien verraadt een blekere

streep in het nog jonge groen het verdere verloop van dit antieke aquaduct. Bij dit alles valt de grote uitgestrektheid op van het Romeinse ten opzichte van het middeleeuwse en zelfs het moderne Tongeren. Op de grond maakt de Romeinse stadsmuur de meeste indruk, vooral de goedbewaarde delen langs de noord- en westrand. Aan de oostrand echter, langs de Leopoldwal, moet men hem zoeken onder de middeleeuwse stadsmuur. Tussen de Bilzersteenweg en de Hasseltse Steenweg, langs de recent aangelegde Caesarlaan, is de muur nog tot op bijna 4 m hoogte bewaard. Twee ronde torens, van 9 m diameter, verstevigen hem. De kern van de 2,10 m dikke muur is gevormd door horizontaal gelaagde silexblokken, in harde witte kalkmortel gebed. Achter deze omwalling, op het terrein van de Rijkstechnische school, verhief zich op een kunstmatig terras de statige noordtempel. Bij de bouw van de 2de-eeuwse omheining werd hij in het stadsareaal opgenomen. Een 2 à 3 m dikke muur is alles wat van dit heiligdom nog zichtbaar is. Men kan hem bezichtigen langs de Keverstraat. Het noordelijk gedeelte van de stadsmuur diende ook in de laat-Romeinse tijd als omwalling. Enkele vlekken roze mortel verraden nog de plaats van de oorspronkelijke torens. Tot aan de Sint-Truidersteenweg is de stadsmuur nog te volgen langs de eveneens recent aangelegde Legioenenlaan. Halverwege, daar waar de laat-Romeinse stadsmuur van de eerste

afbuigt en zijn eigen weg binnen de stad volgt, komen we bij de Beukenberg, een verhevenheid die er uitziet als een spoorwegberm en die destijds het aquaduct van Romeins Tongeren schraagde. In tegenstelling tot de beroemde bogenstructuren van Le Pont du Gard in de Provence of van Segovia hebben de Romeinse ingenieurs hier de voorkeur gegeven aan het lokale bouwmateriaal, de aarde. Bovenop stroomde het water door een goot die waarschijnlijk was gemaakt van hout of mortel. Over een afstand van meer dan 5 km werd het water vanuit het brongebied van Widooie naar Tongeren geleid. Deze waterleiding werd aangelegd na de vernieling van de stad in 70 n. Chr., doch vóór de aanleg van de stadsmuur.
Over de Sint-Truidersteenweg maakt de Romeinse muur een scherpe bocht. Enkele meters verder werd in de jaren dertig de Bavai-poort opgegraven. De grondmuren waren nog enigszins intact en leverden het plan op van een dubbele poort die, oorspronkelijk, een monumentaal aanzien moet hebben gehad. Verderop, bij de aanleg van de nieuwe wijk Paspoel, werd in 1963-1964 de gracht van de basis uit de tijd van Augustus aangesneden. Hier ook werd de driedubbele gracht gesneden die langs de Romeinse stadsmuur liep. Deze drie droge spitsgrachten lopen evenwijdig met de muur op respectievelijk 5,80 m, 17,80 m en 33,25 m afstand.
Over de Koninksemsteenweg, de oude weg naar Bavai, is de stadsmuur nog over een

afstand van een paar honderd meter te volgen langs de Sabinuslaan. Hier werd een toren blootgelegd, die later in de stadsmuur werd ingewerkt. Verder zuidwaarts verdwijnt de muur in de moerassige laagten van de Jekervallei. Hij steunde hier op houten heipalen. In deze zuidwestsector, die wel tot de oudste zone van de Romeinse stad mag worden gerekend, verrees eenmaal het indrukwekkende complex van de 'horrea' – de staatsmagazijnen, met de daarbij horende handelswijk. Thans liggen ze onder weiden en tuinen bedolven.

Wegen verdwenen

Van de eertijds zo belangrijke wegen naar Bavai en Cassel is slechts weinig overgebleven. Even buiten de Koninksempoort herinnert een vage holle weg – het is meer een perceelscheiding – aan de vroegere staatsweg naar Bavai. Aan de voet van de Beukenberg is een eenvoudige veldweg alles wat van de oude weg naar Cassel is overgebleven. Een kleine 'tumulus' herinnert aan de vroegere glorie. Ten noorden van de weg naar Bavai strekte zich het grote zuidwestelijke grafveld uit dat van de 1ste tot de 4de eeuw in gebruik bleef. De vondsten die hier werden gedaan, vormen de kern van de verzameling van het

lokale archeologische museum. Bijna 1 km buiten de stad vinden we de twee statige 'tumuli' van Koninksem; één, bijna 16 m hoog, heeft een diameter van ongeveer 42 m.

Binnen de stad is veel verbeelding nodig om de oude luister weer op te roepen. Op de plaats Casino, nabij de Kruis- of Sint-Truiderpoort, het hoogste punt van Tongeren, werd in de vorige eeuw de beroemde mijlpaal gevonden. Dicht bij deze zone lag waarschijnlijk het antieke stadsforum. In de Sint-Truiderstraat, nabij de Markt, werden de overblijfselen gevonden van een Romeinse verwarmingsinstallatie, waarschijnlijk een deel van de stedelijke thermen. De Grote Markt, hoewel centraal gelegen, is nooit het forum geweest. Opgravingen die hier werden verricht, hebben de fundamenten blootgelegd van gewone huizen. Even verder echter, in een speciaal daartoe aangelegde ondergrondse ruimte, bleef een toren bewaard van de tweede Romeinse omheining. Het is de enige nog zichtbare van de circa 100 torens die deze 2680 m lange muur verstevigden. Het muurwerk zelf is zeer verzorgd: de kleine, regelmatig gekapte parementblokjes wisselen af met horizontaal gelaagde bakstenen of 'tegulae'. De ronde toren heeft een buitendiameter

van 9 m; de dikte van de muur bedraagt ca. 3 m.

In het museum

De eigenlijke betekenis van Romeins Tongeren kan men slechts begrijpen na een bezoek aan het Provinciaal Gallo-Romeins Museum. Het biedt een goed overzicht van de meest uiteenlopende aspecten van het leven in de antieke stad. Het merendeel van de te Tongeren ontdekte archeologica is in de verzamelingen opgenomen.

Het bezoek begint op de eerste verdieping, waar men spoedig belandt in de beginfase van de Romeinse nederzetting met onder andere aardewerk, munten en kleinere voorwerpen uit de bevoorradingsbasis ten tijde van Augustus. De volgende zaal heeft als thema verkeer en vervoer. De plaats van Tongeren in het wegennet van Noord-Gallië wordt zowel door moderne als antieke kaarten verduidelijkt. In deze zaal staat ook het afgietsel – het orgineel berust in het Jubelparkmuseum te Brussel – van een fragment van het beroemde 'itinerarium' van Tongeren, waarop eens het hele wegennet van Noord-Gallië was weergegeven. Foto's van nog bestaande wegen en van hun structuur verlevendigen het geheel.

Een keuze uit de rijke muntenverzameling is in de volgende vitrines tentoongesteld. Hier kan men tevens een van de mooiste verzamelingen Romeins glas bewonderen, daterend van de 1ste tot de 4de eeuw. Wat met schrift te maken heeft, is in een afzonderlijke vitrine samengebracht.

De volgende afdeling biedt een rijke schakering van Gallo-Romeins aardewerk, waaronder de roodblinkende 'terra sigillata' een belangrijke plaats inneemt. Een reconstructie van een antieke pottenbakkersoven is hier eveneens te zien. In een afzonderlijke vitrine zijn houten schrijfta-

Linksboven: een deel van de unieke collectie Romeins glaswerk in het Gallo-Romeins Museum van Tongeren.
Onder: munten uit hetzelfde museum, wellicht met de afbeelding van keizer Nero.
Rechtsboven: overzicht van de belangrijkste Romeinse vindplaatsen in de Lage Landen.

feltjes samengebracht.

Achteraan op deze verdieping vinden we aarden lampen, kleine gebruiksvoorwerpen, terracottabeeldjes, bronzen 'fibulae' of mantelspelden, benen voorwerpen en een fraaie lamp in brons. Het thema van de dodencultus is nu nog beperkt tot het grafmeubilair van de rijke 'tumulus' van Berlingen, waaronder een paar glazen bekers en bronzen meetgerei vooral de aandacht trekken.

Alvorens naar de begane grond af te dalen kan men in de trapzaal één van de merkwaardigste stukken van de 2de-eeuwse Romeinse beeldhouwkunst bewonderen: een ruiter, op steigerend paard gezeten, overrent twee huilende giganten met ineengestrengelde slangelijven. De groep werd, samen met enkele andere sculptuurfragmenten, gevonden in de noordtempel.

In de zalen van de benedenverdieping maken we kennis met de topografie van de monumenten van Romeins Tongeren. Een kaart van de antieke stad hangt aan de wand. Enkele zuilentrommels en kapitelen, pannen en bouwmateriaal geven een idee van de toenmalige architectuur. Het meest belangwekkende in deze zaal is echter de imposante maquette van Romeins Tongeren, een reconstructie van de antieke stad op basis van de resultaten van opgravingen en toevallige vondsten.

In een zaaltje in de kelderverdieping vinden we enkele laat-Romeinse grafensembles en archeologica. In de wand is de muur van een Romeinse kelder ingebouwd.

Een standbeeld voor Ambiorix

Wat Tongeren in de 5de eeuw en later nog betekende, valt slechts te gissen. Wat aardewerk en luttele muntjes wijzen nog op menselijke aanwezigheid, de graven uit deze periode zijn arm en weinig talrijk. Misschien zijn enkele resten van gebouwen onder de Onze-Lieve-Vrouwebasiliek in deze periode te situeren. Een zekere godsdienstige continuïteit schijnt wel te hebben bestaan, want in 660 werd de heilige Remaclus nog opgewacht in 'urbem Tungrensem' (de stad Tongeren). Dat ook het heidense element nog was vertegenwoordigd, bewijst het Merovingische graf, daterend van ± 500, aangelegd binnen de stadsmuren nabij de noordtempel. De heidense Franken schuwden de stad. Als stad zou Tongeren pas in de 10de eeuw weer enige betekenis verwerven.

De oude glorie werd niet totaal vergeten. Op historische ogenblikken werd teruggegrepen op het verleden. Het is echter niet de heilige Servatius, de eerste bisschop, noch Augustus, de eigenlijke stichter, die in Tongeren uit dit verleden opduikt, maar de legendarische figuur die het volk van de Eburonen en het land van de Tongeren een plaats in de geschiedenis gaf: Ambiorix, 'le héro éburon et presque tongrois', volgens de lokale geschiedschrijver Driesen. Op de Grote Markt werd zijn standbeeld opgericht. Dat

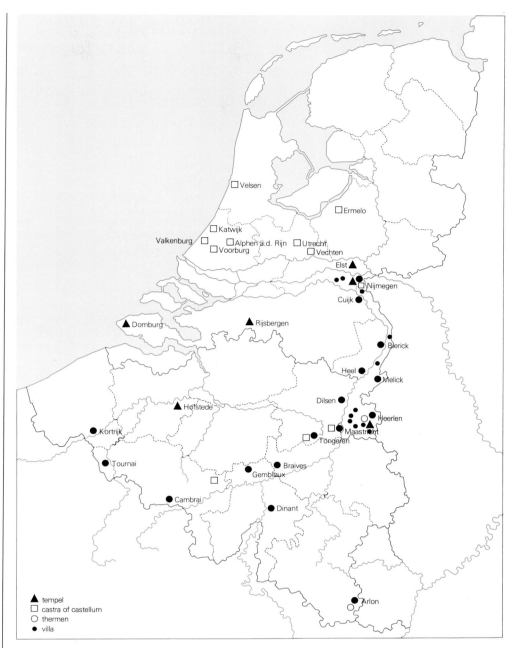

▲ tempel
□ castra of castellum
○ thermen
● villa

gebeurde in de romantische periode toen het pas gestichte België naar nationale helden zocht. De regering kende ruim toelagen toe aan de gemeentebesturen die aan hun beroemdste telgen een gedenkteken wilden wijden. Gent had zijn Jacob van Artevelde, Antwerpen zijn Brabo, Maaseik de gebroeders van Eyck. Na enige aarzeling viel de keuze voor Tongeren op Ambiorix. Aan de Franse vluchteling, Jules Bertin, te Tongeren gevestigd, werd opdracht gegeven een beeld van de fiere vrijheidsheld te ontwerpen. Op 5 december 1866 werd het plechtig onthuld, in het bijzijn van koning en koningin. Sedertdien is Ambiorix een niet meer weg te denken deel geworden van het Tongerse stadsbeeld. Hij is min of meer het symbool geworden van de oude glorie en van Caesars gevleugelde woorden 'horum omnium fortissimi sunt Belgae'.

Romeinse resten in de omgeving

Talrijke 'tumuli' zijn over het landschap verspreid. Behalve in de onmiddellijke

omgeving van Tongeren vindt men grafheuvels ook bij Grimde-Tienen, Brustem, Braives, Hottomont, Omal. Van de Romeinse wegen is de weg van Tongeren naar Tienen, die rechtlijnig het landschap doorkruist, nog goed te volgen.

Voor de Romeinse periode zijn interessant de Koninklijke Musea voor Kunst en Geschiedenis te Brussel (Jubelparkmuseum), de archeologische musea te Luik, Namen en Aarlen en in Nederland de musea van Maastricht, Heerlen, Nijmegen en het Leidse Rijksmuseum van Oudheden. In Duitsland zijn van belang het rijke Römisch-Germanisches Museum te Keulen en het museum en archeologisch park te Xanten.

Het Provinciaal Gallo-Romeins Museum in Tongeren is geopend van 10.00 tot 12.00 uur en van 14.00 tot 18.00 uur ('s winters tot 17.00 uur). Op maandag is het museum gesloten, behalve op 2de-paas- en pinksterdag, en op nieuwjaarsdag, 1, 2 en 11 november plus de beide kerstdagen.

De heilige abdissen van Eike

DR. ALAIN DIERKENS

In Belgisch Limburg, ongeveer 1 km van het stadje Maaseik, ligt het gehucht Aldeneik. Niets herinnert er nog aan dat het thans veel grotere Maaseik vroeger in feite afhankelijk was van Aldeneik, dat op zijn beurt bestuurlijk weer afhankelijk was van het prinsbisdom Luik.

Onder: hoewel de kerk van Aldeneik uit de 12de en 13de eeuw dateert, is dit gebouw het enige dat in het gehucht nog herinnert aan de vroegere kloostergemeenschap die hier in een vervaagd verleden gesticht werd door twee adellijke gezusters.
Rechtsboven: een van de concordantietafels uit het evangeliarium van Maaseik. Deze 'codex eyckensis' dateert waarschijnlijk uit de 9de eeuw en komt wellicht uit Echternach.
Rechtsonder: reliekhouders uit de Sint-Catharinaschat.

Aldeneik ligt in een gedeelte van de Maas-vallei dat gedurende de Romeinse en Merovingische periode dicht bevolkt moet zijn geweest. Bij de kerstening van deze streek speelde de abdij van Aldeneik, die in de eerste helft van de 8ste eeuw werd gesticht, een belangrijke rol. Van deze abdij is nu nog slechts de kerk overgebleven; ze is thans gewijd aan Sint Anna. Voor de geschiedenis van de stichting van de abdij van Aldeneik beschikken wij slechts over één geschreven bron: 'Vita Harlindis et Relindis'. Dit werk werd in het derde kwart van de 9de eeuw geschreven door een onbekende auteur en moet met omzichtigheid gebruikt worden.

Abdissen van 'Eike'

Uit de tekst blijkt dat Harlindis en Relindis de dochters waren van het welvarende echtpaar Adalhard en Grinuara. De meisjes kregen van haar ouders een goede opvoeding. Ze werden naar het klooster van Valencina (misschien, maar onwaarschijnlijk, het huidige Valenciennes) gezonden, waar zij onder meer lezen, schrijven, borduren en schilderen leerden. De hagiograaf vermeldt enige kunstwerken die door Harlindis en Relindis zouden zijn gemaakt en die in zijn tijd in de abdij werden bewaard: altaargordijnen versierd met goud en edelstenen, een evangeliarium en een rijk versierd psalterium.

Onderzoek heeft echter aangetoond, dat de auteur deze zaken ten onrechte aan de twee zusters heeft toegeschreven.

Na enige tijd in het klooster te hebben vertoefd (zij legden er de geloften af) werden Harlindis en Relindis door hun ouders teruggeroepen. Adalhard en Grinuara stichtten vervolgens op hun grondgebied aan de Bosbeek een klein klooster, dat naar de meest voorkomende boomsoort in de bossen van de streek 'Eike' werd genoemd. Harlindis en Relindis leefden hier samen met hun ouders. Nadat Adalhard en Grinuara overleden waren (zij werden in het klooster begraven) werden de twee zusters door de bisschoppen Willibrordus en Bonifacius tot abdis gewijd. Twaalf maagden traden te Aldeneik in de geestelijke stand. Volgens de overlevering gebeurde er in de abdij een mirakel tijdens een van de vele bezoeken van Willibrord en Bonifacius. Na een actief en vroom leven stierf Harlindis op een 12de oktober (het jaar is niet bekend). Relindis overleefde haar zuster vele jaren en stierf op zeer hoge leeftijd, op de 8ste februari van alweer een onbekend jaar. Er gebeurden verschillende wonderen op hun gemeenschappelijke graftombe.

Tijdens het abdisschap van Ava werd, omstreeks het midden van de 9de eeuw, de houten kerk die door Adalhard was gebouwd, vervangen door een stenen gebouw. Naar deze kerk werden tussen 856 en 879 de stoffelijke resten van beide abdissen overgebracht.

Uit 'Vita Harlindis et Relindis' blijkt dat de abdij van Aldeneik in twee fasen werd gesticht. Gedurende de eerste periode was zij slechts een retraite-oord voor Adalhard en zijn gezin. Pas na het overlijden van hun ouders maakten Harlindis en Relindis er een (waarschijnlijk benedictijnse) kloostergemeenschap van. Over de eerste eeuw van het bestaan van de abdij, die waarschijnlijk tussen 720 en 730 werd gesticht, bestaan verder geen gegevens. Omstreeks 830 wordt Aldeneik vermeld in een hagiografisch verhaal geschreven door een zekere Einhard. Uit een ander stuk blijkt dat het klooster in 870 een koninklijke abdij was. Er moet in de loop van de 9de eeuw een plaatselijke verering van Harlindis en Relindis zijn gegroeid, want Franco, bisschop van Luik, verhief tussen 856 en 879 hun relikwieën tot de eer der altaren. In de vroege middeleeuwen kwam dit overeen met een heiligverklaring.

Kerstening en politiek

De abdij van Aldeneik wordt vermeld in de koninklijke oorkonden van Hendrik I en Otto I, respectievelijk in 929 en 936. In 952 schonk Otto I Aldeneik aan het bisdom Luik. De abdij bleef gedurende het hele Ancien Régime tot het prinsbisdom Luik behoren en ressorteerde onder het bisschoppelijk kapittel van Sint Lambertus. Het is waarschijnlijk dat kort na de schenking van Otto de benedictijnse kloosterlingen werden vervangen door een kapittel van kanunniken, toegewijd aan

Onze Lieve Vrouw en aan de heiligen Harlindis en Relindis.

Tijdens de Karolingische periode werd Aldeneik het centrum van een dekanaat in het archidiakonaat van Kempenland en speelde het een rol in de stichting van kerken en de uitbouw van het parochiale netwerk. De kerstening van de Maasvallei, stroomafwaarts van Maastricht, was tegen het einde van de 7de eeuw begonnen, na de overwinningen van het geslacht der Pepijnen. Pepijn II verleende krachtige steun aan de Angelsaksische bisschopmissionaris Willibrordus, die de rijke abdij van Echternach in Luxemburg stichtte. Deze Angelsaksische invloed, in de rug gesteund door de heersende politieke macht, bevorderde het ontstaan van stiften als die van Aldeneik, Susteren en Sint-Odiliënberg. Deze drie abdijen waren tegelijkertijd steunpunten van de Frankische macht in een pas veroverd gebied. Naast de manifeste vroomheid van Adalhard en zijn dochters mag men dus de betekenis van het politieke aspect niet uit het oog verliezen. Kerstening behelsde immers ook eenmaking ten gunste van de politieke machthebbers, waartoe ook de grootgrondbezitter Adalhard behoorde. In het begin van de 13de eeuw werd Aldeneik het centrum van een jaarlijkse, verplichte bedevaart. Desondanks bleef de verering van Harlindis en Relindis voornamelijk van regionale betekenis.

De laatste resten

De enige overblijfselen van de vroegere kloostergemeenschap zijn de Sint-Annakerk van Aldeneik (thans parochiekerk) en enige kostbare stukken uit de abdij die bewaard worden in de Sint-Catharinaschat van Maaseik.

De Sint-Annakerk is niet de stenen kerk die in de 9de eeuw onder het abdisschap van Ava werd opgetrokken. (Dat deze eerste stenen kerk door de Noormannen werd verwoest, kon niet met archeologische vondsten en met historische bronnen worden bewezen.) De huidige kerk dateert uit de 12de en 13de eeuw en werd gebouwd in drie opeenvolgende fasen. Het schip, met basilikaal plan en zonder transept, is uit de 12de eeuw; de westelijke bouw stamt uit de eerste helft en het koor van het einde van de 13de eeuw.

Het schip (24,60 × 12,30 m) bestaat uit een middenbeuk en twee zijbeuken. De laatste werden in de 19de eeuw herbouwd. De zeven traveeën zijn begrensd door een-

voudige, vierhoekige pijlers. Het westelijk massief (15,04 × 11,63 m) is uitvoerig bewerkt en toegankelijk via een breed portaal. Twee laterale trappen geven toegang tot de eerste verdieping, waar in een 'camera sacra' de relikwieën en archieven van het kapittel zijn opgeborgen. Het portaal wordt beheerst door een galerij die uitkomt op een driedubbele nis. Daar werden vroeger relikwieën getoond aan de pelgrims die Aldeneik bezochten. De westelijke bouw is nauw verbonden met de bedevaart die omstreeks 1202 door de pauselijke legaat Guido van Praeneste werd voorgeschreven.

Het schip en de voorbouw van de Sint-Annakerk zijn in romaanse stijl gebouwd. Het koor daarentegen is gotisch. Een gebeeldhouwde versiering met geometrische motieven en fabeldieren bekroont het bovenste deel van de middenbeuk op het buitenste zuideinde. Deze versiering dateert uit de 12de eeuw. De sporen van muurschilderingen in de middenbeuk stammen uit de 13de eeuw en beelden episoden uit het leven van de heiligen uit. De kerk is op zon- en feestdagen geopend van 8 tot 18 uur. Op werkdagen dient ter plaatse een afspraak te worden gemaakt.

De schat van Maaseik

De tastbare herinneringen aan Harlindis en Relindis worden sinds 22 maart 1571 (met een korte onderbreking tijdens de Franse bezetting) bewaard in de Sint-

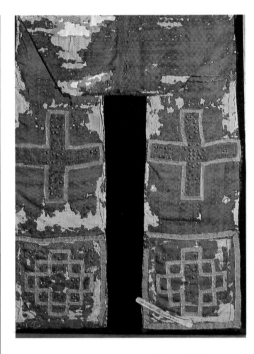

Catharinakerk van Maaseik. De belangrijkste voorwerpen van deze schat zijn een evangeliarium, de doeken en de reliekschrijnen. Het betreffende evangeliarium (er zijn er twee in Maaseik; het andere dateert uit de 10de eeuw) werd door de 9de-eeuwse hagiograaf toegeschreven aan Harlindis en Relindis. Deze 'codex eyckensis' is een zogenoemd convoluut (een aantal handschriften in één band gebonden) dat een volledig evangeliarium bevat en bovendien een onvoltooid werk, dat een evangelist voorstelt en bestaat uit een onvolledige reeks concordantietafels. Niemand verdedigt tegenwoordig nog de toeschrijving van dit werk aan Harlindis en Relindis. Het gaat hoogstwaarschijnlijk om een handschrift dat omstreeks 800 geschreven werd in een door Angelsaksers geleide werkplaats op het vasteland, misschien te Echternach.

De doeken in de schat van de Sint-Catharinakerk zijn een witte sluier (die niet te dateren is) en een lange band, die niet vroeger dan in het laatste kwart van de 8ste eeuw gemaakt moet zijn. Voorts is er nog een kazuifel. Het moet uitgesloten worden geacht dat deze stoffen dateren uit de tijd van Harlindis en Relindis.

Een van de oudste stukken in de schat is een klein, slechts 4 cm hoog, reliekschrijn uit de Karolingische periode, waarschijnlijk einde 8ste of begin 9de eeuw. Stijl en versiering zijn Angelsaksisch, of verraden althans Angelsaksische invloed. Een ander reliekschrijn, in hoefijzervorm, is waarschijnlijk het werk van een Maaslandse werkplaats uit de 10de eeuw. Voor bezichtiging van deze voorwerpen moet ter plaatse een afspraak worden gemaakt.

Traditie in verval

Het kapittel van seculiere kanunniken, dat in Aldeneik de benedictijnen verving (waarschijnlijk in de tweede helft van de 10de eeuw) moest Aldeneik in 1570 ver-

Boven: detail van een ciborie met wat door sommigen gezien wordt als een 'afbeelding' van de abdis Harlindis.
Linksboven: een van de oude stukken stof uit het Maaseikse bezit in de Sint-Catharinakerk.
Linksonder: een kazuifel die volgens overlevering gemaakt is naar een ontwerp van Jan van Eyck. De schilder zou het ontwerp hebben gemaakt toen zijn dochter in het klooster van Aldeneik trad.
Onder: het interieur van de Sint-Annakerk van Aldeneik. Links nog een deel van het gotische koor.

laten als gevolg van de godsdienston-lusten. De zevenjaarlijkse pelgrimstocht, die de jaarlijkse verplichte bedevaart van Aldeneik al geruime tijd had vervangen, was reeds in 1566 afgeschaft.
Vanaf 1571 werden pogingen gedaan om in Maaseik de verering van Harlindis en Relindis weer op gang te brengen, maar dit leidde niet tot het gewenste succes. Wel werd in de Sint-Catharinakerk van Maaseik de zevenjaarlijkse pelgrimstocht in ere hersteld. Op het eind van de 18de eeuw echter, tijdens de Franse bezetting, werd het kapittel van kanunniken definitief opgeheven.
De verlaten abdij van Aldeneik verviel in de loop der jaren steeds meer. Nadat de parochiekerk van het dorp was verlaten, werd de abdijkerk tot parochiekerk bestemd. Zij bleek echter al spoedig veel te groot te zijn voor het aantal parochianen en verviel al snel, tot alleen de midden-beuk nog overeind stond. In de 19de eeuw werd het gebouw gerestaureerd, hetgeen betekende dat het grotendeels herbouwd moest worden.
Sinds 1847 worden om de 25 jaar (het laatst in 1972) de relikwieën van Harlindis en Relindis en de schat van de vroegere abdij plechtig naar Aldeneik terug-gebracht.

In de onmiddellijke omgeving van Aldeneik bevinden zich twee gelijksoortige kloosters: te Susteren en te Sint-

Odiliënberg, in Nederlands Limburg. Het klooster van Susteren werd op 2 maart 714 door Pepijn II en zijn echt-genote Plectrudis aan Willibrordus geschonken als toevluchtsoord voor mis-sionarissen. Susteren, dat vroeger de hoofdplaats was van een dekanaat in het archidiakonaat van Kempenland, heeft ook nog een belangrijke kerk, die toege-wijd is aan de Heilige Verlosser. Het grootste deel van dit gebouw dateert uit ongeveer 1050. Andere delen stammen uit de 10de eeuw. De uitspringende crypte is zeer belangrijk voor de architec-tuurgeschiedenis van het Maasland van de 11de eeuw.
De kerkfabriek van de parochie van de Heilige Verlosser bezit nog enige mooie stukken uit de vroegere abdij van Susteren: bewerkte zilveren platen ter versiering van het reliekschrijn van Sint Amalberga (12de eeuw) en een fraai evan-geliarium uit het begin van de 11de eeuw.
Het klooster van Sint-Odiliënberg is waar-schijnlijk gesticht in het begin van de 8ste of aan het einde van de 7de eeuw. De kerk van Sint-Odiliënberg is bijzonder schil-derachtig gelegen. Op deze plaats werd al omstreeks 700 een kerk gebouwd, die in 1100 werd vervangen door een romaans godshuis. De huidige kerk is een fraaie reconstructie van dit romaanse gebouw, die in 1880 tot stand kwam. In de Tweede Wereldoorlog werd de kerk zwaar bescha-digd.

Terug op het spoor van Benedictus

PROF. DR. L. J. R. MILIS

Links: de kern van de abdijruïnes van Villers-la-Ville wordt gevormd door hetgeen er na de ineenstorting in de winter van 1884 overbleef van de abdijkerk. Duidelijk zijn de kenmerken van vroeg-gotische architectuur te herkennen. Het schip van de kerk omvatte drie delen: middenbeuk en twee zijbeuken. De middenbeuk rustte op zeer eenvoudige ronde zuilen, bekroond met achthoekige kapitelen. De ronde vensters, 'oculi' genoemd, zijn karakteristiek voor deze abdij. Men ziet ze ook in de dwarsbeuken. Boven: de orde van de cisterciënzers wilde terug naar de regels van Benedictus. Dat hield onder meer in dat zij arbeid moesten verrichten om in hun levensonderhoud te voorzien. Naast landarbeid was een van de belangrijkste middelen van bestaan het overschrijven. De beroemde handschriften uit de middeleeuwen zijn dan ook meestal afkomstig uit kloosters en abdijen.

Wie vanuit Brussel de abdijruïnes van Villers-la-Ville wil bereiken, neemt de N 5 (Brussel-Charleroi) tot aan Genappe. Daar slaan we linksaf en arriveren dan na enige tijd aan de Brusselse poort, een der oude toegangen tot de abdij. Aan het kruispunt liggen links de rotsen waar de monniken de stenen voor de bouw van hun abdij vandaan haalden. Wanneer we de auto op de ruime parkeerplaats hebben gezet, staan we tegenover een groot gebouw, de oude watermolen van de abdij. De beek de Thyle werd ervoor omgeleid.
De molen doet nu dienst als hotel-restaurant. Iets meer naar het zuiden staat de abdijhoeve, die thans privé-bezit is.

In 1146 kwamen achttien monniken zich vestigen op een pas gerooid deel van een bos dat lag op de grens tussen het graafschap Namen en het hertogdom Brabant. Ze kwamen uit Clairvaux in Bourgondië en waren door hun abt Bernardus gezonden naar deze plaats, die in het Latijn Villare en in het Frans Villers werd genoemd. De eigenaar van de grond, de heer van Marbais, deed afstand van al zijn rechten op het bos, de akkers, de weiden en het water. Eerst trokken de monniken gebouwen op nabij een bron (die plaats heet sinds lang La Boverie), maar al spoedig bleek dat ongeveer 750 m naar het noorden een beek, de Thyle, meer water beschikbaar had en een jaar later verhuisde men definitief naar de Thyle.
Nieuwe nederzettingen, zoals die van Villers, waren in die tijd geen uitzondering. Honderden abdijen werden in het laatste deel van de 11de en de eerste decennia van de 12de eeuw opgericht. Zij waren een gevolg van de grote opbloei van de samenleving in die periode, een 'renaissance' die ook op religieus gebied tot uiting kwam. De bekendste beweging van dit 'geestelijk reveil' was ontstaan te Cîteaux in Bourgondië. In 1098 hadden enkele monniken de benedictijnen-abdij Molesme (eveneens in Bourgondië gelegen) verlaten en zich in Cîteaux gevestigd, omdat zij meenden dat de Regel van Benedictus van Nursia (ca. 480-547?), die in bijna alle westerse kloosters was aangenomen, niet zo consequent werd nageleefd. Allerlei tradities, die met de Regel niets van doen hadden, waren het kloosterleven binnengeslopen, zoals een overdreven uitbreiding van de liturgische viering. (Hoe ver men sinds de 10de eeuw van de voorschriften van Benedictus was afgedwaald, werd het duidelijkst gedemonstreerd door de rijkdom, de praalzucht en de verwereldlijking van de abdij van Cluny.) De monniken uit Molesme hadden het ideaal de Regel van Benedictus weer naar de letter op te volgen, waarbij vooral werd benadrukt dat de monniken handenarbeid moesten verrichten om in hun onderhoud te voorzien. De leefgemeenschap van

Cîteaux, die weldra het ontstaan zou geven aan de orde der cisterciënzers, werd een groot succes en ze breidde zich snel uit over andere plaatsen en landen, ook de Nederlanden. In 1153 was het aantal kloosters al opgelopen tot 343. Te Villers kon het cisterciënzer-ideaal goed in praktijk worden gebracht. Er was voldoende water en grond om in eigen onderhoud te kunnen voorzien.

Steun aan behoeftigen
Bij de landarbeid werden de monniken bijgestaan door lekebroeders (conversen). De ligging van het klooster was voldoende geïsoleerd om onnodig contact met de buitenwereld te kunnen vermijden. Daarbij moet men echter wel bedenken dat een klooster ook een belangrijke sociale functie had voor de steun die aan behoeftigen werd verleend. Villers deelde in de 13de eeuw wekelijks niet minder dan 2100 broden uit!
Het succes van Villers had tot gevolg dat in de loop van de tijd veel edellieden hun bezittingen aan het klooster schonken of – als zij in geldnood waren geraakt – verkochten. Zo werd de abdij rijker en rijker, het armoede-ideaal waar alles om begonnen was, ten spijt.
De landbouw te Villers was, evenals bij andere cisterciënzerkloosters, georganiseerd rond een aantal grote hoeven, die men 'grangiae' (schuren) noemde. De abdij had er meer dan vijftien, waarvan enkele ver weg lagen, zoals te Schoten bij Antwerpen of Kraaiwinkel bij Sittard. De oppervlakte van het totale grondbezit is moeilijk te schatten, maar zal waarschijnlijk ongeveer 10.000 ha zijn geweest. Op zo veel grond kon een flink produktie-overschot ontstaan, zelfs al werd een groot deel van de oogst aan liefdadigheid gespendeerd. Dat overschot werd op de markt verkocht en zo werd het klooster, als het ware tegen wil en dank, rijk. De observantie belette echter dat het grootste deel van het binnenkomende geld weer werd uitgegeven. Pompeuze gebouwen waren in strijd met de opvattingen van Cîteaux. Beeldhouwwerk was er aan-

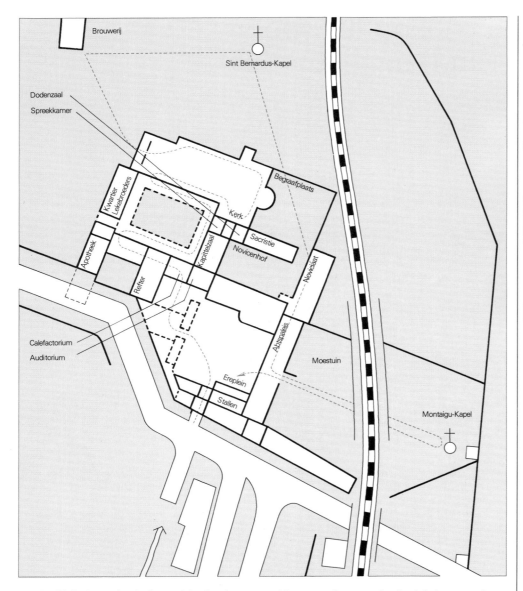

vankelijk in het geheel niet en bleef ook later uiterst zeldzaam. Ook aan kostbare liturgische voorwerpen werd geen geld besteed. Dat alles neemt niet weg dat de gebouwen van Villers toch getuigen van de behoorlijke welstand die de abdij in de 13de eeuw had bereikt.

Rondgang door het oude complex

Tegenwoordig betreden we het complex niet meer via de statige Brusselse poort, maar langs de stallen die de zuidzijde beslaan van het ereplein ('cour d'honneur'), dat in de 18de eeuw werd aangelegd voor het in diezelfde tijd gebouwde abtspaleis. De middeleeuwse resten zijn echter makkelijk te vinden wanneer we de wegwijzers volgen. We komen in het gedeelte van de abdij waarin de monniken vertoefden. De eerste ruimte die we betreden, is het 'calefactorium' of de verwarmde kamer. Hier kon men 's winters, als het buiten guur en kil was, zich wat warmen bij het haardvuur. De architectuur van dit deel van de abdij dateert uit de periode tot de 13de eeuw. Typerend zijn de kruisgewelven die we tijdens onze rondgang nog vaker zullen aantreffen. De sobere kapitelen getuigen van de eenvoud van de kloosterorde.

Als we verdergaan, in de richting van de refter, komen we door een nieuw gangetje dat van de verwarmingskamer werd afgescheiden. We kunnen zien dat onder dit gangetje het water van de Thyle stroomt. Dit is het gevolg van sanitaire voorzieningen die in de 18de eeuw werden aangebracht. Toen werden er nabij de slaapzaal latrines gebouwd die uitmondden boven het stromende water.

De refter dateerde uit de periode van 1230-1250. Van het oorspronkelijke hoge ribgewelf zijn nog de zuilenrij in het midden en sporen in de muren aanwezig. Onze aandacht wordt vooral getrokken door de mooie ramen: dubbele spitsbogen met bovenaan een rond venster, omsloten door een rondboog. Zij zijn typerend voor de stijl tijdens de overgangsperiode van romaanse naar gotische architectuur. In het midden van de westelijke muur zien we sporen van de wenteltrap en de kansel, waarop een monnik tijdens de maaltijden voorlas. Naast de refter ligt de keuken en ook hieronder stroomt de Thyle als een natuurlijk, open riool, waarin men eeuwen later nog voedselresten, zoals oesterschelpen en visgraten, heeft gevonden.

De gebouwen ten westen van de plaats waar we ons nu bevinden, maakten deel uit van het kwartier der lekebroeders, die in de abdij werkzaam waren als landarbeider of ambachtsman. Er waren meer lekebroeders dan monniken, maar vele conversen woonden buiten dit abdijcomplex op de uithoven, de verder weg gelegen boerderijen. In de late middeleeuwen echter stierf het lekebroederschap uit. Toen werden de kwartieren van de conversen bewoond door gesalarieerd dienstpersoneel, dat een eigen refter had.

Door het kloosterpand

Teruglopend kunnen we via de keuken of de refter in het kloosterpand komen, waarvan de vorm goed bewaard is gebleven. Er zijn hier en daar ook nog arcades, maar van de oorspronkelijke sfeer van inkeer en devotie is niet veel overgebleven. In de 13de-eeuwse kapittelzaal kwamen de monniken dagelijks bijeen om het reilen en zeilen van hun gemeenschap te bespreken. In de 18de eeuw werden bepleisteringen en versieringen in stuc aangebracht, waarvan resten nog aanwezig zijn.

Naast de kapittelzaal ligt een klein vertrek met misschien wel het oudste gewelf van het hele complex. Deze kamer wordt 'dodenzaal' genoemd, maar moet in werkelijkheid de bibliotheek zijn geweest. Aan de andere kant van de kapittelzaal is de spreekkamer, de enige ruimte binnen het klooster waar mocht worden gesproken en dan nog maar op bepaalde ogenblikken van de dag. Daarnaast, dus in de zuidoostelijke hoek van het pand, ziet men de trap die naar de slaapzaal leidt. Een andere trap, tegen de zuidmuur van de dwarsbeuk van de kerk, verbond de slaapzaal rechtstreeks met de kerk. De deur is nog op de etage te zien. In het verlengde van de kapittelzaal bevindt zich het zogenoemde 'auditorium' (monnikenzaal), die nu gesplitst is door een uit de 18de eeuw daterende muur. Hier konden de religieuzen bezoekers ontvangen en soms werd het vertrek als 'scriptorium' (schrijfzaal) gebruikt.

De nog bestaande gewelven in het kloosterpand dateren uit de 13de eeuw. In de noordoosthoek ligt het praalgraf van Gobert d'Aspremont, een middeleeuws ridder, die hier zijn laatste dagen sleet en door de gemeenschap als een gelukzalige werd vereerd. Het graf is herbouwd, evenals het mooie roosvenster dat een doorkijk geeft op het koor van de kerk. Wandelen we nu langs de noordzijde van het pand, dan komen we bij een fraaie, maar slecht geconserveerde deur die toegang geeft tot de kerk. Die kerkdeur heeft met haar drie panelen een karakteristieke vorm, die we ook elders (te Aulne en te Doornik bijvoorbeeld) kunnen aantreffen. De westzijde van het pand is laat-middeleeuws en ontstond toen de ruimte, die oorspronkelijk de hof der conversen was, in het gebouw werd opgenomen. Dat gebeurde toen de conversen uitstierven en hun gebouwen een andere functie kregen.

Kerk van imposante afmetingen

De kerk heeft imposante afmetingen: 91 × 40 m. Ondanks de vernielingen en de verwaarlozing na de Franse Revolutie bleef het bijzondere karakter van de kerk bewaard. We bekijken eerst het portaal, de 'narthex', met opengewerkte ramen, zoals die wel meer bij kerken van deze orde voorkomen. De toegangspoort heeft aan de basis nog kleine kolommen en fragmenten van kapitelen. Deze benedenverdieping van de narthex is een van de oudste delen van het gehele complex. Hieronder (toegankelijk via een deurtje naast de panelendeur) ligt een crypte. Daar zijn in de muren 64 nissen uitgespaard, waarin waarschijnlijk de gebeenten van weldoeners werden bijgezet. Wie de crypte wil bezoeken, neme een lamp en laarzen mee. De bouw van de kerk begon ten tijde van abt Karel (1197-1209) en werd door zijn opvolgers voortgezet. Het eerst werd het koor voltooid. Tussen 1210 en 1217 werden twee altaren gewijd. In bouwkundig en esthetisch opzicht zijn in het koor voor-

Linkerbladzijde: plattegrond van het ruïnecomplex.
Daarnaast: de 'oculi' in de westelijke dwarsbeuk.
Rechts: kloostergang en kloosterhof zijn het middelpunt van het oorspronkelijke klooster. De oude romaanse kruisgang werd in later tijden vervangen door een in gotische stijl gebouwde. Daarachter de oostgevel van de refter.
Boven: vanuit de nu verwoeste westergaanderij betrad men de kerk door een eigenaardige 'drielobbige' poort. Daarnaast de lage ingang naar de dodencrypte.

al de ronde ramen ('oculi') onze aandacht waard. Zij alterneren met de spitsboogramen. In het schip wordt de oculilijn overgenomen door een 'triforium' of blindebogengalerij.
Het meest kenmerkend van het hele gebouw is de verlichting in de dwarsbeuken: een reeks ronde ramen boven drie spitsbogen. De zuidkant is niet gelijk aan de noordkant omdat hier de slaapzaal van de monniken bij de dwarsbeuk aansloot en dus een deel van het invallend licht wegnam.

In de noorderzijbeuk werd op het einde van de 13de en in de 14de eeuw een aantal kapellen gebouwd. Opmerkelijk zijn de uitgespaarde nissen, waarin de liturgische voorwerpen werden geplaatst.
De toename van het aantal kapellen houdt verband met de uitbreiding van vrome praktijken (zoals heiligenverering) die in deze periode plaatsvond. Bovendien waren er onder de monniken steeds meer priesters die hun privé-mis moesten opdragen.

Kapel en brouwerij

We verlaten de kerk nu via de noorderdwarsbeuk. Klauteren we de helling op, dan komen we bij de kapel ter ere van Sint Bernardus, gesticht in de 13de eeuw. Van hieruit heeft men een mooi uitzicht – 's winters althans – op de ruïnes van de kerk. We kunnen bij het verlaten van de kerk ook onmiddellijk links afslaan. We bereiken dan een reeks gebouwen die met diverse ambachten in verband stonden. Het oudste en grootste gebouw is de brouwerij (1270-1276). Als we bedenken dat in die tijd veel bier gedronken werd omdat het door de gisting gezonder was dan water en als we bovendien rekening houden met het grote aantal inwoners van de abdij, hoeven de afmetingen van 40 × 12 m ons niet te verbazen; het trappistenbier van de cisterciënzers wordt door kenners nog steeds zeer gewaardeerd. Een ventilatiepijp, gevormd door zes kolommen, zien we vlak bij de ingang en ook op de

verdieping waar het graan werd opgeslagen. Achteraan rechts is een grote schouw
die gisting van de graanvoorraad moest
tegengaan.
Om de brouwerij staan andere gebouwtjes,
zoals de smidse, de schrijnwerkerij, de
wasserij. Zij dateren uit de 18de eeuw.
Het hofje achter het koor van de kerk is de
oude begraafplaats van de monniken.
Lopen we even naar het zuiden, dan
komen we uit op het hof van het noviciaat.
Tussen het kerkhof en het novicenhof ligt
de nieuwe sacristie. Vroeger was dit het
noviciaatsgebouw. De oude sacristie, die
vanuit de dwarsbeuk van de kerk te bereiken was, sloot daarbij aan. De verandering van de functie van de gebouwen
was het gevolg van de grote bouwac-

tiviteiten die na het midden van de 18de
eeuw werden ondernomen. Toen wilde
men het complex als het ware moderniseren, aanpassen aan stijl en mentaliteit
van de eigen tijd. Een voorbeeld daarvan
konden we ook al opmerken toen we in
het verlengde van de kerkgevel door het
vroegere conversendeel naar buiten waren
gewandeld. Daar geeft de apotheek een
goede indruk van de 18de-eeuwse luxe.
De grootste praal moet ongetwijfeld de
vleugel vertoond hebben die aan het novicenhof ligt, de plaats waar we ons bevinden. Aan de oostzijde ligt het nieuwe noviciaat, waarin nog enkele kamertjes te herkennen zijn. Op de verdieping was de
bibliotheek. In het verlengde bevindt zich
het paleis van de abt evenals de vertrekken

Boven: een fraai overzicht
van het enorme door een
1500 m lange muur omsloten
complex. Rechts op de
achtergrond is nog juist
zichtbaar de Montaigu-kapel
uit het begin van de 17de
eeuw, vanwaar men een
prachtig uitzicht heeft over
de abdij.
Rechterbladzijde: op deze
kaart zijn alle
cisterciënzerkloosters
aangegeven, die in de
middeleeuwen in de Lage
Landen gevestigd waren.

waarin belangrijke gasten werden ondergebracht. Een grootse trap leidde naar de
verdieping. De achterzijde komt uit op de
oude moestuin, nu een fraaie tuin met
plantsoenen en fonteinen, die alleen
ontsierd wordt door het spoorwegviaduct.
De trappen eronderdoor leiden naar de
Montaigu-kapel uit 1615, vanwaar we
weer een mooi uitzicht hebben over het
hele abdijcomplex.
Door het paleis van de abt komen we weer
uit op het ereplein, vlak bij de ingang.
Wie nog tijd heeft en niet opziet tegen een
ommetje, zouden we aanraden niet via de
Brusselse poort naar Brussel terug te
rijden, maar de weg te volgen die in het
verlengde van de abdijmolen naar het
dorpje Villers-la-Ville loopt. Daar worden
in de kerk twee retabels bewaard die
afkomstig zijn uit de abdij en typerend zijn
voor het Brabantse snijwerk van ca. 1500.
Vervolgens nemen we de prachtige weg
(met ouderwetse kasseien) in de richting
Sart-Dames-Avelines. We komen dan
door een typisch Brabants landschap en
passeren aan de linkerzijde nog een
gerestaureerd middeleeuws kasteel. Vanuit
Sart-Dames-Avelines komt men op N 49
naar Namen, die spoedig aansluiting geeft
op de weg Charleroi-Brussel.

Tijden van verval en kortstondige opbloei

Het verval van Villers (en van de meeste
andere cisterciënzerabdijen) begon eind
13de, begin 14de eeuw. Het aantal monniken daalde van waarschijnlijk 100 tot 50.
Nog beduidender liep het aantal lekebroeders (dat driemaal zo groot was als
dat van de monniken) terug. Ook de Regel
van Benedictus nam men niet meer zo
nauw. Zo kwamen er bijvoorbeeld in
plaats van de gemeenschappelijke slaapzaal aparte cellen. De conjunctuur daalde
en dat had ook zijn weerslag op de economische positie van de kloosters.
De 16de eeuw bracht nog meer problemen
voor de kloosters in de Nederlanden.
Gebouwen werden vernield door de Geuzen en de Spanjaarden, monniken werden
verbannen. In het noorden verdwenen
tenslotte de kloosters. In het zuiden bracht
het Twaalfjarig Bestand rust en kon enig
herstel optreden. Toch bleef ook in de
17de eeuw de dreiging van vreemde troepen bestaan en bovendien ging de Staat
zich steeds meer bemoeien met de abts-
keuze. Sociale ontreddering en armoede
hadden ook het verval van de gebouwen
van Villers tot gevolg. Tegen het einde van
de 18de eeuw herleefde nog even de luxe,
maar tijdens de Brabantse Omwenteling in
1790 werd de abdij gedeeltelijk vernield.
Na de annexatie van de Oostenrijkse
Nederlanden door Frankrijk werden de
monniken verdreven (1796), de bezittingen van de abdij geveild en het klooster
grotendeels ontmanteld om het bouwmateriaal elders te gebruiken. Wat er nog
was overgebleven, stortte geleidelijk in.
In 1892 werden de ruïnes eigendom van
de Staat, waarna eindelijk enkele
restauratie- en verstevigingswerken kon-

mannenklooster
vrouwenklooster
bestaande kloosters

den worden uitgevoerd.
De abdijruïnes zijn te bezichtigen vanaf
1 mei tot 31 augustus tussen 9 en 20 uur.
Tussen 1 september en 31 oktober en tussen 1 maart en 30 april zijn de openingstijden van 9 tot 18 uur. Tussen 1 november
en 28 februari is bezichtiging alleen
mogelijk op zon- en feestdagen van 9 tot
16 uur.

Monumentale resten van andere cisterciën-
zerabdijen

Van veel cisterciënzerabdijen of -af-
hankelijkheden uit de middeleeuwen zijn
nog monumentale resten bewaard gebleven. We noemen Orval (prov. Luxemburg)
en Aulne (prov. Henegouwen) met ruïnes
van abdijkerken uit de 13de eeuw. Uit
dezelfde tijd dateren de imposante bakstenen resten van de Duinenabdij te Koksijde
(prov. West-Vlaanderen).
Goed bewaard zijn het Vrouwenmunster
te Roermond, Ter Kameren te Brussel en
Godsdal (Valdieu) bij Aubel (prov. Luik).
De schuur van de abdij Ter Doest te Lis-

sewege (prov. West-Vlaanderen) is met
haar indrukwekkende bekapping uniek op
het Europese continent. De 14de-eeuwse
refter der Bijloke-abdij (thans museum) te
Gent is nog met fresco's beschilderd. Verder vermelden we nog Herkenrode (prov.
Limburg, gem. Hasselt), Cambron
(prov. Henegouwen) en La Rameé (prov.
Brabant, gem. Geldenaken). Te Klooster-
zande (prov. Zeeland) en Aduard (prov.
Groningen, gem. Franssum) bleven
eveneens 13de-eeuwse kloostergebouwen
over; zij zijn intensief gerestaureerd.
Verscheidene abdijen functioneren nog.
Sommige, zoals te Orval en Godsdal, zijn
herbouwd op plaatsen waar een middeleeuwse abdij heeft gestaan. Alle nog func-
tionerende cisterciënzerabdijen dateren uit
de 19de of het begin van de 20ste eeuw.
Wij noemen onder andere Westmalle,
Rochefort, West-Vleteren, Achel, Diepen-
veen, Zundert (behorend tot de orde der
trappisten of cisterciënzers-van-de-strikte-
observantie) en Bornem (behorend tot de
gewone observantie).

Ridderhorst in Henegouwen

DRS. ERIK THOEN

In Henegouwen, op 15 km ten oosten van het stadje Soignies (Zinnik) ligt het indrukwekkende kasteel van Ecaussinnes-Lalaing. De burcht, op een hoogte gelegen en gedeeltelijk omgeven door een slotgracht, is ondanks talrijke verbouwingen een van de best bewaard gebleven middeleeuwse kastelen in België.

Boven: miniatuur uit een 15de-eeuws Bourgondisch handschrift, waarop de bouw van een middeleeuws kasteel in beeld is gebracht. Onder: de burcht van Ecaussinnes-Lalaing in de huidige staat, met rechts onder de in barokstijl verbouwde toren de poort die thans als ingang wordt gebruikt. Door zijn ligging op een hoge rots en de aanwezigheid van een gracht houdt het kasteel het midden tussen een hoogte- en een waterburcht. Geheel rechts: hoewel deze miniatuur de redding van Mozes uit de Nijl in beeld brengt, heeft de 15de-eeuwse kunstenaar zijn decors hoofdzakelijk ontleend aan de architectuur van steden en burchten uit de periode waarin ook het kasteel van Ecaussinnes werd gebouwd.

Sinds de 12de eeuw, hier iets vroeger, daar iets later, zijn over geheel West-Europa verspreid, monumentale stenen versterkingen verrezen. Zij werden gebouwd door ridders die plaatselijk het van oorsprong koninklijke recht voor zich opeisten om te bevelen en te straffen (het *bannum*). Deze ontwikkeling zette al in op het einde van de 9de eeuw, toen met het verdwijnen van het aanzienlijke geslacht der Karolingers het koninklijk gezag in verval raakte. Eerst was het een machtige, maar vrij beperkte groep heren die zich in gewesten van dit gezag losmaakten; voorbeelden daarvan zijn de graven van Holland en van Henegouwen in het Duitse rijk. Al spoedig echter werd ook hun gezag ondermijnd door lagere heren die zich eigen heerlijkheden opbouwden, waarbinnen alleen zij het voor het zeggen kregen. De grootte van dergelijke heerlijkheden varieerde van één tot wel vijfentwintig dorpen en verschilde van streek tot streek en van geval tot geval. Men moet zich der-

gelijke heerlijkheden overigens niet als een aaneensluitend geheel voorstellen. In Henegouwen, waarbinnen ook de heerlijkheid van Ecaussinnes was gelegen, waren de lokale heren vrij machtig en zij hebben hun macht ook tamelijk lang behouden. Hoe uitte zich nu deze macht? In de eerste plaats eigenden zij zich de opperste rechtspraak toe. Maar bovendien legden zij de bevolking allerlei verplichtingen op. Zo onderwierpen ze de plattelandsbewoners aan willekeurige belastingen (de *tallia*) en dwongen ze de boeren hun graan tegen betaling te laten malen in de molen van de heer.

Van houten naar stenen burcht
Voordat de stenen burchten in zwang kwamen, was de moteburcht het versterkingstype bij uitstek. Het was een houten constructie, vaak weinig meer dan een centrale toren, die veelal op een kunstmatige heuvel werd opgetrokken en omgeven was door een gracht. Hoewel der-

gelijke burchten nogal brandgevaarlijk waren, boden ze ook tal van voordelen: ze waren qua bouw zeer goedkoop, konden gemakkelijk worden verdedigd en waren bovendien zonder veel moeite te verplaatsen wanneer dat om strategische redenen noodzakelijk was. De overgang van houten naar stenen burcht voltrok zich dan ook niet in de eerste plaats uit strategische overwegingen. Het verschijnsel viel samen met de heropbloei van de handel in de 11de en 12de eeuw, die zich onder meer uitte in de groei van de steden. In de beginperiode van die opleving waren de edelen zonder meer de grootste afnemers – en vaak ook de beschermers – van de internationale handelaars, van wie zij voornamelijk luxegoederen betrokken. De adel ging steeds meer belang hechten aan uiterlijkheden en de stenen burcht groeide tegen die achtergrond uit tot symbool van macht en luxe en tot centrum van feesten en riddertoernooien.

De overgang van hout naar steen

geschiedde overigens slechts geleidelijk. In de beginperiode werd meestal alleen de centrale toren of donjon uit steen opgetrokken, terwijl de rest van de burcht van hout bleef. Voor sommige delen van de burcht bleef men zelfs tot ver in de 14de eeuw hout gebruiken. Van de 13de eeuw af verloor de centrale donjon zijn militaire betekenis. Er kwam een nieuw verdedigingssysteem: men bouwde, meestal in geometrische opstelling, diverse hoektorens rondom een binnenplein. Tussen de torens verrezen in plaats van houten palissaden stenen muren met rondgangen. Tot dit type burcht, dat tot ongeveer het midden van de daaropvolgende eeuw overheerste, behoorde ook Ecaussinnes-Lalaing. Al naar gelang de ligging maakt men gewoonlijk onderscheid tussen hoogteburchten en waterburchten; de eerste waren gelegen op een steile rots, de andere waren omringd door een brede, diepe gracht. Het kasteel van Ecaussinnes houdt het midden tussen deze twee.

Krijgsheer wordt grootgrondbezitter

Van de 14de eeuw af werd de militaire betekenis van de burchten sterk gereduceerd als gevolg van een ware revolutie in de oorlogvoering. Zelfs ten opzichte van hun vorst konden de heren zich militair niet meer zo verdienstelijk maken. Steeds vaker werd een beroep gedaan op huurlingen en bovendien werd het voetvolk militair belangrijker, wat ten koste ging van de ridders te paard. De legers van graven, hertogen en koningen en zelfs die van de steden waren bovendien zo groot geworden dat een burcht een belegering niet lang meer kon weerstaan. De burchten verloren zodoende hun militair karakter en veranderden in residentiële kastelen. Ook de burcht van Ecaussinnes-Lalaing heeft deze ontwikkeling doorgemaakt. De heren ervan waren, naast opperste gezaghebber, ook grootgrondbezitter. Van de uitgestrektheid van hun domein in de middeleeuwen kan men zich een vrij duidelijk beeld vormen. Het voornaamste bezit in

Boven: de noordzijde van het kasteel met, uitstekend, de kapel die in een latere periode is gebouwd op de plaats waar zich vroeger naar alle waarschijnlijkheid de oorspronkelijke ingang van het kasteel heeft bevonden.
Onder: de binnenplaats van het eigenlijke, versterkte kasteel, met links de wapenzaal en in het midden de bogeningang die nu naar de daarachter gelegen kapel leidt. De wapenzaal is een van de ruimten die hun 15de-eeuwse interieur tot op heden hebben behouden.

de 15de eeuw was de pachthoeve nabij het kasteel *(la basse-court)*, die voor twaalf jaar werd verpacht en tot op heden bewaard is gebleven. Bij de hoeve behoorde een flink stuk akker- en weideland. Ook bezat de heer van Ecaussinnes vier vijvers, waarvan thans niets meer terug te vinden is. De pachters van deze vijvers dienden hun pacht deels in geld en deels in natura, dat wil zeggen in vis, te voldoen: jaarlijks moesten ruim tweeduizend vissen worden geleverd. Ook was er een brouwerij, die eveneens verpacht werd. Een ander belangrijk onderdeel van het domein vormden de twee watermolens, die ongetwijfeld gelegen waren aan de Sennette, de enige snelstromende rivier van het dorp, die vlak langs het kasteel liep. De oude herberg 'Au vieux moulin' in de nabijheid van de burcht herinnert hier wellicht nog aan.

In de 15de eeuw waren al deze goederen verpacht. Dat was niet altijd zo geweest. Vóór omstreeks 1300 werden ze, samen met nog een aantal andere bezittingen, rechtstreeks geëxploiteerd door een ambtenaar van de heer. Ze vormden de zogenoemde 'reserve', waarin de hoeve ('het vroonhof') centraal stond. De gronden werden bewerkt door horigen, die zogeheten 'karweien' moesten verrichten. In ruil hiervoor mochten ze ook grond voor eigen rekening bewerken. Van de 12de eeuw af werden geleidelijkaan ook loonarbeiders ingeschakeld en werden de karweien

meestal afgekocht. Deze ontwikkeling samen met het herstel van het centraal gezag omstreeks deze periode, leidde onder meer tot de economische neergang van een aantal heren-grootgrondbezitters.

Strategische ligging aan de rivier
Vrijwel geen enkele burcht van middeleeuwse oorsprong is tot in onze tijd intact gebleven. Veel burchten werden verlaten, toen hun versterkt karakter overbodig was geworden en vervielen tot ruïnes; andere bleven bewoond, maar de gebouwen werden herhaaldelijk aangepast aan de behoeften van de tijd. De burcht van Ecaussinnes-Lalaing behoort tot de tweede groep; de ene helft wordt nog steeds bewoond, de andere is ingericht als museum.
Om zich enigszins te kunnen voorstellen hoe de burcht er in de middeleeuwen heeft uitgezien, moet men vooral aandacht besteden aan de ligging ervan en aan de buitenmuren (ook van het binnenplein uit gezien) die het best intact gebleven zijn.
Het is daarom raadzaam, alvorens binnen een kijkje te nemen, een wandeling rondom de burcht te maken, waarbij men een pad kan volgen of zich kan oriënteren aan de hand van de plattegrond.
De burcht ligt op een hoogte die uitzicht biedt op een lager gelegen vallei, gevormd door de rivier de Sennette aan de overkant van de weg bij de versterking. De Sennette, nu niet meer dan een beek, was vroeger

Rechts: plattegrond van de burcht van Ecaussinnes met de (vermoedelijke) reconstructie van het oorspronkelijke kasteel en een aanduiding van de gebouwen die in de loop van de tijd zijn verdwenen. De gebouwen rondom het B-gedeelte van de binnenplaats zijn van later datum dan die welke deel uitmaakten van de versterkte vesting rondom het A-gedeelte; op de plaats waar nu de toegang tot de kapel ligt, moet zich, tussen de torens 7 (verdwenen) en 8, de vroegere ingang van het kasteel hebben bevonden. De gracht rechts is ruim 20 m breed.

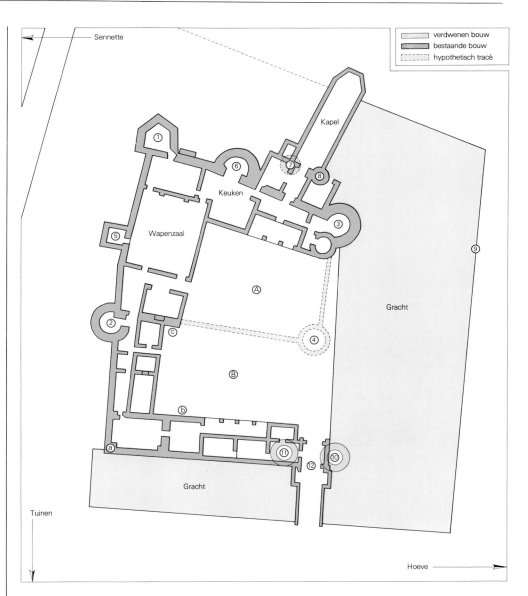

van grote betekenis omdat men met water daaruit zonodig de gracht rondom de burcht kon vullen. De ligging van de burcht bij de rivier was bovendien van belang voor de drinkwatervoorziening en maakte verder de controle mogelijk van deze waterloop die, zoals alle rivieren, van economisch belang was: ze gaf verbinding met de Samme, er was een druk verkeer per trekschuit, er werd visserij bedreven, er waren watermolens in bedrijf.

Reeds bij de eerste aanblik valt op dat de burcht diverse bouwfasen heeft doorgemaakt, al is het minder eenvoudig deze fasen te dateren. De volgende opmerkingen zijn daarom grotendeels hypothetisch. Aan de rivierzijde (de westkant) die het eerst in het gezicht komt, ontwaart de bezoeker drie grote torens van uiteenlopende structuur: een vijfkantige hoektoren (1), een vierkante (5) en een ronde toren (2), met daarnaast een aanbouw. Op de hoek ervan kan duidelijk een ouder gedeelte worden onderscheiden dat vermoedelijk niet meer is dan een hoekgebouw (a).

Opperhof en neerhof

Een wandeling rondom het kasteel kan men het beste beginnen door via een lichtglooiende heuvel in de richting te lopen van de huidige ingang van de burcht (12). Tegenover deze ingang liggen de tuinen van het kasteel; ze zouden tijdens de renaissance zijn aangelegd. Al wandelend treft men het 'neerhof' aan, een hoeve die al vanaf het ontstaan van de burcht (het 'opperhof') daarbij aansloot. De gebouwen binnen het complex van het neerhof zijn in de 18de en 19de eeuw grotendeels gerenoveerd. In de tweede helft van de 15de eeuw bestond het neerhof uit een woonhuis, paarde- en koeiestallen, een grote schapestal, twee grote graanschuren, een bakoven en de brouwerij. Alle gebouwen hadden rieten daken, in tegenstelling tot de bebouwing aan het opperhof. Tijdens de rondgang om het kasteel komt men aan de noordzijde bij een aangebouwde kapel, die wordt geflankeerd door twee grote ronde torens en die dateert uit de 15de of 16de eeuw. Men veronderstelt dat hier een voormalige

ingang van het kasteel is geweest. Zeker is dat zowel de torens als de gebouwen in de loop van de tijd verscheidene malen verhoogd zijn.

De aanblik die het kasteel aan de buitenzijde biedt, heeft het vermoedelijk al in de 15de eeuw gekregen. Met uitzondering van de ingangstoren (12) is de bovenbouw van de overige vier torens – veelhoekige puntdaken met daarbovenop nóg een torentje – een typisch modeverschijnsel uit die tijd. Dat de onderbouw grotendeels uit een vroegere periode dateert, wordt vooral duidelijk wanneer men het gebouw aan de binnenzijde bekijkt. De vóór de poort gelegen stenen brug stamt vermoedelijk uit dezelfde periode als de ingangstoren (12) die in de 18de eeuw grondig in barokstijl is verbouwd; vroeger bestond hij uit twee kleine torens (10 + 11) met overspanning. Op de binnenplaats krijgt de bezoeker een goede indruk van de verdedigingsgracht die het kasteel aan de oost- en zuidkant (en vroeger ook nog aan de noordkant) omringt. Deze gracht is aan de open oostzijde van het kasteel ruim 20 m breed; hij is nu sterk verzand, maar was in de middeleeuwen aanmerkelijk dieper. De westelijke zijde, gelegen aan de kant van de vallei van de Sennette, kon

vermoedelijk nog extra worden verdedigd door het dal onder water te zetten via een systeem van sluizen en een kunstmatig meer. Aan de overkant van de oostelijke gracht zijn nog resten van een ander verdedigingssysteem en zelfs de grondvesten van een vierkante toren (9) te zien. Wanneer men zich, staande op de binnenplaats, met de rug naar de gracht keert, valt op dat die binnenplaats duidelijk in twee delen kan worden gesplitst: een vlak en hoog deel (A) aan de noordkant en een lager gelegen en licht hellend deel (B) aan de zijde van de ingang. De scheiding tussen deze beide gedeelten staat ongeveer loodrecht op de ronde toren aan de westkant (2). Reeds eerder is erop gewezen dat de gebouwen van deel B latere toevoegingen zijn: op tekeningen en schilderijen in het museum van de burcht zijn de zuidelijke gebouwen nog in de 18de eeuw heel wat lager dan die rondom deel A. Op de helling tussen beide delen van de binnenplaats heeft vermoedelijk een muur gestaan; ook de oostelijke gracht was ongetwijfeld met een muur afgesloten. Waar beide muren elkaar raken, heeft waarschijnlijk ook een (ronde) toren (4) gestaan.

Structuur van het kasteel

Indien men deze hypothetische reconstructie aanvaardt, wordt de structuur van het kasteel heel wat duidelijker. Het eigenlijke versterkte kasteel (A) vormde een onregelmatig trapezium, afgesloten door vier hoektorens (1, 2, 3 en 4). Een dergelijke vorm is typerend voor een burcht uit de 13de eeuw, dus uit de periode na de donjonfase die hiervoor beschreven werd. De oudere donjon is toen afgebroken of misschien wel gedeeltelijk in de vernieuwde bouw opgenomen (de dikke muur c). Het is ook mogelijk dat er helemaal geen donjon is geweest zodat de nieuwbouw, in steen, rechtstreeks de houtbouw heeft opgevolgd. Het deel B is dan een soort voorhof geweest.

Bij dit kasteeltype komt een voorhof of eerste verdedigingsgordel meer voor. In Frankrijk zijn daarvan verscheidene voorbeelden te vinden. De gracht is aan de zijde van het voorhof minder breed, een aanwijzing dat dit deel B een eerste verdedigingsgordel was. Op dit voorhof stonden enige gebouwen die vermoedelijk als stal dienst deden. Een rondboog (b) langs de zuidkant doet eveneens een hoge ouderdom vermoeden.

De gebouwen van het kasteel hebben hun huidige aanzien te danken aan diverse verbouwingen, die vooral in de 15de eeuw werden uitgevoerd. In de oorspronkelijke burcht stonden ongetwijfeld veel minder gebouwen en die moeten bovendien lager zijn geweest. De gebouwen van het oude deel A zijn nu ingericht als museum waarin een aantal voorwerpen van de meest uiteenlopende aard is tentoongesteld. Zo vindt men er industrieel-archeologische voorwerpen, een belangrijke collectie keramiek en glaswerk, fraaie tekeningen in Jugendstil, oude wapens en wapenrustingen (onder meer een mooie maliënkolder uit de 14de eeuw) en enige belangrijke schilderijen, waaronder vier van Albert Servaes. Ook zijn er enige prachtige houtsculpturen te zien, zoals een demonenkopje aan de trap bij de ingang, en in de kapel staat een stenen Mariabeeld dat wordt toegeschreven aan de Franse

beeldhouwer André Beauneveu (±1350 - ±1410). Enige ruimten, zoals de wapenzaal en de oude keuken, hebben nog hun 15de-eeuwse interieur behouden. In de wapenzaal en in de gotische zaal daarboven bevinden zich twee gotische schouwen die tot de mooiste in hun soort behoren. Ze zijn sober, maar schitterend gebeeldhouwd, dateren van omstreeks 1500 (de tijd van heer Michel van Croy) en werden vervaardigd uit de typische steensoort, die al sinds de middeleeuwen in de plaatselijke steengroeven wordt gewonnen. Het burchtmuseum is van 1 april tot 2 november iedere dag geopend van 9 tot 12 en van 14 tot 18 uur, behalve op dinsdag en vrijdag, als deze dagen tenminste niet op een feestdag vallen.

Vóór de ingang van de kapel ziet men rechts een torentje (8); in de kapel vindt men aan de tegenoverliggende zijde sporen van verbouwingen, die wellicht wijzen op een paralleltorentje (7); tussen beide kan zich de oude toegang tot het kasteel hebben bevonden. Deze hypothese wordt geloofwaardiger wanneer men een kijkje neemt in de kelder onder de kapel; hier bevindt zich een tongewelf dat zich uitspant in de richting van de binnenplaats. Mogelijk gaat het hier om een oude ondersteuning van een brug. Hier is misschien de oude hoofdingang van het kasteel geweest vóórdat de huidige ingang (12) in gebruik werd genomen, ofwel – en dat lijkt waarschijnlijk – het kasteel heeft twee ingangen bezeten, omdat voorhof en versterkte burcht vroeger door een muur van elkaar gescheiden waren.

Andere hoogteburchten

De heerlijkheid van Ecaussinnes kwam door het huwelijk in 1357 van Jeanne, vrouwe van Ecaussinnes, met Simon de Lalaing in het bezit van de familie met deze vermaarde naam. In 1430 ging ze over op de afstammelingen van een der gezaghebbendste geslachten van de Bourgondische en Habsburgse periode: de familie de Croy. Voor haar betekende deze heerlijkheid evenwel niet het belangrijkste eigendom, ze was veelal niet meer dan een residentie. De nieuwe adellijke klasse ontleende haar aanzien en positie immers veel minder aan grondbezit en meer aan belangrijke administratieve en honoraire functies. Zo was Simon de Lalaing opperbaljuw van Henegouwen en Michel de Croy, die belangrijke verbouwingen in het kasteel liet uitvoeren, ridder van het Gulden Vlies. In 1624 kwam de burcht in handen van de familie Van der Burch die hem, op een korte onderbreking na, in bezit had tot na de Tweede Wereldoorlog.

Hoogteburchten als die van Ecaussinnes kan men slechts vinden in een rotsachtig landschap, hetgeen inhoudt dat men in de Nederlanden soortgelijke kastelen slechts in het zuiden van België aantreft. De bekendste hoogteburcht is die van Bouillon, in het uiterste zuiden van de provincie Luxemburg. Soortgelijke burchten vindt

Boven: dit demonenkopje is een van de prachtige middeleeuwse houtsculpturen die in het kasteel zijn bewaard gebleven.
Links: een deel van de oude keuken, met haar 15de-eeuwse interieur, in de noordelijke vleugel van de burcht.
Onder: een gedeelte van de zogenoemde grote salon, een gotische ruimte boven de wapenzaal met een schouw uit de 15de eeuw die tot de mooiste in haar soort behoort. De meubels zijn 19de-eeuws.

men onder meer in Montaigle (nabij Dinant, in de provincie Namen), zij het dat het hier om een ruïne gaat, en te Vèves in dezelfde streek. Bijzonder gelijkend op het kasteel van Ecaussinnes is het kasteel van Mielmont nabij Onoz in de provincie Namen.

Alvorens Ecaussinnes-Lalaing te verlaten, zou men zeker ook een bezoek moeten brengen aan de Sint-Aldegondekerk. Deze herbergt het schitterende mausoleum van Michel de Croy, met wie de geschiedenis van de burcht zo nauw verbonden is: het mausoleum is in zwart glanzend marmer uitgevoerd.

Het aangrenzende dorp, Ecaussinnes-d'Enghien, bezit eveneens een kasteel, dat de opvallende naam 'La Folie' draagt. Dit eveneens sfeerrijke kasteel heeft overigens zijn versterkte karakter geheel verloren en is niet voor publiek toegankelijk. Het niet ver van Ecaussinnes gelegen stadje Soignies (Zinnik), met onder meer zijn mooie romaanse kerk, is zeker ook een bezoek waard. Men kan zijn tocht voortzetten tot in Cambron, waar men een aantrekkelijke wandeling kan maken tussen de ruïnes binnen het prachtige domein van de uit de 12de eeuw daterende abdij. De geschiedenis van deze abdij is eveneens verbonden met de burcht van Ecaussinnes-Lalaing; zijn grondbezit heeft dit klooster immers te danken aan giften van de burchtheren.

De vaardige vertellers van de Maas

PROF. DR. J. J. M. TIMMERS

In de middeleeuwen is de edelsmeedkunst in het Maasland tot grote bloei gekomen. Fraaie voorbeelden zijn in een groot aantal musea in binnen- en buitenland te bewonderen. Een van de hoogtepunten van deze kunst is de zogeheten Noodkist, het schrijn van Sint Servaas, dat in tijden van nood uit de Sint-Servaaskerk in Maastricht werd gehaald en in processie de stad werd rondgedragen.

Boven: de drie wijzen, een stuk zilverdrijfwerk uit de 10de eeuw dat zich bevindt in de kerk van het Limburgse Susteren. De plaat is waarschijnlijk onderdeel geweest van de bekleding van een altaar. Onder: het schitterende schrijn van Sint Servaas uit Maastricht, de zogenoemde Noodkist, die kan worden beschouwd als een van de hoogtepunten van de Maaslandse edelsmeedkunst.

Het Maasland dankt zijn culturele eenheid aan het oude bisdom Luik, dat in zijn volle omvang bestaan bleef tot 1559. Het omvatte heel het oostelijk deel van het huidige België, het land van Aken, de tegenwoordige Nederlandse provincie Limburg en een groot deel van Noord-Brabant tot aan de grote rivieren. Deze streken hadden eeuwenlang ingrijpende invloeden ondergaan van de Romeinse cultuur. De kern, de streek van Herstal, Aken en Maastricht, was tevens de bakermat van de Karolingische dynastie. Dit alles, en het feit dat met name te Maastricht de aloude Romeinse heerbaan van Keulen naar de kanaalhavens niet alleen de rivier, maar ook de over land lopende noord-zuidverbindingen kruiste, zou Maastricht, maar ook heel het Maasland, openstellen voor beïnvloeding uit alle windstreken. Men heeft de Maaslandse cultuur van de 11de tot de 13de eeuw dan ook met recht een 'wegkruisingscultuur' genoemd. Tot deze cultuursfeer behoorde, naast Maastricht, ook Luik, dat, na de definitieve bisschopszetel van Tongeren en Maastricht te hebben overgenomen, niet alleen het religieuze maar tevens het cul-

turele centrum werd. Verder de aloude keizerstad Aken, Tongeren, Hoei, Namen en het nijvere Dinant, en, naar het westen toe, Leuven en Nijvel. Er lagen in dit gebied talrijke abdijen. Uit deze abdijen kwamen vele geleerden en kunstenaars voort, maar tevens fungeerden hun abten – Wibald van Stavelot is een illuster voorbeeld – als opdrachtgevers inzake kunstwerken voor hun kerken. Maar zij stonden niet alleen, immers ook de bisschoppen, de machtige kapittels in de steden en opdrachtgevers van buiten het Maasgebied profiteerden van de vaardigheid der Maaslandse 'artisans'. Dat waren niet alleen bouwmeesters, beeldhouwers en miniaturisten, maar ook — misschien zelfs vooral — edelsmeden.

Deze laatsten waren het die kleinere liturgische of semi-liturgische voorwerpen als reisaltaren, kelken, crucifixen, reliekschrijnen, evangeliariumbanden, aquamanilen (schenkkannen) en dergelijke vervaardigden, maar ook grotere stukken als altaarretabels en de monumentale huis- of sarcofaagvormige schrijnen, waarvan de 'Noodkist', het schrijn van Sint Servaas te Maastricht, een der hoogtepunten is. Gietwerk werd slechts gebezigd voor bepaalde onderdelen als beeldjes en klauwstukken ter ondersteuning van reisaltaren, van reliekhouders en staande cru-

cifixen; ook steeds voor het Christuscorpus van deze laatste. Het enige nog bestaande monumentale stuk in kopergietwerk is de beroemde doopvont, omstreeks 1115 vervaardigd door Reinier van Hoei en thans bewaard in de kerk van Saint-Barthélemy te Luik. Veel meer werd de drijftechniek toegepast. Daarvoor bezigde men vrij dunne platen van zilver of koper, welke laatste na de voltooiing van het reliëf in het vuur werden verguld. Aanvankelijk bepaalde men zich begrijpelijkerwijze tot een vrij laag reliëf, maar toen de vaardigheid zich ontwikkelde, kwamen de edelsmeden, vooral aan hun grote schrijnen, tot hoog reliëf en zelfs tot vrijstaande beeldjes. Om deze reliëfs en beeldjes tegen beschadiging te vrijwaren werden zij aan de achterzijde opgevuld met een mengsel van was en hars, dat na te zijn afgekoeld een haast steenachtige massa vormde. Voor bepaalde te versieren vlakken werd filigraan toegepast, ornamentwerk van op een vlakke ondergrond vastgekitte en in weelderige vormen verlochten metalen draden.

Gebruik van email
Een zeer voorname plaats werd ingenomen door het email, bij voorkeur het 'émail champlevé': in een iets dikkere koperen plaat werden uitdiepingen gesle-

pen en wel zo, dat de randen daarvan de contouren werden van het ornament of de voorstelling. In die uitdiepingen werd het gesmolten email gegoten. Na afkoeling en verharding daarvan werd het geheel gladgepolijst en het zichtbare metaal verguld. Zo vervaardigde men kleurrijke sierlijsten, maar ook complete taferelen ontleend aan de bijbel en de heiligenlegenden. En verder talloze allegorische en andere figuren, veelal ten halven lijve uitgebeeld en van een bijschrift voorzien.

Daarnaast komt een enkele maal het 'émail cloisonné' voor. Op een meestal gouden ondergrond werden de contouren aangebracht door eveneens gouden opstaande wandjes, enkele millimeters hoog. De verdere bewerking was als bij het champlevé. De in 972 met Otto II gehuwde Byzantijnse prinses Theophanu liet emailwerkers uit haar vaderland overkomen om het daar in zwang zijnde cloisonné ook in het Westen in te voeren. Het vond daarop wel enige toepassingen in Essen en Trier en incidenteel wellicht ook in het Maasland, maar populair werd het er nimmer.

Naast het champlevé bezigde men het 'vernis brun': een donkerbruin olievernis dat op een metaal werd ingebrand en waarin ornamenten werden uitgespaard. Het werd ook gebruikt voor langere opschriften.

Verder werd voor de kostbaardere werkstukken gebruik gemaakt van halfedelstenen en kristallen, die nimmer in facetten, maar steeds rond geslepen werden. Een enkele maal komt men ook intaglio's, antieke gesneden gemmen, tegen.

Maasland inspireerde Rijnland
Het rijkste bloeitijdperk van de Maaslandse edelsmeedkunst is de 12de eeuw. Nadat men lange tijd nauwelijks onderscheid wist op te merken tussen produkten van het Maas- en het Rijnland en men zelfs de kunst van het Maasland aanzag voor een verlengstuk van die van de Rijn, heeft nadere studie aangetoond dat juist de kunst van de Maas die van de Rijn heeft geïnspireerd. Er zijn dan ook duidelijke verschillen: de Maaslandse kunstenaar is vertellend, de Rijnlander sierend.

Het Maaslandse kleurengamma bevat primair blauw en groen van zeer licht tot puur; rood wordt spaarzaam toegepast, maar ontbreekt zelden geheel. Daarnaast vindt men ook wit. Gezichten en onbedekte lichaamsdelen behouden – aanvankelijk althans – de vergulde metaaltoon van de achtergrond, waarbij de details worden ingegraveerd. Er worden veel op- en bijschriften toegepast. Tegen het einde van de eeuw wordt het koloriet bonter en de aanvankelijk serene composities worden onrustiger. De Rijnlandse émaux zijn harder van toon en tekening; men bezigt er email voor de gezichten, handen en dergelijke.

De naam van Godfried van Hoei,

Godefroid de Huy of de Claire, heeft lange tijd als dekmantel gediend voor vrijwel al het in de 12de eeuw ontstane Maaslandse edelsmeedwerk, maar in feite is niet één werkstuk met absolute zekerheid aan hem toe te schrijven. Hij zou na een werkzaam leven in 1174 monnik zijn geworden in de abdij Neufmoustier.
De enige Maaslandse edelsmid die sommige van zijn werken signeerde, is Nicolas van Verdun. Uit de verspreiding van zijn werkstukken valt op te maken dat zijn faam de grenzen van het Maasland verre overschreed.
De laatste grote edelsmid vóór de definitieve doorbraak van de gotiek is Hugo d'Oignies, lekebroeder in het klooster van Oignies. Doordat hij vooral voor zijn eigen klooster werkte, bleef ten gevolge van een gelukkig toeval het merendeel van zijn oeuvre bij elkaar. Het bevindt zich thans in de schatkamer van de Soeurs de Notre-Dame te Namen.

Schrijn van Sint Servaas: taferelen vol symboliek

Een der hoogtepunten, misschien wel hét hoogtepunt van de 12de-eeuwse Maaslandse edelsmeedkunst, is in het bezit van de Sint-Servaaskerk te Maastricht. Het is het grote schrijn van de stads- en kerkpatroon, de zogenoemde Noodkist, zo geheten omdat deze bij tijden van nood in plechtige processie door de stad werd rondgedragen. Het schrijn is 1,75 m lang, 49 cm breed en 74 cm hoog;

het bestaat uit een eikehouten huisvormige kist, geheel bekleed met gedreven en vergulde koperen platen. Het werd omstreeks 1160 vervaardigd door kunstenaars die deel uitmaakten van de school, waaraan men de naam van Godefroid de Claire pleegt te verbinden. Elk detail van dit kunstwerk is symbolisch geladen. Om te beginnen de vorm: het is de woonstee van de heilige in het nieuwe Jeruzalem, zoals dat poëtisch beschreven wordt in het 21ste hoofdstuk van de Openbaring. Het schrijn is tegelijkertijd een beeld van dit hemelse Jeruzalem, immers de door Johannes geschouwde stad heeft twaalf poorten en zij draagt op haar grondvesten de namen van de twaalf apostelen van het Lam. Welnu, de zijkanten van het schrijn zijn getooid met twaalf poortvormige bogen en in elke boog is één der apostelen in laag reliëf weergegeven. Die op de troon zit zegt van zichzelf: 'Ik ben de Alfa en de Omega, het begin en het einde': Christus troont op de korte voorzijde van het schrijn tussen de symbolische letters. Johannes ziet hoe een stroom van Water des Levens, helder als kristal, opbruist uit de troon van God en het Lam: van onder Christus' troon gaan gestyleerde golven uit. Verder noemt Johannes de Boom des Levens, door de stroom omgeven, die twaalfmaal vruchten draagt. Omwille van de symmetrie heeft de kunstenaar dit weergegeven door twee boompjes, rechts en links van Christus, elk met zes vruchten.

Christus als rechter

Een andere tekst in hetzelfde hoofdstuk van de Openbaring luidt: 'Wie overwint zal alles beërven: Ik zal hem tot God zijn, hij Mij tot zoon.' Christus verschijnt op de Noodkist dan ook als rechter, immers Hij toont een open boek met het opschrift: 'Ecce venio cito et merces mecum' (Zie, Ik kom spoedig en mijn loon draag Ik bij mij); het zijn de slotwoorden van het geciteerde hoofdstuk uit de Openbaring. De apostelen, mederechters van Christus bij het oordeel, dragen ieder op een banderol een schrifttekst betrekking hebbend op dit gebeuren. Ook de dakvlakken zijn geheel aan het Laatste Oordeel gewijd: de bazuinblazende engelen, de opstanding der doden, het afwegen van goede en boze daden, de beloning der uitverkorenen en de straf der verdoemden.
Op de tweede korte zijde staat Sint Servaas in bisschopsgewaad, geflankeerd door twee engelen, waarvan de rechtse een open boek toont met het opschrift: 'Indue immortalitatem' (Trek het kleed der onsterfelijkheid aan). De voor- en achterzijde, benevens de nok van het dak zijn voorzien van een opengewerkte ornamentale kam, die aan de korte zijden langs de zijkanten neerloopt. De taferelen op de dakvlakken zijn ten dele opgenomen in ronde omlijstingen. Diezelfde bijzonderheden komen ook voor aan de schrijnen van de heiligen Donatianus en Mengold in de Onze-Lieve-Vrouwekerk te Hoei, welke vermoedelijk het werk zijn van Godefroid

Links en rechts: twee details
van de uit koper gedreven
en vervolgens vergulde
bekleding van de
Maastrichtse Noodkist,
respectievelijk bisschop
Servatius en de apostel
Andreas voorstellend.
Onder: de doopvont van de
12de-eeuwse edelsmid
Reinier van Hoei is het enige
monumentale stuk
kopergietwerk dat van de
Maaslandse edelsmeedkunst
bewaard is gebleven.

de Claire. Dit ondersteunt uiteraard de
toeschrijving van de Noodkist aan deze
kunstenaar.

Borstkruis uit Trier

Een ander belangrijk stuk in de
Maastrichtse schatkamer, het 11de-eeuwse
zogenoemde borstkruis van Sint Servaas,
is onder andere versierd met reepjes émail
cloisonné. Het is waarschijnlijk te Trier
ontstaan. Maaslands daarentegen is een
tweetal uit koper gedreven reliëfs, staande
engelen met wierookvaten. Zij zijn elk
ruim 70 cm hoog. Zij zijn later tot reliekhouders omgevormd, maar wellicht zullen
zij onderdelen zijn van een groter geheel,
misschien een altaarretabel. Zij dateren
van ca. 1170. Het zogenoemde reisaltaar
van Sint Servaas, een rechthoekige plaat
serpentijnsteen, is ingevat in eenvoudig
geornamenteerd zilveren lijstwerk (12de
eeuw). Zijn reiskelk lijkt in zijn vormgeving beïnvloed te zijn door de stijl van
Hugo d'Oignies. Hij kan uit de tweede
helft van de 13de eeuw dateren.

Edelsmeedwerk uit latere tijden

Ook tijdens de gotiek bleef de edelsmeedkunst in het Maasland levendig, getuige
onder andere de triptiek van Floreffe
(Parijs, Musée de Cluny; tweede helft 13de
eeuw). De kerkelijke schatkamers van
Aken, Tongeren en Maastricht zijn
rijkelijk voorzien van gotisch
edelsmeedwerk. Een boeiende figuur
omstreeks de overgang van gotiek naar
renaissance is Jan van Roitlingen. De
beroemde reliekenbuste van Sint Lambertus in de kathedraal van Luik is zijn voornaamste werk (1512), maar tevens werkte
hij onder meer voor de dom van Aken en
zelfs voor het keizerlijke hof te Wenen. De
maker van het grote schrijn van de heilige
Begga te Andenne (ca. 1560-1570) is niet

bekend. Hetzelfde geldt voor het borst-
beeld van Sint Servaas te Maastricht (na
1580) en voor het schrijn van de heilige
Lutgardis te Itter (1627). In de 17de eeuw
vervaardigde Jean Goesin reliekeen-
borstbeelden voor Stavelot en Visé.
De geelgieterskunst of dinanderie kwam
tot hoge bloei. Voor de Onze-Lieve-
Vrouwekerk te Tongeren vervaardigde
Jehan Josès een paaskaarskandelaar
(1372) en vervolgens een koorlezenaar. Te
Maastricht goot Aert van Tricht de doopvont voor de Sint-Jan te 's-Hertogenbosch
(1492) en het koorhek voor de Sint-Vitus
te Xanten (1501). De doopvont te Wijk-
Maastricht is een werk van Jan van Venlo
(1482); die te Venlo, door Herman den
Potgieter, volgde in 1619-1621.

Verder te bezichtigen

In de Koninklijke Musea voor Kunst en
Geschiedenis te Brussel is een aantal
belangrijke produkten van de Maaslandse
edelsmeedkunst te bezichtigen, zoals het
reliekenborstbeeld van paus Alexander,
door Godefroid de Claire, en een paaskaarskandelaar uit het midden van de
12de eeuw, één van de weinige bewaarde
grotere voortbrengselen van de geelgieterskunst. Voorts onder andere vier relie-

kentafels die voorheen behoorden bij de
Maastrichtse Noodkist.
Enkele andere plaatsen waar prachtig
Maaslands edelsmeedwerk te zien is, zijn:
Aken – de kroonluchter en het Karls-
schrein in de Dom.
Keulen – het Driekoningenschrijn door
Nicolas van Verdun.
Klosterneuburg – altaar door Nicolas van
Verdun.
Doornik – schrijnen van Maria en van
Sint Eleuterius door Nicolas van Verdun.
Stavelot – het schrijn van Sint Remaclus.
Amay – het schrijn van Sint Oda en Sint
Joris.
Kruistriptieken bevinden zich te Luik
(Sainte-Croix), Brussel (Kon. Musea voor
Kunst en Geschiedenis), Parijs (Petit
Palais, twee stuks), Londen (Victoria and
Albert Museum), New York (Pierpont
Morgan Library) en Tongeren (Onze-
Lieve-Vrouwekerk). Behalve het Musée
Curtius te Luik bezitten nog vele grote
buitenlandse musea Maaslandse kunst-
werken.

De schatkamer van de Sint-Servaaskerk te
Maastricht is geopend van mei t/m oktober van 10.30 tot 17.00 uur; op zon- en
feestdagen van 11.00 tot 17.00 uur.

Zeshonderd vorstinnen aan de Reie

PROF. DR. J. A. VAN HOUTTE

Het huidige Brugge, met zijn randgemeenten nu in grootte de vijfde gemeente van België, is een stad vol bedrijvigheid. Daartoe behoren zeker de tienduizenden toeristen die jaarlijks de stad bezoeken. Want Brugge ontleent zijn belang voor een groot deel aan het feit dat het meer dan enige andere plaats in de Nederlanden zijn oude uiterlijk heeft bewaard. In de middeleeuwen heeft de stad een ongekende bloei doorgemaakt, waaraan nu nog tal van schitterende huizen en grotere bouwwerken herinneren. Wandelt men in de stille seizoenen of op rustige zomeravonden langs de oude grachten, dan waant men zich in een wereld van vele eeuwen terug.

In de buurt van de huidige haven van Brugge bestond reeds in de laatste eeuwen vóór onze tijdrekening een nederzetting die, althans gedeeltelijk, haar bestaan zocht in het winnen van zout. In de Romeinse tijd is hier waarschijnlijk een overlaadbedrijf tussen zee- en landtransport tot ontwikkeling gekomen. Aan het einde van de 3de eeuw heeft de zee die Gallo-Romeinse woonkern overspoeld. Maar intussen had zich de bewoning reeds verder zuidwaarts, in de buurt van de latere Burg, ontwikkeld. Waarschijnlijk werd deze laatste nederzetting omstreeks die tijd een schakel in een ketting van Romeinse forten die de Noordgallische kust beveiligden. Na de 5de eeuw is de geschiedenis van deze streek enige honderden jaren duister.

Uit vondsten van munten die dateren uit het midden van de 9de eeuw, blijkt dat Brugge een der aanlegplaatsen van de Noormannen in de Nederlanden was. Nadat deze omstreeks 900 hun overvallen hebben gestaakt, kon Brugge zijn rol als handelsplaats weer opnemen. Daarbij ontstonden echter waterstaatkundige problemen. In de 9de of 10de eeuw begon namelijk de zee ten noorden van Brugge weer te wijken. Gedurende een paar eeuwen was Brugge vermoedelijk slechts toegankelijk over een soort waddenzee, waar alleen bij vloed kon worden gevaren en dan nog met schepen met geringe diep-

gang. Zij bereikten de onmiddellijke nabijheid van de jonge stad waar nog tot het
einde van de middeleeuwen de naam Wik
(dat wil zeggen handelshaven of -plaats)
herinnerde aan de oorspronkelijke
havenkom. Het Wik lag in de buurt van de
huidige Sint-Gilliskerk. Het werd bereikt
via de Reie, een rivier afkomstig van de
hoogten ten zuiden van de stad, waarvan
de waterafvoer nooit heeft volstaan om de
vaarweg naar de zee uit te schuren. De
riviernaam werd te Brugge geleidelijk een
soortnaam met de algemene betekenis van
waterloop, al dan niet natuurlijk, en wordt
nu nog aan alle grachten in de stad
gegeven.

Ontstaan van het Zwin en Damme
In het scheepvaartverkeer op Brugge
kwam plotseling een wending in 1134. Een
stormvloed sloeg een wijde bres in het
landschap van schorren en polders ten
noorden van de stad en deed een diepe
zeeboezem, het Zwin, ontstaan. Tot op een
vijftal kilometers afstand van Brugge was
deze nieuwe zeearm uitstekend bevaar-
baar, ook voor de koggen, grotere schepen
met meer diepgang, die in deze tijd in
gebruik kwamen. Tussen de stad en de
aldus gevormde rede, die vermoedelijk in
1167 door een dam werd afgesloten, diende men zich nog te behelpen met de kreek
die de monding van de Reie vormde.
Later, waarschijnlijk tegelijkertijd met de
aanleg van de dam, werd deze kreek geka-
naliseerd.
Aan de dam ontstond een nederzetting die
weldra Damme werd genoemd. Deze
voorhaven van Brugge kreeg in 1180
stadsrecht. Spoedig daarna ontstond een
reeks van andere plaatsjes op de oevers
van het Zwin, die in die voorhavenfunctie
deelden. Muide, aan de ingang van de
boezem, kreeg in 1242 stadsrecht. Het verviel naderhand tot het dorp Sint-Anna-ter-
Muiden. Het volledig verdwenen Monike-
rede, stroomafwaarts van Damme, werd
in 1226 voor het eerst vermeld. Nog iets
dichter bij de zee ontstond Hoeke, thans
een buurtschap van Damme. Maar intussen begon het Zwin te verzanden zodat
Damme op den duur niet meer als voorhaven kon functioneren. Als laatste in de
rij van de Zwinsteden ontstond toen, aan
de ingang van het Zwin, Sluis, dat in of
kort vóór 1290 stadsrechten kreeg.

Patriciaat krijgt de macht
Natuurlijk ontwikkelde Brugge zelf zich
vóór zijn voorhavens tot stedelijke
zelfstandigheid. De aanleiding daartoe
waren de woelingen die in Vlaanderen uit-
braken na de moord op graaf Karel de
Goede in 1127. De bevolking van de jonge
stad bewerkstelligde toen de opheffing van
de laatste overblijfselen van de grond-
heerlijke onvrijheid en tevens de aanstelling van een schepenbank uit eigen kring.
De leiding van de gemeente kwam uiteraard, zoals overal in de Westeuropese steden, in handen van de aanzienlijkste burgers, het zogenoemde patriciaat. Hun

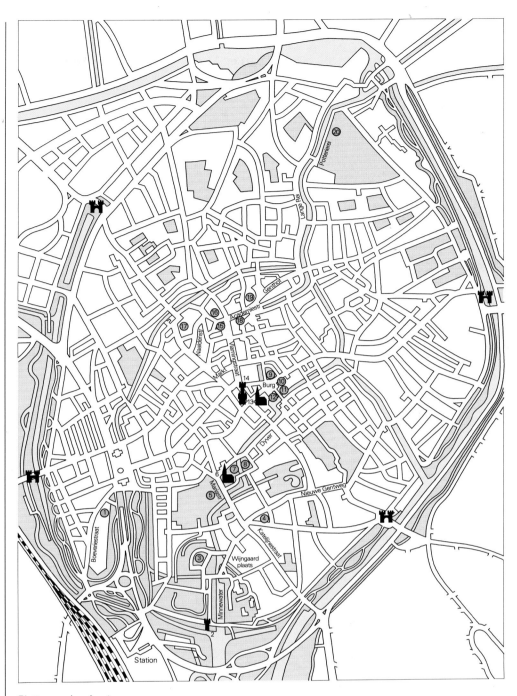

Plattegrond en beziens-
waardigheden in Brugge:
 1. Sint-Godelieve-abdij en
    godshuizen
 2. Poertoren
 3. Begijnhof
 4. 17de-eeuwse
    godshuizen
 5. Sint-Janshospitaal
 6. Onze-Lieve-Vrouwekerk
 7. Gruuthusemuseum
 8. Arentshuis
 9. Grondvesten van
    vroegere
    Sint-Donaaskathedraal
10. Gerechtshof en Museum
    van het Vrije
11. Civiele Griffie
12. Stadhuis
13. Heilig-Bloedbasiliek
14. Halle en Belfort
15. Koninklijke
    Stadsschouwburg
16. Genuese Loge
17. Concertgebouw
18. Poortersloge
19. Oud Tolhuis
20. Potteriemuseum

macht steunde hoofdzakelijk op de rijke
inkomsten die zij zich met handel en
daarmee verbonden industriële ondernemingen verwierven.
Van oudsher was Vlaanderen een van de
voornaamste centra van de wolbewerking
in Europa. Omstreeks 1100 waren Vlaamse ambachtslieden begonnen Engelse wol
te verwerken. Het ligt voor de hand dat
een handwerker niet zelf naar Engeland
kon reizen om er de wol in te kopen voor
de bescheiden produktie die hij op de
markt kon brengen. Dit diende aan
beroepshandelaars te worden overgelaten.
Maar doordat dezen de export beheersten,
kregen zij vat op de producenten, aan wie
zij opdrachten gaven naar gelang de vraag
die zij op de afzetmarkten waarnamen. De
handwerkers werden volkomen van hen
afhankelijk en vervielen tot de status van
loonarbeid.
Het patriciaat kon zijn macht handhaven

(de zogenoemde Brugse Metten; 18 mei 1302) escaleerde het verzet tot een gewapende opstand. Toen het Franse ridderleger daarvoor wraak kwam nemen, werd het bij Kortrijk op 11 juli 1302 in de Slag der Gulden Sporen verslagen door een leger dat voornamelijk bestond uit boeren en ambachtslieden. Onder de laatsten bevonden zich veel Bruggelingen.
Die overwinning maakte te Brugge en overal in Vlaanderen (zij vond ook ver daarbuiten weerklank) een einde aan de heerschappij van het patriciaat. De ambachtslieden kregen zitting in de schepenbank en oefenden er zelfs een overwicht uit. Mettertijd echter werd hun politieke macht teruggedrongen.

Ellende en onrust

Een crisis in de late middeleeuwen bracht stagnatie en achteruitgang. Zij verwekte periodiek, vooral wanneer tijdens perioden van graanschaarste de kosten van het levensonderhoud sterk stegen, ellende en onrust onder de werkende stand. De vorsten kregen bij de verdediging van wet en orde steun van de gegoede stand en hebben zich in de 14de en 15de eeuw, uiteindelijk met succes, beijverd om het gemeentelijk bestuur weer in handen van de gegoede burgers te geven.
Na zijn politieke val in 1302, die gepaard ging met grote financiële verliezen, waren het industrieel ondernemerschap en de buitenlandse handel van het patriciaat ten onder gegaan. Sinds de 14de eeuw overheerst, met name in de lakenindustrie, het kleine zelfstandige bedrijf en men zag toen nog slechts zelden Brugse kooplieden buiten hun stad. De toevloed van vreemdelingen verschafte de bewoners van Brugge trouwens voldoende inkomsten. Talrijke geslachten uit het vroegere patriciaat vonden een broodwinning in het houden van een herberg, waar vreemde handelaars konden logeren en hun koopwaren opslaan. Zo'n waard nam ten opzichte van zijn klanten een vertrouwenspositie in. Hij vergemakkelijkte hun aankopen door zich voor hun schulden borg te stellen. Vaak trad hij tijdens hun afwezigheid ook als hun facteur of commissionair op. Hij nam verder makelaars in dienst om zijn gasten in contact te brengen met de gezochte tegenpartij.
Brugge was in de 14de eeuw het belangrijkste handelscentrum van Noord-Europa geworden en werd alleen nog overtroffen door de grote Italiaanse koopsteden. De bevolking kan omstreeks 1340 op 35.000 à 42.000 ingezetenen worden geraamd. De vreemde kooplieden en hun gevolg vertoefden meestal slechts tijdelijk in de stad. De meeste vreemdelingen waren georganiseerd in 'naties'. Deze behartigden ten opzichte van de Vlaamse en speciaal de Brugse overheid de belangen van hun landgenoten.
De behoeften van de handel deden te Brugge een uitgebreide financiële organisatie ontstaan. Naast de, meestal Italiaanse, pandjesbazen, bij wie vooral kleine lie-

zolang het een voldoende, op een monopolie gelijkende controle op de buitenlandse handel uitoefende. In de loop van de 13de eeuw vonden echter steeds meer vreemdelingen de weg naar Brugge om er de produkten van hun land op de markt te brengen en Vlaamse produkten (vooral laken) in te kopen. Daarbij stonden Duitsers en Engelsen voorop. Via de laatsten konden de handwerkers zich ter plaatse voorzien van de wol die zij nodig hadden. Zo konden zij zich losmaken uit de greep van het ondernemerspatriciaat. Bovendien konden zij nu zelf hun lakens aan de vreemdelingen verkopen. Er ontstond, tussen de klasse van de patriciërs en die van het arbeidersproletariaat, een mid-

denstand van ambachters – kleine ondernemers die zich gingen verzetten tegen de alleenheerschappij van het patriciaat.
De patriciërs poogden deze oppositie (en ook die van de handwerkers tegen de uitbuiting door de werkgevers) te onderdrukken. Aan het einde van de 13de eeuw viel dit sociaal conflict samen met de pogingen van de graaf van Vlaanderen, Gwijde van Dampierre, om paal en perk te stellen aan de eigengereidheid van de stedelijke schepenbanken. De patriciërs zochten toen bescherming tegen Gwijde bij diens leenheer, de Franse Filips IV de Schone. De volksklasse daarentegen steunde de graaf. Met de overval onder leiding van de wever Pieter de Coninc op het Franse garnizoen

den in nood terecht konden, waren er ingezeten wisselaars die niet alleen de gewenste muntspeciën in ruil voor andere leverden, maar die ook een girokantoor hielden en betalingen door overschrijving in hun boeken uitvoerden. Brugge werd de voornaamste wisselmarkt benoorden de Alpen. De Brugse Beurs, een plein dat werd genoemd naar de herberg 'Ter Beurze', welke werd geëxploiteerd door het patricische geslacht Van der Beurze, was het voornaamste centrum van dit bedrijf. Deze familienaam is blijven voortleven in het woord 'beurs', zoals dat nu nog steeds wordt gebruikt.

Concurrentie van Sluis en Engels laken
De unieke positie van Brugge werd spoedig aangetast. Een schrikbeeld voor de stad was van meet af aan de mogelijke concurrentie van Sluis. Voor wie over zee in het Zwin aankwam, lag de bekoring voor de hand niet verder dan de voorhaven te reizen, hier zijn waren aan de man te brengen en een terugvracht te zoeken, vooral ook omdat de bevaarbaarheid van het Zwin hoe langer hoe meer te wensen overliet. Dit gevaar werd in 1323 gekeerd, toen de Bruggelingen, na Sluis in

de as te hebben gelegd, de verlening van een stapelrecht afdwongen, waarbij vrijwel alle waren die het Zwin binnenkwamen of eruit zouden gaan, naar Brugge dienden te worden gevoerd en alleen daar mochten worden verhandeld. Zij hebben er, heel de 14de en 15de eeuw door, angstvallig voor gewaakt dat hun voorhaven, uit haar puin herrezen, geen inbreuk op dat privilege zou maken en zij hebben geen kosten gespaard om de waterweg te onderhouden, zij het dan uiteindelijk zonder succes. Ernstiger, en ten langen leste fataal, was een andere dreiging. De terugvracht bij uitstek was in de havens van Vlaanderen het Vlaamse laken. De Vlaamse wolindustrie geraakte echter in de 14de eeuw geleidelijk aan in een onherstelbaar verval. In verschillende Europese landen kwamen concurrenten op die tegen lagere kostprijs werkten. De voornaamste was de Engelse lakennijverheid. Engeland zocht uiteraard naar afzetmogelijkheden voor zijn laken op het vasteland, maar degenen die belang hadden bij de Vlaamse textielnijverheid, wisten de invoer ervan in het graafschap te beletten. Daarmee verloor Brugge de kans het distributiecentrum te worden voor dit Engelse artikel, dat een schitterende toekomst te wachten stond. Het Engelse laken werd dus op het continent niet in Vlaanderen maar voornamelijk in het naburige Brabant, op de jaarmarkten van Antwerpen, verhandeld. Van hieruit ging het al in een vroeg stadium, hoofdzakelijk door toedoen van de Keulse handel, naar Duitsland, een zeer groot afzetgebied. Zuid-Duitsland kende sinds de tweede helft van de 14de eeuw een forse groei. Talrijke Duitse steden als bijvoorbeeld Augsburg, Ulm en Neurenberg traden op als schakel tussen de Italiaanse en Keulse handel. De Zuidduitsers belegden hun winsten onder andere in de prospectie en ontginning van de overvloedige zilver- en koperlagen in de Centraaleuropese bergketens van Tirol tot Transsylvanië. Ook deze ertsen en metaalwaren vonden op dezelfde wijze hun weg naar Antwerpen voordat de Zuidduitse handelaars er zelf heen trokken. Zo nam Antwerpen geleidelijk aan de functie van Brugge over voor een uit-

gestrekt achterland. Terzelfder tijd liep in Brugge de handel van de Duitse Hanze in snel tempo terug. Deze behelsde voor het merendeel bulkgoederen – ertsen, hout, graan, haring en dergelijke – uit de omtrek van de Oostzee, maar ook zout en wijn uit de kuststreken van Frankrijk, Portugal en Andalusië. Aanvankelijk speelden Lübeck en de naburige Oostzeesteden daarbij de hoofdrol, maar zij verloren deze door de opkomst van de Hollandse vrachtvaart en koopvaardij. In plaats van die waren naar Brugge te brengen voerden de Hollanders ze naar Amsterdam.

De woelingen die Vlaanderen gedurende tien jaar na de dood van Maria van Bourgondië (1482) teisterden, gaven het kwijnende Brugge de genadeslag. In de bloeitijd echter was Brugge vermaard om de weelde waarin de toplaag van de bevolking leefde. Dat blijkt ook duidelijk uit een opmerking die de echtgenote van Filips de Schone maakte tijdens een bezoek aan de stad: 'Ik dacht dat ik hier de enige koningin zou zijn, maar ik zie hier nog zeshonderd andere.'

De welvaart (ook al gold deze niet voor de gehele bevolking) kwam natuurlijk ook tot uiting in de gestage groei van Brugge. In de 14de eeuw moest een nieuwe omwalling worden aangelegd. De eerste, daterend uit 1127-1128, is thans nog gedeeltelijk te herkennen in de loop van de binnenreien (grachten). Van de tweede zijn vrijwel over de gehele omtrek de grachten, een toren en vier, helaas erg verminkte, stadspoorten bewaard gebleven.

Ziels-, zieken- en armenzorg
De zielszorg werd van oudsher door twee parochies waargenomen, de Sint-Salvator en de Onze-Lieve-Vrouw. De grafelijke burcht had een eigen kerk, de verdwenen Sint-Donaas op de Burg. In de 13de eeuw maakte de bevolkingsaanwas de instelling van drie nieuwe parochies noodzakelijk: de Sint-Jacob, de Sint-Gillis en de Sint-Walburga. Deze laatste kerk werd in 1787 afgebroken. De andere kerken staan nog en zijn fraaie voorbeelden van de Vlaamse baksteengotiek. Het laatmiddeleeuwse Brugge telde een groot aantal kloosters. Men vond er ook een begijnhof, waar vro-

me vrouwen samenwoonden zonder de strenge kloosterverplichtingen van slot en dergelijke te moeten onderhouden.

In een middeleeuwse stad was, hoe rijk haar gegoede stand ook mocht zijn, veel ellende. De armen werden naar beste vermogen op velerlei wijzen geholpen. In de eerste plaats werden ziekenhuizen gesticht. Het oudste daarvan was het Sint-Janshospitaal, lange tijd bediend door zusters én broeders, die hun oudste regel in 1188 kregen. In de 13de eeuw ontstond een hele reeks andere, waaronder de Potterie, gesticht of vernieuwd in 1276. Sommige inrichtingen waren gespecialiseerd, bijvoorbeeld in de verzorging van pestlijders of van krankzinnigen. Er waren ook stichtingen voor vondelingen en voor tot inkeer gekomen ontuchtige vrouwen. In weer andere konden behoeftige reizigers overnachten. Een Brugse bijzonderheid waren de zogenoemde godshuizen, huisjes – soms in een rij aan een straat gelegen, soms rond een binnenhofje gebouwd met een blinde muur naar de straatzijde toe. De oudste dateren uit de 14de eeuw. Zij waren bestemd om ouden van dagen, alleenstaanden of echtparen te huisvesten, die er zelfstandig konden wonen. Sommige godshuizen werden gesticht voor ambachten ten behoeve van hun invalide leden of van weduwen. De meeste kwamen tot stand door stichtingen van liefdadige particulieren. Hun beheer ging aan het einde van de 18de eeuw naar de openbare armenzorg over, thans het Openbare Centrum voor Maatschappelijk Welzijn, dat ze in principe nog voor hun oorspronkelijke doel gebruikt.

Wandelen in de middeleeuwen

De huidige bezoeker van de stad, die de relicten uit haar grote tijd wil bekijken, krijgt direct na aankomst de gelegenheid zulke godshuizen te zien. Komt hij per trein aan, dan loopt hij bij het uitgaan van het station een eindje links door het plantsoen van de vroegere stadswallen. Komt hij per auto, dan rijdt hij na het spoorwegviaduct rechtuit de Boeveriestraat in. Hier vindt hij dadelijk aan zijn linkerhand een rij van dertien godshuisjes uit het einde van de 15de eeuw. Na de eerste vier zijn er drie die blij-

kens de wapenschilden in de gevel werden gesticht door het ambacht van de timmerlieden. De volgende drie zijn door de schrijnwerkers en de laatste drie door de kuipers opgericht.

Terug naar het station. Wij lopen om het verkeersplein en begeven ons naar het Minnewater, vermoedelijk een stuwbekken dat omstreeks de 13de eeuw in de loop van de Reie werd aangelegd om de stroomafwaarts gelegen watermolens te laten draaien. Van de brug af krijgt men het mooiste panorama van de stad te zien met, van links naar rechts, de torens van de Sint-Salvator, de Onze-Lieve-Vrouwe en het Belfort. De toren naast de brug, uit 1398, is met de vier nog staande stadspoorten het enige overblijfsel van de tweede omwalling die aan het einde van de 18de eeuw werd afgebroken.

Wij volgen nu de oever van het Minnewater naar de stad toe, gaan de brug vóór het 'Sashuis' over en lopen linksaf, over de Wijngaardplaats. Aan onze linkerhand staat de ingangspoort van het begijnhof. De oudste huisjes dateren uit de 15de eeuw. Door de Wijngaardstraat komen wij in de Katelijnestraat, slaan linksaf en gaan dan weer de eerste straat aan onze rechterhand in, de Nieuwe Gentweg. De deur met de nummers 8-54 verschaft toegang tot een ander type van godshuizen, 24 in de 17de eeuw gebouwde woningen rond een binnenhof met een kapel uit dezelfde periode.

In één ziekenzaal

Wij keren terug naar de Katelijnestraat en zetten onze weg naar het centrum voort. Naast de rei aan het einde van de Mariastraat ligt het Sint-Janshospitaal. Wat er van de middeleeuwse gebouwen is bewaard, dateert voor het merendeel uit de 13de eeuw, zo met name de ingangspoort met de kerktoren. Zoals vroeger gebruikelijk werden alle zieken zonder onderscheid in die éne ziekenzaal verpleegd, alleen maar door bedgordijnen van elkaar afgezonderd, zoals nog op in het hospitaal bewaarde schilderijen te zien is. Bij grote toevloed van patiënten werden er zelfs meerderen in één ledikant gestopt! Het betrof hier uiteraard steeds behoeftigen. Welgestelde lieden lieten zich thuis

verzorgen. Bij het hospitaal hoorde een apotheek die in haar tegenwoordige vorm uit de 15de eeuw dateert. Zij bevat nog haar meubilair en potten uit de 17de eeuw. Tenslotte bezit het museum van het Sint-Janshospitaal de meest opmerkelijke verzameling schilderstukken van Hans Memling ter wereld.

Tegenover het hospitaal ligt de Onze-Lieve-Vrouwekerk, een gebouw uit de 13de-15de eeuw. Zij bevat onder meer de praalgraven van hertogin Maria van Bourgondië († 1482) en van haar vader Karel de Stoute († 1477), die hier werd bijgezet in 1553. Op de linkerkooromgang komt een tribune uit die verbonden is met het huis van de heren van Gruuthuse. Vanaf deze tribune konden zij de kerkelijke diensten volgen. Zij werd in 1471-1472 op last van Lodewijk van Gruuthuse in sierlijk schrijnwerk uitgevoerd en draagt het devies van zijn geslacht: 'Plus est en vous' (Meer is in U) en zijn initialen en die van zijn echtgenote, Margareta van der Aa (L en M).

Wij volgen de linkerbuitenmuur van de kerk, voorbij de toren en komen aan het huis Gruuthuse. Het geslacht Gruuthuse is genoemd naar het 'grutehuis' dat het in leen hield. De grute was een mengsel van allerhande kruiden dat in de middeleeuwen werd toegevoegd aan de wort teneinde het bier smaak te geven. Sinds ca. 1300 is men daarvoor hop gaan gebruiken. In Gruuthuse is het Museum van Oudheidkunde ondergebracht. Het gebouw dat de binnenplaats van de straat scheidt, is een recente neogotieke constructie. De 15de-eeuwse gevel van het huis zelf op die binnenplaats is drastisch gerestaureerd, maar de zijgevels, uit ca. 1400, worden gerekend tot de fraaiste voorbeelden van de Brugse baksteenbouw. Men ziet ze het best vanuit de voorbij de brug gelegen tuin. Aan het eind daarvan rechts heeft men op een andere brug een aardig zicht op de kooromgang van de Onze-Lieve-Vrouw, op de doorgang naar de zojuist vermelde tribune van Gruuthuse in de kerk en op de met groen en oude huizen omzoomde rei.

Wij keren op onze schreden terug en verlaten weer de tuin, volgen het water, de

Linkerbladzijde boven: een
van de meest
schilderachtige plekjes van
Brugge is het Prinselijk
Begijnhof te Wijngaerde, in
1245 gesticht door
Margaretha van
Constantinopel.
Linkerbladzijde onder:
toegangspoort tot het
Begijnhof, daterend uit de
18de eeuw.
Boven: de Burg is de oude
stadskern van Brugge, een
plein omzoomd door
historische gebouwen. Hier
van rechts naar links: de
Heilig-Bloedbasiliek uit de
12de eeuw, het gotische
stadhuis en de Griffie met
verguld beeldhouwwerk in
vroeg-renaissancestijl.

Dyver, met daarnaast een schilderachtige
bomenpartij, en lopen door naar de
Rozenhoedkaai, weer een van de mooiste
stadsgezichten. Vervolgens slaan wij
schuin linksaf, lopen over de Huidevet-
terplaats en bereiken opnieuw de rei. Op
de brug krijgen wij weer aan weerszijden
een fraai uitzicht over het water en
merendeels 16de-eeuwse gebouwen die
daaraan liggen. Wij lopen aan het eind
van de Blinde Ezelstraat onder de boog
door en komen zo aan de Burg. Aan de
noordzijde daarvan (de plek is nu met
bomen beplant) stond eertijds de Sint-
Donaaskerk, die in 1799-1800 werd afgebroken. Aan de zuidzijde liggen het Justi-
tiepaleis, in Louis XIV-stijl, de 16de-
eeuwse Griffie en het Stadhuis, opgetrok-

ken tussen 1376 en 1420 met in de nissen
enige naar oude orginelen vernieuwde
beelden van graven en gravinnen van
Vlaanderen, en op de gevel de gekleurde
wapens van de plaatsen die in de middeleeuwen in hoger beroep aan de
rechtspraak van de Brugse magistraat
onderhorig waren. Naast het Stadhuis
staat een dubbelkerk: op de begane grond
de romaanse Sint-Basilius, uit de 12de
eeuw, op de bovenverdieping de Heilig-
Bloedkapel, uit de 15de eeuw.

Halle en Belfort
Wij verlaten de Burg door de Breidelstraat
en gaan richting Markt. Deze wordt gedomineerd door het massieve gebouw van de
Halle, met het 80 m hoge Belfort, beide uit

de 13de eeuw. Enige latere aanwijzingen hebben de oorspronkelijke stijl niet aangetast. De begane grond van de Halle was in de middeleeuwen een verkoopplaats van laken en specerijen. De bovenverdieping werd oorspronkelijk gebruikt als stadhuis, tot zij in de 14de eeuw door brand werd verwoest. Daarna werd het Stadhuis gebouwd dat wij zojuist hebben bezichtigd. In het Belfort hangt een vermaard klokkenspel. Een trap van een vierhonderdtal treden leidt erheen. Door de open galmgaten heeft men een fraai uitzicht over de gehele stad en haar omgeving.

Een zijde van de Markt, thans bezet door de neogotieke gebouwen van het Provinciaal Gouvernement en van de Post, werd in de middeleeuwen ingenomen door de Waterhalle, een overwelfde los- en laadplaats onder een hoge dakkap voor schuiten die over (thans gedempte) grachten in de stad de ladingen van of naar het Zwin aanbrachten. Tegenover de Halle staan verschillende vroegere ambachtshuizen, thans cafés of restaurants.

Wij begeven ons van de Markt via de Vlamingstraat naar het Theaterplein. In de verste hoek van dit plein staat de 'Beurs', in 1974 hersteld in de oorspronkelijke toestand van 1453, toen zij als herberg werd gebouwd. Aan de overzijde van de Grauwwerkersstraat ziet men de vroegere Genuese Loge, uit 1399, het enige huis van een middeleeuwse natie dat goed geconserveerd bleef, al werd ook de oorspron-

Boven: binnenplein van het voormalige paleis van de Heren van Gruuthuse, nu een museum met een waardevolle verzameling edelsmeedwerk, aardewerk, gildevoorwerpen, beelden, kant en ornamentale beeldhouwkunst.
Onder: het Beertje van de Poortersloge.
Rechterbladzijde boven: een plekje als dit aan de Groene Rei is karakteristiek voor het oude centrum van Brugge.
Rechterbladzijde rechts: de Onze-Lieve-Vrouwekerk van Damme, in de middeleeuwen een welvarende voorstad van Brugge.

kelijke tweede verdieping in de 18de eeuw door de tegenwoordige klokgevel vervangen.

De Grauwwerkersstraat brengt ons naar de Naaldenstraat, de tweede links. Hierin vinden we na een honderdtal meters aan onze rechterhand het huis Bladelin. Pieter Bladelin was van 1436-1440 thesaurier van de stad en trad daarna in dienst van hertog Filips de Goede. Hij was ook de stichter van het stadje Middelburg in Oost-Vlaanderen. Het huis, uit 1440, werd in 1466 voor rekening van Piero de Medici aangekocht door Tommaso Portinari en was tot 1497 de zetel van het Brugse filiaal van de Medicibank. Aan die bestemming herinneren nog twee medaillons in basreliëf, vermoedelijk uit 1469, op de binnenhof van het gebouw, thans een rusthuis voor bejaarden. De medaillons stellen Piero's zoon Lorenzo il Magnifico en diens echtgenote Clarice Orsini voor. Tegenover het huis Bladelin, op de hoek van de Naaldenstraat en de Kuipersstraat, bevond zich het natiehuis van Lucca. Dat van de Venetianen grensde aan de Beurs en vormde de ene hoek van het Beursplein en de Vlamingstraat. Het natiehuis van de Florentijnen stond op de andere hoek. De zetels van de Italiaanse naties, die in de wisselhandel waren gespecialiseerd, lagen dus aan of vlakbij de Beurs. Het natiehuis van de Catalanen, die ook aan de wisselhandel deelnamen, stond eveneens aan het Beursplein.

Het 'Beertje van de Loge'

Nu nemen wij op de Beurs de Academiestraat. Op de hoek van deze straat met de Jan van Eyckplaats verheft zich de zogenoemde Poortersloge met haar slanke toren, in de 15de eeuw opgetrokken als lokaal van het Gezelschap van de Witte Beer (het 'Beertje van de Loge' is te zien in een nis op de hoek). Dit was een genootschap van voorname inwoners van de stad die toernooien en andere tradities uit de riddertijd in ere hielden. Het gebouw diende later als academie van schone kunsten. Thans behoort het bij het Rijksarchief. Het andere statige gebouw aan het plein (uit 1477), thans de Stadsbibliotheek, is het voormalige Kantoor van de Grote Tol, welke was verschuldigd voor de te Brugge verhandelde koopwaren. Naast het portaal staat een smal gebouwtje uit dezelfde tijd, de 'loge' van de 'pijnders' of sjouwers, die zich daar voor karweien aan de tol ter beschikking hielden van de kooplieden. Vanaf het plein heeft men een fraai uitzicht over de Spiegelrei.

Wij volgen, steeds in dezelfde richting lopend, het Genthof dat ons naar de Lange Rei en naar de overzijde ervan, de Potterierei, leidt. Daar bereiken wij het gasthuis van de Potterie, in de middeleeuwen een algemeen ziekenhuis voor behoeftigen, thans een rusthuis voor bejaarde vrouwen. Het museum van de Potterie bezit een rijke verzameling schilderijen, meubilair en andere oudheden.

Verval en nieuwe opkomst

Nadat Antwerpen omstreeks 1500 de verblijfplaats was geworden van de vreemde kooplieden in de Nederlanden, behield Brugge nog slechts een heel beperkt handelsverkeer. Zelfs daaraan kwam een einde toen Sluis in 1604 door Maurits van Nassau werd veroverd, waardoor Brugge van de zee werd afgesloten. Bovendien was de waterstaatkundige toestand van het Zwin intussen vrijwel wanhopig geworden. Vanaf 1613 werden kanalen aangelegd van Brugge naar Gent en Oostende met het oogmerk via de Schelde en haar bijrivieren een verbinding met de zee te herstellen voor Vlaanderen, Henegouwen en Brabant, waardoor men de tol van de Republiek aan de mond van de Hont kon vermijden. Op die route kwam in Brugge een overlaadbedrijf tot ontwikkeling, maar dit bleef toch bescheiden. Ook de vaart naar Sluis bracht geen herleving in de bedrijvigheid van Brugge. Na de val van Napoleon werd de vaart niet tot Breskens doorgetrokken, zoals oorspronkelijk in de bedoeling lag. Wel vonden de handwerkers van Brugge in de Nieuwe Tijd nog redelijk emplooi, vooral in de textielnijverheden met een luxe- of semiluxekarakter. Maar de Industriële Revolutie veroorzaakte de ondergang van het handwerk doordat in fabrieken de produktie machinaal geschiedde. De 19de eeuw werd het dieptepunt van Brugges verval. In 1845 werd 46,7% van de bevolking in de stad bedeeld. Ruim

10.000 vrouwen en meisjes vonden toen een karig bestaan in de kantklosserij, maar ook deze moest tegen de machinale produktie concurreren en dat kon alleen door de lonen te drukken. Terwijl overal de bevolkingscijfers fors toenamen, verloor Brugge tussen 1860 en 1880 ruim één tiende van zijn inwonerstal. De titel van Georges Rodenbachs roman 'Bruges la Morte' (1892) gaf de trieste werkelijkheid getrouw weer. Het was slechts een schrale troost dat de belangstelling voor de middeleeuwen, die in de 19de eeuw ontstond, enig toerisme op gang bracht, voornamelijk van Engelse zijde.

Zeebrugge

Eerst aan het einde van de vorige eeuw kwam er een wending ten goede. De aanleg van een spoorwegnet en de behoefte aan goedkope werkkrachten bevorderden een grote spreiding van de Belgische industrie. Ook Brugge kon daar op bescheiden schaal van profiteren. Bovendien droomde koning Leopold II van een grote Belgische zeehaven aan de Vlaamse kust. Uiteindelijk viel de keuze op Zeebrugge, dat door een kanaal verbonden werd met een te Brugge aangelegde binnenhaven. De werken werden uitgevoerd van 1895-1907. Maar de hoge verwachtingen die men van dit project had, gingen vooralsnog slechts zeer ten dele in vervulling.
Pas sinds 1950 maakte de stad, evenals heel België, opnieuw een fiks economi-

sche groei door. Haar bestuur trok nieuwe nijverheden aan. Ook de havenbeweging nam aanzienlijk toe, in hoofdzaak door de aanvoer van steenkool en aardolieprodukten. De schaalvergroting van de zeescheepvaart en de moeilijkheden van de vaart op de Westerschelde hebben voor Zeebrugge nieuwe vooruitzichten geopend.
De aanleg van 'Brugge-Zeehaven', zoals men omstreeks 1900 Zeebrugge aanduidde, gaf Brugge zijn eerste gebiedsuitbreiding sinds de middeleeuwen. Het oorspronkelijke grondgebied van 430 ha binnen de oude wallen werd tot 2900 ha vergroot. Daar kwamen later nog verschillende kleinere stroken bij. In 1970 werden de met de stad vergroeide randgemeenten en nog een paar andere bij de stad ingelijfd. Deze heeft nu een oppervlakte van ruim 13.100 ha en een bevolking van ruim 120.000 inwoners, waarmee zij in grootte de vijfde Belgische gemeente is geworden.

Damme, Sluis en het Zwin

Langs de rechteroever van de vaart van Brugge naar Sluis loopt de straatweg naar Damme. In dit stadje vindt men nog een aantal belangrijke overblijfselen uit de bloeitijd als handelsplaats, zoals het 15de-eeuwse stadhuis op de Markt. Tegenover de zijgevel staan verschillende woonhuizen met puntgevels uit de 14de -16de eeuw. Verder moet het vroeg-gotische hospitaal uit de 13de eeuw worden ver-

meld. Oorspronkelijk bestond de kerk uit twee beuken, waarvan één als ziekenzaal diende. Bedlegerige patiënten konden hier de diensten volgen. De scheidingsmuur werd in 1596 gebouwd. Verderop ligt de Onze-Lieve-Vrouwekerk. De massieve toren staat sinds een brand in 1578 los van de kerk. Als gevolg van de teruggang van het inwonertal was de kerk te groot geworden.
In Sluis, dat in de Tweede Wereldoorlog voor meer dan 80% werd verwoest, herinneren alleen nog het (gerestaureerde) stadhuis, oorspronkelijk daterend uit de 14de eeuw, en een paar stadspoorten uit de 15de eeuw, aan de bloeiperiode die deze stad als voorhaven van Brugge beleefde. Het nu geheel verzande Zwin is een belangrijk natuurreservaat, dat zich uitstrekt aan weerszijden van de Nederlands-Belgische grens. Alleen het strandgedeelte is voor het publiek toegankelijk.

Links: van alle kostelijke kunstwerken, die het oude Brabantse stadje Zoutleeuw herbergt, is het beroemdste wel de 18 m hoge, uit witte steen gehouwen sacramentstoren in de Sint-Leonarduskerk; dit tabernakel, een waar kantwerk van steen, is met zijn negen verdiepingen en ca. 200 beeldjes, friezen en zuilen het rijkst versierde sacramentshuis ter wereld. Het werd omstreeks 1550 in nog geen twee jaar gebouwd.
Boven: dit laat-gotische eiken beeld siert de binnenmuur van de Sint-Rochuskapel in de Sint-Leonarduskerk; het stelt waarschijnlijk een dansende koning David voor.
Rechts: uit de 16de eeuw daterende kaart van het stadsplan van Zoutleeuw, van de hand van Jacob van Deventer. Van Zoutleeuw is al in de 7de eeuw sprake.

De laatste haven voor het achterland

PROF. DR. R. VAN UYTVEN

Aan de oostgrens van de Belgische provincie Brabant, waar eertijds het hertogdom Brabant grensde aan het prinsbisdom Luik, ligt het ingetogen Zoutleeuw, dat vóór de samenvoeging met Budingen en Halle-Booienhoven op 1 januari 1977 niet meer dan 3037 inwoners telde. Toch vindt men in dit plaatsje de overblijfselen van een rijk verleden.

Vermoedelijk werd Zoutleeuw, een der vele agglomeraties die de hertogen van Brabant in de 11de en 12de eeuw uit politieke en defensieve oogmerken in het leven riepen, omstreeks 1125 op de rechteroever van de Kleine Gete nabij een oude burcht gesticht. Gelegen bij het raakpunt van drie streken – het ruige Hageland met zijn ijzerzandsteenheuvels, het aan weiden en bossen rijke vochtige Haspengouw en het weelderige droge Haspengouw met zijn vruchtbare akkers voor graan en weed (een plant waaruit blauwe verfstof werd bereid) werd Zoutleeuw de aangewezen ruilmarkt voor deze gebieden. Net als Brussel aan de Zenne en Leuven aan de Dijle bevond het aan de Kleine Gete gelegen Zoutleeuw zich in het overgangsgebied tussen Laag-België en de plateaus van Midden-België, waar de bevaarbaarheid van de Brabantse rivieren eindigde. Alle drie de plaatsen fungeerden zo als haven voor een uitgestrekt achterland. Zoutleeuw bezit bovendien de meest landinwaarts gelegen haven van het Scheldebekken en bood aldus de eerste inscheepmogelijkheid voor het handelsverkeer over land, dat van de 12de eeuw af zijn weg van het Rijnland naar de Noordzee zocht. Al moeten de schepen, die destijds op de Kleine Gete voeren en langs de Schipstraat aanlegden, maar een bescheiden capaciteit hebben gehad, men had daar vrede mee gezien de hoge kosten van het transport over land. De Brabantse hertogen was er veel aan gelegen de grensplaats Zoutleeuw welvarend te houden. Zo schonk hertog Hendrik I Zoutleeuw in 1213 diverse privileges, zoals het houden van een grote jaarmarkt op

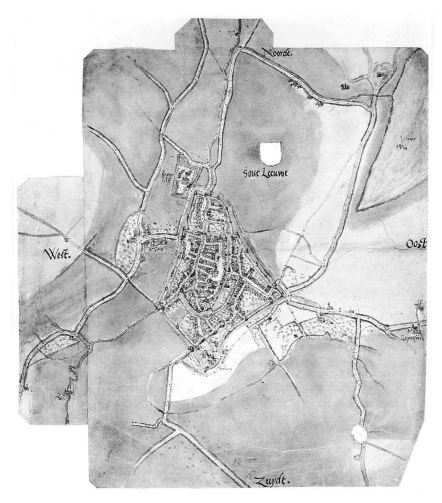

zondag vóór Hemelvaartsdag met bijzondere voorrechten en vrijgeleiden voor de bezoekers. Bovendien werd Zoutleeuw verplichte doorgangsplaats voor alle zuidnoordverkeer en tevens enige aanlegplaats voor alle schepen die de Gete voorbij Halen opvoeren.

Evenals in de meeste Zuidnederlandse steden legden vele inwoners van Zoutleeuw zich al vroeg toe op de wolindustrie. Mogelijk al tegen het einde van de 12de eeuw en zeker rond het midden van de 13de eeuw voerden Zoutleeuwenaars hun wollen lakens uit tot zelfs naar Engeland, waar zij zich tevens de als grondstof onontbeerlijke Engelse wol aanschaften. De eens zo bloeiende Zuidnederlandse lakenindustrie takelde echter af door de zeer zware stedelijke belastingen, alsook door het feit dat Engeland de wolexport zwaarder ging belasten en zélf de wol ging verwerken. De concurrentiekracht van de stedelijke lakenindustrie in de Zuidelijke Nederlanden werd eveneens aangetast doordat de minder zwaar belaste dorpelingen zich ook steeds meer met de wolbewerking gingen bezighouden. Hertog Jan III trachtte nog in 1328, zij het vergeefs, de Zoutleeuwse lakennijverheid te redden door alle wolbewerking in een straal van één mijl rond Zoutleeuw te verbieden.

Stedelijke allures
Het teruglopen van de lakennijverheid heeft de bevolkingsgroei van het stadje zeker afgeremd. Terwijl de parochie Zoutleeuw in 1275 zo'n 600 gezinnen moet hebben geteld, waren er in 1437 minder dan ca. 3500 inwoners, tegen in Brussel ca. 28.000, Leuven ca. 16.500 en 's-Hertogenbosch ca. 13.000. Toch had het plaatsje uitgesproken stedelijke allures met zijn van vóór 1135 daterende wallen, die omstreeks 1352 nog waren uitgelegd, zijn 'schipbrug' waaronder de schepen werden geladen, zijn in 1317 gebouwde hallen, zijn gasthuis, begijnhof, leprozenhuis, stadswaag alsook zijn imposante kapittelkerk en zijn wijkkapellen en kloosters.

Het wegvallen van de textielnijverheid werd omstreeks 1342 ten dele opgevangen door een uitbreiding van de wijnbouw en door het intensiveren van de regionale marktfunctie van Zoutleeuw. Zo kwamen er in 1342 weekmarkten op maandag en donderdag en in 1383 twee jaarmarkten, welke aansloten op die van Antwerpen. De functie als knooppunt op de grote handelsweg tussen Duitsland en het sterker wordende Antwerpen werd in 1359 uitdrukkelijk verplicht gesteld, terwijl meteen het scheepvaartverkeer op de Kleine Gete geregeld en voor Zoutleeuwse schippers tolvrij gemaakt werd. Haring en zout (Zout-leeuw!) waren de voornaamste vrachten die reeds in de 14de eeuw de Kleine Gete opgebracht werden, terwijl graan en steenkool de belangrijkste retourvrachten leverden. In de 16de eeuw waren er daarbij ook tapijtwerk uit Sint-Truiden en lei- en natuursteen uit Waals Brabant

en Namen. Jaarlijks deden wel 400 schepen Zoutleeuw aan.

Uit de oudste glorietijd van Zoutleeuw dateert de Sint-Leonarduskerk, als nieuwe parochiekerk gebouwd in een overgangsstijl tussen romaans en gotisch (13de eeuw). Enkele zuiver romaanse fragmenten (onder meer in Hagelandse zandsteen), de imposante westbouw met twee (onvoltooide) torens en de smaakvolle koorpartij met open loopgalerij getuigen van de invloed van de bouwscholen van Maas- en Rijnland. De kerk bewaart verschillende sculpturen uit deze periode (o.m. een Christus uit de 11de eeuw en een 'Sedes Sapientiae' (tronende Madonna met Kind) uit de 13de eeuw, die Rijnlandse voorbeelden verraden. In de loop van de 14de eeuw werd de middenbeuk van de kerk opgetrokken. De bedevaartkapel ter ere van de heilige Leonardus werd in 1442 tegen de zuidelijke kruisbeuk aangebouwd door Mattheus de Layens, architect van het stadhuis te Leuven. De overige zijkapellen, op één na, het voorportaal en het centrale klokketorentje zijn in de 16de eeuw bijgebouwd. De kerk is een ware schatkamer van kunstwerken uit de late middeleeuwen en de 16de eeuw: retabels, schilderijen, beelden en kunstvoorwerpen, geleverd door beroemde meesters uit Leuven, Brussel en Antwerpen. Het klinkt haast ongelofelijk, maar ze zijn slechts een deel van de oorspronkelijke liturgische voorwerpen en kunstprodukten die generaties aan de kerk hebben geschonken. Met name moet men het verdwijnen van de prachtige glasramen betreuren.

Linksboven: deze engel, met op de achtergrond de Leonarduskerk, werd in 1504 geschilderd door Lodewijk Raets uit Leuven. De schildering is een detail van een der vier panelen achter het graf van Christus in de grafkapel van de kerk. Links: de kerk herbergt ook prachtig 16de-eeuws borduurwerk zoals dit detail van een kazuifel. Boven: een der fraaiste kunstschatten in de kerk is het eikehouten, 16de-eeuwse Sint-Annaretabel, hier in open toestand.

De zo gave indruk die van het cultureel erfdeel van Zoutleeuw uitgaat is een illusie, gewekt door de rijke overvloed van hetgeen bewaard bleef. De Beeldenstorm (1566), die zo vele kerkgebouwen in de Nederlanden heeft ontluisterd, kreeg hier geen kans wegens de waakzaamheid van de stedelijke magistraat. Ook beslaglegging door het Franse bewind op het eind van de 18de eeuw bleef de Sint-Leonarduskerk bespaard, daar twee van haar kanunniken de eed van trouw aan de Republiek en de Revolutie aflegden. Misschien nog belangrijker was dat de bevolking en de kerkelijke autoriteiten van Zoutleeuw vanaf de late 16de eeuw te arm waren om hun kerk aan de nieuwe stijl aan te passen!

Talrijke kunstschatten

De bewaarde kunstschatten uit de laat-gotiek en de renaissance zijn overigens te talrijk en te belangrijk om ze hier op te sommen. Uit de 15de eeuw vermelden wij niettemin: de koperen paaskandelaar (hoogte 5,68 m; gewicht 900 kg), die in 1483 door de Brusselse kopergieter Renier van Thienen naar het model van de paas-kandelaar in de Sint-Pieterskerk te Leuven geleverd werd; de Calvariegroep of het Triomfkruis in gepolychromeerd eikehout, een indrukwekkende gotische beel-dengroep, opgehangen tussen de koor-kolommen, in 1453 gesneden door de Antwerpenaar Willem van Galen en geschilderd door zijn stadgenoot Jan Mertens; de Heilige Familie, de Maagd Maria

59

en Sint Jozef met het Kind, één der vroegste voorbeelden van verering van Sint Jozef; het Leonardusretabel, uitgevoerd door Arnold de Maeler, dat één der pronkstukken van het Brusselse beeldsnijwerk van de tweede helft der 15de eeuw is en op verscheidene plaatsen de hamer, het merkteken van Brussel, draagt; de geschilderde panelen met de heilige Vrouwen achter het graf van Christus door de Antwerpenaar Jan Mertens (1480), die vooral opvallen door hun minutieuze vergezichten op de steden Tienen en Zoutleeuw.

Uit diezelfde eeuw dateren ook nog de overblijfselen van de machtige wandschilderingen: een Laatste Oordeel en een galerij met heiligen.

Uit de 16de eeuw dateren zo mogelijk nog meer sculpturen en retabels, onder meer het gepolychromeerde Marianum (1533), een dubbel Mariabeeld in een stralenkrans aan het gewelf in het schip opgehangen, dat bij een Rijnlandse traditie aansluit en het Sint-Annaretabel (1565), een juweel van renaissance-beeldsnijwerk.

Wereldberoemd is de Sacramentstoren in steen van Avenes (18 m hoog), vervaardigd door Cornelis Floris Devriendt van Antwerpen, vooral beroemd als architect van het Antwerpse stadhuis. Het is een renaissance-interpretatie van de gotische altaartorens zoals die onder meer te Leuven (Sint-Pieter, Sint-Jacob) voorko-

Linksonder: vele Vlaamse en Brabantse steden als Zoutleeuw werden in de middeleeuwen gekenmerkt door een bloeiende handel; dit mooie miniatuur toont het drukke handeldrijven bij een stadspoort.
Onder: in de Sint-Annakapel van de Leonarduskerk staat deze ontroerende, gepolychromeerde eiken Sint-Anna-ten-Drieën uit de 16de eeuw. De zittende groep stelt Sint Anna (r.) met witte hoofddoek en druiventros en de Heilige Maagd Maria met Jezuskind voor; Maria draagt een gouden kroon, haar kind reikt naar de druiven.

men. De gehele toren met zijn ca. 200 beeldjes, zijn friezen en zuilen werd vanuit Antwerpen per schip naar Zoutleeuw gebracht. Het monument was op 13 augustus 1550 door jonker Maarten van Wilre, heer van Oplinter, en zijn echtgenote Maria Pyllerpeerts, beiden van Zoutleeuw, besteld voor 600 Karolusgulden. Het was reeds op Pinksteren 1552 voltooid. De grafzerk van de schenkers, die de kerk nog met tal van andere giften bedachten, is naast de Sacramentstoren ingemetseld.

Markante gebouwen

Van het wereldlijke Zoutleeuw is minder bewaard gebleven. Toch wordt het marktplein nog beheerst door markante gebouwen, onder meer de lakenhalle (nu rijkswachtpost), in 1317 opgericht, en daartegen aanleunend het stadhuis.

Dit broederlijk samengaan van de verkoophal van het lakengilde en van de andere handelaars, bakkers en beenhouwers met het huis van de stadsmagistraat was aanvankelijk nog sterker, daar in 1317 voorzien was dat de schepenen of stadsbestuurders een kamer in de halle zouden hebben. Het huidige stadhuis, opgetrokken in vroege renaissancestijl, werd in 1538 voltooid naar het oorspronkelijke ontwerp van de Mechelaar Rombout Kelderman. De renaissance-pui werd onmiddellijk daarna gebouwd, maar de huidige is er slechts een reconstructie van.

Aan de achterzijde van lakenhal en stad-

Boven: deze foto laat nog iets zien van de stadse allure, die het nu zo rustige Zoutleeuw vroeger bezat; links ziet men de Sint-Leonarduskerk met de open Sint-Barbaratoren en rechts de uit de 14de eeuw daterende lakenhalle, met aanpalend geheel; rechts het prachtige, 16de-eeuwse stadhuis.
Onder: in het overigens zeer sobere schip van de Leonarduskerk hangt dit in een halo van stralen en vlammen gevatte eiken, gepolychromeerde beeld van Maria met Kind, met aan haar voeten de draak – satan – die zij overwon.

huis kan men nog resten zien van de oude stadsmuur, terwijl een deel van de toren van de Sint-Truidense stadspoort opgenomen is in het gebouw 'De rode Leeuw' (tegenover het stadhuis). Van de latere wallen en bastions zijn alleen nog de verhevenheden in het landschap overgebleven.

Tijden van teruggang
Van het tweede kwart van de 16de eeuw af ontstonden nieuwe dreigingen voor Zoutleeuw. In de eerste plaats bracht de ontwikkeling van Antwerpen als wereldmarkt met zich mee dat er graan, wijn en weed in overvloed over zee werden aangevoerd, waardoor de bedrijvigheid van Zoutleeuw ondermijnd werd. Zoals andere Brabantse steden heeft Zoutleeuw dit ten dele ondervangen door het graan uit de streek te verbrouwen en als bier uit te voeren; Zoutleeuws bier vond omstreeks het midden van die eeuw tot in Antwerpen afzet. Erger was dat kanalisatie van de Grote Gete tot Budingen door Tienen (vanaf 1527) de scheepvaart te Zoutleeuw nagenoeg heeft gehalveerd.
De afbrokkeling van de Antwerpse wereldmarkt na het midden van de 16de eeuw en de godsdienstoorlog in het laatste derde deel van die eeuw hebben Zoutleeuw misschien nog zwaarder dan andere Brabantse steden getroffen. Als grensplaats werd Zoutleeuw een echte garnizoensstad omgeven door inundaties en 'moderne' bolwerken. De baldadigheden

van het garnizoen en de bedreigde positie aan de grens schrokken mogelijke nieuwkomers af, terwijl Zoutleeuws eigen leefkracht door herhaalde epidemieën en grote branden werd ondermijnd.
De inundaties en ontbossing leidden bovendien tot de verzanding van de Gete, waarvan in de perioden van onrust en bij gebrek aan financiële middelen het onderhoud werd verwaarloosd, terwijl de nieuwe steenwegen van de 18de eeuw, op verzoek van de inwoners zelf, het plaatsje links lieten liggen. In de 17de en 18de eeuw telde de bevolking zelfs nog geen 2000 zielen.

Parallelmonumenten
Ook Leuven, Diest en Aarschot hebben hun hallen uit de 14de eeuw bewaard. De kennismaking met de laat-gotische schilder- en beeldhouwkunst in Zoutleeuw kan goed worden voortgezet in Leuven en Diest, die in hun stedelijk museum en in kerken tal van religieuze kunstwerken uit gildekapellen afkomstig, bewaard hebben. Resten van oude stadspoorten en -muren vindt men nog onder meer te Leuven, Tienen, Diest, Aarschot en Zichem.

De Sint-Leonarduskerk in Zoutleeuw is van Pasen tot Allerheiligen geopend van 9.00 tot 17.00 uur en op zon- en feestdagen van 9.00 tot 12.00 en van 14.00 tot 17.00 uur. Tussen Allerheiligen en Pasen is de kerk open van 9.00 tot 12.00 uur en van 13.30 tot 16.00 uur.

Met de kogge ter ommelandvaart

PROF. DR. A. F. MANNING

Zeshonderd jaar geleden was Kampen geen dijkdorp meer, maar een rijke handelsstad aan de IJssel. Thans ligt het voor de automobilist wat achteraf, voor de treinreiziger trouwens óók, maar wie de stad door één van de monumentale poortgebouwen binnenkomt, het centrum met zijn steegjes verkent en de verbazend grote kerkgebouwen ziet, moet de vraag voelen opkomen: 'Wat is hier vroeger aan de hand geweest?'

Onder: Kampen onderhield al sinds het midden van de 13de eeuw uitstekende betrekkingen met Denemarken. Deze oorkonde dateert uit 1326 en is afkomstig van Waldemar, koning der Denen en Slaven. In de tekst geeft de vorst de burgers van Kampen vrijheid van handel in zijn rijk en verleent hij mensen en goederen bescherming in geval van schipbreuk.
Links: een van de vele herinneringen aan Kampens glorietijd is de Koornmarktspoort uit de 14de eeuw. De twee gedrongen torens dateren uit de 15de eeuw.

Aan het eind van de middeleeuwen hebben de Kampenaren onvoorstelbaar kunnen profiteren en verdienen. De stad had zich toen aangesloten bij een overigens vrij los verbond van hoofdzakelijk Duitse reders en handelaren: de Hanze. Dat betekende dat men afspraken maakte voor privileges ten behoeve van de eigen burgers, ook als die in het buitenland waren, en regels vaststelde voor scheepvaart en goederenhandel. Voor de Kampenaren was dat van groot belang, omdat honderden burgers betrokken waren bij de koopvaart naar de Noordduitse, Deense en Zuidzweedse gebieden. Bovendien dreef men handel met Vlaanderen en verder naar het zuiden met Franse kustplaatsen. In de 14de eeuw had Kampen vermoe-

delijk meer schepen in de vaart dan alle andere Noordnederlandse steden samen. Voor de scheepvaart op het Duitse Hanzegebied beschikken we over prachtig vergelijkingsmateriaal met betrekking tot de jaren 1368 en 1369: Kampen overtrof toen verre alle andere IJssel-, Brabantse en Hollandse steden, Amsterdam inbegrepen. Ongeveer 200 reders, tussen de 500 en 1000 schippers en matrozen, tientallen makelaars, sjouwers en scheepstimmerlieden waren generatieslang werkzaam in de handel van de stad.
Deze handel verschilde enigszins met die van Brugge en later Antwerpen. Daar hadden handel en vreemde kooplieden een vaste basis. In Kampen was dat minder het geval: de reders bemiddelden vaak en

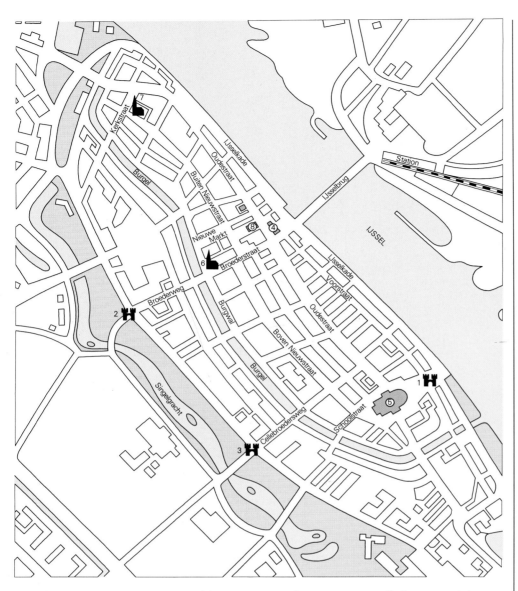

zorgden voor contacten tussen Zuid-Europa en de Oostzeegebieden zonder dat men de stad aandeed. Ook de matrozen waren zo lang op zee dat er regelingen werden getroffen om hun gage uit te betalen.

Ommelandvaart met koggen
Er werd toen met een betrekkelijk nieuw soort schepen gevaren: de koggen. Ze hadden doorgaans een lengte van ongeveer 25 m, waren 7 m breed en lagen 3 m diep. Koggen konden ladingen tot 150 à 200 ton vervoeren en waren geschikt voor de zeevaart: 'buten dunen'. Zo kon de route over land naar Hamburg en Lübeck worden vermeden en voeren de grote koggen om de punt van Denemarken heen naar de Oostzee: ommelandvaart. De Kampenaren hadden hiertoe al verlof vanaf het midden van de 13de eeuw, zoals blijkt uit een privilege anno 1251 van koning Abel van Denemarken.
De Kampense reders lieten de schepen de stad niet aandoen als ze van Vlaanderen of Zeeland naar de Oostzee moesten varen, maar toch waren ertussendoor en tegen het eind van het seizoen veel koggen die aan de IJsselkade afmeerden. Al had bijvoorbeeld Harderwijk een bijzonder

goede toegang naar zijn haven, toch lag het voor de hand dat de schepen naar Kampen gingen: de stad had betere verbindingen dan Harderwijk met de Veluwe als achterland en tenminste tot halverwege de 15de eeuw is het goed bereikbaar geweest. Daarna werd de situatie ongunstiger, waarschijnlijk als gevolg van het ontstaan van de Biesbosch, waardoor bij Pannerden meer water dan voorheen in de Waal in plaats van in de IJssel stroomde.

Het goederen-assortiment dat de Kampenaren van de Franse, Vlaamse en Zeeuwse kust naar Schonen, Zuid-Zweden en verderop vervoerden, mag voor de middeleeuwen klassiek heten: graan, hout, pelzen, stokvis en bier; uit het Oostzeegebied zout, laken en linnen. Vaak was de schipper niet de eigenaar van de kogge, evenmin van de lading, want daarmee waren te hoge bedragen gemoeid. De zaken waren in handen van een Kampense reder en het kwam ook voor dat een consortium van ingezetenen er met zijn geld in zat.

Profiteren van de Hanze
De Kampenaren realiseerden zich heel goed dat ze groot voordeel hadden van hun contacten met de Hanze. In hun brie-

ven aan het stadsbestuur van Lübeck uitten ze in bijna onderdanige bewoordingen hun erkentelijkheid voor wat de Hanze voor de IJsselstad betekende en beloofden ze dat ze zich aan de beleidslijn en voorschriften van de Duitsers zouden houden. Omgekeerd gaf Lübeck veel minder steun aan Kampen. Trouw verschenen de Kampenaren op de Hanze-vergaderingen die meestal te Lübeck en soms in Stralsund werden gehouden: tussen 1367 en 1393 tenminste 35 maal. Maar het is tekenend voor de verhouding dat de Kampenaren buiten de interne besluitvorming van de Hanze werden gehouden: tot de 'inner circle' van het verbond hoorden ze niet. Het waren hele reizen, zeker als het in het voorjaar en de herfst slecht weer was, waardoor de delegatie wel eens te laat arriveerde. Maar de zaken waren belangrijk genoeg en het was van het grootste belang erbij te zijn. Vaak werden dezelfde personen uitgestuurd voor onderhandelingen over politieke afspraken, vestigingen en tolgelden: tenminste één lid van het stadsbestuur en als het kon een deskundige ambtenaar. Het was er de Kampenaren en ook de Duitse kooplieden om te doen in elk van de steden van het Hanze-verbond dezelfde status te hebben als de daar gevestigde, ingezeten handelaren: ze wilden dezelfde voordelen plukken van de onderlinge samenwerking. Kampen en de andere Nederlandse Hanze-steden wilden hun ingezetenen erkend zien als Duitse kooplieden van het verbond onder leiding van Lübeck. Ze wilden in alle plaatsen waar ze moesten zijn, profiteren van de gezamenlijke faciliteiten, gebouwen, juridische assistentie in geval van geschillen en kortingen bij gezamenlijke inkopen.

Handig manipuleren
Kampen was allerminst een motor in het Hanze-verbond. Het nam een opportunistische houding aan. Nu eens leek de band erg strak aangetrokken, dan weer nauwelijks aanwezig en men kon constateren dat de stad zich bij de concurrenten en zelfs tegenstanders van het verbond aansloot. Gemaakte afspraken werden dan vergeten. Dat was in de tweede helft van de 14de eeuw zelfs lange tijd het geval toen Kampen weigerde één lijn met de Hanze te trekken om de Vlamingen uit te sluiten.
Ook in haar bloeitijd nam de stad een onzeker standpunt in. Ze werkte samen als dat zo uitkwam, maar ging haar eigen gang als het voordeliger was. Op een handige manier heeft Kampen over een periode van ruim 100 jaar flink verdiend aan de Hanze.

Wandelen naar Schepenzaal en Bovenkerk
Van de overzijde van de rivier heeft de bezoeker een uitstekend gezicht op stad en IJsselkade. Men vergisse zich overigens niet: dat fraaie silhouet is het resultaat van 19de-eeuwse stedebouwkunst. Het oude Kampen laat zich het best zien met behulp

Links: plattegrond van de
stad Kampen.
1. Koornmarktspoort
2. Broederpoort
3. Cellebroederspoort
4. Raadhuis
5. Bovenkerk
6. Broederkerk
7. Buitenkerk
8. Nieuwe Toren
Boven: gezicht op Kampen.
De markantste punten in dit
silhouet zijn de
14de-eeuwse Bovenkerk en
de Koornmarktspoort.
Onder: een van de saters op
het schepengestoelte in de
Schepenzaal van het Oude
Raadhuis van Kampen,
gesneden door de
stadstimmerman.

van de stadsplattegrond. Men volgt daar
de lijn van de IJsselkade, die vaak onder
water liep, de stadsmuur en de Burgel, een
gracht die het langwerpig grondplan naar
het binnenland afgrensde. Wie dan zoals
vroeger de stad binnengaat, passeert aan
de rivierkant de befaamde 14de-eeuwse
Koornmarktspoort, of aan de andere kant
de Broederpoort en Cellebroederspoort
met hun renaissance-elementen. De rustige hoofdstraten en de kleine ver-
bindingssteegjes, vanzelfsprekend ook de
grote kerkgebouwen, weerspiegelen nog
iets van de vroegere glorie: rijkdom, prestige en allure van een voltooid verleden.
Het bestuurlijk centrum van de middeleeuwse Hanze-stad aan de IJssel was het
raadhuis. Het staat er nog, hoewel het na
de brand van 1543 voor het grootste deel
is vernieuwd. Vanaf de IJsselkade bereikt
men het via de Voorstraat. Links van de
ingang is het complex, dat in de vorige
eeuw een aanbouw heeft gekregen, het
interessantst. Het dateert, althans wat
betreft een aantal fragmenten, uit de 14de
eeuw. Geheel links valt een schroef-
vormige schoorsteen op, die overigens pas
honderd jaar geleden uit veiligheidsoverwegingen aan de buitenkant werd
geplaatst. Ook de beelden van Karel de
Grote, Alexander de Grote, van Matigheid, Trouw, Gerechtigheid en Weldadigheid zijn niet authentiek, maar kopieën
van totaal verweerde middeleeuwse kunstwerken. De hoektorentjes, de open spits
van de stadhuistoren en het smeedwerk

bewaren het oorspronkelijke karakter van
dit historisch raadhuis, dat tot de aller-
belangrijkste laat-middeleeuwse monumenten van de Noordelijke Nederlanden
gerekend mag worden.
Voor één van de vensters van de Schepenzaal op de eerste verdieping ziet men van
de straatzijde een soort smeedijzeren kooi
waarin wel eens misdadigers 'te pronk'
werden gesteld en die tevens gebruikt
werd voor het doen van officiële mededelingen.

Schepenzaal: vergaderen en rechtspreken
Om de Schepenzaal van het Oude Raadhuis gaat het vooral: die alleen al is een
bezoek aan Kampen waard. In die ruimte
vergaderde het stadsbestuur en werd recht
gesproken. De Schepenzaal is bereikbaar
vanuit het nieuwe raadhuis over een trap,
waarna men via een akelig opstapje in het
portaal komt. Dit heeft twee deuren: één
voor de schepenen en vrije mannen, de
andere voor de verdachten.
In de vierkante, hoge zaal is het plafond
merkwaardig: het heeft nagenoeg een tongewelf met iets accolade-achtigs aan de
kanten. De ruimte wordt in tweeën
gedeeld door een houten balustrade met
kolommen. Het eerste gedeelte was
bestemd voor het publiek en voor de
advocaten als zij tijdens een rechtszitting
hun pleidooien moesten houden. Aan de
rechterkant is een ijzeren deur die toegang
geeft tot de Schepentoren, waarin het
archief zich bevindt. Genoemde deur was

in de 14de eeuw als krijgsbuit meegenomen uit een dorpje bij Zwolle en heeft tijdens de brand in de nacht van 4 op 5 februari 1543 voorkomen dat de oude oorkonden en registers verloren gingen. Boven de ijzeren deur hangen vijf koperen brandspuiten uit de 16de eeuw en verder staat langs de muur nog een collectie pieken en hellebaarden opgesteld.

Het wordt tijd naar de andere kant van de balustrade te gaan: de eigenlijke Schepenzaal, waar de schouw en het gestoelte het belangrijkst zijn. Deze twee monumentale kunstwerken staan veel te dicht bij elkaar; de prachtige details aan de zijkanten zijn gewoonweg niet te zien zonder zich in allerlei bochten te wringen. Van ruimtelijke indeling is geen sprake en aan samenwerking tussen de maker van de schouw, Colijn de Nole, en meester Frederik, de stadstimmerman die het schepengestoelte vervaardigde, moet het totaal ontbroken hebben. De pronkstukken zijn helaas te groot voor de kleine ruimte.

Voor het vervaardigen van de zandstenen schouw hebben de Kampenaren zich na de brand gewend tot Colijn de Nole, een kunstenaar uit Kamerijk die toen een atelier had in Utrecht omdat hij daar een groot grafmonument moest maken. Colijn maakte de schouw in de jaren na 1543. Keizer Karel V had in alle zeventien gewesten juist meer organisatorische eenheid gebracht. Colijn wilde in zijn kunstwerk hulde brengen aan de succesrijke landsheer. Bovenaan de schoorsteen ziet men de kop van Karel V en daaronder zijn wapen en spreuk 'plus oultre'. Erg goed is dat niet te zien, want de beeltenis

is bijna tegen het gewelf aan gedrukt en het zicht wordt bemoeilijkt door een zware balk. Het voornaamste deel van de schouw bevat een aantal klassieke en allegorische voorstellingen: Vrede, Matigheid, Wijsheid, Kracht en Charitas, ook koning Salomo, verder taferelen en personen uit de Romeinse geschiedenis, als Scaevola bij zijn ontmoeting met Porsenna, de veldheer Coriolanus voor Rome en Manlius die de geschenken van de Samnieten afslaat.

De hele schouw is rijkelijk voorzien van leeuwen, engelenkopjes, vaandels, guirlandes en Latijnse spreuken, waarvan de 'De rijken komen ten val door luxe' en 'De publieke zaak gedijt in vrede maar gaat kapot aan onevenwichtigheid en waan van de dag'. De schouw beslaat uiteraard het grootste deel van de achterwand en heeft vooral decoratieve waarde. Eigenlijk is het schepengestoelte van de stadstimmerman veel mooier: het lijkt sober naast die uitbundig versierde schouw, maar het is een weergaloos stuk houtsnijwerk. Naast elkaar kunnen twee schepenen plaats nemen in een geheel dat in renaissance-stijl magnifiek is versierd. Mooi zijn de pilaren, zuiver de kinderkopjes en modisch de faunen, saters en decoraties. Eén van de saters op een pilaar naast de schouw lijkt te spotten met het kunstwerk van Colijn de Nole: een bekend motief en een geliefd verhaal dat de jaloezie tussen de twee kunstenaars weergeeft. Boven de zetels heeft een schilder uit de stad, de herbergier Ernst Maeler, het Laatste Oordeel uitgebeeld. Het heeft iets genre-achtigs, maar het onderwerp is hier bijzonder op zijn plaats. Links van de

schouw staat een zware eikehouten kast waarin vroeger het zilverwerk van de stad werd bewaard.

De gotische Bovenkerk

Kampen bezit overigens nog meer dan monumentale poorten, de unieke Schepenzaal van het oude raadhuis of zijn smalle steegjes en zijn representatieve IJsselkade. De aandacht van de bezoeker wordt beslist getroffen door de Bovenkerk, die vóór de reformatie Sint-Nicolaaskerk heette naar de schutspatroon van de koopvaarders. Het is een merkwaardig smalle kerk, slechts 8 m breed, maar uitzonderlijk hoog: bijna 27 m. Zoals zoveel middeleeuwse kerken is ze gebouwd in verschillende fasen en op een plaats waar vroeger een Romaans kerkje had gestaan. Internationaal vermaarde bouwmeesters die aan de domkerken van Keulen en Praag hadden gewerkt, leverden aan de Kampense Bovenkerk hun bijdrage.

Met de bouw van deze gotische kerk werd in het midden van de 13de eeuw begonnen; de huidige omvang werd in de 15de eeuw bereikt. De toren kreeg zijn definitieve hoogte in de 17de eeuw, toen het gebouw moest worden rechtgezet, want de drassige grond had gevaarlijke verzakkingen veroorzaakt. Aan de buitenkant is goed te zien dat de bouwplannen in de loop van twee, drie eeuwen zijn veranderd en aangepast.

Overigens is het interieur nog belangrijker dan het exterieur. Men betreedt een hoge en in de breedte fraai gelede ruimte met een bijzonder mooi koor, afgezet met een vroeg-renaissance-hekwerk. De natuurstenen preekstoel dateert van omstreeks 1500 en is een halve eeuw ouder dan het koorhek. Het grote 17de-eeuwse orgel mag verder nog worden genoemd, maar allerlei details van interieur en meubilair verdienen eveneens de aandacht.

Wie zijn wandeling voortzet, zal nog andere kerken uit de 15de eeuw ontdekken: de Broederkerk en de Onze-Lieve-Vrouwe- of Buitenkerk. Voorts de 17de-eeuwse nieuwe toren – een vrijstaand gebouw met brede doorgang, het 17de-eeuwse Proveniershuis aan de Boven Nieuwstraat en een aantal gerestaureerde laat-gotische en renaissance-woonhuizen met fraaie geveldetails.

Herinneringen aan een monumentaal verleden

In de 15de eeuw werd in Kampen nog overvloedig gebouwd, maar de bloeitijd was toch voorbij. Als handelscentrum werd Kampen overvleugeld door Amsterdam en de Hollandse steden. Het was voor grote schepen minder goed bereikbaar geworden en sinds de Portugese handel tot ontwikkeling kwam, lag het veel te ver buiten de normale routes. Het werd een stille stad, weliswaar nog voorzien van versterkingen, wat hard nodig was in verband met de belegeringen van de 16de en 17de eeuw. Een economi-

Boven: een schilderachtig deel van Kampen, met een van de bruggen over de Burgel en op de achtergrond de Boven- of Sint-Nicolaaskerk.
Linksboven: de monumentale zandstenen schouw van Colijn de Nole in de Kampense Schepenzaal. De schouw, die is uitgevoerd in renaissance-stijl en uit het midden van de 16de eeuw dateert, is rijkbezet met klassieke en allegorische voorstellingen, al zal het de geïnteresseerde bezoeker wel enige moeite kosten ze in detail te bestuderen door het gebrek aan ruimte.

sche opleving van beperkte omvang gaf de 18de eeuw te zien: er ontwikkelde zich een niet onbelangrijke trijpindustrie die zich richtte op export naar West-Indië. De Franse tijd maakte daaraan een eind. Begin vorige eeuw telde Kampen amper 7000 inwoners die in 1400 huizen leefden: de meeste daarvan waren eenkamerwoningen. Er was veel handel in hooi en later kwam daar de sigarenindustrie bij. Over land was het stadje nauwelijks te bereiken, zeker niet van oktober tot mei als de wijde omtrek door hoog water en overstromingen werd geteisterd. Wel werd ervoor gezorgd dat de IJsselkant een beter aanzien kreeg. Door vakkundig uitgevoerde restauraties vóór en na de verwoestingen van 1940 en 1945 is Kampen

een verrukkelijk stadje geworden, vol prachtige monumenten die aan de merkwaardige bloeitijd herinneren.
Andere Hanze-steden in de Noordelijke Nederlanden waren Zwolle, Deventer, Zutphen, Doesburg, Harderwijk, Elburg en zelfs Arnhem. Uit historische documenten blijkt hun lidmaatschap en tevens dat ze wat aantal schepen en goederenhandel betreft achterbleven bij Kampen. Al deze steden tonen de hedendaagse bezoeker hun Hanze-verleden.

In Kampen is de Schepenzaal van het Oude Raadhuis te bezichtigen tijdens rondleidingen: maandag t/m donderdag 10.00, 11.00, 14.00 en 15.00 uur en vrijdag om 10.00 en 11.00 uur.

De vlucht van de vrome vrouwen

DR. LEO VAN BUYTEN

Boven: vanouds zijn begijnen ongehuwde vrouwen of weduwen, die bijeen zijn gaan wonen om op een bijzondere manier hun godsdienstige leven vorm te geven. Zij vestigden zich vaak rond kloosters, naar welke regel zij leefden. Later ontstonden in de Nederlanden de begijn-hoven: een niet al te groot aantal huizen, rondom een binnenhof, met meestal een kerk of kapel in het midden. Door de ommuring en de bewaakte toegangspoort, de pleinen en straten, waarlangs de begijnen-huisjes en -conventen stonden, leken het soms stadjes in de stad. Links: een van de mooiste voorbeelden is het begijnhof in Leuven, dat de laatste jaren geheel is gerestaureerd. Men proeft, ondanks de andere bestemming, nog steeds de verstilde sfeer van het vroegere begijnhof.

Even ten zuiden van het stedelijk centrum van Leuven en nog juist voldoende verscholen voor de verkeersdrukte ligt het Groot-Begijnhof. Sinds 1963 is het gerestaureerd en thans wonen er personeelsleden en studenten van de universiteit. Vanaf de 13de tot het einde van de 18de eeuw is het geheel, en tijdens de 19de eeuw gedeeltelijk, bewoond geweest door een vrouwengemeenschap die zich toelegde op gebed en handenarbeid, op naastenliefde en weldadigheid, op onderwijs en ziekenzorg; een gemeenschap die daar een wijkplaats uit de wereld had gevonden, maar die wereld niet afwees: begijnen.

Begijnen waren en zijn religieuze vrouwen die ongeveer het midden houden tussen een non en een vrouw die niet tot de geestelijke stand behoort. Zij leven in gemeenschap, maar buiten een klooster. Zij leggen geen eeuwige geloften af van celibaat, armoede en gehoorzaamheid, houden de beschikking over haar goe-deren en voorzien in haar levensonder-houd door arbeid of eigen kapitaalbezit. Ieder ogenblik mogen zij de begijnenstaat vaarwel zeggen en het hof verlaten.

Een algemeen streven naar een intern-kerkelijke reformatie lag aan de oorsprong van de begijnenbeweging. Deze drang ont-stond tijdens de 10de en de eerste helft van de 11de eeuw en werd later sterk gestimu-leerd door de hervormingspolitiek van de pausen Gregorius VII (1073-1085) en Innocentius III (1198-1216). De terugkeer naar de evangelische zuiverheid kwam tot uiting tegen de achtergrond van de pau-selijke ontvoogdings- en machtsstrijd ten opzichte van het lekengezag (de Investi-tuurstrijd, 1075-1122) en van oorlogen tegen vele ketterijen en antikerkelijke bewegin-gen (o.a. van de Katharen en Waldenzen). De hervormingsdrang uitte zich in een verdiept godsdienstig leven en allerlei armoedebewegingen. Deze gaven aan-leiding tot het ontstaan van nieuwe kloosterorden: de kartuizers (1084), de cisterciënzers (1098), de premonstraten-zers (1121). Vooral bij de bedelorden der franciscanen (1210) en dominicanen (1215) werd de evangelische armoede met overtuiging nagestreefd. Een stedelijke lekenelite, bij wie al lang een verinnerlijkt religieus beleven aanwezig was, onderging sterk de invloed van die orden. Overal werden hospitalen en godsdienstig-charitatieve confrerieën gesticht.

Vele vrouwen werden aangetrokken door het ideaal de wereld te ontvluchten en zich te heiligen door afzondering en armoede. Ook sociaal-economische motieven heb-ben bij deze keuze een rol gespeeld: er was bijvoorbeeld in de middeleeuwen een groot vrouwenoverschot. De bestaande abdijen en vrouwenkapittels voldeden vaak niet meer aan het oorspronkelijke religieuze ideaal of waren niet altijd tot opname van kandidaten bereid. Vele vrouwen verkozen te leven als ingeslote-nen in cellen bij een abdij, een kerk of een kapel (de zgn. 'reclusen'), anderen gingen als 'conversen' samenwonen in een kloosterachtig verblijf binnen de omhei-ning of in de onmiddellijke nabijheid van een abdij. Hun aantal steeg zo snel dat menig 'dubbelklooster' ontstond. Doordat de abdij te klein werd, liet de prelaat namelijk vaak voor de vrouwen een verder afgelegen woongelegenheid inrichten, die echter juridisch en economisch door hem bestuurd bleef. De norbertijnenabdijen waren in onze streken typische voor-beelden van dit verschijnsel, maar tussen 1140 en 1200 gingen de norbertijnen gelei-delijk over tot het afstoten der reclusen en conversen.

De cisterciënzers trokken zich aan-vankelijk het lot van deze religieuzen aan en stonden affiliatie met hun orde toe, maar weldra kwamen zij daarop terug. Toen zagen vele reclusen en conversen zich genoodzaakt zelfstandig en volgens nieuwe methoden het religieuze leven te beoefenen. Zij groepeerden zich weer rond een kerk of kapel, of vestigden zich in de buurt van een hospitaal of leprozerie. Sommigen leidden, hetzij bij hun familie, hetzij in een eigen woning, een kluize-naarsleven, soms samen met anderen. Ze verloren echter het contact met hun lot-genoten niet.

Beweging verwierf prestige
De begijnenbeweging was in haar vroegste stadium een Westeuropees verschijnsel dat zich voordeed in de Nederlanden, in het Heilige Roomse Rijk en in Frankrijk. Later, tijdens het laatste kwart van de 12de en het begin van de 13de eeuw, groei-de zij in de Zuidelijke Nederlanden uit tot een erkend religieus instituut. Zij kreeg toen de pauselijke goedkeuring en werd gedragen door een waarlijk indringende mystiek. De beweging verwierf zich een dusdanig prestige dat zij het begijnen-ideaal kon uitdragen naar andere landen in West- en Midden-Europa, Noord-Italië,

Spanje en Engeland. Toen sloten zich ook gelijksoortige groeperingen bij de begijnen aan.

Het 4de Algemeen Concilie van Lateranen (1215) verbood nieuwe orden te stichten die geen door de Kerk goedgekeurde kloosterregel tot grondslag hadden. Al dadelijk pasten sommige bisschoppen dit verbod toe op de begijnen-reclusen. Sommige groeperingen hadden namelijk gehoor gegeven aan lekenbewegingen die de misbruiken bij de clerus aanklaagden, of waren tot ketterij vervallen. Daardoor werd de hele begijnenbeweging in een slecht daglicht gesteld. Jacobus van Vitry, de latere bisschop van Akko in Palestina (±1244), nam evenwel hun verdediging

op zich en verkreeg van paus Honorius II (1217-1227) voor de Nederlandse beweging een mondelinge goedkeuring. In de loop van de 13de eeuw heeft de 'klassieke' identiteit van de begijn vorm aangenomen.

De oorsprong van de naam 'begijn' kan niet met zekerheid worden vastgelegd. Het zou een spotnaam zijn geweest en 'kwezel' hebben betekend. Het woord zou kunnen zijn afgeleid van het Franse 'bège' (beige) en zou betrekking hebben gehad op het ongeverfde vaalbruine wollen kleed van de eerste begijnen. In de vrij welvarende Vlaamse streken hebben de begijnen middelen gevonden om zich in eigen woningen te vestigen. In het Walenland, waar de

gemeenschapszin van de begijnen groter was, achtten velen zich verplicht hun intrek te nemen in een hospitaal of in een gemeenschapshuis, waar zij door onderlinge steun in hun onderhoud voorzagen. Op enkele uitzonderingen na is men er niet verder gegaan dan het bescheiden type van het begijnenklooster of van de -hofstede. In Wallonië en Frankrijk trof men vaak veel van die stichtingen aan binnen dezelfde grote stad. In Luik waren er nog 19 tijdens de 17de eeuw en in 1300 telde men in Straatsburg 89 huizen met 300 personen, op een totaal inwonertal van 20.000 zielen. In de Vlaamse steden daarentegen vond men uitgestrekte begijnenparochies en grote begijnhoven.

Rechts: op dit kaartje de
bezienswaardigheden van
het Groot-Begijnhof in
Leuven:
1. Grote Poort
2. Kerkhof
3. Portieressenhuis
4. 'Kerckekamer'
5. Hoofdingang van de
   Sint-Jan de Doperkerk
6. Infirmerie
7. Heilige Geesttafel
8. Wagenpoort
9. Zijportaal van de kerk
10. Convent Nazareth
11. Convent Sint Jozef
12. Convent Sint Begga
13. Convent Bethlehem
14. Convent Sint Paulus
15. Convent der Zeven
    Weeën
16. 'Stenen brug over de
    Cleyne Dyle'
17. Convent van Chièvres
18. Convent van Lommel
19. Dijlebruggetje
20. 'Poort aen d'Aborg'
21. Convent
    Onze-Lieve-Vrouw-Pre-
    sentatie of Asseldonck
22. Ingang Facultyclub
23. Priesterhuizen
Linkerbladzijde: een stuk
van de ommuring van het
Begijnhof, dat door twee
takken van de Dijle
doorsneden wordt. Op de
achtergrond het convent
van Chièvres.

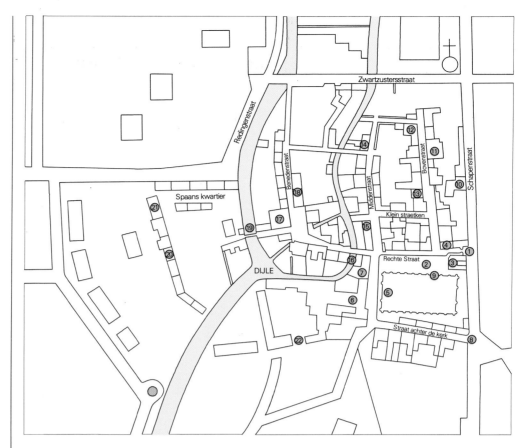

Specifieke bepalingen

De meeste Belgische en enkele Noordnederlandse steden schijnen in de 13de
eeuw één of meer begijnhoven te hebben
gehad. Om een massa onbemiddelde vrouwen tot de begijnenstaat toe te laten, hebben leken en geestelijke weldoeners of
rijke begijnen 'conventen' of
gemeenschapshuizen gesticht. Op de
inwendige tucht en orde, door passende
voorschriften geregeld, werd door een
meesteres toezicht uitgeoefend.
De oude 'gewoonten' van de meeste hoven
in de Nederlanden werden veelal in de
14de eeuw als statuten opgesteld of
vernieuwd. De regel werd meestal door de
vorsten bekrachtigd. Te Leuven bijvoorbeeld was het hertogin Joanne van Brabant (1355-1405) die dit deed voor het
Klein-Begijnhof, op 28 september 1369.
Vanaf de 15de eeuw nam de Kerk die
regelende rol over.
Aanvankelijk formuleerde de regel vooral
principes. Mettertijd werden de bepalingen specifieker. Nemen we als voorbeeld
de oudste Leuvense regels (1369 en 1416)
van het Klein-Begijnhof. Twee meesteres-
sen, jaarlijks gekozen door de
gemeenschap en aangesteld door de 'visi-
tator', de prelaat van de nabijgelegen Sint-
Gertrudisabdij, bepaalden de sluitings-
uren der poorten, beoordeelden de aan-
neming van nieuwe leden en controleer-
den de tucht.
De begijnen onderscheidden zich van de
buitenwereld door het dragen van een eenvoudig habijt, dat niet eens voor allen
gelijk hoefde te zijn. Ze mochten niet zonder toestemming buiten het hof verblijven.
Was het terwille van dit nog verspreide

leven van sommigen onder hen dat de
gemeenschap in een zogeheten 'kapittel'
kon worden samengeroepen, waar een
belijdenis der vergrijpen tegen de regel
moest worden afgelegd? Mannen mochten
niet op het hof wonen en op het verhuren
van kamers aan wereldlijke vrouwen werd
streng toegezien. Aan de parochiepastoor
op wiens grondgebied zij zich hadden
gevestigd, waren de begijnen rechtstreeks
onderworpen. Dagelijks moesten de getij-
den worden gebeden en werden de begijnen aangespoord ten minste op de vier
grote feestdagen van het jaar te com-
municeren en een offer te schenken. Reeds
zeer vroeg beschikte het hof over een infirmerie of ziekenhuis. Tenslotte dient nog
gewezen te worden op het feit dat binnen
de hoven talrijke geestelijke confrerieën de
bloei van de religiositeit hielpen bevorderen en dat er zich tijdens de middeleeuwen een belangrijke mystiek rond de
Christusfiguur ontwikkelde.

Alleen nog in de Nederlanden

In de 14de eeuw ging in de meeste Europese landen de begijnenbeweging ten onder.
In het Heilige Roomse Rijk hadden vele
gemeenschappen zich weer bij ketterse
bewegingen aangesloten. In 1311 verbood
paus Clemens V (1305-1314) het voortbestaan der begijnen. Meerdere hoven
werden verbeurd verklaard. In Duitsland
verdwenen zij enige tijd later en ook in
Frankrijk stierf de beweging uit. Paus
Johannes XXII (1316-1334) maakte in
1318 niettemin een uitzondering voor de
rechtgelovige en georganiseerde begijnen
in de Nederlanden. Alleen in onze streken
zou de begijnenbeweging blijven bestaan.

Na de stormen van de reformatie niet zonder schade te hebben doorstaan, werden
de begijnhoven in de Zuidelijke Nederlanden onder strenger toezicht van de dio-
cesane overheden gesteld. De in 1588 door
Johannes Hauchinus, tweede aartsbisschop van Mechelen (1583-1589), voor
zijn bisdom uitgevaardigde statuten zouden in de andere 'Belgische' bisdommen
tot voorbeeld dienen. Zij lagen aan de
basis van de bloeiperiode der 17de eeuw.
In de Noordelijke Nederlanden ging echter de begijnenbeweging tegen het einde
van de 16de eeuw grotendeels ten onder.
Overal in het Zuiden werden de hoven
vergroot en de lemen huisjes vervangen
door stenen woningen. Onder andere te
Mechelen, Brussel, Gent, Turnhout en
Hasselt verrezen nieuwe barokkerken.
Tijdens de 18de eeuw ontstond een algemene achteruitgang of ten minste een
verstarring van de groei.

Wandelen door de miniatuurstad van het Groot-Begijnhof

Na de 15de en 16de eeuw is het Leuvense
Groot-Begijnhof uitgegroeid tot een dichtbevolkte miniatuurstad, met omheining en
bewaakte toegangspoorten, met eigen kerk
en kerkhof, met pleinen en straten, afzonderlijke, in opdracht van rijkere begijnen
gebouwde huisjes en gemeenschapscon-
venten, en met een eigen ziekenhuis.
(Andere begijnhoven bleven beperkt tot
een reeks huisjes gebouwd rond een
centraal plein.) Het huidige woningen-
complex dateert vooral uit de 17de en
18de eeuw, maar ook 16de- en 19de-
eeuwse huizen bleven bewaard. Twee
armen van de Dijle doorsnijden het hof.

71

lige Geest (1545-ca. 1600). In deze voormalige charitatieve stichtingen is nu de Faculty Club van de universiteit gevestigd. De voormalige grote ziekenzaal van de Infirmerie vormt thans het centrale gedeelte van het restaurant dat alleen voor medewerkers van de universiteit toegankelijk is. Rond de binnenplaats liggen ook de voormalige dienstgebouwen, stallen, schuur en brouwerij. Het wagenvervoer naar de Infirmerie gebeurde door de thans verdwenen Wagenpoort en door de 17de-eeuwse straat achter de kerk. In de Bovenstraat, tegenover het zijportaal van de kerk, liggen tussen mooie 17de-eeuwse huizen verspreid de conventen Nazareth (1630), Sint Jozef (1662), Sint Begga (1638) en Bethlehem (1628). Het 'Klein straetken' of 'Smoorstraetken' leidt naar de Middenstraat, waar 16de- en 17de-eeuwse huizen staan en de conventen Sint Paulus (1643) en de Zeven Weeën (1662) gelegen zijn.

Twee conventen en een Soldatenkwartier
Terug op het kerkplein wandelt de bezoeker door de Rechtestraat over de 'stenen brug over de Cleyne Dyle' en komt op een pleintje waar de aandacht wordt getrokken door het convent van Chièvres. Dit werd in 1561 gesticht op last van Maria Magdalena van Halmale, gravin van Aarschot en echtgenote van Willem van Croÿ, heer van Chièvres, Heverlee enzovoort (1458-1521). Het convent van Lommel (1529) bevindt zich op de rechterhoek van de Benedenstraat.
Achter in deze straat, nabij de tuinen tegen de muur bij de Zwartzustersstraat, staat het huis Sint Niklaas (1664). Het behoort eigenlijk niet tot het begijnhofcomplex, maar werd omstreeks 1971 uit de Parijsstraat overgebracht. Over het Dijlebruggetje bereikt men het Spaanse of Soldatenkwartier (de benaming berust op een mondelinge traditie volgens welke daar ooit Spaanse troepen ingekwartierd lagen). De huizen stammen er vooral uit de jaren na 1636. Door de 'poort aen d'Aborg' betrad men eertijds de wasblekerijen en de veeweiden van het hof. Tussen de woningen van het Spaanse kwartier valt vooral het convent van Onze-Lieve-Vrouw-Presentatie of van Asseldonck op (1638).
Her en der verspreid over het hof ziet men de bas-reliëfs van een kruisweg. Alle huizen dragen een naam, die niet zelden vertolkt wordt door merkwaardige gebeeldhouwde reliëfs en opschriften. Typische voorbeelden vormen het convent van Asseldonck, de 'Cas van Waver' (1677) in het 'Klein straetken' en de 'Bergh Thabor' (1649) aan de Bovenstraat.
De woningen van de pastoor en de twee kapelaans van het hof bevinden zich tegenover het koor van de kerk, buiten de omheiningsmuur.

Tijdelijk nieuwe mogelijkheden
Na de annexatie, in 1795, werden de hoven, die godsdienstige en liefdadige

De Grote Poort (1805) geeft toegang tot de Rechtestraat. Het portierstershuis werd gebouwd tegen het kerkhof, waarvan de Lodewijk XV-omheining in 1766 opgetrokken werd. Het calvariekruis dateert uit 1760. Rechts van de poort werd de 'kerckecamer' (1698) opgetrokken, de zetel van het algemeen hofbeheer. De vroeg-gotische, in 1305 gebouwde Sint-Jan de Doperkerk beheerst het door 17de- en 18de-eeuwse huizen omzoomde plein. Deze is van hetzelfde type als de begijnhofkerken van Tienen, Tongeren, Sint-Truiden en Luik (Saint Christophe): een rechthoekig grondplan zonder dwarsbeuk, een vlakke koorsluiting, een dakruiter als klokketoren. De muren zijn in witte zandsteen met spaarzame speklagen van bruine ijzersteen uitgevoerd. In de tweede helft van de 17de eeuw werd het gotisch interieur met barokelementen gemoderniseerd. Sinds een zevental jaren wordt het gebouw gerestaureerd.
Recht tegenover de hoofdingang van de kerk ligt het complex van de Infirmerie (1545-1546) en van de Tafel van de Hei-

Boven: portret van een begijn uit de 17de eeuw. Onder: alle huizen hebben namen, die vaak verbeeld worden in bas-reliëfs. Een goed voorbeeld is het huis 'In den Bergh Thabor'. Rechterbladzijde: rond het binnenhof liggen de dienstgebouwen. Hier de Infirmerie.

instellingen waren, genationaliseerd en hun domein werd aan de Commissies der Burgerlijke Godshuizen overgedragen. Ofschoon zij zich niet langer meer, onder andere door het dragen van hun begijnenkleed, als leden van de communiteit mochten manifesteren, kregen de begijntjes toch bijna allen toestemming in hun huizen te blijven wonen. Soms waren zij zelfs, zoals nog andere leden van vroegere ziekenverzorgende gemeenschappen, in het openbare ziekenhuiswezen ingeschakeld.

Het Koninkrijk der Nederlanden (1815-1830) heeft slechts een kortstondige hoop op herstel gebracht. Nadat hij de begijnen toestemming had gegeven opnieuw het habijt te dragen, heeft koning Willem I (1772-1843) verder niets in haar belang ondernomen: de Godshuizencommissies behielden hun gezag over de hoven.

Zoals ook elders in België verzekerde, na 1830, een plaatselijke overeenkomst te Leuven de begijnengemeenschap een nieuwe levensmogelijkheid in gebouwen van het vroegere hof. Ondanks de relatieve 19de-eeuwse herleving was de grote tijd der begijnenbeweging toch definitief voorbij. Overal bleven burgerlijke zieken- en ouderlingengestichten en weeshuizen in de grote gemeenschapsgebouwen gehuisvest. Sommige hoven werden tot kloosters omgebouwd, bijv. te Tienen. Andere hoven, zoals het Brusselse, werden afgebroken. Bijna overal vervielen zij tot woonruimte voor armere families.

In 1962 waren de onderhoudskosten der gebouwen de Leuvense Commissie van Openbare Onderstand, de opvolgster van de Godshuizencommissie en voorloopster van het huidige Openbaar Centrum voor Maatschappelijk Welzijn, zó zwaar geworden dat men besloot het hele complex, behalve de kerk, aan de universiteit te verkopen. Zo werd meteen de vraag hoe de gebouwen het best als kunstschatten bewaard en in het moderne leefmilieu geïntegreerd konden worden, opgelost.

Begijnhoven in het Vlaamse land

Vooral in het Vlaamse land zijn talrijke merkwaardige begijnhoven geheel of gedeeltelijk bewaard gebleven. Overblijfselen ervan treft men aan onder andere in Aalst (kerk en kapel), Assenede (boerderij), Bilzen (kerk), Borgloon (vervallen kapel), Brussel (kerk) en Zichem (huizen). Grote begijnhoven kunnen worden bezocht in Kortrijk, Diksmuide (heropgebouwd na de verwoesting tijdens de Eerste Wereldoorlog), Brugge, Dendermonde, Oudenaarde, Mechelen, Edingen, Lier (vermaard door het letterkundig werk van Felix Timmermans, 1886-1947), Aarschot (zwaar gehavend tijdens de Tweede Wereldoorlog), Diest, Herentals, Antwerpen, Hoogstraten, Turnhout, Hasselt (sinds 1938 eigendom van de provincie Limburg, thans Provinciale Bibliotheek), Tongeren, Sint-Truiden, Tie-

nen en Anderlecht. In Nederland bleven slechts de hoven in Amsterdam en Breda bewaard.

Alleen te Gent (Klein-Begijnhof) en te Sint-Amandsberg (gebouwd in 1872-1874 als onderkomen voor de uit het Gentse groothof verdreven communiteit) bestaat nog een authentiek begijnhof. Elders is de oude luister voorgoed verdwenen. Te Leuven bijvoorbeeld leeft nog slechts één begijntje. Het Antwerpse en het Mechelse hof herbergden er in 1973 nog slechts drie. Sinds 1926 wordt het Brugse hof door zusters bewoond.

Te Sint-Amandsberg kan men het begijnenhuisje 'het Lied van de Regel' bezoeken en het convent van de heilige Begga met de Tresoor van het Begijnhof, terwijl in de 'Mattekenskamer' de portrettengalerij van de grootjuffrouwen (sinds 1621) opgehangen is. In het convent Ten Hove kan de bezoeker de begijntjes zien borduren en er de werkplaats, refter en keuken betreden. Niet zelden werden kleine musea in één der huisjes van de nog bestaande hoven ingericht, zoals te Aarschot en Diest. Overal ziet men in de kerken en kapellen merkwaardige kunstvoorwerpen. Wie deze voormalige oasen van devotie en verinnerlijkte rust betreedt, zal vooral worden getroffen door de architectuur. De begijnhoven zijn nog altijd stille pittoreske getuigen van een zeer belangrijk facet van het religieuze leven in vroeger eeuwen en zijn over het algemeen vrij toegankelijk.

Nieuwe kunst in de Zuidelijke Nederlanden

PROF. DR. W. PREVENIER

Boven: Vlaamse miniatuur van omstreeks 1500, die een deel van het interieur van een groot schildersatelier toont. De Vlaamse schildersschool, die toen al zo'n 80 jaar een grote bloei doormaakte en waarvan overigens ook vele niet-Vlamingen deel uitmaakten, had door een geheel nieuwe benadering van de onderwerpen een ware ommekeer teweeggebracht in de schilderkunst. Een niet onbelangrijke factor hierin was ook het gebruik van de omstreeks 1400 uitgevonden olieverven, waarvan de toepassing in de 15de eeuw zeer geperfectioneerd werd. Links: het middenpaneel – in geopende toestand – van 'De Aanbidding van het Lam Gods', een polyptiek van de gebroeders Hubrecht en Jan van Eyck. Dit valluik, dat tot de kostbaarste en kostelijkste kunstwerken ter wereld behoort, hangt – zij het met korte onderbrekingen – sinds 1432 in een kapel van de Sint-Baafskathedraal te Gent. In het midden van het hier afgebeelde paneel troont God, met naast zich Maria en Sint Jan de Doper en onder hen de eigenlijke aanbidding van het Lam Gods door onder meer de heilige vrouwen, de belijders en de martelaren.

In het hart van de oude stad van Gent staat de Sint-Baafskathedraal met haar toren in Brabantse gotiek. Wie deze kerk binnengaat, wordt eerst overweldigd door het wat drukke interieur met zijn vele marmer en even later door de fraaie verhoudingen van het schip van de kerk. De bezoeker die de kooromgang rechts volgt, ziet in de zesde kapel een menigte zich verdringen voor een polyptiek, een veelluik, dat op gezette tijden afwisselend wordt geopend en gesloten.
Dit is de plaats waar sinds 1432 de 'Aanbidding van het Lam Gods' is te zien, op zichzelf al een wereldwonder.

Tot in de 20ste eeuw heeft men in sommige streken van Europa de term 'fiamingo' gekoppeld aan kunstenaarschap. De stevigste pijlers voor dit vleiend imago werden geheid in de 15de eeuw. Toen tekende zich, vooral in de Bourgondische Nederlanden, een nieuwe kunst af. Reeds omstreeks 1390 beitelde Klaas Sluter te Dijon een nieuw soort beelden, die niet meer de gekunstelde gelaatstrekken van weleer vertoonden, maar een plastische weergave waren van een gepersonaliseerd individu, realistisch en zonder verhulling van de lichamelijke vormen. Het beeld werd ook uit zijn monumentale functie losgemaakt.
Iets later, na 1420, voltrok zich een analoog proces in de schilderkunst, in de miniatuur, de muziek en de bouwkunst. Die 'ars nova' werd ook een investeringsobject voor kapitaalkrachtige beleggers uit de Europese hofkringen en zakenwereld. Kunstwerken werden als passende relatiegeschenken beschouwd en door velen verzameld. Het is geen toeval dat de 'nieuwe kunst' precies tot bloei kwam in de Zuidelijke Nederlanden, toen daar tussen 1440 en 1470 sprake was van een periode van hoogconjunctuur.
Bovendien ontwikkelde het Bourgondische vorstenhuis een niet onbelangrijk mecenaat en bracht het vele bevriende buitenlandse vorsten en andere vooraanstaande lieden in contact met de kunstproduktie van de Nederlanden.
De kunst, die omdat ze in Vlaanderen tot stand kwam en verkocht werd, als 'Vlaams' werd beschouwd, werd in feite goeddeels geschapen door talent dat hier was samengevloeid uit andere delen van de Nederlanden en zelfs van daarbuiten. Dirk Bouts en Klaas Sluter kwamen uit Haarlem, de Van Eycks uit het Maasland, Memling uit Seligenstadt en Michiel Sittow zelfs uit het verre Estland.
Het hertogelijke mecenaat vond in de Bourgondische leefwereld uit snobisme en als gevolg van sociale verplichtingen ruime navolging bij de traditionele en de nieuwe adel, bij de ambtenaren, de clerus en de stedelijke burgerij. Het aankopen van kunstobjecten was overigens niet

uitsluitend voorbehouden aan de meest gegoeden; ook zij die nog op iets lagere trappen van de sociale ladder stonden, gingen er, door ambitie gedreven, toe over. Naast het materiële motief van de veilige geldbelegging en het motief van sociaal prestige waren er ook nog andere factoren die het aankopen van kunst bevorderden. We mogen bijvoorbeeld het religieuze motief, gekoppeld aan een paternalistische zorg voor de armen en de zieken, niet onderschatten. Dit verklaart waarom zo veel panelen geschonken werden aan hospitalen en kerken. En tenslotte was kunst vaak ook een middel tot legitimatie van een politieke of sociale positie.

Superieure portretkunst
Wanneer men individuele kenmerken buiten beschouwing laat, hebben de Vlaamse grootmeesters van de 15de eeuw gemeen dat ze allen een perfecte techniek beheersten op basis van de al iets eerder ingevoerde olieverf, dat ze de vrij sterk geanonimiseerde figuren van weleer vervingen door een superieure portretkunst met geïndividualiseerde portretten die berusten op scherp psychologisch inzicht, en dat ze in vele werken allusies verwerkten die een boodschap bevatten.
De accenten lopen daarbij wel sterk uiteen. De Van Eycks creëerden zeer accurate, realistische portretten, maar hun panelen zijn ook sterk geladen met symboliek. Hetzelfde zien we bij Jeroen Bosch, wiens realistische landschappen bevolkt zijn met vreemde, spookachtige wezens. Deze schijnbare droomwereld is in feite bedoeld als satirische maatschappijkritiek.
Heel anders zijn weer de karakter onthullende portretten van Rogier van der Weyden. Ongeëvenaard is tevens de structurele opbouw van zijn grootse composities.
Weer anderen ondernemen een speurtocht naar de dieper liggende roerselen van de menselijke ziel. Hugo van der Goes vond de golflengte van de depressie en de angst, Dirk Bouts en Hans Memling die van de verstilde religiositeit, zich uitend in ascese en meditatie.
Het zogenoemde naturalisme van deze kunst bestaat uit een realistische uit-

beelding van de tijdgenoten, vooral de opdrachtgevers, en in een natuurgetrouwe weergave van stadspleinen en monumenten. Deze alledaagsheid wordt nochtans overvleugeld door een overvloed aan quasi-realistische attributen en landschappen of stadsgezichten, die echter een fictieve wereld vormen, vol religieuze en sociale allusies.

De maatschappelijke positie van de Bourgondische schilders was niet voor hen allen gelijk. Enkelen werden hofschilder bij de hertogen. De meesten behoorden echter als vrije meesters tot de stedelijke Sint-Lucasgilden. De talentrijkste en meest bedreven kunstenaars, zoals Jan Campin te Doornik, slaagden erin door het aanstellen van medewerkers hun ateliers uit te bouwen tot bedrijfjes met bescheiden kapitalistische allure. Een begaafde meester als Van Eyck kreeg niet alleen artistieke opdrachten, maar werd ook herhaaldelijk belast met diplomatieke missies.

Lam Gods: uniek meesterwerk vol subtiele symboliek

Het Lam Gods-retabel, bewaard in de eerste zuidelijke straalkapel rond het koor van de Sint-Baafskathedraal te Gent, is een unieke introductie tot de kunst van de zogenoemde 'Vlaamse Primitieven' (een benaming die steeds meer in onbruik raakt). Het werk hangt nog steeds op de plaats die het bij de creatie in 1432 innam (de kerk heette toen nog Sint-Jans) en dat biedt de mogelijkheid dit werk op een uitzonderlijke wijze te waarderen. Immers, de Van Eycks hebben bij het schilderen van meet af aan rekening gehouden met het licht dat van opzij op het paneel viel. Bovendien hielden zij wat het perspectief betreft rekening met de hoge plaatsing van de luiken ten opzichte van de toeschouwers. Vooral bij de Adamfiguur is in dit opzicht naar effect gezocht.

Twee zijpanelen van de gesloten polyptiek beelden de Gentse burgers Joos Vijdt en diens vrouw Elisabeth (uit het befaamde patriciërsgeslacht van de Borluuts) uit. Zij stichtten de kapel en bestelden het retabel, en ze maakten daarbij gebruik van de mogelijkheid om hun nagedachtenis voor de eeuwigheid veilig te stellen. Het feit dat zij zo'n kostbaar geschenk, kapel én retabel, aan de parochie wilden nalaten, zal in de ogen van hun tijdgenoten van bewonderenswaardige godsvrucht en grootmoedigheid ten opzichte van hun medeburgers hebben getuigd. Vijdt en zijn vrouw hadden in de stichtingsakte bepaald dat na hun dood (ze overleden respectievelijk in 1439 en 1443) in de kapel dagelijks een mis opgedragen moest worden. Hieruit blijkt weer duidelijk de verstrengeling van de motieven van religiositeit en zelfbevestiging.

Nog ingewikkelder lijkt de motivatie van de stichters wanneer we rekening houden met het feit dat in 1390 de vader van Joost Vijdt als ambtenaar van de hertog wegens corruptie werd veroordeeld. Het zou niet

Boven: de in de 15de eeuw nog Sint-Janskerk geheten Sint-Baafskathedraal.
Rechts: dit paneel met de 'Rechtvaardige rechters' is een kopie van het in 1934 gestolen origineel; een der rechters kreeg daarom de gelaatstrekken van koning Leopold III.
Rechterbladzijde links: dit bovenpaneel van het – gesloten – veelluik toont onder meer een 15de-eeuws stadsbeeld, wellicht de Gentse Korte Dagsteeg. Geheel rechts: Joos Vijdt, met zijn vrouw schenker van kapel en retabel, liet zich op een zijpaneel afbeelden.

de eerste keer zijn dat smaad werd afgekocht met de schenking van een kunstwerk.

Elementen van een grote eruditie

Het is geen toeval dat het Lam Gods tot stand kwam in de Gentse Sint-Jansparochie, waar Vijdt woonde, want daar bestond in het eerste derde deel van de 15e eeuw een vrij intense culturele en artistieke bedrijvigheid. Jan van Impe, priester in deze parochie van 1421 tot 1440, en andere plaatselijke intellectuelen zullen ertoe hebben bijgedragen dat het retabel elementen bevat die getuigen van een grote eruditie. Aan de iconografie komen Vergilius en de hele christelijke literatuur te pas, terwijl er ook vertrouwdheid met de dogmatiek en de filosofie uit blijkt. Vlakbij de kerk werd in het in 1429 gestichte Hiëronimietenklooster de kalligrafie beoefend. De vele afbeeldingen van handschriften op het Lam Gods zijn daar duidelijk de weerslag van.

De uitwerking van het retabel is een geslaagde synthese van een algemeen-christelijke thematiek en van lokale devotie, een synthese ook van de eeuwigheidsgedachte en van verwijzingen naar concreet aan plaats en tijd gebonden zaken en personen. Het eeuwige en het algemene werden geweven rond de liturgie van Allerheiligen en de verlossing van de mensheid. Op het middenpaneel (in geopende toestand) zijn – onder het waakzame oog van God, Maria, Sint Jan de

Doper en de engelen – de profeten (onder wie Vergilius) rond het Lam Gods verzameld, te zamen met de apostelen, de martelaren, de belijders en de heilige vrouwen. Op de onderste zijpanelen zien we ook nog de rechtvaardige rechters (kopie), de ridders van Christus, de heilige kluizenaars en de heilige pelgrims. Zo zijn nagenoeg al degenen die aan deze devotie te pas komen, vertegenwoordigd. Het kader waarin dit alles gesitueerd wordt, benadrukt de eeuwigheidsidee, want ondanks de naturalistische flora en de realistisch uitgebeelde kerktorens en huizen is het geheel toch fictief: een hemels Jeruzalem, een suggestie van hoe de gelovige schilder zich de bovenaardse wereld voorstelde. Een enkele realistische toets is de toren van de Gentse Sint-Nikolaaskerk, die oprijst tussen vele andere kerktorens.

Subtiele symboliek

De symboliek is bijzonder ingewikkeld en subtiel. Het lam is een algemeen-christelijk

symbool voor het offer van Christus op Golgotha, maar hier verwijst het tevens naar het concrete kader en de persoon van de schenker. Het lam is namelijk ook het attribuut van Sint Jan de Doper, de patroon van de parochie van Vijdt. Bovendien neemt volgens de misliturgie het Lam Gods de zonden weg en dat is wellicht een zinspeling op het schuldcomplex van de familie Vijdt.

De panelen in gesloten toestand verwijzen nog duidelijker naar het tijdelijke. Daarop zijn beide schenkers afgebeeld, geknield voor twee heiligen: Sint Jan de Doper, de heilige van de parochie, en Sint Jan Evangelist, de patroon van de Vijdtkapel. Op een bovenpaneel is door een venster een hoekje geschilderd dat weliswaar slechts met voorbehoud geïdentificeerd kan worden met de Gentse Korte Dagsteeg, maar dat in elk geval overduidelijk een 15de-eeuws stadsbeeld weergeeft. Al met al is de opbouw vrij homogeen, waarbij slechts de Adam- en Evapanelen iets moeilijker te verklaren zijn in het iconografisch programma.

Werk van twee broers
Over de identiteit van de auteurs van het werk is lang gepolemiseerd. Het staat nu wel vast dat het retabel het produkt is van de gebroeders Van Eyck, die beiden vanuit hun geboortestreek (Maaseik of

Maastricht) naar Vlaanderen uitweken. De ietwat onderschatte Hubrecht heeft eraan gewerkt tot zijn dood in 1426. Hij werd in de Vijdtkapel begraven. Zijn broer Jan werkte tussen 1426 en 1432 het retabel af. Het is moeilijk te bepalen welk aandeel ieder van hen in het geheel heeft gehad. Jans ster is vooral na de voltooiing van het 'Lam Gods' gaan rijzen. Van 1425 tot 1441 was hij hofschilder en diplomaat van Filips de Goede en kreeg hij nog beter de gelegenheid zijn talenten te ontplooien, hetgeen hem internationaal vermaard maakte. Men heeft hem ten onrechte de ontdekking van de olieverftechniek toegeschreven, maar wel heeft hij deze geperfectioneerd.

Bewogen geschiedenis van een meesterwerk
Viermaal is het retabel geheel of gedeeltelijk tijdelijk verwijderd uit de kapel waarvoor het werd gemaakt. Van 1566 tot 1569 werd het in veiligheid gebracht uit vrees voor een beeldenstorm. Tijdens de calvinistische periode te Gent, van 1578 tot 1584, werd het in het stadhuis opgehangen. In 1794 brachten de Franse bezetters vier panelen over naar Parijs, maar in 1815 kwamen deze ongeschonden terug. Kort nadien verkocht een onbesuisde Gentse vicaris de luiken, op twee na, aan de kunsthandel. Pas in 1920 was het retabel weer compleet.

Hoog laaiden de emoties op toen in 1934 twee panelen gestolen werden. Eén daarvan, de 'Rechtvaardige rechters', is nog steeds spoorloos. Tijdens de Tweede Wereldoorlog werd, in 1940, de hele polyptiek naar Pau overgebracht. Vandaar transporteerden de Duitsers het retabel naar de zoutmijn van Alt Aussee in Oostenrijk, maar in 1945 kon het triomfantelijk naar Gent worden teruggevoerd.

In vele musea
De grote faam van de Vlaamse schildersschool van de 15de eeuw heeft ertoe geleid dat het werk van deze schilders vanaf de middeleeuwen tot in onze tijd verspreid werd over tientallen landen en vele musea. Gelukkig is een mooie collectie geconcentreerd in Brugge. Daar mag de kunstliefhebber niet nalaten een bezoek te brengen aan het Sint-Janshospitaal, waar met het Ursulaschrijn en enkele portretten de essentie van Hans Memling vertegenwoordigd is. Tot de collectie van het Groeningemuseum (eveneens te Brugge) behoren de Madonna met kanunnik Van der Paele, van Jan van Eyck, evenals het portret dat deze maakte van zijn vrouw. Ook kan men hier de 'Doop van Christus' van Geraard David en de 'Dood van Maria' van Hugo van der Goes bewonderen.

Te Gent is in de Sint-Baafskathedraal, behalve het hier uitvoerig besproken retabel, ook een werk van Justus van Gent, de 'Kruisiging', te zien. En in het Museum van Schone Kunsten hangt Jeroen Bosch' unieke 'Kruisdraging', met op ongeëvenaarde wijze gepersonaliseerde tronies vol haat en spotlust, die Christus omringen. In het Brusselse Museum voor Schone Kunsten zijn Rogier van der Weydens portret van bastaard Antoon van Bourgondië en Roger Campins 'Boodschap' te bezichtigen. Te Leuven hangt in de Sint-Pieterskerk boven het altaar het 'Avondmaal', het onbetwiste meesterwerk van Dirk Bouts. Het Antwerpse Museum voor Schone Kunsten bezit Rogier van der Weydens 'Zeven sacramenten'.

Het veelluik de 'Aanbidding van het Lam Gods' hangt sinds 1432 op dezelfde plaats: de zesde kapel van de Sint-Baafskathedraal te Gent en is vrijwel dagelijks te bezichtigen. De kathedraal is geopend van april t/m september van 9.30 tot 12.00 uur en van 14.00 tot 18.00 uur; op zon- en feestdagen van 13.00 tot 18.00 uur. In het winterhalfjaar is de kathedraal open van 10.30 tot 12.00 uur en van 14.30 tot 16.00 uur; op zon- en feestdagen van 14.00 tot 16.00 uur.

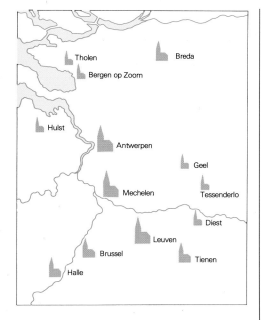

Linkerbladzijde: de Grote Kerk in Breda is een fraai voorbeeld van de zogenoemde Brabantse gotiek. Deze bouwstijl is direct geïnspireerd door de gotiek van de beroemde Franse kathedralen, maar kwam pas tot bloei, toen de steden in het gewest Brabant tot welvaart kwamen, onder meer door het ontstaan van de lakenindustrie. Het meest opvallende van de Grote Kerk is wel zijn 97 m hoge toren, waarvan de stijl van bovenbouw en onderbouw duidelijk verschilt.
Boven: het centrum van de Brabantse gotiek. De grootte van de kerkjes geeft de belangrijkheid aan. In dit gebied vindt men ook veel voorbeelden van profane gebouwen, die in deze bouwstijl werden opgetrokken.

Welvaart in steen

DR. M.J.H. POST

De slanke toren van de Onze-Lieve-Vrouwekerk (of Grote Kerk) in Breda is met zijn 97 m, volgens Bredanaars zelfs 98 m, de hoogste van Noord-Brabant. Met de erbij horende kerk is hij een uiting van de Brabantse gotiek die in de 15de eeuw haar hoogste bloei beleefde.

De gotiek is ontstaan in Île de France, het gebied van de Franse koning, met Parijs als centrum, waar in de 12de eeuw landbouw, nijverheid en handel tot bloei kwamen. Abt Suger van de abdij van Saint-Denis, waar de Franse koningen hun laatste rustplaats vonden, ontbood in 1137 kunstenaars 'uit de hele wereld' om een nieuwe abdijkerk te bouwen. Die kerk werd het eerste gotische bouwwerk van Europa. Gotiek was niet zozeer een nieuwe stijl als wel een omwenteling in de manier van bouwen. De spitsboog werd het opvallendste, zij het niet het meest wezenlijke kenmerk ervan.
Stenen gewelven hadden altijd zware, dikke muren nodig gehad om de dakconstructie te dragen. In zulke muren konden slechts kleine vensters worden aangebracht. Doordat houten daken weliswaar lichter maar tegelijkertijd ook aanzienlijk brandgevaarlijker waren dan stenen overkappingen, moest de oplossing van het probleem in een andere richting worden gezocht. De bouwmeesters van Saint-Denis vonden die in de toepassing van stevige ribben, als een soort pilaren in de kerkmuur. Deze ribben werden overspannen door elkaar kruisende, stenen bogen, de zogenoemde kruisribben. De ruimten tussen deze kruisribben werden opgevuld met lichter materiaal. Het dak werd dus niet langer gedragen door de muur maar door de ribben in die muur. Om te voorkomen dat de ribben werden weggedrukt, construeerden de bouwers steunberen tegen de zijbeuken. Boven op de steunberen kwamen luchtbogen te rusten om de zijwaartse druk van het dak op te vangen. Met deze oplossing werd het mogelijk de kleine rondboogvensters van weleer te vervangen door spitsbogen.

Eerzucht en specialistenwerk
Van Saint-Denis uit verbreidde de nieuwe manier van bouwen zich snel, ook al omdat de verschillende steden niet voor elkaar wilden onderdoen. Kort na 1160 begon de bisschop van Parijs met de bouw van de Notre-Dame, de kathedralen van Chartres en Reims volgden. De stedelijke naijver speelde vooral een rol in de afmetingen van de bouwwerken. Het middenschip van de Saint-Denis was 18 m hoog, de Notre-Dame kwam al tot 32½ m, het middenschip van de kathedraal van Amiens reikte tot 42 m. In Beauvais stort-

te het gebouw in toen de bouwers het gewelf aan het sluiten waren op een hoogte van 48 m. Dikwijls waren de fundamenten niet opgewassen tegen de geweldige druk; torens moesten soms onvoltooid blijven doordat de onderste delen te zwak bleken.
Er was sprake van nog een andere vernieuwing. Tot de 11de eeuw waren de architectuur en het toezicht bij de uitvoering van de bouw in handen van monniken. Dat was bij de gotische bouwwerken niet langer mogelijk: het ontwerpen, het toezicht en het bouwen zelf, dat alles werd specialistenwerk. De namen van de bouwmeesters zijn meestal niet bekend. Dat het evenwel grote kunstenaars waren, met vakbekwaamheid en meetkundige kennis, blijkt onder meer uit het schetsboek van Villard de Honnecourt, een bouwmeester uit Honnecourt in Picardië die door Frankrijk, Duitsland en Hongarije reisde. Het schetsboek, dat omstreeks 1235 ontstond, gebruikte hij waarschijnlijk om metselaars te onderrichten. Maar niet alleen de bouwmeesters, ook de metselaars, glazeniers, steenbewerkers, schrijnwerkers en schilders moesten vaklieden zijn die tientallen jaren achtereen bij de bouw betrokken waren. Hoe eerzuchtiger de plannen waren, des te langer duurde de bouw. De abdijkerk van Saint-Denis werd in zeven jaar gebouwd, voor de Notre-Dame had Parijs al 90 jaar nodig en de kathedraal van Beauvais werd nimmer voltooid. Juist de ambitie een groots er godshuis op te richten dan anderen speelde de opdrachtgevers parten. De geestdrift waarmee een werk werd begonnen, hield bij zulke langlopende projecten zelden stand. Oorlogen, misoogsten en epidemieën konden het werk voor jaren vertragen. En dan waren er altijd de kosten. Vorsten en bisschoppen konden uit eigen middelen slechts een gedeelte van de bouwkosten dragen en daarom moesten zij altijd weer een beroep doen op de gelovigen. Bij processies, bedevaarten en op kerkelijke hoogtijdagen werd de mensen ongenadig het geld uit de zak geklopt; er werd gerekend op erfenissen; aflaten en penitenties bij de biecht bestonden vaak voor een gedeelte uit geldelijke giften.

Breda en de Brabantse gotiek
In 1270 was de gotiek in Frankrijk over

Links: het middenschip van
de Grote Kerk.
Onder: op deze afbeelding
is goed zichtbaar dat alle
gewelfschilderingen van
elkaar verschillen. De
sluitstenen in het midden
van de schilderingen zijn
fraaie staaltjes
beeldhouwkunst.
Rechts: met eenvoudige
hulpmiddelen kwamen de
monumentale gebouwen uit
de middeleeuwen tot stand.

haar hoogtepunt heen. Ze verbreidde zich echter naar Engeland, Duitsland en de Nederlanden. In de 14de, maar vooral in de 15de eeuw, kwam het hertogdom Brabant tot grote welvaart. De Brabantse steden groeiden en in die steden ontwikkelde zich de Brabantse gotiek, waarvan de Grote Kerk in Breda een voorbeeld is. Haar inspiratie vond deze bouwkunst in de Franse kathedralen, ook al werden de kerken soberder uitgevoerd. Zo hoog als de Franse kerkgebouwen werden de Brabantse niet, en de Brabantse bouwmeesters volstonden doorgaans met één toren in plaats van twee zoals hun Franse voorbeelden. De rijkdom van de Brabantse steden uitte zich bovendien in talrijke burgerlijke bouwwerken, voornamelijk stadhuizen zoals die van Brussel, Middelburg, Leuven en Oudenaarde. Kenmerkend voor deze wereldlijke gotiek zijn de hoektorentjes aan de zijkanten van de gebouwen en de overdadige versiering met architectonische motieven.
In 1269 wordt voor het eerst melding gemaakt van een in steen uitgevoerde kerk in Breda. Ze werd in 1303 verrijkt met een kapittel waarvan de kanunniken belast waren met de koorzang, de verzorging van de eredienst, het toezicht op het onderwijs en de zorg voor de armen. Een van de kanunniken trad op als pastoor.
Breda was tot de tweede helft van de 14de eeuw een onbeduidend stadje. Na 1350 kwam daarin verandering toen met de komst van de heren van Polanen Breda ook een bestuurlijk centrum werd.
Daardoor groeide de bevolking aan tot ongeveer 5000 inwoners in de 15de eeuw. Jan II van Polanen had slechts één dochter, Joanna, die in 1403 trouwde met graaf Engelbrecht I van Nassau. Deze eerste Nederlandse Nassau, de grondlegger van het Nederlandse vorstenhuis, voltooide in 1410 het koor van de Grote Kerk 'met alle

de cieraden'. In 1412 werd dit koor afgesloten met een koperen traliewerk en begon de bouw van het schip en van het dwarspand. In 1457 waren hoofd- en zijbeuken klaar. Het instorten van de oude toren werd waarschijnlijk veroorzaakt door al die bouwactiviteiten. Op 16 juni 1468 werd de eerste steen gelegd voor een nieuwe toren. Toezicht bij dit werk hadden Cornelis Joes, 'werckmeester van der kerkcke', en Adriaen Ghiben, 'metser'; deze beiden worden althans genoemd in de oudst bewaarde rekeningen van 1498. Het eigenlijke werk zal wel verricht zijn door een reizend atelier of bouwloods. De bouw van de toren vergde ruim 40 jaar. Op 21 juli 1509 werd het kruis op de toren geplaatst, maar pas in 1513 waren alle werkzaamheden achter der rug.

Steen uit het Brusselse
Het valt op dat de bekroning van de toren een andere stijl heeft dan de onderbouw. Wellicht is de ontwerper tijdens de bouw overleden en daardoor niet meer in staat geweest aan te geven hoe hij zich de bekroning had voorgesteld; het is ook mogelijk

dat de onderbouw niet stevig genoeg was voor een zwaardere constructie.
Met de voltooiing van de toren was de kerk nog niet klaar. De kapellen tussen de steunberen en ook de kooromgang moesten nog worden gebouwd. In 1526 werd de Onze-Lieve-Vrouwekapel, de huidige Prinsenkapel, in gebruik genomen. De kapel van het Heilig Sacrament van Niervaart kwam gereed tussen 1526 en 1538, evenals de kooromgang.
De Franse kathedralen zijn opgetrokken uit kalksteen. In de buurt van Breda bevonden zich echter geen steengroeven. Daarom is de Grote Kerk gebouwd uit baksteen die bekleed werd met natuursteen. Deze natuursteen, bekend als ledezandsteen, werd aangevoerd uit de omgeving van Brussel.
Het spreekt vanzelf dat de kosten van de bouw enorm waren. De heren van Breda droegen zeker veel bij voor een kerk die zij als de hunne beschouwden, al was het alleen maar omdat ze er uiteindelijk hun laatste rustplaats vonden. Behalve zijzelf en andere aanzienlijken hebben ook 'gewone' mensen bijgedragen in de bouwkosten. Ter ere van het Heilig Kruis en van Onze Lieve Vrouw werden jaarlijks processies gehouden die uit de wijde omtrek bedevaartgangers naar Breda lokten. Het Heilig Sacrament van Niervaart (Klundert), dat in 1449 naar Breda werd overgebracht, trok nog meer bezoekers. Het gerucht wil zelfs dat de toren betaald is met de goede gaven van deze bedevaartgangers.
Aan de vooravond van de reformatie van Breda was een kerk voltooid met een lengte van 81 m, een breedte van 40 m en onder de gewelven een hoogte van 21 m.

Michelangelo niet, Van Scorel wel
De hoofdingang van de Grote Kerk bevindt zich onder de monumentale toren. De bezoeker kan tegenwoordig van deze ingang echter geen gebruik maken: hij komt door het noorderportaal aan de Reigerstraat het dwarspand van de kerk binnen. Vanaf het punt ziet hij onmiddellijk het met een hekwerk afgesloten koor. Wandelt hij daarheen, dan krijgt hij meteen een prachtig gezicht op de krachtige zuilen met koolbladkapitelen waarin de gewelfribben uitlopen. De brede en hoge ramen scheppen de illusie dat het schip hoger is dan het in werkelijkheid meet. Onder de hoge ramen is de weelderig bewerkte triforieëngalerij zichtbaar.

Merkwaardig, maar helaas nauwelijks te zien, zijn de gepolychromeerde, gebeeldhouwde knooppunten van de gewelfribben. Elk van deze sluitstenen is een juweel van beeldhouwkunst. De gewelfschilderingen zijn ogenschijnlijk gelijk, maar bij nadere beschouwing zijn ze zowel in tekening als in kleur verschillend. Op het koor bevinden zich de kanunnikenbanken. Ze bezitten een sierlijke vorm en zijn versierd met een grote verscheidenheid van soms grappige voorstellingen, voor aan de onderzijde van de opklapbare zittingen. Als de bezoeker vervolgens door de kooromgang loopt, vindt hij achter het koor de grafmonumenten: de tombe van Jan I van Polanen en daarnaast het prachtige, hoge grafmonument van graaf Engelbrecht I van Nassau en zijn gemalin Joanna van Polanen. Ademt dit laatste monument nog geheel en al een middeleeuwse geest, de tombe van graaf Engelbrecht II en zijn echtgenote Cimburga van Baden is geheel doortrokken van de sfeer van de renaissance. Dit laatste praalgraf bevindt zich in de Prinsenkapel. Op de onderste zerk zijn graaf en gravin levensgroot afgebeeld; op de bovenzerk, gedragen door de heldenfiguren Caesar, Regulus, Hannibal en Philippus van Macedonië, ligt de in marmer gebeitelde uitrusting van de graaf. De maker van dit monument is onbekend.

Lange tijd is het gehouden voor een werkstuk van Michelangelo, maar het is waarschijnlijk het werk van een Italiaans beeldhouwer uit Michelangelo's school, die omstreeks het jaar 1540 in Breda verbleef. Tot de schatten van de kerk behoren, naast het koor en de grafmonumenten, het drieluik van Jan van Scorel (1495-1562), de koperen doopvont, het orgel en niet te vergeten de muurschildering die in 1902 onder de witkalk werd gevonden en die de Verkondiging aan Maria voorstelt.

Brabantse gotiek elders
Tijdens de beeldenstorm, die in Breda plaatsvond op 12 augustus 1566, werden de beelden van de Grote Kerk verbrijzeld en het tabernakel kapotgeslagen. Ook de koorbanken moesten het ontgelden, met uitzondering van de *misericordes* of rustklampen. In de 17de en 18de eeuw werd het gebouw aangepast aan de behoeften van de protestantse eredienst. De preekstoel en de prinsenbank dateren uit het midden van de 17de eeuw.
Op 11 mei 1694 werd de toren door de bliksem getroffen. Hij brandde als een fakkel, maar door de eendrachtige samenwerking van honderden mensen kon het kerkgebouw zelf gered worden. De toren werd later hersteld op kosten van koningstadhouder Willem III.

In latere tijden moesten telkens weer gedeelten van het gebouw gerestaureerd worden. Zo werd tussen 1843 en 1880 de toren hersteld; van 1903 tot 1965 werd de kerk in fasen gerestaureerd en in 1946 was de toren weer aan de beurt.
Behalve in Breda heeft de Brabantse gotiek prachtige kerken voortgebracht in andere steden. In Nederland is de Sint-Jan in 's-Hertogenbosch wel de meest bekende, maar het Brabantse voorbeeld vond ook navolging ten noorden van de grote rivieren. Prachtige voorbeelden van Brabantse gotiek in Holland zijn de Grote Kerk in Dordrecht en de Sint-Laurenskerk in Alkmaar. De meeste Brabants-gotische kerken zijn echter in België te vinden. Daarvan zijn de Onze-Lieve-Vrouwekathedraal in Antwerpen en de Sint-Michielskathedraal in Brussel de enige die in navolging van de Franse gotiek twee torens hebben gekregen.
Naast de kerken dienen de stadhuizen vermeld te worden, onder andere in Brussel, Middelburg, Leuven en Oudenaarde. Een aparte plaats in de wereldlijke gotiek neemt het Markiezenhof in Bergen op Zoom in, waar zich in de 16de eeuw het luxueuze hofleven van de markiezen afspeelde. Met de restauratie ervan werd in 1963 een begin gemaakt; ze vordert inmiddels gestaag.

Metropool
in de Scheldedelta

DR. HUGO SOLY

Boven: nog van ruim vóór de bloeitijd van Antwerpen als wereldhaven in de 16de eeuw dateert deze waterput aan de Handschoenmarkt. De smeedijzeren kevie op de put zou omstreeks het einde van de 15de eeuw gemaakt zijn door de schilder Quinten Matsijs die smid was voor hij ging schilderen. Anderen schrijven de traliekooi echter toe aan Quintens vader, Jan Matsijs. Links: een stemmig straatje in het Begijnhof, een van de vele plaatsen in Antwerpen waar nog iets van de sfeer van het verleden hangt.

Tijdens de hele 16de eeuw vormen de Nederlanden als het ware slechts de randgemeente van deze wonderbare stad, die hen aan haar invloed onderwerpt. Aldus vatte Henri Pirenne 50 jaar geleden de dominante positie van Antwerpen tijdens de eerste seculaire expansie sinds de middeleeuwen samen. Zulk een kernachtige formulering doet stellig onrecht aan de dynamische rol die gespeeld werd door de landbouw en de nijverheid in verscheidene gewesten en aan de creatieve inbreng van vele andere steden op wetenschappelijk en artistiek gebied, doch de kerngedachte is juist. De metropool was in deze periode inderdaad het centrum van de wereldeconomie, de voornaamste verspreidingspool van de verworvenheden der 'moderne' wetenschap en de nieuwe kunstmarkt van Europa.

Het overwicht van de Scheldestad in de internationale handel is enorm geweest. Dat blijkt duidelijk uit de cijfers. In 1543-1545 bedroeg het aandeel van Antwerpen in de totale uitvoer van de Nederlanden meer dan 76%; Amsterdam, dat op de tweede plaats kwam, moest zich tevreden stellen met 5%. In het midden van de 16de eeuw kan de waarde van de Nederlandse invoer, waarvan het grootste deel via Antwerpen binnenkwam, op 20 à 22 miljoen gulden worden geraamd of gemiddeld 7 gulden per inwoner tegen 1½ gulden voor Engeland en Frankrijk. Geen wonder dat de scheepvaartbeweging in de delta van de Schelde alle records brak: in goede jaren bereikten ruim 2500 schepen of ongeveer 250.000 ton Antwerpen en zijn voorhavens (Bergen op Zoom, Sluis en vooral Arnemuiden, Middelburg, Veere en Vlissingen op de Walcherse rede), dit is vier keer het scheepverkeer te Londen in 1580-1581 en twaalf keer de omvang van de Amerikavloot die jaarlijks te Sevilla binnenliep. Nergens in Noordwest-Europa waren omstreeks 1550 zoveel groothandelaars geconcentreerd als te Antwerpen: meer dan 1000 vreemdelingen (300 Spanjaarden, 200 Italianen, 150 Portugezen, 150 Hanze-kooplui, 150 Hoogduitsers, 100 Fransen, enkele tientallen Engelsen) en 400 à 500 inheemse kooplieden.

Deze bloei was echter even uitzonderlijk als tijdelijk. Antwerpen werd als commerciële hoofdstad van de wereld van buiten uit gecreëerd: het is bijna op een toevallige wijze dat de internationale handelsstromen omstreeks 1500 aan de boorden van de Schelde samenkwamen. De geleidelijke maar onherroepelijke verplaatsing van het economisch zwaartepunt van de Middellandse Zee naar de Atlantische kusten besliste over het lot van de metropool, die de rol van Venetië overnam en op haar beurt – en zeer vlug – door Amsterdam werd overvleugeld. De Antwerpse handel steunde op een zeer smalle basis: het leeuwedeel van de import bestond uit luxeprodukten (Italiaanse zijde, Engels laken, wijn en specerijen) bestemd voor een kapitaalkrachtige en dus kleine bevolkingsgroep. De Scheldestad moest bovendien in ruime mate een beroep blijven doen op de Hollands-Zeeuwse vrachtvaart, aangezien haar eigen vloot maar een geringe omvang had.

Financier van de wereldhandel
De snelle assimilatie van de financiële technieken, uitgevonden door de Italianen in de late middeleeuwen, en de toepassing van verscheidene nieuwe formules verleenden aan het Antwerpse kredietsysteem een buitengewone vlotheid en efficiëntie. De opening van de nieuwe Beurs, in 1533, leverde het tastbaar bewijs dat de metropool zich had opgewerkt tot financier van de wereldhandel. Zij werd bovendien een leidinggevend centrum van kortlopend overheidskrediet en een belangrijke kapitaalsmarkt, waar voor rekening van de regering systematisch lijf- en erfrenten werden uitgegeven en verhandeld. De toenemende publiek-financiële activiteit had echter een keerzijde: de talrijke leningen, aangegaan door de vorsten, onttrokken niet alleen kapitaal aan de handel en werkten de speculatie in de hand, maar maakten de Antwerpse geldmarkt tevens bijzonder kwetsbaar. In 1557 bracht het Spaanse staatsbankroet haar een onherstelbare slag toe.

Voor de toekomst van de stad was het een geluk dat er een bloeiende nijverheid ontstond. In geen enkele stad van de Nederlanden werden zoveel nieuwe technieken uit Italië geïntroduceerd. Een meer efficiënte arbeidsverdeling en een grotere verscheidenheid der produktie maakten voor wat betreft de suikerraffinage, de glasblazerij, de plateelbakkerij en de diamantslijperij spoedig import overbodig en na korte tijd zelfs export mogelijk. Ook andere luxenijverheden kwamen snel tot grote bloei. Ontelbare schilderijen, gepolychromeerde retabels, muziekinstrumenten, juweeltjes van edelsmeedkunst, medailles, boeken en kopergravures kwamen uit de Antwerpse ateliers.

Geen enkele sector slorpte echter zoveel kapitaal en arbeidskracht op als de textielindustrie. Kwantitatieve informatie over de tapijtweverij en het kantwerk is nauwelijks voorhanden, maar het belang van de andere branches kan bij benadering worden bepaald. Omstreeks het midden van de 16de eeuw telde Antwerpen niet minder dan 270 bedrijven met bijna 1200 meesters en arbeiders, gespecialiseerd in de bereiding van Engelse lakens (ca. 90.000 stuks per jaar). Na 1560 ging deze veredelingsindustrie snel achteruit, maar de opkomst van de zijdenijverheid bood ruimschoots compensatie: de zijdeweverij verschafte in 1584-1585 een broodwinning aan 4000 personen. Arbeidsconcentratie kwam slechts hoogst zelden voor. De kleine werkplaats van de ambachtsmeester, die samen met enkele gezellen en leerlingen en met behulp van betrekkelijk eenvoudige werktuigen zijn beroep uitoefende, beheerste volledig de Antwerpse nijverheid. Daaruit mag geenszins geconcludeerd worden dat kapitaal en arbeid harmonisch samengingen. Het tegendeel is waar: de meeste ambachtslui werden na verloop van tijd de facto tot loonarbeid herleid door kapitalistische kooplieden-ondernemers, die de invoer van de ruwe grondstoffen en de uitvoer van de afgewerkte produkten in handen hadden. Nauwelijks 50 van de

Boven: het Vleeshuis, het voormalige gildehuis van de Antwerpse vleeshouwers, werd in het begin van de 16de eeuw gebouwd door Herman de Waghemakers de Oude. Het indrukwekkende gebouw is uitgevoerd in Brabantse baksteengotiek.
Onder: ruim een halve eeuw later werd in de stijl van de Vlaamse renaissance het Antwerpse stadhuis gebouwd, naar plannen en onder leiding van de bouwmeester Cornelis Floris II de Vriendt. De Brabofontein voor het stadhuis dateert uit de 18de eeuw.

4000 Antwerpenaren, betrokken bij de zijdeweverij, behoorden tot de bezittende klasse.

Rijkdom ongelijk verdeeld
Het zal wel niemand verbazen dat Antwerpen in de 16de eeuw de rijkste stad van de Nederlanden was. De heffing van de honderdste penning (1%) op gronden, huizen en koopwaren bracht in 1569 voor de metropool niet minder dan 159.000 gulden op. Brussel en Brugge volgden van heel ver met respectievelijk 40.000 en 36.000 gulden. Even weinig opzienbarend is de vaststelling dat de rijkdom zeer ongelijk was verdeeld. In 1584-1585 behoorde nauwelijks 24% van de bevolking tot de bezittende klasse en ruim 76% tot de 'arme ghemeynte', dat wil zeggen mensen die wegens hun geringe inkomen van belasting waren vrijgesteld. Terwijl een kleine groep kooplui, financiers en industriëlen fortuinen vergaarde, proletariseerde een groot aantal ambachtsmeesters en verarmde de arbeidersmassa. Zelfs in perioden van volledige werkgelegenheden hadden de arbeiders het vaak moeilijk om de eindjes aan elkaar te knopen. Het tijdvak met de laagste koopkracht situeerde zich tussen 1520 en 1560. Tijdens die veertig jaar, waarin de Antwerpse economie haar hoogtepunt bereikte, volgden de loonaanpassingen met zoveel vertraging dat gezinnen met ongeschoolde arbeiders gemiddeld van elke vijf jaren er drie in armoede leefden.

Nieuwe verdedigingswerken
Antwerpen is in de 16de eeuw ook een imposante militaire vesting geworden. Tussen 1542 en 1557 werden de verouderde middeleeuwse stadsmuren vervangen door een nieuw defensiesysteem. Het was een gigantische onderneming. De wallen en de negen bastions, opgetrokken in baksteen en bekleed met natuursteen, hadden een totale lengte van 4500 m. Bovendien werd een brede gracht gegraven en bouwde men vijf monumentale poorten, toegankelijk via stenen bruggen. Aangezien de stadsregering zich bewust was van het feit dat de hoge kostprijs van de nieuwe omwalling (ca. twee miljoen gulden) elke territoriale expansie in de toekomst zou bemoeilijken, besloot zij de metropool aan de noordzijde met 23 à 25 ha te vergroten (de 'Nieuwstad'). Het stedelijk grondgebied werd in de loop van de 16de eeuw nog één keer uitgebreid: de bouw van de citadel op bevel van Alva in 1567-1571 leidde tot de annexatie van een exercitieveld met een oppervlakte van 50 ha aan de zuidzijde van de stad. Daarmee had Antwerpen de definitieve vorm gekregen die het tot in de 19de eeuw zou behouden.

De oprichting van de Spaanse wallen (waarvan het tracé thans wordt gevolgd door de Italië-, Frankrijk-, Britse- en Amerikalei) confronteerde de Antwerpse

bevolking niet alleen met een lawine van verbruiksbelastingen, maar verhinderde tevens de ontwikkeling van de buiten-wijken. De centrale overheid verbood namelijk om strategische redenen in een straal van 1000 m rond de metropool gebouwen in duurzame materialen op te trekken. De sociale gevolgen van deze maatregel waren des te ernstiger, omdat de Antwerpse bevolking meer dan verdubbelde tussen 1496 en 1568. In dat laatste jaar telde de stad ongeveer 90.000 poorters en 10.000 vreemdelingen. Slechts een tiental steden in Europa had evenveel of meer inwoners.

De demografische groei gaf een enorme impuls aan de woningbouw. Vele immigranten moesten hun intrek nemen in de kelders en op de zolders van bestaande gebouwen, maar zulk een opeenhoping bereikte snel haar limiet. Het aantal hui-zen, gelegen binnen de omwalling, steeg van 6100 in 1496 tot 11.900 in 1568; het gemiddelde aantal personen per woning schommelde toen tussen 7,6 (zonder de tijdelijk aanwezige vreemdelingen) en 8,5 (met inbegrip van de 'vlottende' bevol-king). Bij deze cijfers dient men te beden-ken dat de meeste huizen ten hoogste vier kamers hadden en dat ambachtsmeesters en neringdoenden ten minste één vertrek als atelier en/of winkel moesten gebrui-ken.

De intensieve bouwactiviteit heeft het aan-zien van de Scheldestad grondig gewij-zigd. In de loop van de 16de eeuw werden

85 nieuwe straten aangelegd met een tota-le lengte van 8800 m, waarvan de grondspeculant, stadsontwikkelaar en industrieel Gilbert van Schoonbeke bijna één derde voor zijn rekening nam. Voor-aleer tot verkaveling over te gaan, creëer-de hij een commerciële infrastructuur die de verdere ontwikkeling van de betrokken wijk bepaalde. Bij de planning werd bovendien terdege rekening gehouden met de ligging van de nieuwe voorzieningen ten opzichte van andere stadsdelen.

De commerciële groei bracht heel wat pro-blemen met zich mee. Tijdens de eerste helft van de 16de eeuw werd het gebrek aan goede ankerplaatsen steeds nijpender. Aan de kadee, die nauwelijks de helft van de totale redelengte besloegen, konden ten hoogste twaalf zeeschepen tegelijk aanleg-gen. De urbanisatie van de 'Nieuwstad' door Gilbert van Schoonbeke omstreeks 1550 betekende een aanzienlijke ver-betering: er kwamen drie binnenhavens, elk met een nuttige kadelengte van 600 m. De toenemende goederenstroom gaf aan-leiding tot de oprichting van talrijke verkoophallen. De meeste boden een vrij eenvormige aanblik: rechthoekige constructies met bakstenen gevels waarin op regelmatige afstanden een laag in witte natuursteen was aangebracht en die voor-zien waren van hoge kruisramen zonder bogen. Ook in de privé-woningbouw wer-den essentieel utilitair-functionele doelein-den nagestreefd. Talrijke kooplui en finan-ciers lieten weliswaar statige herenhuizen

Boven: aan het einde van de 16de eeuw zette een onbekend Antwerps meester met trefzekere hand dit beeld op het doek van een marktdag op de Meir en de Meirbrug. Het paneel, dat 90x140 cm meet en zich op het moment bevindt in de Koninklijke Musea voor Schone Kunsten in Brussel, geeft in een notedop het dagelijks leven weer in een stad die voor korte tijd de belangrijkste haven ter wereld was.
Onder: de gevelsteen in het Maagdenhuis toont twee beelden uit het leven van de weesmeisjes.

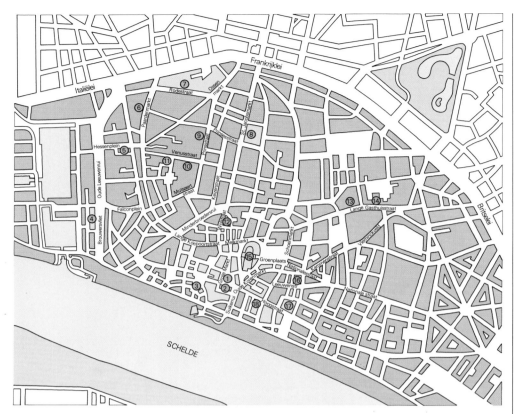

Links: plattegrond van
Antwerpen met relicten uit
de 16de eeuw.
  1. Grote Markt
  2. Stadhuis
  3. Vleeshuis
  4. Brouwershuis
  5. Hessenhuis
  6. Knechtjeshuis
  7. Begijnhof
  8. Sint-Jacobskerk
  9. Woning Prinsstraat
 10. Stadsarchief
 11. De Nieuwe Moriaen
 12. Bontwerkersplaats
 13. Musea M.v.d.Bergh
 14. Maagdenhuis
 15. Kathedraal
 16. Plantin-Moretus
 17. Den Gulden Cop
 18. De Gulden Cam

bouwen, doch deze deden in de meeste gevallen tegelijk dienst als handelszaak met kantoren en opslagplaatsen. Zo'n complex van zand- en baksteen bestond over het algemeen uit vleugels van twee verdiepingen asymmetrisch gegroepeerd rond een open binnenplaats met aan één of twee zijden een overdekte gaanderij. Typisch was de hoge, zes- of achthoekige uitkijktoren.

De eerste milieuproblemen
Hoewel ze nietig lijken in vergelijking met de huidige toestanden, waren de milieuproblemen in het 16de-eeuwse Antwerpen bepaald niet gering. De toename van het aantal ververijen, vollerijen, brouwerijen, huidvetterijen, suikerraffinaderijen, zeepziederijen en andere bedrijven bracht geleidelijk groter wordende concentraties van vuilnis met zich mee. De stedelijke autoriteiten moesten steeds vaker optreden tegen de verontreiniging van het openbare oppervlaktewater door industriëlen die overigens zelf grote consumenten van zuiver water waren. Die maatregelen waren des te noodzakelijker omdat het putwater in het grootste deel van de stad brak was wegens de nabij gelegen Schelde. Veel resultaat hebben de talrijke verbodsbepalingen echter niet opgeleverd. Slechte kwaliteit van het Antwerpse water verhinderde de lokale brouwers te concurreren tegen hun collega's gevestigd in de omgeving van de metropool of in andere Brabantse steden. Dit probleem werd pas verholpen toen Gilbert van Schoonbeke omstreeks 1555 in de 'Nieuwstad' een 'waterhuis' oprichtte, dat via een ondergrondse leiding water uit een zijtak van de Schijn ontving. Het samenspel van al die factoren – eco-

nomische groei, demografische expansie, intense grondspeculatie, totstandkoming van een militair keurslijf – verklaart waarom het wonen te Antwerpen buitensporig duur was: de nominale huishuurprijzen verdrievoudigden ruimschoots tussen 1500 en 1567, terwijl de roggeprijzen 'slechts' verdubbelden. Voor het proletariaat had deze ontwikkeling rampzalige gevolgen. In het midden van de 16de eeuw moest een ongeschoolde arbeider voor de huur van een uiterst bescheiden woning 15 à 25% van zijn jaarloon neertellen. De sociale polarisering ging gepaard met een toenemende ruimtelijke segregatie. De lagere klassen werden geleidelijk naar de periferie van de stad gedreven of naar bepaalde straten en zones die als getto's begonnen te fungeren. De armste 16de-eeuwse wijken vormen nog steeds de meest achtergestelde stadsdelen.

Wandelen door de oude Scheldestad
Aan de Grote Markt vormen de fraaie gildehuizen (die natuurlijk niet alle uit de tijd van hun oprichtingsjaar dateren) een passend kader voor het stadhuis. Dit renaissance-paleis, gebouwd onder leiding van Cornelis Floris II de Vriendt in 1561-1565, verenigt op een harmonische wijze het klassieke horizontalisme van het Zuiden en het gotische verticalisme van het Noorden. Overigens werd de madonna van Philips de Vos pas aangebracht in 1587, toen het 'heidense' Brabobeeld (niet te verwarren met de bronzen schepping van Jef Lambeaux uit 1887, die op de Grote Markt staat) door de jezuïeten werd verwijderd. De inwendige decoratie van het raadhuis dateert uit de 19de eeuw, met uitzondering van de rijkelijk gebeeldhouwde schoorsteenmantel (ca. 1549) van Pieter

Coecke van Aalst, in de burgemeesterskamer.
Twee van de gaafste 16de-eeuwse gildehuizen zijn 'Het Pand van Spanje', de kamer van de schutters van de Oude Voetboog, aan de Grote Markt nr. 7, en 'De Lelie' of 'De Vier Winden', eertijds de zetel van het schippersambacht, van de Gildekamerstraat nr. 4 (thans Volkskundemuseum) achter het stadhuis. Beide werden afgebouwd in 1579. De weelderige plastische versiering van de geveltoppen is typisch Antwerps en geïnspireerd op de ornamentprenten van Hans Vredeman de Vries.
Langs de Braderijstraat met haar fraaie 16de-eeuwse gevels bereiken we het imposante Vleeshuis, opgericht in de jaren 1501-1503 door bouwmeester Herman de Waghemakers de Oude in opdracht van het slagersgilde. De laat-gotische verkoophal fungeert thans als museum voor archeologie, geschiedenis en sierkunst. Alleen al het gepolychromeerde retabel van Jacob van Cothem, de 'Bewening van Christus' (ca. 1514), is een bezoek waard.

Naar het hoogste punt
We begeven ons nu naar het gloednieuwe Ruckersplein, genaamd naar het wereldberoemde Antwerpse geslacht van klavecimbelbouwers (1574-1667), waarvan verscheidene instrumenten in het Vleeshuis te bewonderen zijn. Rechts van

Boven: een gedeelte van de Grote Markt, met een aantal gildehuizen uit de 16de eeuw. Van links naar rechts zijn het De Witte Engel, De Gulden Mouw (kuipersgilde), Het Pand van Spanje (voetbooggilde), De Spiegel (gilde van de jonge handboogschutters), De Zwarte Arend, De Pauw of De Vos (schermersgilde) en De Gulden Hamer of Den Bonten Mantel.
Links: binnenplaats van de patriciërswoning aan de Prinsstraat, met rechts de prachtige galerij. Het huis werd in 1515-1516 gebouwd voor de toenmalige burgemeester, Arnold van Liere.

het plein, dat zwakjes de sfeer van de oudste stadskern ademt, ziet u één van de vier bewaard gebleven koopmanstorens (ca. 1506). Via de restanten van de Lange Doornikstraat gaan we naar de Grote Koraalberg, het hoogste punt van de Scheldestad, 8 m boven de zeespiegel. In de Hofstraat valt op nr. 15 de laatgotische galerij (ca. 1515) van een koopmanswoning (thans Stedelijke Dienst voor Onderwijs) te bewonderen. De galerij is vermoedelijk werk van meester Dominicus de Waghemakere, die ook de plannen van de nieuwe Beurs ontwierp. We gaan rechts de Zirkstraat met verscheidene gerestaureerde panden in en werpen links een blik in de Stoelstraat met haar niet zo kundig herstelde houten gevel.

Het Brouwershuis bereikt men langs de Lange Koepoortstraat (links), het Klapdorp, het Falconplein en de Brouwersvliet, de zuidelijke grens van de voormalige 'Nieuwstad'. Het schitterend gerestaureerde museum (toegang: Adriaan Brouwerstraat nr. 20) bezit nog grotendeels de oorspronkelijke technische uitrusting ontworpen door Gilbert van Schoonbeke. Het ondergronds aangevoerde Schijnwater kwam terecht in de grote vergaarbak, waaruit het met behulp van een baggertoestel, in beweging gebracht door een rosmolen, werd overgegoten in de hoger gelegen kleine vergaarbak. Vandaar stroomde het in loden buizen naar de (nu vergeten) zestien brouwerijen, opgericht door de ondernemer in 1553-1556.

We steken het Van Schoonbekeplein over en begeven ons langs de Oude Leeuwenrui naar het Hessenplein, gedomineerd door het massieve Hessenhuis. Het werd in 1563-1565 op stadskosten gebouwd ten behoeve van de kooplui en vrachtvoerders die betrokken waren bij het goederentransport van en naar Zuid-Duitsland.

Vervolgens gaan we links de Paardenmarkt op waar op nr. 94 de herstelde gevel van het 16de-eeuwse jongensweeshuis ('Knechtjeshuis') te zien is, dan rechtsaf de Rodestraat in, waar we het stemmige Begijnhof (nr. 39-41) bezoeken. Het werd gesticht in 1544, maar onderging later heel wat wijzigingen. We kruisen de Ossenmarkt, lopen door de Lange Sint-Annastraat en bereiken de Sint-Jacobsmarkt. Bel aan op nr. 41-43: op de binnenplaats verheft zich de statige Van Stralentoren, die dateert van ca. 1565.

Terug op de Sint-Jacobsmarkt letten we op de talrijke voorbeelden van restauratie door particulieren, bekijken de massieve westtoren (1491-1533) van de Sint-Jacobskerk en wandelen door de Prinsesstraat naar de Prinsstraat, waarvan de noordzijde wordt gedomineerd door een uitzonderlijk lange gevel in Brabantsgotische stijl. Deze voorname patriciërswoning (thans Universitaire Faculteiten Sint-Ignatius) met haar prachtige galerij op de eerste binnenplaats (gebouwd in 1515-1516 voor burgemeester Arnold van Liere) wekte de bewondering van Albrecht Dürer. Terug in de Prinsstraat slaan we rechts de hoek om, de Venusstraat in. De voorgevels van nr. 11-15, waarachter nu het zeer moderne Stadsarchief is gevestigd, dateren van 1561-1563. Ze maakten deel uit van de 38 pakhuizen, opgetrokken voor de Engelse Natie door de Antwerpse onderneemster Anna Janssens.

Via de Lange Brilstraat, waar een blik op de binnenplaats van het enorme 16de-eeuwse entrepot 'De Nieuwe Moriaen' (nr. 4-6) de moeite loont, bereiken we de Stadswaag. Het plein – in het midden bevond zich eertijds de nieuwe waag – en de omliggende straten werden in 1547-1548 aangelegd door Gilbert van Schoonbeke. We vervolgen onze wandeling door de Raapstraat (let op nr. 27, een overblijfsel van het 16de-eeuwse Artilleriehuis), de Mutsaertstraat, de Ambtmanstraat en de Keizerstraat, die haar naam alle eer aandoet: een aaneenschakeling van aristocratische herenhuizen uit de 16de en (vooral) 17de eeuw.

We overschrijden de Minderbroedersrui en de Wijngaardbrug, werpen rechts een blik op de Grote Goddaert met zijn mooie kromming en lopen verder tot in de Wolstraat, waar op nr. 37 een deur toegang geeft tot een alleraardigst laatmiddeleeuws binnenhofje, de 'Bontwerkersplaats'. We wandelen nog wat door de Wolstraat en de belendende straatjes met hun talrijke gerestaureerde panden en begeven ons dan via de Melkmarkt en de Sint-Pietersstraat naar de Groenplaats, waar het goed is te verpozen.

Wie de musea Mayer van den Bergh en Maagdenhuis in de Lange Gasthuisstraat (nrs. 19 en 33) wil bezoeken, steekt de Groenplaats over, gaat links de Schoenmarkt op, vervolgens rechts de Schrijnwerkersstraat in en bereikt via de Korte Gasthuisstraat het doel. De kunstverzameling van ridder Fritz Mayer van den Bergh (gest. 1901), toevertrouwd aan de Stad Antwerpen in 1951, is van een grote rijkdom. De 'Dulle Griet', een meesterwerk van Pieter Breughel de Oude, is onbetwistbaar het hoogtepunt van deze collectie, die ook schilderijen van Juan de Flandes, Quinten Metsijs, Joos van Cleve, Jan Mostaert en tientallen andere 16de-eeuwse meesters bevat.

Het 'Maagdenhuis' (meisjesweeshuis), nu eigendom van het Openbaar Centrum voor Maatschappelijk Welzijn, werd gesticht in 1552, maar in de 17de eeuw herbouwd. Het bas-reliëf boven de toegangspoort stelt de meisjes in een schoollokaal voor (links) en de opname van nieuwe kostgangertjes (rechts). Het prachtige museum bezit onder meer een unieke verzameling 16de-eeuwse papkommen in Antwerps plateel met gepolychromeerd decor. Langs het Vleminckveld, de Kammenstraat en de Nationalestraat komt u terug op de Groenplaats.

Profetie van Karel V

De Rioolstraat, vrij recent herdoopt in Jan Blomstraat, leidt u naar de gezellige Handschoenmarkt. Daar bevindt zich de waterput met de aan Quinten Metsijs toegeschreven kevie (traliekooi) in smeedijzer (ca. 1490). Het pleintje wordt helemaal beheerst door de kathedraal, waarvan de 123 m hoge noordertoren in 1521 werd voltooid. Karel V sprak profetische woorden toen hij zei dat dit kunstwerk eigenlijk in een koker bewaard moest worden en

maar eens per jaar aan het volk getoond, want het staat bijna steeds in de steigers. Langs de Quinten Metsijsdoorgang begeven we ons naar de Oude Korenmarkt met enkele prachtige gevels in laatgotische stijl. Schuin aan de overzijde treft u de Vlaaikensgang aan (nr. 16); het schrijn, dat Weremeus Buning in verrukking bracht en dat dateert van 1591, wordt thans zorgvuldig gerestaureerd. We volgen het intieme steegje tot aan de verkeersvrije Pelgrimstraat, die uitmondt in de Reyndersstraat, waar we even de 16de-eeuwse binnenplaats van nr. 18 betreden. Weer buiten slaan we rechts de hoek om, de Leeuwenstraat in, en staan weldra op de Vrijdagmarkt, samen met de belendende

Boven: kijk in vogelvlucht op het Hessenhuis, als afgebeeld op een aquarel uit de 16de of 17de eeuw. Het werd door het bestuur van de stad gebouwd ten behoeve van kooplui en vervoerders uit de handel met Duitsland.
Rechts: het gebouw bestaat nog steeds en is thans gerestaureerd.
Linksboven: op dit detail van een ets uit 1572 is binnen de nieuwe wallen duidelijk de 'Nieuwstad' te zien waarmee de stad in het midden van de 16de eeuw werd uitgebreid. Het vierkante bouwwerk in de toen nog kale middenstrook is wederom het Hessenhuis.

straten aangelegd door Gilbert van Schoonbeke in 1547-1549 ten behoeve van de handelaars in tweedehands voorwerpen. Elke vrijdagmorgen worden er nog steeds de inboedels van faillissementen per opbod openbaar verkocht. Nergens wordt men zozeer doordrongen van het 16de-eeuwse Antwerpse kosmopolitisme als in het unieke museum Plantin-Moretus, gesitueerd aan de westzijde van de Vrijdagmarkt. Op dit museum wordt elders in dit boek uitvoerig ingegaan. De winkel van de 'Officina Plantiniana' was eertijds toegankelijk langs de Heilig Geeststraat (aan de linkerzijde als u van de Vrijdagmarkt komt). Daartegenover bevindt zich 'Den Gulden Cop', alias

'Huis Draecke' (nr. 9). Open de poort en aanschouw de mooie zeshoekige uitkijktoren gebouwd door de Duitse koopman-financier Wolf Putschinger in 1540.
We gaan vervolgens rechts de Hoogstraat in, waar tijdens de 'gouden eeuw' vele Spaanse handelaars verbleven. Onder de talrijke 16de-eeuwse gevels verdient vooral 'Den Crieckboom', later herdoopt in 'Gulden Cam', onze aandacht (nr. 3). Let op de 'hangende camere' of insteekverdieping met de typische Antwerpse renaissance-motieven en het opschrift ontleend aan het Boek der Psalmen en dat der Spreuken. We gaan tenslotte links de Suikerrui in en eindigen onze wandeling waar het hoort: aan de boorden van de Schelde, het stromend hart van Antwerpen.

Onderdeel van Gouden Delta
De verovering van de stad door Alexander Farnése in 1585, de daaropvolgende blokkade van de Schelde, de emigratie van bijna de helft der bevolking en de aanzienlijke kapitaalvlucht naar de Republiek maakten een einde aan de buitengewone bloei van Antwerpen. Toch bleef de voormalige metropool een belangrijke economische rol spelen dank zij de totstandkoming van een hecht netwerk van zakenrelaties tussen Antwerpse firma's en geëmigreerde familieleden en de toenemende specialisatie in de produktie van luxewaren, zoals kant, diamant en vooral zijden weefsels. De achteruitgang van deze laatste branche in de 18de eeuw werd ruimschoots gecompenseerd door de opkomst van de katoenindustrie.
De overgang van textielcentrum naar havenstad in de eerste helft van de 19de eeuw had desastreuze gevolgen voor de Antwerpse arbeidersklasse. Eerst de versnelde groei van de scheepvaartbeweging in de tweede helft van de 19de eeuw bracht geleidelijk verbetering. De tonnage van de binnenlopende zeeschepen ging met sprongen omhoog: 236.000 in 1851, 638.000 in 1861, 1,8 miljoen in 1871, bijna 3 miljoen in 1881, 4,7 miljoen in 1891 en ruim 7,5 miljoen omstreeks de eeuwwisseling. De Scheldestad was opnieuw een wereldhaven geworden – een functie die ze nog steeds vervult. Het Antwerpse havengebied, dat een oppervlakte heeft van 11.000 ha, vormt nu samen met Rotterdam de Gouden Delta van het internationale handelsverkeer.

Met uitzondering van het Museum Mayer van den Bergh, dat gesloten is op oneven data tussen 1 oktober en 30 april, zijn de stedelijke musea alle dagen (behalve op maandag) geopend van 10.00 tot 17.00 uur in de periode 16 maart – 15 oktober en van 10.00 tot 16.00 uur in de periode 16 oktober – 15 maart. De sluitingsdagen zijn: 1 en 2 januari, 1 mei, Hemelvaartsdag, 1 en 2 november, 25 en 26 december.
Het Maagdenhuis is toegankelijk van maandag tot en met vrijdag van 8.30 tot 16.30 uur, behalve op feestdagen.

Dynastieën op de vierkante centimeter

DR. E. DUVERGER

Boven: bij keizerlijk edict van 1544 moesten wandtapijten in een boord worden voorzien van de initialen van een wever en een stadsmerk; dit was voor Oudenaarde een schild met bril of ook alleen een schild of bril. Door deze merktekens kon men gemakkelijk de herkomst en waarde van de tapijten vaststellen, maar minder eerlijke handelaren sneden de tekens nogal eens weg. Onder: dit 18de-eeuwse tapijt met nimfen in een landschap vormt het centrale stuk in de vroeg-gotische lakenhal achter het stadhuis van Oudenaarde, die nu Stedelijk Museum is. In de oorspronkelijke, voor Oudenaarde specifieke verdures (groentapijten of groenwerk) met louter bladmotieven werden later ook bomen, bloemen en soms ook hele tuinen verwerkt. Geheel rechts: de trotse lakenhal van Oudenaarde, een monument uit de bloeitijd van de stad.

Het rustige stadje Oudenaarde in Oost-Vlaanderen, dat nu nog enige textielindustrie bezit, is eens een centrum van tapijtnijverheid geweest. In deze aan de Schelde gelegen historische plaats kan men in verscheidene indrukwekkende oude gebouwen nog fraaie produkten van de eens zo belangrijke nijverheid bewonderen.

Van de 15de tot in de 17de eeuw was in de Zuidelijke Nederlanden de tapijtnijverheid een zeer belangrijke, zo niet de belangrijkste industrie, en een vermaard centrum daarvan was Oudenaarde. Met de hand geweven tapijten, in de middeleeuwen legwerk en later tapisserie genoemd, werden er overigens reeds vóór de 15de eeuw geproduceerd. De grondstof – vooral wol, maar ook zijde, goud- en zilverdraad – was duur en het weven, op verticale of horizontale getouwen, vergde veel tijd: een handig vakman kon per dag slechts enkele vierkante centimeters afwerken. De kostprijs was dus hoog. Niettemin verdrong het legwerk als wandbekleding de geborduurde behangsels en het zijdebrokaat. Tapisserie werd ook gebruikt als bekleding van zetels en stoelen, als bedsprei, tafelkleed, haardscherm en antependium (voorhangsel voor een altaar). Door deze ontwikkeling ontstond er een zeer drukke handel, met in de 16de eeuw Antwerpen als belangrijkste uitvoerhaven.

Lange leertijd

In de respectieve Vlaamse produktiecentra vormden de legwerkers zelfstandige ambachten, die onder meer de opleiding regelden. Een leerjongen, die tenminste acht jaar oud moest zijn, ging bij een meester-tapissier in de leer en betaalde een tamelijk hoog bedrag om door deze te worden opgenomen. Daar het beroep moeilijk was, gold een leertijd van drie jaar als verantwoord. Die vrij lange leertijd stelde de meester ook in staat gebruik te maken van de arbeidskracht van de leerling, welke natuurlijk met het vorderen van de leertijd naar rato toenam. Op de leertijd volgde de gezellentijd en daarop volgden drie mogelijkheden: men kon ofwel, als zoon van een meester, de zeer dure proef die leidde tot het meesterschap ontwijken, ofwel men legde de meesterproef af hetgeen een goed gevulde beurs vereiste, ofwel men bleef zijn gehele leven lang gezel en dus van de patroon afhankelijk. Was een gezel meester gewor-

den, dan diende hij binnen twee weken een eigen atelier te openen om werkelijk van de voordelen van het meesterschap te kunnen genieten. Het zeer hoge bedrijfskapitaal, dat daarvoor was vereist, dwong evenwel vele meesters eenvoudig werk te maken, in de eerste plaats wiegekleden, kussenovertrekken en verdures (tapijten met voorstellingen van planten en/of bomen); het vervaardigen van dergelijke produkten vergde niet veel tijd en ze konden snel worden verkocht. Een andere mogelijkheid was dat een meester bij een meer begunstigde vakgenoot ging werken.

Geslachten van legwerkers

De ambachtelijke verordeningen hadden vooral ten doel de bestaande bedrijven te beschermen. Zij werkten aldus het ontstaan van legwerkersdynastieën in de hand. Daardoor werden de technische kennis en de artistieke bekwaamheid van het ene geslacht op het andere overgeleverd. De legwerker in de 15de, 16de en 17de eeuw was een zelfstandig en scheppend kunstenaar die in géén geval al zijn artistieke en technische kennis gedurende zijn leertijd en in de daaropvolgende gezellentijd kon verwerven; traditioneel overgeleverde bekwaamheden moesten bij hem voorhanden zijn.

Er lag een grote kloof tussen de ondernemers, de zogenoemde koopmantapissiers, aan de ene kant en de werklieden-tapissiers aan de andere kant. Eén koopman-tapissier controleerde soms een stuk of vijftig kleine bedrijven. Meesters van deze bedrijven kregen de nodige wol in bruikleen en waren door een hecht kredietsysteem aan hun opdrachtgever verbonden.

Het Oudenaardse legwerk werd in de 15de eeuw vooral op de markten van Doornik en van Brugge verhandeld. In de 16de eeuw werd het naar vrijwel alle steden van West- en Zuid-Europa uitgevoerd. De produkten waren echter wel eens van minder goede kwaliteit. Zo werden bijvoorbeeld sommige details niet als onderdelen van het tapijt geweven, maar er met verf opgeschilderd. Het kwam ook voor dat afval van wol of haar werd gebruikt. Soms ook had een tapijt niet overal dezelfde breedte. Het lijdt evenwel geen twijfel dat de Oudenaardse stadsmagistraten en tal van legwerkers ernaar streefden goede produkten op de markt te brengen.

Reeds in de eerste periode van de tapijtweverij werd te Oudenaarde veel groenwerk, zogeheten verdure-tapijten, geweven. Aanvankelijk waren het vooral tapijten met kleine bloemmotieven, de millefleurstapijten. In de 16de eeuw ontstond er een zekere voorkeur voor legwerk met grote bladeren, vaak koolbladeren. Daarop volgden in de tweede helft van de 16de eeuw bosschages. Bovendien werden van omstreeks 1475 af ook tapijten met historische figuren of taferelen vervaardigd. Onderwerpen met personen uit de oude geschiedenis, zoals Scipio Africanus, Hannibal, Alexander de Grote en koning

Cyrus, waren veel gevraagd. Religieuze voorstellingen op nog bestaande tapijten dateren pas van het midden van de 16de eeuw, hetgeen overigens niet wil zeggen dat die nooit eerder werden geweven.

Nieuwe bloei en neergang

Politieke troebelen (de opstand tegen Karel V in 1539), de pestepidemie van 1555-1559, de beroerten onder Filips II – de reformatie had te Oudenaarde groot succes – alsook de beschieting en inneming van de stad door Alexander Farnese deden de bevolking sterk slinken. Na het herstel van het Spaanse gezag brak ook voor de Oudenaardse tapijtkunst een nieuwe periode aan. In het begin van de 17de eeuw werden in Oudenaarde zelfs honderdduizenden ellen tapijtwerk geweven; volgens vooraanstaande tapissiers kwamen in 1625 in de stad niet minder dan 20.000 personen aan de kost dank zij de tapijtnijverheid. Al moeten we dit getal met een korrel zout nemen, het wijst wel op een nieuwe bloei. Oudenaarde kreeg in de tweede helft van de 17de eeuw echter ernstig te lijden onder Franse bezettingen. Talrijke belegeringen en verwoestingen, de financiële lasten van bezetting en garnizoen, het uitwijken van vele legwerkers naar naburige steden en gewesten, alsook de hoge tolrechten op de invoer van tapijten in andere landen brachten Oudenaarde zware slagen toe.

Bij dit alles kwam in de 17de eeuw ondanks de grote vraag en de enorme pro

duktie nog een ontwikkeling, die een niet te stuiten verval van de tapijtkunst met zich meebracht: meer en meer werden zijdeweefsels, fluweel, wat later ook kanefas (oude benaming van verschillende katoenen en linnen weefsels) en behangpapier als wandbekleding gebruikt. Doch vooral goudleder werd nu gevraagd. Er kwamen steeds meer woningen met vele, doch kleinere kamers die zich minder goed leenden voor wandtapijten. Bovendien kwam er een groeiende concurrentie van buitenlandse legwerkateliers, die veelal door de staat werden gesubsidieerd. Weliswaar werd de Zuidnederlandse produktie in zekere mate gerationaliseerd en bleef de faam, die dat tapijtwerk genoot, behouden, maar dat was niet voldoende om de moeilijkheden te boven te komen. Die namen zelfs zienderogen toe. Omstreeks 1700 telde het gilde van tapijtwerkers nog slechts een tiental leden, zij het dat één meester wel eens werk aan 300 legwerkers verschafte. Geleidelijk aan vererergde de toestand. De nog in bedrijf zijnde ateliers werden zeldzaam: in 1749 waren er nog vier en in 1772 viel het laatste legwerkersgetouw in Oudenaarde stil.

De mooiste wandtapijten

In het Onze-Lieve-Vrouwehospitaal te Oudenaarde verdienen twee tapijten onze belangstelling. Het eerste verbeeldt het vertrek naar de jacht. Op het andere zijn rechts de achtervolging van een ree en

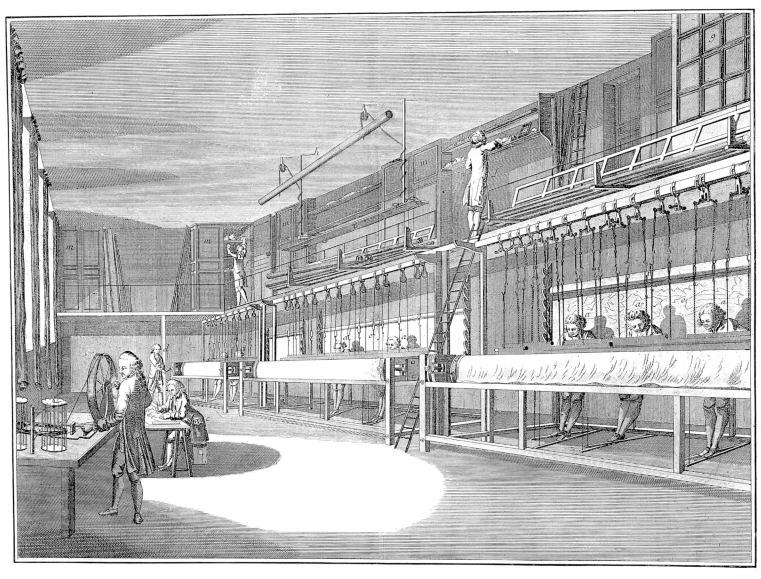

links de rust tijdens de jacht voorgesteld. Het zijn twee afzonderlijke wandbekledingen, die later werden samengenaaid. In het midden bemerkt men de naad, die met wat verf werd weggemoffeld. De boord van het eerste en van het tweede tapijt werd afgesneden; de overblijfselen daarvan zijn aan alle kanten nog duidelijk zichtbaar. Beide kunstwerken zijn met zorg geweven, doch sterk verkleurd. Ze werden niet voor de salon van het hospitaal geweven. Toch stammen ze wellicht uit een Oudenaards atelier, misschien uit dat van Jan van Verren of van Jan Reghelbrugghe, hoewel er geen stadsmerk (bril met of zonder stadswapen) of weversmonogram op voorkomt. Het Stedelijk Museum, ondergebracht in de vroeg-gotische lakenhalle achter het stadhuis, bezit tapijten uit de erfgift van baron Amédée Liedts of die door het stadsbestuur werden aangekocht. Behalve verdures zijn er enige beeldtapijten met de voorstelling van de Kindermoord te Bethlehem (ca. 1600), van Jozef in de put en Suzanna in het bad (beide 17de eeuw). Ze zijn veelal van mindere kwaliteit.
Tot de groep van fijn Oudenaards werk behoort het tapijt dat het gemeentebestuur enkele jaren geleden in de kunsthandel

heeft verworven. Het brengt een bijbels tafereel in beeld. Het Oudenaardse stadsmerk is links in de onderste boord zichtbaar. Men onderscheidt er ook een weversmonogram, dat nog niet werd geïdentificeerd. Het tapijt werd in de tweede helft van de 16de eeuw geweven en er is enig herstelwerk aan verricht.
De Sint-Walburgakerk, in de noordbeuk waarvan het ambacht zijn kapel had, bezit zeven weefsels, waarvan vooral twee onze aandacht wekken. Het eerste is het fijn en kleurrijk wandtapijt met de Liefde van Venus en Adonis (eind 17de – begin 18de eeuw). Het stuk werd wellicht in Oudenaarde geweven. In het centrum van het tweede tapijt staat een groot kruis met spons en lans en een banderol met het inschrift: O crux ave spes unica (O Kruis, ik begroet u als mijn enige hoop). Onderaan ligt een doodshoofd. Wordt hiermee bedoeld, dat Christus door zijn overlijden de dood heeft overwonnen? Of gaat het veeleer om de schedel van Adam, die op Golgotha was begraven en boven wiens hoofd het kruis werd opgericht? Links op de achtergrond krijgen we een blik op Jeruzalem en rechts op de Calvarieberg met enige palmbomen. De boorden zijn rijk gevuld met zinnebeeldige

voorstellingen van de passie. In de vier hoeken verschijnen de bustes van Herodes, Pilatus, Annas en Kájafas. Het was een traditie geworden rond een centrale passievoorstelling allerlei passietaferelen uit te beelden. Hier krijgen we een abstrahering van dat proces. Het centrale thema is van een realistische naar een symbolische voorstelling geëvolueerd. Daarom werden de passievoorstellingen in de omraming eveneens geabstraheerd en als symbolen weergegeven. Dit merkwaardige weefsel dateert uit het einde van de 17de eeuw en werd volgens de lokale traditie door de broederschap van het Heilig Kruis in het Oudenaardse atelier van Van Verren besteld.
Uit de inboedel van de Onze-Lieve-Vrouwekerk van Pamele, een kruisbasiliek in Scheldegotiek, vermelden we drie wandtapijten: een verdure met gevogelte (einde 17de eeuw), Terugkeer van de markt (ca. 1700) en Landschap met Nimfen (18de eeuw). De laatste twee stukken zijn tijdelijk aan het stadsmuseum in bruikleen afgestaan.
In het Liedtskasteel, thans eigendom van de stad, is in de schoorsteenmantel van de salon een klein tapijt ingewerkt. Het heeft nog zeer weinig kleur, maar vertoont een

Linksboven: prent van een tapijtenatelier met platte (basse-lisse) getouwen; hier liggen bomen en kettingdraden horizontaal. Er waren ook ateliers met staande (haute-lisse) getouwen. In de tapijtweefkunst worden de Franse benamingen nu internationaal gebruikt.
Boven: in de lakenhal wordt ook dit wandtapijt met Suzanna in het bad en de twee ouderlingen geëxposeerd. Het 17de-eeuwse werkstuk, dat 2.60 x 2.20 m meet, bevat in de boord terugkerende motieven.

ongewone tekening. Ook in de tweede schoorsteenmantel was een tapijtwerk aangebracht. Doch dit stuk werd kort na 1944 door Amerikaanse soldaten meegenomen. Nu hangt er een schilderij.
Tijdens de tweede helft van de 19de eeuw en vooral in de 20ste eeuw is in België opnieuw belangstelling voor de tapijtkunst gegroeid. Ateliers als dat van Gaspard de Wit en van Bracquenié te Mechelen, van Elisabeth van Sadeleer te Brussel en van Gaston Woedstad te Gent werkten de wederopleving van die aloude kunsttak in de hand. Hun wandbekleding naar kartons van eigentijdse meesters, onder meer van Floris Jespers, van Edgard Tijtgat,

van Rudolf Strebelle en van Mauritius Langaskens, werden door particuliere liefhebbers en officiële instanties aangekocht. In talrijke kerken, musea en openbare gebouwen van België zijn wandtapijten te bewonderen. Vooral de verzameling van de Stedelijke Musea te Brugge en van het kasteel van Gaasbeek te Lennik verdienen onze aandacht. In de Koninklijke Musea voor Kunst en Geschiedenis te Brussel bewaart men evenwel een van de voornaamste en meest gevarieerde collecties. Voor de Noordelijke Nederlanden dient in de eerste plaats de prachtige verzameling van het Rijksmuseum te Amsterdam te worden vermeld.

93

Terug naar de bronnen van de kennis

PROF. DR. M.A. NAUWELAERTS

Het humanisme, een cultuurstroming die op het einde van de 13de eeuw in Italië ontstond en haar hoogtepunt beleefde in de 15de en 16de eeuw, heeft ook van de Nederlanden uit belangrijke impulsen gekregen. De belangrijkste Nederlandse vertegenwoordiger van het humanisme was Desiderius Erasmus, aan wie de herinnering onder andere levend wordt gehouden in het Erasmushuis te Anderlecht.

Boven: Desiderius Erasmus (tekening van Albrecht Dürer).
Onder: ter wille van zijn zwakke gezondheid trok Erasmus in 1521 naar de Nederlanden en nam zijn intrek in het huis van Pieter Wychman te Anderlecht. Het is nu ingericht als museum, speciaal gewijd aan leven en werken van Erasmus.

De Nederlandse humanist die zich de schrijversnaam Desiderius Erasmus Roterodamus (Rotterdam 1467-1469-Basel 1536) gaf, was het onwettige kind van een priester te Gouda, Gerrit, en van Margareta, waarschijnlijk de dochter van Pieter, arts te Zevenbergen. Erasmus liep school te Gouda, leerde Latijn in de kapittelschool te Deventer en verbleef bij de Broeders des Gemenen Levens te 's-Hertogenbosch. In 1487 trad hij in bij de reguliere kanunniken van Sint Augustinus in het klooster Emmaüs te Steyn bij Gouda. Daar studeerde hij filosofie en theologie, maar las ook Latijnse klassieke auteurs, maakte Latijnse verzen en schreef zijn eerste Latijnse brieven. Bij hem groeide interesse voor het humanisme, dat uit Italië was overgewaaid. Die beweging stond een nieuwe letterkunde en de nieuwe

wetenschap en kunsten voor en wilde terug naar de bronnen van kennis en wijsbegeerte, naar de klassieke oudheid. In 1492 werd Erasmus priester gewijd en kort daarna werd hij secretaris voor de Latijnse brieven van Hendrik van Bergen, bisschop van Kamerijk en kanselier van het Gulden Vlies. In 1495 kwam hij in Parijs terecht; hij wilde er aan de universiteit studeren en de doctorsbul in de theologie bemachtigen. Het zou allemaal niet zo gemakkelijk verlopen. Om in zijn levensonderhoud te voorzien gaf hij privélessen en schreef handboekjes voor het Latijn. Hij ging een paar keer naar Holland, in de vage hoop er wat financiële steun te vinden. In mei 1499 trok hij met een Engels kostgangertje Het Kanaal over. In Engeland maakte hij kennis met hertog Henry (van 1509 af koning Hen-

drik VIII), met Thomas More, die kanselier zou worden, en met vele anderen. In 1500 was hij wederom in Parijs en even in Orléans; het jaar daarop in de Nederlanden. Te Leuven wilde hij van 1502 tot 1504 Grieks studeren, maar daar kwam niet veel van, al heeft hij wel eens colleges gelopen te Utrecht bij professor Adriaan Boeyens, de latere paus Adrianus VI. Toen weer naar Engeland, eind 1505; de poging om er doctor in de theologie te worden mislukte. Terug naar Parijs en in augustus 1506 vandaar naar Lyon en over de Alpen naar Turijn, waar hem op 4 september de doctorsbul werd toegekend. Dan naar Bologna; verblijf in Venetië en in Siëna; uitstappen naar Rome en Napels. Van de zomer 1509 tot april 1511 vertoefde Erasmus in Engeland, schreef er in 1509 zijn 'Lof der Zotheid' en gaf colleges aan de universiteit van Cambridge. Hij kwam even naar Parijs, was vervolgens weer in Engeland en in de zomer van 1514 in de Nederlanden. Vandaar trok hij naar Basel, voorjaar 1515 kwam hij wederom in Engeland terecht, daarna trok hij weer naar Basel om er bij Johann Froben onder meer zijn Grieks-Latijnse Nieuw Testament persklaar te maken.

Omstreeks nieuwjaar 1516 werd Erasmus benoemd tot raadsheer van prins Karel, de toekomstige Karel V. In 1517 werd hij ontslagen van zijn kloostergeloften. In juli vestigde hij zich te Leuven. Volgens het testament van kanunnik Hiëronymus van Busleyden zorgde hij in 1517 en 1518 voor de opening van het 'Collegie der Drie Tonghen' (Latijn, Grieks en Hebreeuws), dat verbonden werd met de universiteit. In de lente van 1521 zou Erasmus enige weken in Anderlecht gaan doorbrengen en in oktober van dat jaar verliet hij de Nederlanden. Hij nam zijn intrek bij Froben te Basel, vestigde zich in 1530 in de keizerstad Freiburg im Breisgau en stierf tenslotte te Basel, op weg naar de Nederlanden, in de nacht van 11 op 12 juli 1536.

Mensen en boeken

Zeven landen van Europa heeft Erasmus doorkruist. De 'eerste Europeeër' noemt men hem, maar ook 'de vorst van het humanisme', want zijn reizen stonden in het teken van de beoefening en verspreiding van de humanistische letteren, van de humanistische theologie. Zijn taak: relaties leggen, studeren, brieven en boeken schrijven.

Overal ontmoette hij mensen: in steden en dorpen, in gelagkamers, op de boot, in universiteiten, aan hoven van vorsten, in vergaderingen, bij bezoekers aan huis. Hij onderhield contacten met professoren, juristen, drukkers, theologen, kanunniken, bisschoppen, ambtenaren en geneesheren. Talrijke vrienden, bewonderaars en navolgers had hij, maar ook wel vijanden of beknibbelaars, zoals bijvoorbeeld Maarten Luther en Ulrich Zwingli. Aan groten van deze wereld heeft hij boeken opgedragen. Paus Paulus III heeft hem een kardinalaat aangeboden.

Erasmus was de geleerdste humanist van zijn tijd. Hoewel hij ernstig van mening verschilde met Luther en binnen de rooms-katholieke kerk bleef, was hij van grote betekenis voor de reformatie, met name door zijn studie van het Nieuwe Testament en de kerkvaders. Tot in onze dagen heeft zijn werk invloed, vooral in kringen van het vrijzinnig protestantisme.

Behoefte aan omgang met mensen was bij Erasmus altijd sterk aanwezig gebleven, maar tevens was hij bezeten van de passie voor de studie. Een man van boeken, een man van de pen. Wat al onderwerpen heeft hij niet behandeld? Hij schreef zowel eenvoudige schoolboekjes als wetenschappelijke tekstedities van de oude Griekse en Latijnse literatuur, van het Nieuwe Testament en van de kerkvaders; strijdschriften tegen wie hem aanvielen; gedichten, vooral gelegenheidsgedichten, in het Latijn en

zullen dat nog vele tienduizenden exemplaren meer zijn, want Erasmus blijft in de actualiteit.

Ook voor onze tijd is zijn geestelijke nalatenschap bestemd: de levensstijl die hij ingang wilde doen vinden, de richting naar de degelijkheid in studie, vorming en godsdienstigheid, de sfeer van tolerantie en menselijk begrip, het streven naar vrede en eendracht, de gedachte dat men Nederlander van geboorte kan zijn en tevens wereldburger in levensstijl en in de omgang met allen, in alle landen.

Het Erasmushuis

Eind mei 1521 trok Erasmus uit Leuven naar Anderlecht, thans een voorstad van Brussel, toenmaals platteland. Hij wilde er zijn gezondheid verzorgen en dat blijkt hem volgens zijn brieven ook te zijn gelukt. Hij nam zijn intrek bij zijn vriend, kanunnik Pieter Wychman (gest. 1535), in het patriciërshuis 'In de Zwaan', in 1515 opgetrokken in Vlaamse renaissance-stijl. Tot half oktober 1521 heeft hij er gewoond, hoewel niet doorlopend. Tussendoor was hij ook in Brugge en haast elke dag reed hij te paard naar Brussel. Dat huis, thans Erasmushuis genoemd, bevat talrijke documenten, schilderijen, gravures, beelden, medailles en boeken van Erasmus en tijdgenoten. Het heeft ook prachtig, gotisch en renaissance-meubilair.

Gelijkvloers komt men eerst in de zoge-

het Grieks. Onderwerpen van zijn werken: lekentheologie, lofrede op een vorst, de 'Lof der Zotheid', die een hekeling is van de samenleving: onderwijs en taalwetenschap; spreuken en vergelijkingen uit de oudheid, Samenspraken, Opvoeding van de christenvrouw, van de vorst, van kinderen; traktaten over de vrije wil, de kerkelijke eenheid, de voorbereiding op de dood, de predikatie. Dat alles in de toenmalige wereldtaal, het Latijn.

Als men de moderne lezer vraagt, welk boek van Erasmus hij kent, zal hij waarschijnlijk zeggen: de 'Lof der Zotheid' *(Laus Stultitiae)*. Op een vraag van zijn tijdgenoten welke zijn belangrijkste werken waren, heeft Erasmus, bijna één jaar voor zijn dood, geantwoord dat hij die geschreven had, 'niet voor Italianen, maar voor Hollanders en Vlamingen', namelijk het 'Handboek voor de christenstrijder' *(Enchiridion militis christiani)*, een theologie voor de leek (1503), 'om de schone letteren te doen dienen voor de vroomheid', en de *Adagia* of 'Spreekwoorden', die hij uit de klassieke oudheid had verzameld. 'Verder,' zo zegde hij, 'heb ik bijna niets geschreven, tenzij op uitdrukkelijk verzoek van vrienden.'

Afkeer van bijgeloof

Een enigmatische figuur, deze veelschrijver, op zijn portretten afgebeeld met een afwezige of ingekeerde en steeds raadselachtige blik. Een diepzinnig en creatief filosoof was hij niet, een godsdienstig zoe-

ker en diepgraver in eigen ziel evenmin. Wel een godsdienstig mens. Christus was het middelpunt van heel zijn leven en werk. Aan de kerk van Christus wilde hij trouw blijven. Vrede en eendracht verkiezend, kon hij Luthers rustverstorend optreden – en diens grove taal – niet goedkeuren. Maar ook in godsdienstzaken streefde hij naar de zuiverheid van de eenvoud en ijverde hij voor terugkeer naar de oorspronkelijke bronnen. Zijn theorie was radicaal gericht naar vernieuwd en verinnerlijkt christendom, naar het afwijzen van franjes van bijgeloof, praktijkjes en middeltjes van verdacht allooi; zij stond op het randje van het adogmatische.

De wereld en de mensen beter maken, verheffen tot hogere gevoelens en tot meer cultuur en inzicht, dat beschouwde hij als zijn opdracht en daartoe greep hij naar zijn scherpe en vlugge pen. Zijn theologische werken schreef hij om aan het leven van zijn tijdgenoten meer godsdienstige inhoud te schenken. En de jongeren wilde hij opwekken 'van de modder der onwetendheid naar de fijnere studie toe'. Ook hier was terugkeer naar de zuivere klassieke bronnen onontbeerlijk. Vandaar zijn vele tekstedities, zijn Latijnse samenspraken, zijn brieven en traktaten alsmede zijn vele pedagogische werken. Iemand heeft in 1927 berekend dat er van circa 1500 af tot dan toe 2.500.000 exemplaren van Erasmus' geschriften waren verschenen, in het Latijn of in diverse vertalingen. Nu, ruim een halve eeuw later,

Boven: het studeervertrek van Erasmus, dat ingericht is met fraaie gotische meubels. In dit vertrek hangt een drietal portretten van Erasmus door Quinten Metsijs, Albrecht Dürer en Hans Holbein.
Onder: Erasmus' meest bekende werk is wel de 'Lof der Zotheid', dat in vele talen is verschenen.
Rechterbladzijde: de Kapittelzaal is wellicht de mooiste zaal van het Erasmushuis. De muren zijn behangen met Corduaans leder. De zaal bevat schilderijen uit de 15de en 16de eeuw.

noemde Kamer der rhetorica, vroeger een spreekkamer. Afgezien van de meubelen, de Vlaamse schouw, de luchter en diverse schilderijen en gravures – waaronder de bekende houtgravure van Hans Holbein uit 1535, die Erasmus ten voeten uit voorstelt – is de blikvanger hier het grote doek van de Belgische schilder Felix Cogen (1838-1907). We zien er Erasmus en zijn vrienden ten huize van Johann Froben te Basel.

Twee trapjes op en naar rechts komt men in de kapittelzaal. Ze is grotendeels gotisch: zie onder meer de prachtige haard, buffetten en spinden. Het licht valt binnen via gekleurde raampjes in loden lijsten. De muren zijn met Corduaans leder bekleed. In de vitrines vindt men kostbare manuscripten en drukwerken, onder andere de eerste editie van de 'Lof der Zotheid' (voor zover bekend: 1511) en de verruimde uitgave van de *Adagia* (1508). Tegen de wanden prijkt een belangrijke collectie 15de- en 16de-eeuwse schilderijen: twee uit de school van Rogier van der Weyden; een piëta uit het atelier van Hugo van der Goes; een Moeder van Smarten, uit het atelier van Dirk Bouts; een lang aan Jeroen Bosch toegeschreven drieluik (Driekoningen), waarmee men de Bekoring van Sint Antonius van Pieter Huys vergelijke; een Heilige Hiëronymus, uit de Antwerpse School; een Vlucht naar Egypte van Cornelius Metsijs enzovoort. Vervolgens gaat men naar de werkkamer van Erasmus, die met oude meubelen (les-

senaar en zetel uit 1518) en documenten werd gereconstrueerd. Ze bevat een mooie collectie portretten van Erasmus: door Quinten Metsijs (boven de haard, portret uit 1517; in een vitrine, medaille uit 1519); door Albrecht Dürer (houtskooltekening uit 1520, gravure op staal uit 1526) en door Hans Holbein (rond portretje, 1534). Via de trap komt men op de eerste verdieping in de zogenoemde witte zaal, even groot als de kapittelzaal. Naast gotische staan hier ook renaissance-meubelen. Men vindt er tevens 16de-eeuwse houten beelden en talrijke gravures. In de vitrines liggen diverse edities van werken van Erasmus uitgestald, waaronder gecensureerde.

Op diverse plaatsen in het Erasmushuis treft men ook allerlei merkwaardigheden aan betreffend de oude geschiedenis van Anderlecht. Wie de sfeer van de tijd verder wil proeven, kan het best vanuit de tuin het huis onder verschillende hoeken bekijken.

Het huis van Pieter Wychman heeft in de 16de eeuw nog andere voorname gasten geherbergd. Nadat het kapittel in de Franse tijd al zijn goederen had verloren en ontbonden was, werd het huis een burgerwoning. In 1844 viel het gedeelte waar Erasmus gewoond had, in puin. Diverse verbouwingen hadden nadien plaats. In 1930 kocht het gemeentebestuur van Anderlecht het eigendom aan. Restauratiewerken gaven het zijn vroegere aanzien weer, al ziet men in de gevels nog de spo-

ren van eerdere verbouwingen. In 1936 was het museum geheel klaar. De collecties werden na de oorlog nog uitgebreid. Veel andere tastbare herinneringen aan Erasmus zijn in de Nederlanden niet overgebleven. Te Antwerpen werden, aan de Grote Markt, de oude gildehuizen gerestaureerd, waaronder het huis 'In den Spieghel', waar Erasmus lange tijd bij zijn vriend Pieter Gillis heeft gewoond; de oude uitkijktoren, tussen de Grote Markt en de Oude Beurs, is er nog steeds.

Te Leuven heeft Erasmus gewoond in het Sint-Donatuscollege, aan de vroegere Kattestraat, en in het college De Lelie, aan de Diestsestraat. Beide zijn in de 19de eeuw verdwenen. Aan het eerste herinnert nog het stadspark (Donatuspark). Het Drietalencollege, het huis waar de geest van Erasmus het best voortleefde, staat er nog, nabij de Vismarkt, maar het verkeert in een lamentabele toestand.

Te Mechelen doet het Hof van Busleyden, nabij de Sint-Janskerk, nog aan Erasmus denken; het is thans stadsmuseum.

Het gerestaureerde zogenoemde geboortehuis van Erasmus te Rotterdam is verdwenen tijdens het bombardement van de stad op 12 mei 1940; bij de Sint-Laurenskerk werd zijn standbeeld opgericht. De gemeentelijke bibliotheek heeft thans de grootste verzameling gedrukte werken van Erasmus.

In Basel is er nog het huis 'Zum Luft' en in Freiburg im Breisgau Erasmus' enige eigen huis, 'Zum Walfisch'.

De meester van 'De Gulden Passer'

DR. FRANCINE DE NAVE

Boven: het drukkersmerk van Christoffel Plantijn waarin, behalve diens motto 'Labore et constantia' (door ijver en standvastigheid), ook een passer is opgenomen. Waarschijnlijk verwijst die naar het pand waarin Plantijns 'Officina' te Antwerpen was gevestigd. Links: in de drukkerij van museum Plantin-Moretus, in de 16de eeuw het hart van het bedrijf, staat onder andere deze later gebouwde pers van het Blaeu-type opgesteld.

Aan de Vrijdagmarkt in Antwerpen vestigde Christoffel Plantijn op 24 juni 1576 zijn alom gerenommeerde drukkerij in een pand dat eigendom was geweest van de Spaanse koopman Martin Lopez en door Plantijn herdoopt werd in 'De Gulden Passer'. Verbouwings- en verfraaiingswerken aan dit complex, dat al gauw befaamd was als één van de prachtigste herenhuizen van Antwerpen, werden uitgevoerd op last van Plantijns opvolgers, leden van de familie Moretus. Plantijn zelf heeft de fraaie renaissancewoning in haar huidige vorm nooit gekend. Zijn woonruimte in het gebouw bleef beperkt tot niet meer dan een paar vertrekjes, want de voornaamste reden van de verhuizing van zijn bedrijf vanuit de Kammerstraat was dat hij meer ruimte nodig had voor zijn drukkerij.

Christophe Plantin – zijn naam werd vernederlandst tot Christoffel Plantijn – werd waarschijnlijk omstreeks 1520 geboren in Saint-Avertin bij Tours. Hij ging te Caen in de leer bij de drukker-boekbinder Robert II Macé. Hij verbleef enige jaren in Parijs, waarna hij in 1548 of 1549 met zijn echtgenote Jeanne Rivière en zijn dochter Margaretha naar Antwerpen trok. Voornamelijk commerciële motieven brachten hem ertoe zich in deze stad te vestigen. In Antwerpen, sinds 1481 het grootste typografische centrum van de Nederlanden, waren alle materialen voor het drukkers- en boekbindersambacht gemakkelijk te krijgen. De stad werd bovendien druk bezocht door een rijke clientèle van wereldlijke en kerkelijke hoogwaardigheidsbekleders, intellectuelen die zeer geïnteresseerd waren in de produkten van de boekdrukkunst. Antwerpen, dat toen de belangrijkste kapitaalmarkt van het westen was, bood bovendien voldoende mogelijkheden om een nieuw bedrijf te financieren. En tenslotte heerste er in de Scheldestad een klimaat van tolerantie op godsdienstig gebied, dat zeer gunstig was voor de algemene commerciële ontplooiing.

Op 21 maart 1550 verwierf Plantijn het poorterschap van de stad en nog in hetzelfde jaar werd hij als drukker opgenomen in het Sint-Lucasgilde. Toch werkte hij aanvankelijk nog als boekbinder-lederwerker; pas in 1555 verscheen zijn eerste gedrukte werk, dat geschreven was door de Italiaanse humanist Giovanni Michele Bruto. Volgens een overlevering zou een ongeluk dat hem lichamelijk ongeschikt maakte voor het boekbindersvak, de oorzaak zijn geweest van Plantijns omschakeling naar het drukkersbedrijf. Waarschijnlijker is echter dat Plantijn als aanhanger van de heterodoxe sekte 'Het Huis der Liefde' voldoende beginkapitaal werd verschaft voor het stichten van een drukkerij die in het tolerante Antwerpen moest zorgen voor de verspreiding van reformatorisch-getinte geschriften.

Behoedzaam partij kiezen

In 1559 werd Plantijns faam als drukker voorgoed gevestigd met de publikatie van de lijkstoet van Karel V. Vanaf dit ogenblik kwam de Officina, zoals zijn bedrijf werd genoemd, tot steeds grotere bloei. Tussen 12 januari 1562 en begin september 1563 moest Plantijn echter uitwijken naar Parijs omdat hij verdacht werd van de verspreiding van een ketters boekje. De Officina werd op 28 april 1562 openbaar verkocht, zogenaamd om de schulden af te lossen die Plantijn had gemaakt. Op 26 november 1563 ging hij, teruggekeerd te Antwerpen, een vennootschap aan waardoor hij in staat was opnieuw te beginnen. Toen Alva in de Nederlanden kwam, achtte Plantijn het evenwel raadzaam te breken met de bekende calvinisten die zijn vennoten waren. Voortaan zou hij de Officina zelfstandig leiden, daarbij onder meer steunend op een plan, waarmee hij zich als rechtzinnig katholiek wou voordoen: de uitgave van een nieuwe Polyglot-bijbel. Door bemiddeling van kardinaal Granvelle en Gabriel de Çayas, secretaris van Filips II, verkreeg Plantijn zelfs de financiële steun van de koning van Spanje voor dit project. De uitgave van deze Polyglot-bijbel in vijf talen (Latijn, Grieks, Hebreeuws, Syrisch en Aramees), die acht lijvige delen van folioformaat omvatte, was het hoogtepunt in zijn drukkersloopbaan. Door deze onderneming werd hij niet alleen benoemd tot aartsdrukker des konings (10 juni 1570), maar kreeg hij ook het bijzonder lucratieve verkoopmonopolie van diverse liturgische werken in de gebieden onder Spaans gezag (1569-1570). Dit monopolie werd de grondslag van Plantijns fortuin.

De voorspoed was evenwel kortstondig. De Spaanse furie, die op 4 november 1576 in Antwerpen uitbrak, maakte een abrupt einde aan de expansie van de Officina. Door de herhaalde brandschattingen, geëist door muitende Spaanse soldaten, geraakte Plantijn in financiële moeilijkheden. De handel op Spanje stortte in elkaar en daarmee verdween de op dat

drukkersgeslacht Estienne had nooit meer dan vier persen in bedrijf). De personeels-bezetting omvatte toen 56 werknemers: 32 drukkers, 20 zetters, 3 proeflezers en 1 niet-gekwalificeerd werkman. Buiten de Officina werkten bovendien nog vele boekbinders en graveurs voor rekening van Plantijn. Het personeel was dus zeer verscheiden. Tot de inwonende werk-nemers behoorden, behalve zetters en drukkers, hun helpers en leerjongens, ook proeflezers die zorgden voor de correctie van de drukproeven welke meestal niet door de auteurs werden verbeterd. Doorgaans was een proeflezer belast met de produktie van drie persen. Tot deze intellectuele bovenlaag van werknemers behoorden Cornelis Kiliaan, grondlegger van de Nederlandse lexicografie, en Plantijns schoonzoon Franciscus Raphe-lengius, die na 1585 als befaamd oriënta-list verbonden was aan de Leidse universi-teit, waar hij als hoogleraar oosterse talen doceerde. Ook andere familieleden had Plantijn ingeschakeld in zijn bedrijf. Zijn vijf dochters hielpen in de winkel en wer-den al op jonge leeftijd tevens belast met correctiewerk. Zijn schoonzoon Jan Moe-rentorf, alias Moretus, was betrokken bij het beheer van de Officina en zou na Plantijns overlijden het bedrijf voortzetten. De filialen van de Officina in Parijs en Lei-den werden eveneens bestuurd door schoonzoons.
De werklieden van Plantijn behoorden tot de bestbetaalde van Antwerpen. Zetters, drukkers en correctoren werkten op stuk-loon en waren dus bereid tot het leveren van topprestaties. Twaalf à dertien uur werk per dag waren normaal in de Plantijnse drukkerij. Er kwamen dagelijks niet minder dan 1240 gedrukte bladen of 2500 bladzijden van elke pers, in een tem-po van drie à vier bladzijden per minuut. Slechts bij de meer omslachtige twee-kleurendruk (zwart-rood) daalde de pro-duktie tot 1000 bladen per dag.

moment belangrijkste afzetmarkt van de Officina.
Na de Spaanse furie schaarde Antwerpen zich aan de zijde van de Staatsen. Christoffel Plantijn koos weer behoed-zaam de voordeligste partij. Zonder ooit Filips II en de roomse kerk te hebben afgezworen, werd hij op eigen verzoek aangesteld tot drukker van de Staten-Generaal (17 mei 1578). Eveneens werd hij (17 januari 1579) benoemd tot officieel drukker van de stad Antwerpen, nu bestuurd door een calvinistische magistraat. Ook van François d'Anjou, hertog van Alençon, werd Plantijn de erkende drukker (vóór 17 april 1582). De uitvoering van anti-Spaanse pamfletten en ander werk in opdracht van de Staatsen kon Plantijn echter niet redden van de financiële ondergang. Toen de omsin-

geling van Antwerpen door de troepen van Farnese begon, nam hij begin 1583 de wijk naar het noorden, de Officina toever-trouwend aan zijn beide schoonzoons, Jan I Moretus en Franciscus Raphelengius. Vanaf mei 1583 werkte hij te Leiden als officieel drukker van de universiteit. Na de val van Antwerpen, in augustus 1585, keerde Plantijn terug naar zijn geliefde Scheldestad, waar hij zijn laatste krachten besteedde aan de heropleving van de Offi-cina. Hij overleed op 1 juli 1589.

Personeel en machines
De drukkerij van Christoffel Plantijn was in de 16de eeuw een van de grootste en be-langrijkste drukkerijen in Europa. In het topjaar 1574 waren niet minder dan zestien persen in gebruik, een voor die tijd enorm aantal (het belangrijkste Franse

Gecompliceerde techniek

Het drukprocédé was tamelijk ingewikkeld. De met de hand geschreven tekst
werd gezet in een houten vorm, die met de
drukpers werd afgedrukt op bevochtigd
papier, meestal van Franse makelij. Elke
pers werd bediend door twee arbeiders.
De drukker zorgde voor het fixeren van
het papier en voor het drukken en was verantwoordelijk voor de goede werking van
de pers. Een helper was belast met het ink-
ten. Drie persen werden van zetwerk voorzien door twee zetters, die konden kiezen
uit een zeer gevarieerde sortering letter-
types. Hoewel de Officina uitgerust was
met een goedgeoutilleerde lettergieterij,
werd toch nagenoeg geen lettermateriaal
ter plaatse aangemaakt. Plantijn kocht bij
voorkeur bij de beste lettergieters van zijn
tijd: Robert Granjon, Claude Garamond
en Guillaume Le Bé in Frankrijk en Hendrik van den Keere te Gent. Voor het
illustreren van zijn uitgaven gaf Plantijn
de voorkeur aan de fijne kopergravure,
hoewel deze veel duurder was dan de tot
dusver algemeen gebruikte houtsnede.
Wat de inhoud van de boeken betreft
beperkte Plantijn zich geenszins tot datgene waarnaar de vraag het grootst was,
zoals bijbels, liturgische werken, brevieren
en missalen. Hij heeft ook vele uitgaven
bezorgd van werken van klassieke auteurs,
filologische studies (onder meer van Justin
Lipsius) en wetenschappelijke traktaten.

Internationaal werkterrein

Voor de verkoop van zijn produktie maakte Plantijn gebruik van verschillende
distributiemethoden: detailhandel in de
winkel te Antwerpen, verkoop via een uitgebreid net van relaties met boekhandelaars in binnen- en buitenland, afzet
via de filialen van de Officina en tenslotte
verkoop door middel van een permanente
vertegenwoordiging (vanaf 1567) op de
belangrijkste internationale boekenmarkt,
de Buchmesse te Frankfurt am Main, die
Plantijn reeds in 1558 bezocht. In dit
geheel van distributiekanalen was de
Antwerpse winkel van ondergeschikt
belang. In de periode 1575-1593 geschiedde de afzet vooral via 258 boekhandelaars
in 65 steden. De meesten waren gevestigd
in de Nederlanden, voornamelijk te
Antwerpen, maar ook te Leuven, Douai
en Gent. De betrekkingen met het buitenland waren, met uitzondering van de handel op Spanje van 1569 tot circa 1576,
minder belangrijk. Via de filialen te Parijs,
Leiden en Salamanca (einde 1581- einde
juli 1586) en de Buchmesse te Frankfurt
werd evenwel toch een markt bereikt die
de grootste Europese centra van de boekdrukkunst omvatte (Parijs en Lyon in
Frankrijk en Venetië in Italië) en die ook
reikte tot het Duitse rijk, Tsjechoslowakije,
Zwitserland, Polen, Denemarken, Engeland, het Iberische schiereiland, de Spaanse kolonies in Amerika en tenslotte
Marokko en Algerije, waar de Hebreeuwse
bijbels werden afgenomen door aldaar
verblijvende joden.

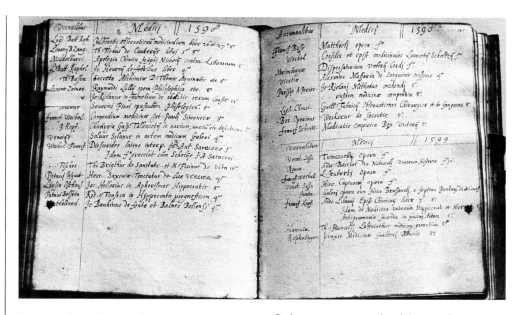

Boven: onder andere via de
Buchmesse in Frankfurt
bereikte Plantijn aan het
einde van de 16de eeuw een
groot deel van de Europese
boekenmarkt. Dit is het
register van de boeken die
op de Messe werden
aangeboden.
Geheel links: titelpagina van
de eerste zeeatlas van
Lucas Waghenaer, die door
Plantijn werd gedrukt
in de korte tijd dat hij
noodgedwongen in Leiden
verbleef.
Linksboven: een bladzijde
uit het eerste
Nederlands-Latijnse
woordenboek, met daarop
de correcties en
toevoegingen die er door
Plantijns correctoren in zijn
aangebracht.
Onder: een gravure van
Philip Galle uit 'Nova
Reperta' waarop een deel
van het toenmalige
drukkersbedrijf, het maken
van koperplaten, in beeld is
gebracht.

Oplagen op grote schaal (meestal van
1000 tot 1250 exemplaren voor werken
met verzekerde grote afname) zorgden
voor een snelle verbreiding van de jongste
kennis op het gebied van de anatomie (de
studies van Andreas Vesalius), de botanica
(de werken van Rembert Dodoens, Caro-
lus Clusius en Mathias Lobelius), de wiskunde (de traktaten van Simon Stevin), de
cartografie (de atlassen van Abraham
Ortelius en de eerste zeeatlas van Waghenaer), de stedengeschiedenis (de 'Des-
crittione di tutti i Paesi Bassi' van Ludovi-
co Guicciardini) en de lexicografie (de
woordenboeken van Cornelis Kiliaan).
Daarnaast voorzag Christoffel Plantijn,
als voorganger van de Elseviers, de wetenschappelijke wereld van nieuwe edities –
vaak in goedkoop en handig zakformaat,
maar steeds volmaakt van vorm – van de
werken van klassieke auteurs, filologische
studies en juridische verhandelingen. Ook
op het gebied van het zeer geliefde genre
der emblemata-literatuur (boeken met zinnebeeldige prenten, voorzien van korte

teksten) was hij actief. Het merendeel van zijn publikaties stond echter (ondanks de 'ketterse' gezindheid waarvan Plantijn aan het begin van zijn drukkersloopbaan blijk had gegeven) ten dienste van het herstel van de roomse leer en de contra- reformatie die met het Concilie van Trente (1545-1563) werd ingeluid. De vele bijbel- edities, uitgaven van antifonaria (ver- zamelingen van gebedsgezangen van de rooms-katholieke kerk), psalteria (psal- menbundels), brevieren en missalen met verzekerd financieel rendement, hebben, vooral in de laatste levensjaren van Plantijn, versluierd dat hij ook voor nieuwlichters in geloofszaken heeft gewerkt.

Bibliotheek en museum

Plantijns uiterst veelzijdige en omvangrijke produktie – binnen 34 jaar publiceerde hij meer dan 1500 verschillende werken; dat zijn er gemiddeld 50 per jaar, een fantastisch hoog aantal voor die tijd – is grotendeels bewaard gebleven in de rijke bibliotheek van het Museum Plantin- Moretus. Deze zeer kostbare bibliotheek, in de eerste plaats samengesteld door Plantijn zelf, later aangevuld door de Moretussen en daarna voornamelijk door het Antwerpse stadsbestuur, bevat bijna 30.000 oude drukken, waaronder 90% van de uitgaven, verzorgd door Plantijn en zijn opvolgers. Andere zeldzaamheden in de bibliotheek zijn onder meer 150 in-

cunabelen (wiegedrukken), waartoe de enige 36-regelige Gutenberg-bijbel behoort die in Belgisch bezit is.

Niet alleen de rijkdom van de bibliotheek, maar ook het gebouwencomplex waarin deze is ondergebracht, is een bezoek aan het museum meer dan waard. Het huidige aspect van het Plantijnse Huis, een unieke harmonische combinatie van patriciërs- woning en werkplaats, is vooral te danken aan de verbouwings- en ver- fraaiingswerken, uitgevoerd van 1620 tot 1622 en van 1637 tot 1639, op initiatief van Plantijns kleinzoon Balthasar I More- tus. De salons op de benedenverdieping, de bibliotheken op de eerste etage en voor- al de fraaie binnenplaats ademen nog de sfeer van welstand en luxe waarin deze nazaat leefde.

Vlaamse wandtapijten uit de 16de eeuw bedekken de wanden van de eerste salon. In de tweede salon prijken behalve twee authentieke 17de-eeuwse kunstkabinetten niet minder dan tien portretten van vrien- den en familieleden van Balthasar I, geschilderd door zijn intieme vriend Peter Paulus Rubens.

Het Plantijnse Huis bevat ook tal van ver- trekjes met een typische werksfeer. De winkel van de Officina, compleet met wandkasten, toonbank, uitgestalde niet- ingebonden boeken en 'karaatdozen', is sinds de vroege 18de eeuw onveranderd gebleven, evenals de kamer van de correc- toren met de imposante werktafel en het

kantoor van de meester van de Officina. Dit kleine vertrekje uit de tijd van Plantijn is nog steeds voorzien van een schrijftafel, een draagbare lessenaar, een geldkoffertje en een brievenrek, ingewerkt in de wand die bekleed is met Mechels goudleder. De staven voor de ramen dienden als beveili- ging tegen diefstal van de grote geldsom- men die hier omgingen. Aangrenzend ligt de met zeer zeldzaam 16de-eeuws Spaans goudleder beklede werkkamer van Justin Lipsius, die hier verbleef tijdens zijn vele bezoeken aan Plantijn en de eerste More- tussen.

Via het magazijn, waar het lettermateriaal tot aan de zoldering is opgestapeld, komen we in de drukkerij, het hart van het bedrijf. Hier staan de twee oudste druk- persen ter wereld, die mogelijk nog gebruikt zijn door Plantijn zelf. Aan de vensterkant zijn een intaglio-pers van 1714 en vijf 17de- en 18de-eeuwse persen van het Blaeu-type opgesteld. Eén ervan wordt nog steeds gebruikt voor druk- demonstraties.

Een monumentale gang en trapzaal, resul- taat van de verbouwing tussen 1761 en 1763 van de voorbouw ten tijde van Fran- ciscus Joannes Moretus, leiden naar de bovenverdieping, waar enige delen van de kostbare Biblia Polyglotta te bewonderen zijn. Een even monumentale uitvoering van de 'VII Missae' van Georges de la Héla (1578) bewijst dat Plantijn ook op het gebied van de muziekdruk uit-

zonderlijk werk heeft geleverd.
Via de 17de-eeuwse bibliotheek en de Moretuszaal komen we in het Rubens-zaaltje met de ontwerpen van titelpagina's, door de grote meester uitgevoerd in opdracht van zijn vriend Balthasar I Moretus. Door de zaal der Antwerpse drukken bereikt men de 17de-eeuwse salon die bekleed is met zeldzaam Frans goudleer. In de zaal van de aardrijkskunde worden, behalve verscheidene atlassen, nog meer cartografische zeldzaamheden tentoongesteld. In de zaal van de vreemde drukken prijkt de Gutenberg-bijbel. Wat verder is een selectie te zien uit de collectie van 2846 koperplaten en 13.791 houtblokken, die met bovendien nog circa 500 tekeningen door Plantijn en zijn opvolgers als illustratiemateriaal werden gebruikt. In de vroeg 17de-eeuwse lettergieterij geven de geëxposeerde stempels, matrijzen, gietvormen en verdere benodigdheden voor het aanmaken van letters slechts een beperkt beeld van de ongeëvenaarde rijkdom van het museum op dit gebied. De collectie omvat in totaal 4477 stempels en 15.825 matrijzen, waarin ongeveer 80 verschillende lettersoorten gebruikt zijn. Nergens wordt de prachtige verzameling uit de 16de eeuw geëvenaard. Een bezoek aan de imposante 17de-eeuwse grote en kleine bibliotheken en de 'Salon Emile Verhaeren-René Vandevoir' besluit onze rondgang.

Drukkerijcollecties elders

Dank zij de 'familiepiëteit' van de Moretussen is de verzameling in haar oorspronkelijk kader bewaard gebleven. Na de grote bloei van de drukkerij onder Christoffel Plantijn en haar herstel na de crisis van 1576 onder Jan I Moretus en Balthasar I Moretus verloor de Officina geleidelijk aan steeds meer aan betekenis. Dit was mede het gevolg van de economische achteruitgang van Antwerpen in de tweede helft van de 17de eeuw. Na 1765 leidde het bedrijf nog slechts een kwijnend bestaan. In de 19de eeuw kwamen alleen nog enige onbetekenende werken van de persen, het laatste in 1867. De Moretussen leefden toen reeds lang niet meer van de opbrengst van het bedrijf. Opgenomen in de adel op 1 september 1692 en al eerder door huwelijken geïntegreerd in de Antwerpse elite konden zij als rentenier een rijk bestaan leiden. Toch hielden zij de oude Officina in stand uit piëteit voor hun stamvader en diens nageslacht, die lange tijd de grootste industriële drukkers ter wereld waren. De verzameling en het gebouwencomplex verkeerden nog in goede staat toen Edward Joannes Hyacinth Moretus in april 1876 het geheel voor 1.200.000 goudfrank aan de stad Antwerpen verkocht. Sindsdien is het Museum Plantin-Moretus nagenoeg het gehele jaar voor het publiek geopend (tussen 10 en 17 uur).
Veel van de uitgaven van Plantijn kwam terecht in kerkbibliotheken. De Librije van de Sint-Walburgiskerk te Zutphen

Boven: een letterkast in de drukkerij. Uit de losse letters werd in het raam in het midden de pagina opgebouwd.
Onder: de met Spaans goudleder beklede werkkamer van Justin Lipsius wiens filologische studies door Plantijn werden uitgegeven en die vaak in Antwerpen verbleef.
Linksonder: de grote bibliotheek die in 1640 werd ingericht door Balthasar I Moretus. Het schilderij 'Christus aan het kruis' herinnert aan de tijd dat deze zaal dienst deed als kapel voor het personeel.

werd gebouwd van 1561 tot 1564 (dus tijdens het leven van Plantijn) en in het laatstgenoemde jaar in gebruik genomen. Zij is nog precies zo ingericht als in de tijd van haar ontstaan en bevat een prachtige collectie handschriften, incunabelen en vele oude wetenschappelijke werken.
Het Rijksmuseum Meermanno-Westreenianum (Museum van het Boek) aan de Prinsessegracht in Den Haag bezit een belangrijke collectie die de geschiedenis van het boek vanaf de oudheid tot heden omvat en waar vele typografische zeldzaamheden zijn te zien.
Verzamelingen die vooral betrekking hebben op de druktechniek, vinden we in Haarlem: Museum Enschedé aan het Klokhuisplein en de collectie Costeriana in het Frans Halsmuseum, Groot Heiligland.

Hoewel buiten het geografische bestek van dit boek vallend mag toch het modern ingerichte Gutenbergmuseum te Mainz niet onvermeld blijven. Op indringende wijze wordt hier een beeld gegeven van de betekenis van het boek als drager en verbreider van de westerse cultuur. In de kelder zijn oude drukkerijen nagebouwd en hier kan men ook een nabootsing op ware grootte in werking zien van de eerste pers van Gutenberg. Een exemplaar van de oudste, 42-regelige editie van de Gutenberg-bijbel (1452-1455) kan bewonderd worden in de schatkamer van het museum.

Boven: het wapenschild van de illustere Lieve-Vrouwebroederschap zoals dat is afgebeeld op een aantal oude bokalen. De zwaan in het wapen verwijst naar de jaarlijkse 'zwanenmaaltijd' van eertijds, die het hoogtepunt vormde van de maaltijdencultus van de Bossche broederschap. Onder: de noordelijke zijde van de Sint-Janskathedraal met daarin de kapel die in 1566 werd geplunderd. Geheel rechts: een schilderij uit 1830 waarop het broederschapshuis is afgebeeld zoals het er in 1530 nog uitzag.

'Ick sal hun het pijpen verbieden'

DR. G.C.M. VAN DIJCK

Een van de steden en dorpen in de Lage Landen die in de zomer en het najaar van 1566 werden getroffen door de zogenoemde beeldenstorm, was 's-Hertogenbosch. Tussen 22 en 27 augustus en voor de tweede maal op 10 oktober hielden woedende aanhangers van de reformatie huis in de Sint-Jan. Bij deze laatste gelegenheid moest met name de noorderkapel het ontgelden, de ruimte waarin al sinds haar oprichting in de 14de eeuw de leden van de illustere Lieve-Vrouwebroederschap bijeen plachten te komen.

De illustere Lieve-Vrouwebroederschap te 's-Hertogenbosch dateert uit 1318. Zij werd opgericht door enige geestelijken en toekomstige geestelijken. Het doel was allereerst op de Mariafeesten van het liturgische jaar in de noorderkapel van de Sint-Janskerk – dus de huidige Sacramentskapel – bijeen te komen, de heilige mis bij te wonen en het koorgebed te bidden en verder om deze religieuze plichten ook te vervullen op alle woensdagen en op enige andere kerkelijke feestdagen. De broederschap huist nog altijd in een pand in de Hinthamerstraat, dat in het midden van de vorige eeuw werd opgetrokken op de plaats, waar drie eeuwen het fraaie oude broederschapshuis had gestaan.

Zwanenmaal culinair hoogtepunt
Aanvankelijk was de broederschap alleen voor mannen opengesteld en dan nog alleen voor clerici, personen die door de *tonsura* of kruinschering tot de geestelijke stand behoorden. Men kon ook als getrouwd man clericus zijn; mensen als Jeroen Bosch en Franz Liszt waren zulke gehuwde geestelijken. Al vrij gauw werden ook vrouwen en mannen die leek waren, als leden toegelaten. Er kwamen twee categorieën leden: de geestelijken of gezworenen, 40 tot 50 in getal, die de eigenlijke kern vormden, en de zogenoemde buitenleden.

Van ongeveer 1380 af groeide het aantal buitenleden zeer snel, te meer omdat van kerkelijke zijde veel aflaten werden verleend. De aflaatbrieven vormen nu nog de fraaiste stukken in het broederschapsarchief. Tussen 1380 en ongeveer 1550 hebben liefst zo'n 100.000 personen zich als lid opgegeven, van wie velen van ver buiten de huidige landsgrenzen kwamen.

Het was een voor de Nederlanden uniek verschijnsel, dat de broederschap organisatorisch en administratief voor grote problemen stelde.

De belangrijkste secundaire activiteiten van de broederschap waren armenzorg, onderlinge bijstand en de organisatie van de jaarlijkse grote processie door de stad. Door het grote aantal leden groeiden ook de financiële mogelijkheden om de kapel uit te breiden en van kunstschatten te voorzien. Zeer belangrijk was verder de maaltijdencultus van de gezworenen: ongeveer elf maal per jaar aten de broeders samen in het eigen broederschapshuis, waarbij de 'zwanenmaaltijd' de grootste attractie vormde: vandaar stamt ook de eigenlijk foutieve benaming Zwanenbroederschap, die vaak is gebezigd. Deze zwanenmaaltijd, de zesde van het jaar, was een culinair hoogtepunt. Eén zwaan werd gegeven door de rentmeester van de landsheer, zes van de kostbare vogels werden volgens fundatie door de familie van Egmond, graven van Buren, 'voor eeuwig' aan de broederschap geschonken. Dat 'voor eeuwig' duurde tot Maximiliaan van Egmond, de laatste graaf van Buren, in 1549 was overleden. Zijn weduwe, Françoise de Lannoy, zelf geen lid van de broederschap, weigerde nog verder zwanen te schenken. De verbolgen proosten deden, met meer of minder succes, nog enige tijd verwoede pogingen andere schenkers te vinden, maar tenslotte vond de traditie haar einde in 1573, toen de laatste zwanenmaaltijd werd gehouden.

Van de 16de eeuw af voltrok zich langzaam, maar zeker een proces van aristocratisering binnen het genootschap; de gezworenen werden steeds meer gekozen uit de rijke bovenklasse van de Bossche samenleving, terwijl het aantal buitenleden na ongeveer 1525 snel terugliep en tegen 1560 tot nul was gedaald.

De kapel waarin de broederschap bijeenkwam, werd in de loop der eeuwen herhaaldelijk verbouwd en verfraaid. De laatste grote verbouwingen vonden plaats aan het einde van de 15de eeuw, onder leiding van de vermaarde bouwmeester en schilder Alard du Hamel en diens latere schoonzoon Jan Heyns uit Brugge.

Van vroomheid tot razernij

In 1566 werd ook deze kapel getroffen door de beeldenstorm. De sfeer van politieke en religieuze spanning in de Nederlanden, mede door armoede gevoed, ontlaadde zich plotseling toen op 10 augustus een kerk en klooster werden geplunderd bij het Belgische Steenvoorde. In een razend tempo breidde de beeldenstorm zich uit. Het fenomeen verliep in de diverse gewesten en steden geheel verschillend en was ook zeer uiteenlopend gemotiveerd: nu eens was de sociaal-economische achtergrond bepalend, dan weer gold een meer godsdienstige of politieke motivering. Voor een stad als 's-Hertogenbosch is het, bij gebrek aan voldoende

achtergrondinformatie, bijna onmogelijk in te gaan op de motieven die geleid hebben tot de beeldenstorm. In het noordelijk deel van het hertogdom Brabant zal duidelijk de invloed van een stad als Antwerpen merkbaar geweest zijn. Toen daar op 20 augustus de beeldenstorm toesloeg, steeg de spanning in het gehele hertogdom en met name in het vrij arme gebied van de Meierij van 's-Hertogenbosch.

Cornelis van Diest, een zeer gezien calvinistisch predikant, kwam op 10 augustus 1566 met veel aanhangers in de stad. Op donderdag 22 augustus waagden zij zich zelfs in de Sint-Janskerk. Na het zingen van enige psalmen bij het oksaal kwam ineens een ommekeer: vroomheid sloeg om in razernij, oprecht verlangen naar een zuivere leer ontlaadde zich in haat tegen de verouderde kerk, armoede en sociale onrust keerden zich tegen de kerkelijke instanties en instellingen. Vooral beelden en altaren moesten het ontgelden. Van vijf uur 's namiddags tot ongeveer tien uur 's avonds werden vernielingen aangericht.

De tolerante en ook radeloze houding van het stadsbestuur was er mede oorzaak van dat de vernielingen nog tot 27 augustus doorgingen. De broederschapskapel had bij deze eerste beeldenstorm relatief weinig schade opgelopen. De rentmeester van de broeders, Dominicus Beyens, vertelt ons in een door hem nagelaten verslag dat de kapel de eerste dag met rust was gelaten, waarop hij zes soldaten huurde die de kapel zes dagen en nachten bewaakten. Op 27 augustus lieten de broeders het prachtige, uit 1477 daterende altaar van Adriaan van Wesel overbrengen naar het veilige stadhuis. Ook de ornamenten en het zilverwerk gingen daarheen. De werklieden kregen behalve hun salaris ook nog 92 potten bier vanwege de hitte! De rust keerde terug en op 11 september werd in de kapel weer een plechtige mis opgedragen. Het was echter een schijnbare rust. Op 10 oktober begonnen nieuwe schermutselingen. De beeldenstormers beukten het prachtige toegangshek stuk en drongen de kapel binnen. Koorbanken,

Boven: de populariteit van de broederschap in de 14de eeuw stoelde mede op de vele aflaten die de Kerk verstrekte en die in de vorm van dit soort aflaatbrieven werden vastgelegd.
Onder: een van de weinige zaken die uit de getroffen noorderkapel bewaard zijn gebleven, is dit altaarpaneel van de hand van Adriaan van Wesel.

lessenaars en de glas-in-loodramen moesten het ontgelden. Het altaar en de kostbaarheden waren waarschijnlijk nog in het stadhuis. De grootste schade kreeg het orgel: persoonlijke wraakneming speelde hierbij een grote rol. De zanger Jan Bentyn of Bentinc sloeg met een 'knevelstocke' de orgelpijpen en het houtsnijwerk aan diggelen. Hij riep daarbij: 'Zij hebben my het singen verboeden, maer ick zal hun het pypen verbieden.' Vóór 1566 was deze Bentyn als zanger in dienst geweest van de broederschap, maar hij was met ruzie vertrokken en door de broeders ontslagen.

Pogingen van de beeldenstormers ook in de sacristie te komen mislukten, omdat de toegangsdeur te zwaar was en te goed gebarricadeerd. De ravage was niettemin erg groot. Het orgel werd na de beeldenstorm grondig gerestaureerd door een van de beste orgelbouwers in Nederland, Claas Hendriksz Nijhoff, in 's-Hertogenbosch woonachtig. De ramen werden in de oude luister hersteld en de beelden van Onze Lieve Vrouw en van de engel Gabriël, die door het vervoer enige schade hadden opgelopen, werden bijgewerkt. Het koperen hekwerk werd onder handen genomen in de Antwerpse ateliers van Jan de Clerck.

Enige leden van de broederschap hebben zelf aan de beeldenstorm deelgenomen of ermee gesympathiseerd. De priester Philips van Doorne, een verdienstelijk calligraaf van de broeders, werd ontslagen, omdat hij zich 'groffelick misdragen hadde metter secten van den Calvinisten tegen die alde Catholijcque religien.' Eén van de zangers van de broederschap, de basconter Aggeus NN, vluchtte; enige gezworenen werden geroyeerd. Vier van de ongeveer 50 broeders werden protestant, terwijl ook de Zwanenbroeder (= erelid) Willem van Oranje zich van de broederschap losmaakte.

Archief van de broederschap

Van de beeldenstorm is in de kapel niets meer aanwijsbaar, omdat in latere tijd alle beelden en altaren uit de kapel verwijderd zijn. Alleen de afbeelding van de 'Boom van Jesse' aan een van de pilaren is ongeschonden gebleven en is ook nu nog in redelijke staat. De 'Boom van Jesse' is de voorstelling van een stamboom van Jezus; uit een zijde van de slapende Jesse (of Isaï), de vader van David, groeit een boom aan de takken waarvan beeltenissen van Jezus' voorvaderen zijn aangebracht. Het broederschapshuis in de Hinthamerstraat herbergt nog een collectie oude voorwerpen van de broederschap alsook het archief met kostbare handschriften, dat tegen het einde van de 18de eeuw zo goed mogelijk behouden en sindsdien zelfs aanmerkelijk gecompleteerd werd. Bezoekers kunnen de oude documenten en preciosa bezichtigen tijdens de openingsuren van het Zwanenbroedershuis (vrijdags van 11.00 tot 15.00 uur).

De leden van de broederschap zelf betrachten nog steeds liefdadigheid, zij het na de Tweede Wereldoorlog in de vorm van jaarlijkse giften, die via kerkelijke instanties worden besteed. Elk jaar wordt hierover een algemene vergadering gehouden. Verder wordt er nog jaarlijks een mis opgedragen en komen de leden bijeen voor een maaltijd.

Op 25 juli 1585 brak door een bliksleminslag een felle brand uit in de middentoren van de kerk. Machteloos moest men toezien hoe de toren geheel uitbrandde en tenslotte instortte. Gelukkig voor de broeders viel de toren de 'goede' kant uit, namelijk naar het zuiden. Men slaagde er toen in het grootste gedeelte van de kerk te behouden, inclusief de broederschapskapel. Het interieur was niet aangetast, maar de ramen en het dak moesten worden gerestaureerd. Voor 1338 gulden werd de kapel grondig schoongemaakt, zij het dan ook dat het lood, bestemd voor het dak, eerst door onbekenden gestolen werd en door leden van het handbooggilde werd terugbezorgd!

Tot aan 1629 veranderde er zo goed als niets meer aan het interieur van de kapel en werden de broederdiensten trouw gehouden.

Oecumenisch tegen wil en dank

Plotseling kwam aan die eeuwenoude traditie een einde toen in 1629 de stad door de Staatsen werd ingenomen. Er werd onmiddellijk een overwegend niet-

Boven: het interieur van de noorderkapel van de Sint-Jan op dit ogenblik. Van de kortstondige razernij van najaar 1566 is geen spoor meer terug te vinden, van de oorspronkelijke aankleding van de kapel slechts een enkel detail.
Onder: de beeldenstorm die als een traagoprukkende furie door de Nederlanden trok, heeft tot vele verbeeldingen geleid, zoals dit levendige 'beeldverhaal'.

katholiek stadsbestuur geïnstalleerd; de katholieke godsdienst mocht niet meer in het openbaar beleden worden en de kapel van de broeders werd, samen met de gehele kerk, aan de katholieke eredienst ontnomen. In 1641 kwamen er zelfs protestante leden van de broederschap, die vanaf dat moment – overigens na felle discussies – 'oecumenisch tegen wil en dank' genoemd kan worden. De zorg voor de armen en andere gemeenschappelijk aanvaardbare activiteiten (maaltijden!) vonden gewoon doorgang, zij het op minder grote schaal dan voorheen. De toelating van protestanten had overigens wel tot gevolg dat bijna de helft van het aantal katholieke leden in 1641 de broederschap verliet.

De overgang van 's-Hertogenbosch naar een Staats bewind én de toetreding van protestante leden tot de broederschap hadden tot gevolg dat de beelden en ex-voto's uit de kapel werden weggenomen. Het altaar bleef waarschijnlijk staan, maar het is niet duidelijk of het in gedeelten is verkocht, ten geschenke gegeven aan derden of overgebracht naar het broederschapshuis. De broederschap bezit thans nog twee onderdelen van het fraaie altaar. Andere 'blokken' bevinden zich in verscheidene musea in binnen- en buitenland.
De gehele kerk, inclusief de kapel, was eigendom geworden van het stadsbestuur.

In 1637 werd besloten de kapel af te schotten en geschikt te maken als schoolruimte van dominee Samuel Maresius. In 1640 werd de enige schildering die nog intact was, de Boom van Jesse, van een dikke kalklaag voorzien. De afbeelding, vervaardigd vóór 1422, werd in 1926 van de kalklaag gereinigd.
Na 1674, toen de school elders werd gevestigd, viel het onderhoud van de kapel aan de stad. In 1662-1675 werd de kapel door de glazenier Caspar Duyts van nieuwe ramen voorzien. In 1685 werd ze voor gebruik weer beschikbaar gesteld aan de broeders. In 1701 stonden de broeders de kapel af aan de gereformeerde gemeente, waarschijnlijk omdat zij toch geen 'oecumenische' samenkomsten konden houden. Pas in 1814 kregen de katholieken de gehele kerk, inclusief de kapel, terug. De broeders hebben toen verzuimd met kracht aan te dringen op teruggave van hun 'eigen' kapel. Wel maakt de broederschap na 1950 weer gebruik van de kapel voor oecumenische samenkomsten.

De bisschop van 's-Hertogenbosch en leden van het koninklijk huis geven door hun tegenwoordigheid hierbij duidelijk blijk van het besef van de waarden die de aloude broederschap op basis van het uitgangspunt van 1318 probeert voort te zetten. Die kapel is tevens het middelpunt van een andere oude liturgische gewoonte: de aanbidding van het Heilig Sacrament.

Moord op het Delftse Prinsenhof

DR. P.A.M. GEURTS

Boven: het slachtoffer van de moordaanslag die op 10 juli 1584 plaatsvond op het Delftse Prinsenhof: Willem van Oranje. Als de belangrijkste leider van de opstand tegen Spanje was hij op 15 maart 1580 vogelvrij verklaard door Filips II van Spanje. Met drie goedgerichte schoten deed Balthasar Gerards een poging de prijs in de wacht te slepen die vanaf dat moment op Willems hoofd stond.
Links: gezicht op de binnenplaats van het Prinsenhof in Delft.

Verscheidene Nederlandse steden bezaten sinds het einde van de 16de eeuw een Prinsenhof, in veel gevallen een voormalig klooster, waar de stadhouder bij gelegenheid zijn intrek nam. Hét Prinsenhof bevond zich echter in Delft. Het was het vroegere Sint-Agathaklooster, dat vanaf 1572 Willem van Oranje regelmatig tot woning diende. Hij zou er op 10 juli 1584 door Balthasar Gerards worden vermoord.

Het Sint-Agathaklooster had een historie die terugging tot ongeveer 1400. Een nóg eerder gevormde gemeenschap van vrome vrouwen werd toen ondergebracht in een huis aan de huidige Oude Delft en nam een kloosterregel aan. Het convent, waar dochters van verscheidene adellijke geslachten (onder anderen van Nassau) intraden, zou een grote en rijke bloei tegemoet gaan. Het gebouwencomplex besloeg op den duur ongeveer 1 hectare. Het strekte zich uit van het tegenwoordige Sint-Agathaplein / Heilige-Geestkerkhof tot de Schoolstraat, en van de Oude Delft tot de Phoenixstraat (vroegere stadswal). Na de inname van Delft in 1572 kwamen de gebouwen en bezittingen van het klooster aan de stad. In zijn bloeitijd had het convent wel eens 125 zusters geteld. De 60 die er ten tijde van de confiscatie woonden, mochten er blijven en kregen een alimentatie. In 1584 waren er nog 20 van over; in 1607 nog 8. De laatste, Anna van Nassau, stierf in 1640 op honderdjarige leeftijd.
In november 1572 vestigde Oranje zich voor het eerst in het klooster; hij zou er, al was het met korte onderbrekingen, een vaste woning vinden tot aan zijn dood. Eerder was hij er als stadhouder meermalen te gast geweest. Hij was in die periode op goede voet geraakt met Cornelius Musius, de rector van de kloostergemeenschap en een bekend theoloog en humanist. Toen Musius in december 1572 vluchtte, werd hij door Lumey gegrepen, gefolterd en opgehangen, tot verdriet van de prins.
Willem van Oranje had Delft als woonplaats gekozen uit veiligheidsoverwegingen. De stad was goed versterkt. Bovendien was ze gunstig genoeg gelegen om met andere Hollandse steden in contact te kunnen blijven. De Staten van Holland en het Hof van Holland zouden er meermalen vergaderen, waardoor de stad dus af en toe regeringscentrum werd.

Dood aan de verrader
Toen Oranje in 1572 naar Delft kwam, verkeerde de Opstand (tegen Spanje) weer eens in een kritiek stadium. De inname van Den Briel, op 1 april 1572, was een onvoorzien succes geweest dat geleid had

tot de verovering van verscheidene andere steden, waaronder dus Delft. Maar de nieuwe invallen van Oranje in dat jaar werden gevolgd door een zegevierend opdringen van de troepen van Alva. Zelfs Holland en Zeeland werden door de Spanjaarden bedreigd.
Begin oktober 1574 ontving Oranje in de kloosterkerk van het Prinsenhof het bericht van het ontzet van Leiden. Hij organiseerde onmiddellijk hulp voor de uitgehongerde bevolking. Onder Requesens, die de naar Spanje teruggeroepen Alva als landvoogd was opgevolgd, werd bezien of de partijen, die inmiddels volop in oorlog waren, alsnog tot elkaar zouden kunnen worden gebracht. Zonder resultaat: in 1576 sloten de gewesten van Noord en Zuid zich in de Pacificatie van Gent aaneen met het doel gezamenlijk de Spaanse troepen te verjagen en de Staten-Generaal een oplossing te laten zoeken voor de moeilijkheden, ook die op godsdienstig terrein.
Maar ook dat mislukte. De eenheid van Gent ging al spoedig verloren en in 1579 gelukte het de Spaanse landvoogd Alexander van Parma in Atrecht een verzoening tot stand te brengen tussen Spanje en enige Waalse gewesten. Tegenover deze aan de Spaanse koning getrouwe Unie van Atrecht stond de Unie van Utrecht, met een wisselend aantal gewesten die de strijd tegen Spanje voortzetten. Ze zochten een nieuwe landsheer en meenden die tenslotte te hebben gevonden in de Fransman Anjou. De noodzakelijke consequentie van de soevereiniteitsoverdracht aan deze nieuwkomer was de 'Verlatinge' van Filips II van Spanje. Deze, zo oordeelden de gewesten van de Unie van Utrecht, had zijn rechten op de Nederlanden verbeurd omdat hij van herder van zijn volk tot wolf was geworden, van beschermer tot tiran. Dit alles had gevolgen voor Willem van Oranje die in het verzet tegen Spanje een steeds belangrijker rol was gaan spelen. De ban van 15 maart 1580, waartegen de prins zich in zijn 'Apologie' van voorjaar 1581 verdedigde, verklaarde hem tot openbare pest, tot verrader, tot dé oorzaak van alle moeilijkheden in de Nederlanden. Wie hem zou doden kon rekenen op een grote beloning, kreeg amnestie van even-

tueel begane misdaden, zou in de adelstand worden verheven. Een aantrekkelijke propositie . . .

Schoten op het Prinsenhof

De man die erop inging was Balthasar Gerards (Gérard), afkomstig uit Franche-Comté. Zijn moeder was een Nederlandse. Niet alleen de 'prijs' trok hem aan, hij werd ook gedreven door religieuze dweepzucht.

Gerards wist in het begin van 1584 van hooggeplaatste personen in regeringskringen te Brussel steun te verwerven voor zijn voornemen. Toen hij in Delft arriveerde, verbleef de prins daar al enige tijd. Op 29 januari was hij er vader geworden van Frederik Hendrik. Bij die gelegenheid had de stad Delft hem het Prinsenhof aangeboden, als doopgeschenk.

Onder de naam François Guyon drong Gerards in de maand mei door tot de prins. Hij kwam in contact met hof-predikant Pierre de Villiers, aan wie hij zich voordeed als een vervolgd hugenoot. Oranje gaf hem een functie bij een Nederlands gezantschap dat naar Frankrijk vertrok. Vandaaruit bracht hij de prins het bericht van het overlijden van Anjou op 10 juni 1584. Van het reisgeld dat hij ontving, kocht hij van een soldaat (die zich na de aanslag van het leven zou beroven) pistolen en munitie. De prins moest hem toen nog een paspoort verschaffen voor de terugreis naar Frankrijk. Louise de Coligny, op wie Guyon een ongunstige indruk had gemaakt, waarschuwde haar man nog, maar de prins beloofde hem niettemin persoonlijk voor de vereiste documenten te zullen zorgen.

Op 10 juli gebruikte de prins het middagmaal met de Leeuwarder burgemeester Rombout Uylenburgh, met wie hij in de ochtend besprekingen had gevoerd. Aan tafel zaten verder aan de echtgenote van de prins, zijn zuster Catharina, weduwe

van de graaf Von Schwartzburg, en enige kinderen. Bij het verlaten van het vertrek wisselde de prins nog enige woorden met de Engelse officieren Morgan en Williams. Op het moment dat hij verder liep om de trap naar zijn werkvertrek te beklimmen, kwam Balthasar Gerards achter een pilaar te voorschijn en loste drie schoten. Oranje, dodelijk getroffen in het linkergedeelte van de borst, zakte ineen en werd opgevangen door de toegesnelde stalmeester Maldersee. Louise de Coligny en Catharina kwamen toesnellen en hoorden de laatste woorden die aan de prins worden toegeschreven (al is enige twijfel op z'n plaats): 'Mijn God, heb medelijden met mij en Uw arm volk.'

De vluchtende moordenaar maakte geen enkele kans. Hij werd gegrepen, drie dagen gefolterd, terechtgesteld en gevierendeeld. De stoffelijke resten werden op verschillende punten in de stad tentoongesteld. De poging, van katholieke zijde ondernomen, hem als martelaar te doen vereren, had geen succes.

Van de 16de-eeuwse opstallen van het Delftse Prinsenhof is betrekkelijk veel bewaard gebleven. Het gastenkwartier, waar Oranje meermalen had gelogeerd voordat hij zich in Delft vestigde, lag in het zuidoostelijke deel van het complex, langs de Schoolstraat en de Oude Delft. De ruimten op de eerste verdieping, aan de hoek van genoemde straten en met uitzicht op de Oude Kerk, deden later dienst als werkvertrek en slaapkamer van de prins. De lager gelegen, zogenoemde Historische Zaal, verderop langs de Schoolstraat, werd door Oranje en zijn gezin en bezoekers als eetzaal gebruikt. Als de Staten en het Hof van Holland naar Delft kwamen, werd er vergaderd in de Kapittelzaal, die uitzag op de stadswallen. De kerk van het klooster, die sinds het begin van de 15de eeuw hehaaldelijk werd verbouwd en uitgebreid, werd na de komst van Oranje bestemd als hofkapel. Daar woonde de prins de in het Frans gehouden gebedsdiensten bij en daar werd op 12 juni, een maand voor de moord op zijn vader, ook Frederik Hendrik gedoopt.

Links: de moord op Willem van Oranje zoals die ongeveer een eeuw na het gebeuren in beeld werd gebracht door Jan Luyken.
Onder: de achter een glasplaat geconserveerde kogelgaten die nog altijd aan de moord in Delft herinneren.
Rechts: de Historische Zaal die door Willem van Oranje en de zijnen werd gebruikt als eetzaal.
Geheel onder: de begrafenis van Oranje, gezien via de etsnaald van H. Goltzius.

Inwendig is aan de gebouwen in de loop van de eeuwen nogal wat veranderd, zodat moeilijk te achterhalen valt hoeveel details er thans nog exact zo uitzien als in Oranjes tijd. Het indrukwekkendste onderdeel is de Moordhal, het trappehuis waar de prins werd doodgeschoten. In de muur zijn drie kogelgaten te zien, achter glas thans, omdat ze vroeger door aanrakingen werden uitgehold en herhaaldelijk moesten worden bijgewerkt. Erboven staat te lezen: 'Hieronder staen de Teykenen der Koogelen daer meede Prins Willem van Orange Is Doorschoten op 10 July A° 1584.' Er tegenover hangen afbeeldingen die betrekking hebben op de moord. Het museum bezit een kruisafneming van Maarten van Heemskerck (1498-1574), de kunstenaar die in opdracht van Musius voor het Sint-Agathaklooster heeft gewerkt. Schilderstukken van andere grote Nederlandse meesters uit de 16de en 17de eeuw zijn er verder nauwelijks te vin-

den. De bezoeker vindt er wel talrijke herinneringen aan de periode van de Tachtigjarige Oorlog: portretten, prenten met afbeeldingen van historische gebeurtenissen (lijkstoeten), wandtapijten, gebruiksvoorwerpen enzovoort.

Het Prinsenhof later
Na de dood van Oranje verliet de prinsesdouairière in december het Prinsenhof om zich te vestigen in Leiden. Vervolgens werd het gebouw af en toe gebruikt als logeergelegenheid voor ambassadeurs of andere hoge gasten van de Staten. Emilia, dochter van Oranje en gehuwd met de Portugese troonpretendent Emanuel, woonde er omstreeks 1620; twee dochters uit dit huwelijk, prinsessen of freules van Portugal genoemd, verbleven er tot ver in de 17de eeuw.
Onderdelen van het in verval gerakende gebouw kregen diverse bestemmingen. In de Historische Zaal werden synodes belegd, muziekcolleges kregen er hun zetel. Een gedeelte van de kerk kwam in gebruik bij de Waalse gemeente; een opschrift boven de poort aan de Oude Delft herinnert eraan dat er gehandeld werd in laken; de armenzorg van de diaconie vond er onderdak, evenals de Latijnse school. Aan het einde van de 17de eeuw werd er een garnizoen gelegerd; tot het einde van de 19de eeuw zouden er onderdelen artillerie en infanterie verblijven.
In 1849 sprak een Delfts dichter zijn onge-

noegen uit over de verwaarlozing van het Prinsenhof. Omstreeks diezelfde tijd deed Groen van Prinsterer dat in de Tweede Kamer. Thorbecke liet een onderzoek instellen en daar bleef het voorlopig bij. In 1873 kwam Victor de Stuers met een aanklacht. Tien jaar later werd enig geld voor restauratie beschikbaar gesteld, zodat in 1884 de 300ste verjaardag van Oranjes dood herdacht kon worden met een tentoonstelling in het Prinsenhof. In traag tempo ging het herstel verder. In 1887 kon de Historische Zaal worden geopend; in 1906 verhuisde het gemeentemuseum naar het Prinsenhof. Nadat Jan Huizinga daartoe een pleidooi had gehouden kwamen in 1936 de plannen voor een volledige restauratie gereed. In 1948 was het zover dat met een tentoonstelling onder de titel 'De Vrede van Munster' in het museum Het Prinsenhof het einde van de Tachtigjarige Oorlog kon worden herdacht.
Willem van Oranje vond zijn laatste rustplaats in de Delftse Nieuwe Kerk (die, dat 'nieuwe' ten spijt, toch al tussen 1384 en 1496 werd gebouwd). Op 3 augustus werd hij daar in een indrukwekkende lijkstoet ten grave gedragen. De graftombe werd in 1622 geplaatst; ze was vervaardigd door de Amsterdamse bouwmeester Hendrik de Keyzer en diens zoon Pieter. In het koor van de kerk bevindt zich de toegang tot de grafkelder van de Oranjes. In de kerk zelf zijn vele herinneringen te vinden aan het Nederlandse vorstenhuis.

De rijke kleuren van het arme grauw

BOUDIEN DE VRIES

Wie nu door de oude binnenstad van Leiden dwaalt en in stille straatjes bij een wevershuisje naar binnen kijkt, kan zich moeilijk voorstellen dat het hier eens gonsde van activiteit. Want in de 17de eeuw klonken in elk hoekje binnen de stadswallen van Leiden, destijds een zeer belangrijk textielcentrum, het geklepper van weefgetouwen en het gesnor van spinnewielen.

Leiden was al in de 14de eeuw een belangrijk centrum voor de produktie en handel in lakens, maar aan het einde van de 15de eeuw was deze nijverheid nagenoeg verdwenen door de felle concurrentie van Vlaamse wevers.

De rol van Leiden op textielgebied leek volledig uitgespeeld toen de gebeurtenissen tijdens de Tachtigjarige Oorlog de stad plotseling in de kaart gingen spelen. De Spaanse soldaten hielden vooral huis in de Zuidelijke Nederlanden. Zo plunderden de manschappen van Anjou in 1582 de stad Hondschoote, het toenmalige centrum van de Vlaamse textielnijverheid. Een stroom vluchtelingen kwam naar Leiden, dat al in 1574 van het Spaanse juk was bevrijd. Onder hen bevonden zich

zeer veel wevers en zij brachten hun kennis van de moderne technieken met zich mee. Aldus gaven zij de impuls voor de ontwikkeling van wat de *nieuwe draperie* of *nieuwe nering* werd genoemd. Men begon in Leiden lichte weefsels te maken, in tegenstelling tot de oerdegelijke, vrijwel onverslijtbare, maar zware, zuiver wollen stoffen, die men er in de middeleeuwen had vervaardigd. De nieuwe stoffen werden geweven uit combinaties van wol met linnen, katoen of kameelhaar. De nieuwe draperie ontplooide zich zeer snel: werden er vóór de komst van de Vlamingen maar zo'n 1000 stuks per jaar geweven, omstreeks 1600 was de produktie al gestegen tot 27.000 stuks en in 1664 kwamen er bijna 150.000 stuks van de Leidse weef-

Onder: enkele van de sobere wevershuisjes in Leiden, die bij renovatieprojecten gespaard zijn gebleven. Afgezien van de lakenhal herinneren nog slechts een paar monumentale panden aan de rijkdom van de vroegere lakenhandelaars.

getouwen. Deze stoffen werden over de gehele wereld geëxporteerd, al gingen de meeste naar Zuid-Europa en de Oostzeelanden. Leiden was het belangrijkste textielcentrum van Europa geworden. Voordat de stof bij de klant thuis lag, waren er heel wat bewerkingen nodig. Leidse stoffen waren vooral beroemd om hun prachtige kleuren en schitterende afwerking. In grote verfkuipen, gevuld met natuurlijke kleurstoffen als wede en meekrap, kregen de grauwe lakens hun diepglanzende kleuren. Daarna werd de stof gevold, dat wil zeggen dat deze eerst werd gekookt in onder andere urine. De vollers of volders kneedden de stof vervolgens met hun voeten om deze te vervilten. Voor de volgende bewerking, het droogscheren, moest de stof op een houten raam worden gespannen; namen in de stad als Raampoort en Raamgracht herinneren nog aan deze bezigheid. Het droogscheren vereiste grote nauwkeurigheid en veel vakmanschap; met een grote schaar moesten namelijk alle wolhaartjes tot op exact dezelfde lengte worden afgeknipt. Tenslotte volgden nog het persen, apprêteren en vouwen: men had dan een kwaliteitsprodukt dat in Europa zijn weerga niet kende.

Opkomst van de reders

De meeste textielproducenten waren kleine ondernemers, *drapiers* genaamd. Meestal waren ze naast ondernemer ook koopman. Ze kochten ruwe wol, lieten die tegen stukloon thuis spinnen en weven, verven en vollen en verhandelden dan het eindprodukt. Alle drapiers en textielarbeiders, die zich met de vervaardiging van één bepaalde stof bezighielden, waren automatisch lid van de desbetreffende *nering*, bijvoorbeeld de lakennering. De neringen zagen er onder meer op toe dat de wettelijke voorschriften inzake de textielnijverheid, de *keuren,* werden nageleefd. Het bestuur van de nering bestond uit de rijkste textielondernemers en enige stedelijke regenten.
Omstreeks 1635 vonden er belangrijke veranderingen plaats in de bedrijfsorganisatie. De buitenlandse vraag naar kostbare weefsels werd steeds groter en de honderden kleine drapiers waren niet in staat deze grote orders individueel uit te voeren. Enige kapitaalkrachtige textielhandelaren, de *reders,* namen de handelsfunctie van de drapiers over. Later begonnen de reders ook ruwe wol aan de drapiers te verstrekken. Dezen lieten de wol dan in hun eigen huisindustrie verwerken en leverden de kant-en-klare stoffen aan de reder. Zo verloren de drapiers hun zelfstandigheid, want ze waren wat betreft grondstofvoorziening en afzetmogelijkheden volledig afhankelijk geworden van de reders. Om hun greep op het produktieproces nog groter te maken breidden veel reders hun bedrijf uit met eigen ververijen, droogscheerderswerkplaatsen en volmolens. Deze molens gingen in de loop van de 17de eeuw steeds meer het voetvol-

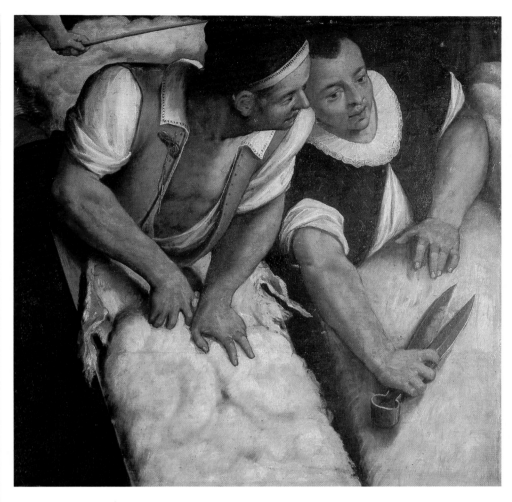

Boven: detail van een der vier door Van Swanenburgh in opdracht vervaardigde schilderijen: door de man links wordt een vacht geploot (met de vingers de haren eruit trekken), terwijl rechts een vacht wordt geschoren.
Onder: detail van hetzelfde doek als boven: door een kam halen van wol.

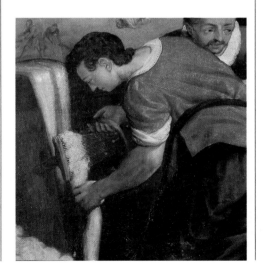

len vervangen. Een paar volmolens, aangedreven door wind, water of paarden, konden het werk doen van honderden voetvollers. Een van de grootste reders was Adriaen le Pla, die van 1645 af het gehele produktieproces, van ruwe wol tot kant en klaar laken, in handen had.

Kinderexploitatie

De arbeiders werkten bijna allen thuis, waardoor het moeilijk was zich aaneen te sluiten. En alleen kon een arbeider niets beginnen tegen het oppermachtige neringbestuur. Om een karig loon te kunnen verdienen, moest er – door het gehele gezin – zeer lang en hard gewerkt worden. Vrouwen- en kinderarbeid waren een heel normale zaak. Berucht is met name de arbeid geweest van weeskinderen, die van heinde en verre naar Leiden werden gehaald om eenvoudige karweitjes te verrichten. Ze moesten haspelen en spoelen, maar dan wel veertien uur per dag en voor een hongerloontje . . . Ook met de behuizing van de arbeiders was het zeer slecht gesteld. Door de bloei van de textielnijverheid was het aantal inwoners van Leiden van 12.000 in 1580 toegenomen tot liefst 72.000 in 1665. Dit had tot gevolg dat de mensen opeengepakt zaten in vuile steegjes en sloppen, waardoor zij een gemakkelijke prooi werden voor epidemieën. Naast armoede bestond er ook grote rijkdom in de lakennijverheid. Geld, heel veel geld werd verdiend door de grote reders. Naast de al genoemde schatrijke en mach-

tige Adriaen le Pla waren er nog andere grote reders als de in 1606 uit Hondschoote naar Leiden uitgeweken Nicolaas de Hont, die al in 1638 met een andere koopman een van de eerste windvolmolens liet bouwen.

Lakenhal werd museum
In de 17de eeuw speelde de lakenhal, die in 1639-1640 naar een ontwerp van Arent van 's-Gravesande aan de Oude Singel was gebouwd, een belangrijke rol. In deze hal, die een paar eeuwen later als museum werd ingericht, werden de stoffen onderworpen aan de kritische blik van de *waardijns*, de stedelijke controleurs. Talloze voorschriften, de keuren, waren door het stadsbestuur uitgevaardigd om het produktieproces tot in de kleinste bijzonderheden te regelen teneinde de hoge kwaliteit van de produkten te handhaven. De bekendste en belangrijkste controleurs, die toezagen op de naleving van de voorschriften, waren de staalmeesters: zij moesten de stoffen toetsen op kleur. Op het voorplein van de lakenhal, dus in het volle daglicht, vergeleken zij de geverfde stoffen met hun gewaarmerkte kleurstalen. Hun oordeel over de stof gaven zij aan met een loden zegel; dit deden trouwens alle waardijns, na de controle. Dat het Leidse laken over de gehele wereld werd geëxporteerd, blijkt wel uit het feit dat de laatste jaren Leidse lakenloden zijn gevonden in Indonesië, Zuid-Afrika en Panama. De lakenhal fungeerde ook als vergader-

ruimte van het bestuur van de nering, als administratief centrum en als handelsbeurs.
De oorspronkelijke functie van het gebouw is al van de buitenkant af zichtbaar. Op de poort staat namelijk een model van een volmolen en de vijf reliëfs op de gevel stellen de diverse stadia van wolbewerking voor. Deze verschillende bewerkingen zijn ook uitstekend te zien op vier schilderijen, die op de historische afdeling van het museum hangen; ze zijn van Isaac Claasz van Swanenburgh, die hiertoe in 1594 opdracht kreeg van het stadsbestuur. Op deze afdeling is ook een weefgetouw te zien, zoals dat is afgebeeld op een van de schilderijen. Zulke weefgetouwen namen heel wat ruimte in beslag in de piepkleine wevershuisjes.
In een andere afdeling van de lakenhal bevindt zich de Staalmeesterskamer: vanaf een schilderij boven de deur staren vijf staalmeesters ons aan. Het is het college van 1674, vereeuwigd door Jan de Baen. Onmiddellijk voor de Staalmeesterskamer bevinden zich een paar persen en een vitrine met enige tientallen stempels. Hiermee werden de lakenloden geslagen die nodig waren voor het werk van de staalmeesters. Op de stempels ziet men, in spiegelbeeld, het stadswapen en aanduidingen als 'doubel stael geblaut'. Gaan we van deze stempelruimte naar de vlakbij gelegen Gouverneurskamer, dan zijn we op de plaats waar het opperste gezag in de lakennijverheid, het neringbestuur, vergaderde. Ook

van deze notabelen is er een schilderij en wel boven de schouw. Daarop kunnen we zien dat deze bestuurders nog belangrijker waren dan de stemmig geklede staalmeesters: sommigen hebben goudborduursel op hun mantel en ze dragen brede kanten kragen en manchetten. Interessant zijn tenslotte twee allegorische schilderijen van Isaac Claasz van Swanenburgh. Het ene stelt de stedemaagd van Leiden voor, met links een oude vrouw, de *Oude Neringhe*, en een van rechts naderende jonge vrouw, die de *Nieuwe Neringhe* uitbeeldt. Op het andere schilderij zien we hoe de stedemaagd de nering een boek met keuren overhandigt. Op beide schilderijen zijn veel mollige engeltjes (zogenoemde *putti*) te zien die allerlei weefinstrumenten in de handen hebben.

Velen vervallen tot armoede
Omstreeks 1672 begon de neergang van de Leidse textielindustrie. Omdat de buitenlandse concurrentie gaandeweg groter werd, keken de reders uit naar mogelijkheden om goedkoper te kunnen produceren. In de loop van de 18de eeuw verliet de ene reder na de andere de stad om op het Noordbrabantse platteland (vooral in de omgeving van Tilburg), waar de lonen nog lager waren dan in Leiden, de textielindustrie opnieuw op te zetten. Dit had voor Leiden rampzalige gevolgen. De produktie daalde snel, de werkgelegenheid ook. Veel gezinnen trokken weg om elders hun geluk te beproeven; de achterblijvers vervielen

Links: dit doek, ca. 1600 gemaakt door Van Swanenburgh, toont het spinnen, spoelen en weven van wol in Leiden.
Rechts: de Leidse lakenhal na 1640, een 17de-eeuws bouwkundig schilderij van Susanna van Steenwijck; zij plaatste de muur met poort opzij ter wille van de gevel.
Onder: manufacturenwinkel in Holland omstreeks 1700.

tot diepe armoede en moesten leven van bedelarij en liefdadigheid.
Omstreeks 1800 verloor de lakenhal haar oorspronkelijke functie. De daaropvolgende driekwart eeuw werd het gebouw af en toe gebruikt, meestal als noodziekenhuis tijdens cholera-epidemieën. In 1869 besloot men het gebouw in te richten als museum voor de kunst, cultuur en geschiedenis van Leiden, waarna in 1874 de opening volgde. Gezien het uitgangspunt is de in het museum bijeengebrachte collectie zeker niet alleen op de lakennijverheid gericht. In de lakenhal vindt men onder meer een uitgebreide schilderijenverzameling, met voornamelijk doeken van grote Leidse meesters als Lucas van Leyden, Jan van Goyen en Jan Steen, stijlkamers, een tegelafdeling en een fraaie zilver- en glascollectie.
Het museum is van maandag tot en met zaterdag open van 10.00-17.00 uur en op zondag van 13.00-17.00 uur.

Monumenten van een rijk verleden

Afgezien van de lakenhal is er in Leiden nog maar weinig over dat herinnert aan de faam die de lakenindustrie destijds genoot. Een paar monumentale panden aan het Rapenburg getuigen nog van de rijkdom van de vroegere lakenhandelaars. Een scherp contrast daarmee vormen de paar wevershuisjes die bij de uitvoering van

renovatieprojecten gespaard zijn gebleven. Het schilderachtige voormalige Heilige-Geest-Weeshuis, deels daterend uit de 17de eeuw, roept herinneringen op aan de vele weeskinderen die in de lakenindustrie te werk werden gesteld. Wel telt Leiden nog heel wat fraaie gebouwen uit het eind van de 16de en vooral de eerste helft van de 17de eeuw, die niet rechtstreeks ver-

band hielden met de lakenhandel, maar wel getuigen van de welvaart, die de lakenhandel destijds in de stad bracht. Nabij de lakenhal aan de Oude Singel ligt aan de sinds 1953 gedempte Mare de Marekerk, tussen 1638-1648 door Arent van 's-Gravesande gebouwd als eerste kerk in Leiden die speciaal was bestemd voor de gereformeerde eredienst. Loopt men dan een klein stukje terug, naar de Oude Vest, dan kan men daar op nr. 159 het statige hofje Meermansburg bewonderen; dit in 1681 door het echtpaar Meerman-Verburg gestichte hofje is veruit het grootste van de vele schilderachtige hofjes, die Leiden nog telt. Zo vindt men op Levendaal 109-111 het Bethlehemshof, dat in 1660 gesticht werd als Vlaams-doopsgezind hofje 'de Hoeksteen'. Loopt men van Meermansburg in zuidelijke richting en steekt men via een brug de Oude Rijn over, dan is men binnen enkele minuten in de bekende Breestraat; daar ontwaart men op nr. 59 de statige, uit 1597-1598 daterende gevel van het Gemeenlandshuis van het Hoogheemraadschap van Rijnland, waarvan ook het interieur met onder meer de Grote Zaal met pilaster- en goudleerbekleding van de wanden de moeite van het bezichtigen zeker waard is. Aan de Breestraat ligt ook het uit de middeleeuwen daterende, maar later naar een ontwerp van Lieven de Key gemoderniseerde stadhuis, met een voorgevel, die een der rijkste voortbrengselen der renaissance in Nederland is.

Boven: de vlag van de VOC,
de Verenigde Oostindische
Compagnie.
Onder: het Peperhuis in
Enkhuizen, een voormalig
pakhuis van de VOC, dat nu
deel uitmaakt van het
Zuiderzeemuseum.
Rechtsboven: gravure van
het Oostindisch Huis te
Enkhuizen, gemaakt in 1729.
Het gebouw, dat dateerde
uit 1630, werd in 1816 door
brand verwoest.
Rechtsonder: een
zogenoemde ceelbrief, een
schuldbekentenis van de
Enkhuizenaar Jan Schaap
voor een voorschot voor
een reis naar Oost-Indië.

Specerijen voor de Heren XVII

DRS. F.S. GAASTRA

In de 17de en 18de eeuw was het Zuiderzeestadje Enkhuizen een van de
belangrijkere centra vanwaaruit de Verenigde Oostindische Compagnie haar
machtige handelspositie in Azië uitbouwde. Een van de weinige sporen van dit
door specerijen gekruide verleden is het Peperhuis, een voormalig pakhuis van de
VOC dat thans deel uitmaakt van het gebouwencomplex van het
Zuiderzeemuseum.

Tussen 1602 en 1800 waren scheepvaart
en handel vanuit de Republiek der Verenigde Nederlanden op Azië in handen
van één maatschappij: de Verenigde
Oostindische Compagnie (VOC). Deze
Compagnie bestond uit zes afdelingen of
kamers, gevestigd te Amsterdam, Middelburg, Delft, Rotterdam, Hoorn en Enkhuizen. In deze steden vonden alle activiteiten plaats, die met de vaart op Azië
samenhingen: zowel het bouwen en
uitrusten van Oostindiëvaarders, het inkopen van 'cargasoenen' (scheepsladingen)
voor Azië en het aannemen van het
scheepsvolk als de ontvangst van de terug-
gekeerde vloten en de opslag en verkoop
van de daardoor aangevoerde produkten.
Grote kapitaalkracht, actieve steun van de
overheid en een scherpzinnige doch weinig scrupuleuze handelspolitiek, gekoppeld aan een sterke veroveringsdrift in
Azië, deden de VOC uitgroeien tot 's werelds grootste multinational in de
17de eeuw. Dat kwam vooral doordat zij

het wereldmonopolie veroverde in fijne specerijen. In de eerste helft van de 18de eeuw zorgde de vraag naar nieuwe produkten uit Azië opnieuw voor een explosieve groei van de handel.

Het ontstaan van de VOC

Het begin van de vaart op Azië vanuit Nederland paste in de economische expansie, die in die tijd in Holland en Zeeland plaatsvond. In 1595 organiseerden Amsterdamse kooplieden de 'Eerste Schipvaert' naar Azië. Deze expeditie, onder leiding van Cornelis de Houtman en Pieter Dircksz. Keyser, toonde aan, dat de positie van de Portugezen, die tot dat moment de voordelen van de scheepvaartroute rond Kaap de Goede Hoop voor zichzelf hadden weten te behouden, niet onaantastbaar was. Dat moedigde vele kooplieden aan schepen uit de rusten om daarmee zelf de begeerde specerijen uit Azië te halen.

Omdat het daarvoor benodigde kapitaal de draagkracht van de individuele koopman te boven ging, en ook om het grote risico te spreiden, verenigden geïnteresseerden zich in een compagnie. Degenen die het initiatief voor een expeditie namen en voor de uitvoering zorgden, werden bewindhebbers genoemd. Naast eigen geld trokken de bewindhebbers kapitaal aan van buitenstaanders; deze kapitaalverschaffers werden participanten genoemd.

Dergelijke handelscombinaties werden opgericht in Amsterdam, Rotterdam, Middelburg en Veere; ter onderscheiding van de VOC kregen ze later de naam 'voorcompagnieën'. In 1602 waren ook in Delft, Hoorn en Enkhuizen voorbereidingen getroffen om aan de specerijenrace deel te nemen. Er ontstond een moordende concurrentie: 'Indische waeren worden tegen malcanderen in Indien opgejaecht omme hierkommende versuert en verleurt te worden.'

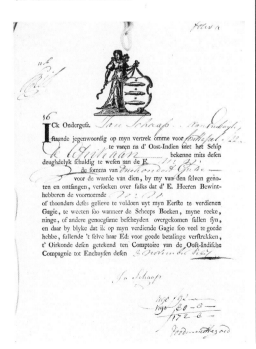

De overheid sloeg deze ontwikkeling met zorg gade. De vaart op Azië kon een economisch en militair wapen zijn tegen de Spaans-Portugese vijand, maar alleen als alle krachten gebundeld werden. Daarom werden de kooplieden, vooral onder druk van raadpensionaris Johan van Oldenbarnevelt, tot samenwerking gedwongen en kwam op 20 maart 1602 één Verenigde Oostindische Compagnie tot stand.

De organisatie van de Compagnie werd geregeld in een officieel stuk van de Staten-Generaal, het octrooi. Daarin werd ook het monopolie vastgelegd: buiten de VOC mocht niemand vanuit Nederland handel drijven in het gebied ten oosten van Kaap de Goede Hoop en ten westen van Straat Magelhaes. Behalve in Veere kwam er in de steden waar voorcompagnieën gevestigd waren, een kamer van de VOC. De bewindhebbers zouden voortaan door de burgemeesters van de betreffende steden benoemd worden. Het gevolg was natuurlijk dat er een nauwe band ontstond tussen de plaatselijke regenten en de bestuurscolleges van de kamers.

De centrale leiding van de VOC kwam in handen van een college van zeventien bewindhebbers, de Heren XVII. Dit machtige college gaf de kamers opdracht schepen te bouwen en uit te rusten en bepaalde de omvang van de handel. Daarbij hanteerde het een vaste verdeelsleutel: Amsterdam nam de helft van alle activiteiten voor zijn rekening, Zeeland een kwart en de kleine kamers ieder een zestiende. Deze verdeling stond los van het aandeel dat de kamers in het kapitaal hadden. In 1602 werd niet minder dan f 6,4 miljoen bij de VOC ingelegd, uiteraard het meest bij de kamer van Amsterdam: 3,8 miljoen. Maar bij de kleinere kamers sprong Enkhuizen eruit; daar werd door de participanten f 540.000 bijeengebracht, aanzienlijk meer dan in Hoorn of Delft en zelfs drie keer zoveel als in Rotterdam. In de beginjaren ontvingen de aandeel-

houders maar weinig dividend; al het geld was nodig voor de opbouw van het bedrijf in Azië.

Het bestuur in Azië was in handen van een gouverneur-generaal te zamen met een Raad van Indië. Na de stichting van Batavia (thans Djakarta) door Jan Pietersz. Coen in 1619 werd daar de residentie van deze 'Hoge Regering' gevestigd. De VOC kreeg de specerijeneilanden, de Molukken, in handen door het grote maritieme overwicht; verder stichtte de Compagnie handelsposten of factorijen aan de kust van India en in Perzië, veroverde de kaneellanden op Ceylon op de Portugezen en bouwde een handelsnet op van Mokka in het huidige Jemen tot aan Decima in Japan.

Na verloop van tijd begonnen de dividenden rijkelijk te vloeien, wat vooral ook te danken was aan de grote winsten die met de inter-Aziatische handel gemaakt werden. De uitvoer van zilver en goud uit Japan en Perzië naar India, de verkoop van Indiaas textiel in de Indonesische archipel, de handel in de ook in Azië zeer kostbare specerijen, het bracht allemaal zoveel op, dat de Compagnie daaruit een groot deel van de voor Europa bestemde retourgoederen kon financieren. Vanaf 1680 echter namen deze inkomsten sterk af en sloegen in de 18de eeuw zelfs om in verliezen, zodat op het moment dat de VOC zich moest inspannen zoveel mogelijk katoen en zijde uit India, koffie uit Mokka en later Java, en thee uit China op de Europese markt te brengen. Het werd noodzakelijk steeds meer zilver en goud met de Oostindiëvaarders mee te geven. En daarmee waren de gouden tijden voorbij.

Enkhuizen en de VOC

Enkhuizen ontving in 1355 stadsrechten, maar kwam pas na 1500 tot bloei. Aan de basis van de voorspoed lagen haringvisserij en haringhandel. De stad werd

thuishaven voor de grootste vloot haring-
buizen in de Nederlanden. De tweede
pijler onder de plaatselijke economie was
de Oostzeevaart. In de eerste helft van de
17de eeuw overvleugelde Enkhuizen alle
andere zeesteden in het noorderkwartier,
inclusief Hoorn. Vandaar ook de relatief
belangrijke rol van Enkhuizen in de VOC.
Gedurende de twee eeuwen van haar bestaan bouwde de kamer van Enkhuizen
110 schepen. Van het totaal van 4720
VOC-schepen dat naar Azië voer, kwamen
er 322 voor rekening van Enkhuizen. De
Oostindiëvaarders brachten voor ongeveer
f 800 miljoen aan Aziatische goederen mee
terug, waarvan ongeveer f 50 miljoen in
Enkhuizen geveild moet zijn.
De voorspoed hield echter niet aan. De
haven werd steeds moeilijker bereikbaar
door het ontstaan van het Enkhuizer
Zand. De belangrijke Ossenmarkt en de
daarmee verbonden scheepvaart op Sleeswijk-Holstein werden rond 1660 verplaatst
naar Amsterdam. De VOC had daar overigens weinig last van, omdat de grote
Oostindiëvaarders ankerden op de rede
van Texel, waarna de goederen met kleinere schepen af en aan gebracht werden.
Door de Oostindiëvaart werd een aanzienlijke migratie teweeggebracht: ongeveer een miljoen opvarenden verlieten
Nederland, en daarvan keerde slechts een
derde terug. De schepen van Enkhuizen
werden door een 60.000 schepelingen
bemand. Dat waren niet allen inwoners
van de stad: op ieder van de schepen voer

een groot contingent buitenlanders mee.
Maar toch zullen, vooral in de wat hogere
rangen, veel zeelieden uit de stad zelf
emplooi hebben gevonden. Dit droeg
zeker bij tot het achteruitlopen van het
inwonertal in de 18de eeuw. Van 20.000
inwoners in 1625 kelderde het aantal tot
6800 in 1795.
Wat meer zekerheid bood het werk aan de
wal. In 1780 betaalde de kamer meer dan
f 60.000 aan salarissen voor walpersoneel,
en een opgave uit 1791 geeft aan dat er
toen 280 personeelsleden op de loonlijst
stonden. Daaronder waren een opper-
boekhouder, die naast zijn tractement van
f 800 per jaar zoveel emolumenten ontving, dat hij aan de VOC weer f 2000
belasting kon afdragen; verder worden
genoemd een 'medicinale doctor', een exa-
minateur en 150 werklieden op de werf,
die 's zomers 28 en 's winters – dan waren
de dagen immers korter – 20 stuivers per
dag ontvingen.
In de loop van de 18de eeuw ging de stad
steeds meer steunen op de bedrijvigheid
van de VOC. Maar in de laatste jaren van
deze eeuw bleek de ondergang van de
VOC onafwendbaar. De kosten stegen
sneller dan de inkomsten, de concurrentie
nam toe en in Azië werd de Compagnie
geplaagd door omvangrijke corruptie
onder het personeel. De Vierde Engelse
Oorlog bracht de VOC op de rand van het
faillissement. Tenslotte nam de staat in
1795 het bedrijf over. Daarmee werd het
bestaan van de kleine kamers nog gerekt

tot 1802. De definitieve opheffing kwam in
Enkhuizen hard aan. De band met de grote vaart was nog wel niet geheel ver-
broken, omdat het laatste door de kamer
gebouwde schip in particuliere handen
kwam. Dit schip werd in 1816 onder de
naam 'Hoop en Fortuin' naar China uit-
gezonden. Maar het gehoopte fortuin
bleef uit en vanaf die tijd richtte Enkhuizen zich nog uitsluitend op de Zuiderzee.

Het Peperhuis
De geschiedenis van het 'Peperhuis'
weerspiegelt enigszins de economische
ontwikkeling. Het voorste gedeelte van het
gebouw, waarvan de beide trapgevels aan
de Wierdijk naar zee staan gekeerd, werd
in 1625 gebouwd, waarschijnlijk voor
rekening van Pieter van Beresteyn. Zoals
de gevelstenen aangeven, was de eigenaar
een aanzienlijk koopman. In de lijst boven
de eenvoudige onderpui zijn vijf van die
gevelstenen aangebracht: de twee op de
hoeken tonen een leeuw, in het midden is
een schip op de woeste zee afgebeeld en
daartussen bevinden zich stenen met het
opschrift 'Anno' en '1625'. Middenboven
ziet men een grotere afbeelding van een
vissende haringbuis en de oude, Hollandse
koopmanswijsheid: 'De cost gaet voor de
baet uyt'.
In de vergadering van de Heren XVII van
15 december 1682 rapporteerden de
bewindhebbers van Enkhuizen, dat zij de
'occasie' hadden waargenomen om dit

woon- en pakhuis te kopen voor de civiele prijs van f 2600. Om het woongedeelte te verbouwen tot pakhuis dachten ze nog f 2000 nodig te hebben.

De achtergevel van het complex is eenvoudig; behalve het vignet van de kamer Enkhuizen der VOC ziet men alleen nog twee versierde coupes aan de daklijst.

Iets noordelijker aan de Wierdijk, en vlakbij het nog bestaande 'Staverdense Poortje', stond het fraaie Oostindisch Huis van de kamer, dat in 1630 was gebouwd; ten noorden daarvan lagen de werf, de lijnbaan en de overige magazijnen van de kamer. Na de liquidatie van de VOC werd het Oostindisch Huis als Marinehospitaal in gebruik genomen. Maar in 1816 brandde het volledig af. Ook de overige gebouwen en etablissementen verdwenen. Aan de zo belangrijke vaart op Azië herinnert in Enkhuizen dus alleen nog het Peperhuis.

In 1826 ging het Peperhuis over in particuliere handen; het deed een tijdlang dienst als pakhuis voor een zaadhandel. Sinds 1947 maakt het deel uit van het complex van historische gebouwen van het Zuiderzeemuseum.

Dit museum herbergt een grote collectie voorwerpen betreffende de cultuur van het gebied rondom de voormalige Zuiderzee. Er is zelfs een grote hal met authentieke vissers-, vracht- en pleizierschepen. Buitendijks wordt een openluchtmuseum gebouwd, waar de sfeer van de 19de-eeuwse cultuur zal herleven. Het Zuiderzeemuseum is geopend van maandag tot en met zaterdag van 10.00 tot 17.00 uur en op zondagen van 12.00 tot 17.00 uur.

Wanneer men van het Peperhuis over de Compagniesbrug de stad in loopt, passeert men de oude stadsgevangenis, waarin thans het museum van moderne en historische wapens is gevestigd. Verderop komt men bij het fraai geconserveerde stadhuis, dat in 1688 gebouwd is door Steven Vennecool. Dichtbij het stadhuis bevindt zich het Waaggebouw, daterend uit 1559, waarin het Stedelijk Waagmuseum en de Chirurgijnskamer zijn gevestigd.

Op het Zuiderkerkplein staat de Zuider- of Sint-Pancraskerk uit de 15de eeuw. Aan het einde van de Westerstraat treft men de tweede grote kerk van Enkhuizen aan, de eveneens 15de-eeuwse Wester- of Gommaruskerk. Tegenover deze kerk staat het oude Muntgebouw, waar in de 17de en 18de eeuw, afwisselend met Hoorn en Medemblik, de Westfriese munten werden geslagen. Het meest karakteristieke gebouw van de stad is wel de 'Dromedaris', de zware toren aan de haven, gebouwd in 1590 en in 1649 met twee verdiepingen opgehoogd, die vroeger deel uitmaakte van de vestingwerken.

Ook in andere steden waar vroeger kamers van de VOC gevestigd waren, vindt men nog gebouwen van de Compagnie, al is in het inwendige daarvan nagenoeg niets meer dat herinnert aan de vroegere bestemming. Het Oostindisch Huis te Hoorn is nu in gebruik als politiebureau.

Boven: een afbeelding uit 1625 van het Oostindisch Huis in Amsterdam, dat nog wel bestaat maar aan het eind van de vorige eeuw ingrijpend is verbouwd. Linksboven: gravure van de rede van Kaap de Goede Hoop, naar een tekening van H. Kobell jr.; op de afbeelding zijn in volle glorie een paar schepen van de VOC afgebeeld.
Onder: het Westfries museum in Hoorn waarin een speciale VOC-kamer is ingericht met schilderijen, voorwerpen enzovoort die betrekking hebben op de geschiedenis van de VOC. Het gebouw waarin het museum is gevestigd, dateert uit 1632 en werd dus gebouwd in de tijd toen ook de stad Hoorn een rol speelde in de VOC.

In Hoorn zijn ook nog twee pakhuizen met fraaie gevelsteen te bezichtigen.

Het Oostindisch Huis van Amsterdam stond op de hoek van de Hoogstraat en de Kloveniersburgwal. Deze gebouwen zijn omstreeks 1890 ingrijpend verbouwd. Van de imposante magazijnen van de kamer van Amsterdam is alleen het gebouw van de lijnbaan nog over.

Het Oostindisch Huis van Delft aan de Oude Delft is gerestaureerd en bij de Technische Hogeschool in gebruik. De pakhuizen van de Delftse kamer stonden in Delfshaven.

In Rotterdam en Middelburg zijn de gebouwen van de Compagnie in de laatste oorlog vernietigd. In Den Haag kan men aan het Blijenburg nog het Compagnies Logement terugvinden, het gebouw, waar de bewindhebbers van het Haagse Besogne vergaderden.

Verscheidene musea bevatten schilderijen en voorwerpen die op de VOC en de scheepvaart op Azië betrekking hebben. Vooral het Rijksmuseum in Amsterdam, dat vele voorwerpen verkregen heeft uit het Oostindisch Huis, en het Scheepvaartmuseum in de hoofdstad hebben belangwekkende collecties.

Het Westfries museum in Hoorn heeft een VOC-kamer; tegenover dit museum staat het standbeeld van Jan Pietersz. Coen en aan de haven kijken de scheepsjongens van Bontekoe over het water uit.

De archieven van de kamers van de VOC kwamen aan de staat en worden thans bewaard in het Algemeen Rijksarchief te Den Haag. De bescheiden, neerslag van twee eeuwen schrijf- en cijferwerk van boekhouders en klerken in Nederland en Azië, beslaan een lengte van omstreeks 1,5 km en vormen een uiterst belangrijke bron voor de geschiedschrijving van de Nederlandse handel en van de gebieden in Azië, waar de VOC werkzaam was.

Teerlucht boven Kattenburg

DRS. M. WESSELS

Van weinig musea is de locatie zo gelukkig gekozen als van het Nederlandsch Historisch Scheepvaartmuseum. In 1973 werd dit museum immers gehuisvest in het gebouw, dat vroeger bekend stond als 's Lands Zeemagazijn. Het ligt op de zuidwestpunt van de Amsterdamse stadswijk die als 'de Eilanden' of 'de Oostelijke Eilanden' bekend staat en die ooit het middelpunt van de scheepsbouw in Nederland en in feite zelfs een wereldcentrum van maritieme activiteit was.

Onder: de huidige aanblik van het imposante gebouw (63 x 57 m), dat in 1656 in negen maanden gebouwd werd en lange tijd dienst deed als 's Lands Zeemagazijn; sinds 1973 is hier het Historisch Scheepvaartmuseum gevestigd. Rechterbladzijde boven: een gezicht op Amsterdam in de 19de eeuw vanaf de Oosterkerk. Rechts: 's Lands Zeemagazijn met ernaast de hellingoverkappingen van de Rijkswerf. Rechterbladzijde onder: het Bijltjesoproer werd 30 mei 1787 neergeslagen 'door eenige Leden der Schuttery en van het Exercitie Genootschap; onder het bestuur van de Wel Edele Heeren Abraham Valentijn en Hendrik Nobbe'.

De snel opkomende Amsterdamse scheepvaartwereld ging omstreeks het midden van de 17de eeuw uitzien naar meer ruimte voor haar ondernemingen bij het IJ. Uiteindelijk werden door het winnen, tussen 1655 en 1660, van drie nieuwe stukken land uit een moerassig gedeelte van het IJ de eilanden Kattenburg, Wittenburg en Oostenburg aangeplempt. Gelegen aan het open water van het IJ boden ze zowel plaats aan werven, pakhuizen en lijnbanen als aan woonhuizen voor hen die er te werk gesteld werden. De aan de zuidzijde met elkaar verbonden eilanden waren door de tegelijkertijd aangelegde Nieuwe Vaart gescheiden van de rest van de stad, waarmee zij slechts verbonden waren door de Kattenburgerbrug aan de westzijde en de Outewalerbrug aan de oostzijde. Door deze tamelijk geïsoleerde ligging ontstond

een stadsdeel met een geheel eigen karakter en zelfs een eigen dialect.

Op de westelijke helft van Kattenburg, waar zich de Amsterdamse admiraliteit vestigde, begon men in maart 1656 met de bouw – naar een ontwerp van Daniël Stalpaert – van 's Lands Zeemagazijn, dat binnen negen maanden werd voltooid. Het gebouw zou een symbool worden van de macht van de Amsterdamse admiraliteit.

Een admiraliteit verwierf haar inkomsten voornamelijk uit belastingen, geheven op het scheepvaartverkeer in de Nederlandse havens. Daar Amsterdam veruit de meeste handel aantrok, was de Amsterdamse admiraliteit de belangrijkste (van de vijf) en ze leverde als zodanig ook de grootste bijdrage aan de oorlogvoering ter zee. Bovendien groeide in het midden van de

17de eeuw de behoefte aan het onderhouden van een volledige oorlogsvloot,
nadat men vóór circa 1650 in geval van
oorlog veelal was teruggevallen op het
huren en vorderen van koopvaardijschepen. Zo ontstond dan ook in
Amsterdam de behoefte aan een groot
magazijn, waaruit men een gehele vloot
kon bevoorraden.

Het nieuwe zeemagazijn mat 63 × 57 m en
telde vier verdiepingen. Hier lagen de
verschillende soorten materiaal opgeslagen, zoals touwwerk, zeilwerk, wapens,
munitie, dieploden, kompassen, zand-
lopers, vlaggen, lantaarns enzovoort.
Naast het zeemagazijn liet de admiraliteit
een grote scheepstimmerwerf aanleggen,
waarop bijvoorbeeld vlak vóór en tijdens
de Tweede Engelse Zeeoorlog (1664-1667)
liefst 60 oorlogsschepen op stapel werden
gezet. Mede hierdoor verkreeg Kattenburg
al spoedig een grote reputatie.

Ook plaats voor koopvaardij
Vreedzamer dan op de admiraliteitswerf
ging het toe op Wittenburg, waar zich
vooral particuliere scheepsbouwers hadden gevestigd, die handelsschepen bouwden en reparaties uitvoerden.
Op Oostenburg kocht de roemruchte
VOC, de Verenigde Oostindische Compagnie, in 1661 een groot terrein voor de
opslag van goederen en liet er een scheepswerf en een lijnbaan aanleggen. Naast de
lijnbaan van de VOC liet de admiraliteit
haar eigen lijnbaan aanleggen. In dit
centrum voor scheepsbouw en andere
nijverheid kwam in augustus 1697 ook
tsaar Peter de Grote van Rusland terecht,
toen hij zich, na een kortstondig verblijf in
Zaandam, op de hoogte wilde stellen van
de Nederlandse scheepsbouwtechnieken.
Als gewoon scheepstimmerman bouwde
hij zelf onder andere mee aan het VOC-
fregat 'Peter en Paul' en hij behaalde zelfs
een getuigschrift, waarvan de tekst nu nog
te lezen valt op een plakkaat, dat werd
aangebracht in de oostelijke muur van de
voormalige lijnbaan der admiraliteit aan
de Oostenburgergracht.
Nadat de oorlogen tegen het Frankrijk
van Lodewijk XIV de Republiek financieel hadden uitgeput, ging het met de

admiraliteiten in de 18de eeuw snel
bergafwaarts. Bij het uitbreken van de
Vierde Engelse Zeeoorlog (1780-1784)
verkeerde de oorlogsvloot dan ook in een
deplorabele toestand.

Het Bijltjesoproer
In diezelfde periode speelde zich in
Nederland de strijd af tussen prins-
gezinden en patriotten. De eilanders, een
roerig en grotendeels sterk Oranjegezind
volkje dat toch al onrustig was vanwege
de verslechtering van hun financiële situatie, rebelleerden toen in 1787 het
Amsterdamse stadsbestuur de zijde van de
patriotten koos. De 'bijltjes', zoals de
scheepstimmerlieden werden genoemd, en
hun aanhang veranderden de Eilanden in
een soort vesting door de twee bruggen
over de Nieuwe Vaart op te halen. Op
30 mei van dat jaar kwam het bij de Kattenburgerbrug tot een ware veldslag,
waarin de 'bijltjes' uiteindelijk het
onderspit moesten delven.
In de Franse tijd viel de handel grotendeels stil, waarbij uiteraard ook de
scheepsbouw kelderde. Tot overmaat van
ramp was in 1791 – ondanks de inzet van
zo'n 25 brandspuiten en 1600 ton regenwater van de speciale blusinstallatie – het

zeemagazijn uitgebrand.
Het werd overigens kort daarop herbouwd
en bleef zijn oorspronkelijke bestemming
houden.
In de loop van de 19de eeuw profiteerde
de buurt van 's Lands Zeemagazijn volop
mee van de geleidelijke opleving van de
Nederlandse economie en van de grote
technische veranderingen in de scheepsbouw. Al in 1827 vestigde zich op Oostenburg Paul van Vlissingen, pionier op het
gebied van de stoomvaart en stoommachines, wiens bedrijf – in 1927
herdoopt in Werkspoor NV – later ook
door olie aangedreven motoren en andere
installaties bouwde. In 1834 kwam het
Oosterdok tot stand, terwijl pal voor de
Rijkswerf (opvolger van de Admiraliteitswerf) een nieuw marinedok kwam. Het
eerste drijvende dok in Nederland,
ontwikkeld door Jan Daniël Diets, werd
in 1842 in de Dijksgracht, nabij het
Zeemagazijn, in bedrijf gesteld. Er werden
verder steeds meer werven gebouwd of
gemoderniseerd, terwijl een belangrijke
impuls voor de vernieuwing van de bedrijvigheid uitging van de vestiging van een
ligplaats voor de schepen van de KNSM,
destijds de grootste Amsterdamse rederij,
aan de Kattenburgergracht (1876).

Het museum en zijn omgeving

Als men in Amsterdam vanaf het Centraal Station de Prins Hendrikkade oploopt, ziet men schuin links voor zich het imposante silhouet van het Scheepvaartmuseum. Het water links van de kade is het Oosterdok. Via de brede Kattenburgerbrug komt men op het Kattenburgerplein waar men een fraai gezicht heeft op de voorgevel van het museum met zijn door beeldhouwwerk verluchte fronton, waarop de oorspronkelijke bestemming van het gebouw is uitgebeeld. In de gevel ontwaart men ook het wapen van de admiraliteit met de twee gekruiste ankers. Een kleine brug verbindt het plein met het museum, dat verder geheel is omgeven door water. Via een toegangspoort en een binnenplaats bereikt men tenslotte de ingang van het museum. De expositie van het Scheepvaartmuseum is opgebouwd rond een aantal thema's waarvan in het verband van dit hoofdstuk vooral de hierna volgende vermelding verdienen.

De admiraliteit en de zeeoorlogen. In een der vertrekken is een groot deel van de wapencollectie bijeengebracht. Speciale aandacht verdient hier een portret van Michiel Adriaanszoon de Ruyter, wel de beroemdste dienaar der admiraliteit. In het museum hangen voorts befaamde schilderijen met episoden uit de zeeoorlogen. Van de hierop afgebeelde, na 1650 gebouwde 'grote' of 'kapitale' schepen bezit het museum enkele fraaie oude modellen. Hetzelfde geldt voor 18de-eeuwse oorlogsbodems.

De oostvaart en de straatvaart in de 17de eeuw. Het einde van de 16de eeuw zag de opkomst van het fluitschip, lang populair gebleven wegens zijn grote laadvermogen en zijn relatief kleine bemanning. Deze koopvaardijschepen voeren vooral op de Oostzee. Bijna even populair waren de pinasschepen, die een grotere diepgang en meer geschut aan boord hadden, het laatste om de Duinkerker kapers en de Barbarijse zeerovers te kunnen weerstaan. Deze schepen verzorgden vooral de han-

delsvaart op de Middellandse Zee. Van beide typen zijn in het museum modellen en afbeeldingen te bewonderen.

De compagnieën. Van de VOC bezit het museum veel materiaal zoals globes, atlassen, nautische instrumenten, munten enzovoort. Opvallend is het scheepsportret van het VOC-fregat 'Peter en Paul', dat op het schilderij vanuit drie verschillende gezichtspunten staat afgebeeld.

De grote zeilvaart in de 19de eeuw. Verscheidene van de hier tentoongestelde modellen van grote zeilschepen als de klippers en de stalen windjammers werden bij de bouw van deze schepen op de Eilanden gebruikt. Schilderijen tonen de situatie rond 's Lands Zeemagazijn in de 19de eeuw.

De stoomvaart. In deze afdeling staan vele stoomscheeps- en stoommachinemodellen. Verder ziet men er onder meer op prenten en foto's activiteiten van de NSM en de KNSM op de Eilanden.

Vanzelfsprekend komen in het museum, dat een van de belangrijkste maritiem-historische collecties ter wereld herbergt, naast hetgeen rechtstreeks verband houdt met de historie van de Eilanden, nog tal van andere onderwerpen aan de orde. De openingstijden van het museum zijn: maandag tot en met zaterdag: van 10.00-17.00 uur.

Verlaat men het museum, dan kan men in de Kattenburgerstraat de mooie 17de-eeuwse ingang van de voormalige timmerwerf der Amsterdamse admiraliteit (de latere Rijkswerf) bewonderen. Loopt men vervolgens richting Wittenburg, dan kan in de Tweede Wittenburgerdwarsstraat de uit 1855 daterende werf 'het Groenland' bekeken worden. Aan de andere zijde van de Nieuwe Vaart, op de Hoogte Kadijk nr. 147, ligt de werf ''t Kromhout', nu eigendom van een stichting; op drie hellingen van de voor het publiek toegankelijke werf worden nog steeds schepen gerepareerd en er is voorts een restauratie-atelier. Verder staan hier tal van oude, destijds soms zeer succesvolle machines opgesteld.

Vele maritieme musea

Na de 19de eeuw liep het belang van de omgeving van 's Lands Zeemagazijn evenwel snel terug, vooral door hinderpalen als de Oosterdoksluizen, de Kattenburgerbrug en de later aangelegde spoorbanen om het gebied. Voor bouw en opvang van de steeds groter wordende schepen weken steeds meer bedrijven uit naar Amsterdam-Noord of naar de – nieuw aangelegde – (Oostelijke) Handelskade. De sluiting van de Rijkswerf in 1914 en de opening in 1922 van een tweede NSM-werf in Noord luidden definitief het einde in van de eens zo belangrijke maritieme positie der Eilanden.

Vooral Nederland met zijn rijke scheepvaartverleden, maar ook België kunnen bogen op heel wat musea, die belangrijke historische zeescheepvaartcollecties herbergen. Aanbeveling verdient zeker een

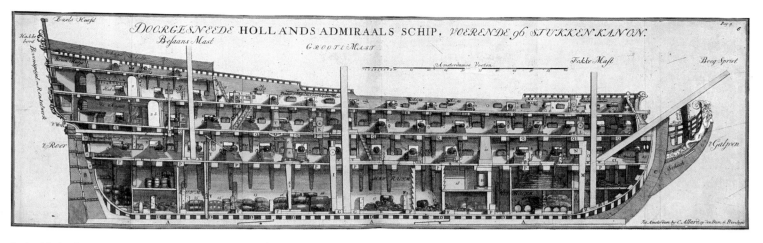

Linkerbladzijde: het
VOC-fregat 'Peter en Paul'
waaraan czaar Peter
meewerkte. Detail van een
schilderij van Abraham
Storck.
Boven: deze doorsnede van
een admiraalsschip is
ontleend aan het
scheepsbouwhandboek
'Nieuwe Hollandsche
Scheepsbouw'. Dergelijke
schepen werden op de werf
op Kattenburg gebouwd in
de 18de eeuw.
Onder: het Scheepvaart-
museum bevat ook een
verzameling, die het belang
van NSM en KNSM
voor de eilanden aantoont.
Hier de aanlegplaats van de
KNSM.

bezoek aan de afdeling Nederlandse
geschiedenis in het Rijksmuseum te
Amsterdam. Van internationaal niveau is
ook het Maritiem Museum 'Prins Hendrik' in Rotterdam.
Materiaal betreffend de Nederlandse
zeemacht na 1813 kan men bezichtigen in
het pas van 1962 daterende Helders mari-
nemuseum, dat is gehuisvest in een oud
marinemagazijn. Het Noordelijk Scheepvaartmuseum in Groningen en het Fries
Scheepvaartmuseum in Sneek belichten de
scheepvaartgeschiedenis in de noordelijke
provincies.
Daarenboven bezitten nog tal van lokale
en regionale musea in Nederland afdelingen met betrekking tot de vaderlandse
maritieme historie. Dit geldt onder meer

voor het architectonisch zo aantrekkelijke
Amsterdams Historisch Museum, het
Trompmuseum te Brielle, het Westfries
Museum in Hoorn (VOC en Admiraliteit),
het Centraal Museum te Utrecht, de Zaan-
landse Oudheidkamer in Zaandijk alsook
de gemeentemusea van Vlissingen en
Zierikzee.
Het belangrijkste museum op dit terrein in
België is het Nationaal Scheep-
vaartmuseum, sinds 1952 gehuisvest in het
middeleeuwse Steen aan de Schelde te
Antwerpen. Het herbergt een belangrijke
collectie inzake de maritieme geschiedenis
in het algemeen. Verder biedt het
Koninklijk Museum van het Leger en de
Krijgsgeschiedenis in Brussel boeiend
materiaal over de Belgische zeemacht.

Bastion
op de 'scherpenheuvel'

T. MORREN

Boven: het miraculeuze beeld van Maria dat thans in Scherpenheuvel wordt vereerd, is niet het oorspronkelijke. Dat verdween tijdens de religieuze troebelen van de 16de eeuw en werd vervangen door dit beeldje, dat oorspronkelijk afkomstig was uit Diest.
Links: de barokke koepelkerk met klokketoren van Scherpenheuvel voor de bouw waarvan in 1607 opdracht werd gegeven door de aartshertogen Albrecht en Isabella.

In het heuvelachtige Belgische Hageland, bijna op de grens met de Kempen, ligt het bedevaartstadje Scherpenheuvel. Dit stadje, dat als het ware uit het niets ontstond in het eerste decennium van de 17de eeuw, is een van de zuiverste scheppingen van de contrareformatie in de Zuidelijke Nederlanden.

De contrareformatie was de reactie van de rooms-katholieke, vanaf ongeveer 1550, op tegelijkertijd de protestantse reformatie en de misbruiken in eigen kring. Hoeksteen van deze katholieke hervorming was het Concilie van Trente (1545-1563). Dit concilie, waarvan de invloed eeuwenver zou reiken, zou door zijn dogmatische bepalingen en hervormingsdecreten de rooms-katholieke kerk vernieuwen. De kracht van deze herstelbeweging uitte zich ook in een eigentijdse kunstvorm, namelijk de triomfantelijke barok als uitdrukking van herwonnen zelfvertrouwen.

Terwijl de contrareformatie elders al snel opzienbarende resultaten boekte, werd ze in de Nederlanden lange tijd afgeremd door de opstand tegen Spanje (1568-1648). Deze langdurige strijd met wisselende kansen herschiep de Zuidelijke Nederlanden vanaf 1568 tot 1609 in een permanent krijgsgebied. Moreel en materieel werd de katholieke kerk tijdens deze opstand zwaar gehavend. Het schrijnend tekort aan priesters en de talrijke tot puin vervallen kerken aan het begin van de 17de eeuw zijn hiervoor illustratief.

Pas tijdens de regering van de aartshertogen Albrecht en Isabella (1598-1621), een periode van toenemende rust en herstel, ontstonden gunstige voorwaarden voor een algehele katholieke herleving. De contrareformatie in de Zuidelijke Nederlanden nam als het ware een nieuwe en ditmaal definitieve start. Onder het bestuur van de aartshertogen bereikte de samenwerking tussen kerk en staat een hoogtepunt. Zij bezetten de bisschopszetels met waardige prelaten. Deze bisschoppen ijverden voor de vorming van een competente en voorbeeldige clerus, die op zijn beurt het volk zou herkatholiseren.

In dit 17de-eeuwse herkatholiseringsproces nam de mariale devotie een belangrijke plaats in. Ook hier gingen de streng godsdienstige aartshertogen voorop. Hun aanwezigheid gaf luister aan talrijke processies en bedevaarten. Kenmerkend voor deze contrareformatorische Mariadevotie zijn de ernstige pogingen om haar van alle bijgeloof zuiver te houden.

Het is tegen deze achtergrond dat de ontwikkeling van Scherpenheuvel moet worden gesitueerd.

Miraculeuze beeldjes

Tijdens de rampspoedige tweede helft van de 16de eeuw stond op de 'Scherpenheuvel', een schrale en onbewoonde heuvel ten zuiden van het Brabantse stadje Zichem, een eeuwenoude eik waaraan een beeldje van Maria hing. Wanneer dit beeldje aan de eik werd bevestigd, is niet bekend. De overlevering verwijst in dit verband graag naar de 'duistere' middeleeuwen.

Al is de oudste geschiedenis van Scherpenheuvel tot omstreeks 1602 erg fragmentarisch en schimmig, zeker is dat het beeldje in de tweede helft van de 16de eeuw omwille van zijn wonderdadige kracht een vrij drukke, zij het vooral lokale verering genoot. Zelfs Alexander Farnese, bevelhebber van het Spaanse leger, kwam voor zijn moorddadige aanval op het rebellerende Zichem, op 21 februari 1578, bij de eik bidden.

In de jaren 1580-1583, toen de geuzen Zichem andermaal overmeesterd hielden, verdween het beeldje. Toch bleef de devotie op de heuvel voortduren. Daarom hing Jan Momboers, een schepen van Zichem, in 1587 een ander, uit Diest afkomstig Mariabeeldje aan de eik. Het is dit beeldje dat heden nog vereerd wordt.

Ondertussen werd Onze Lieve Vrouw van Scherpenheuvel ook populair bij de vele wanhopige soldaten in Spaanse dienst. Hiervan getuigt onder andere de eerste militaire bedevaart die anno 1598 naar het genadeoord georganiseerd werd.

Van 1602 af kende Scherpenheuvel door een samenspel van allerlei factoren een plotselinge opbloei en een steeds snellere ontwikkeling. Deze stijgende bijval kan nog het best aan zijn architecturale geschiedenis afgemeten worden. Om het miraculeuze beeld beter te beschermen liet pastoor Godfried van Thienwinckel van Zichem, overigens een groot bevorderaar van de devotie tot Onze Lieve Vrouw van Scherpenheuvel, in 1602 een houten kapel timmeren. Deze eerste kapel was een onaanzienlijk, met stro bedekt gebouwtje, waarin nauwelijks plaats genoeg was voor de celebrant en zijn misdienaar.

Omstreeks dezelfde tijd begonnen, als gevolg van het toenemende aantal wonderbare genezingen en de groeiende faam, de hoogste kerkelijke en burgerlijke gezagdragers zich voor het fenomeen Scherpenheuvel te interesseren. Zo

bijvoorbeeld aartsbisschop Mathias Hovius van Mechelen, die tegelijk stimulerend en controlerend optrad. Zelf kwam hij herhaaldelijk naar Scherpenheuvel, onder andere om er voor de genezing van zijn zuster te bidden. Anderzijds liet hij omstreeks 1602-1603 een kritisch onderzoek instellen naar de mirakelen die er gebeurden. Als slachtoffer van deze kritische instelling viel de oude eik. Daar hij het voorwerp was van allerlei bijgelovige praktijken, werd hij tot in de grond uitgekapt.

De rol van de aartshertogen

Vooral de belangstelling van de aartshertogen was voor de geschiedenis van Scherpenheuvel van doorslaggevende betekenis. Door vanuit hun contrareformatorisch geloof Onze Lieve Vrouw van Scherpenheuvel in hun strijd tegen het protestantse noorden te betrekken, hebben zij deze geschiedenis trouwens voor een groot deel zelf bepaald. Zonder hun tussenkomst was Scherpenheuvel wellicht niet veel verder geraakt dan een landelijke devotiekapel. Sinds 1601 sloegen de aartshertogelijke troepen tevergeefs het beleg voor Oostende. Toen daarna ook 's-Hertogenbosch

door de troepen van Maurits van Nassau werd omsingeld, stelden de aartshertogen voor een goede afloop van hun militaire ondernemingen hun vertrouwen in Onze Lieve Vrouw. Op 8 juli 1603 maakten zij aan Godfried van Thienwinckel 300 ponden Vlaams over om er te Scherpenheuvel een nieuwe, stenen kapel mee te bouwen. Ook zonden zij graaf Frederik van den Berg naar Scherpenheuvel om er in hun naam op 13 juli 1603 de eerste steen van het nieuwe heiligdom te leggen. En 's-Hertogenbosch bleef behouden. Omstreeks midden november 1603 kwamen de vorsten, samen met een hele hofhouding, naar Scherpenheuvel op bedevaart. Vanuit Diest trok de prinselijke stoet verscheidene dagen na elkaar naar de zegenrijke heuvel. Dit maakte grote indruk op hun onderdanen. Van dat moment af keerden de soevereinen bijna ieder jaar naar de heuvel terug.

Op 13 juni 1604 werd de nieuwe kapel, een mengsel van gotiek en barok, door aartsbisschop Hovius gewijd. Toen op 20 september 1604 Oostende uiteindelijk toch het hoofd moest buigen, waren de aartshertogen Onze Lieve Vrouw van Scherpenheuvel andermaal dankbaar.

Sprekend hiervoor is de schenking aan haar kapel van de zilveren schotel waarop de capitulerende stad de sleutels aangeboden had. Vanuit een zelfde erkentelijkheid besloten zij Scherpenheuvel in te richten als stad, een stad voor Maria. Op 6 november 1605 schonken zij de bedevaartplaats dezelfde vrijheden en privileges als Oostende. Hiermee werd Scherpenheuvel ook van Zichem afgescheiden.

Heel snel al werd de tweede kapel te klein en wellicht ook te onwaardig bevonden. Het is bekend dat de aartshertogen in het oprichten van kerken en kloosters een uitstekend middel zagen om de contrareformatie te bevorderen. In 1607 gaven zij de opdracht een nieuwe kerk voor Onze Lieve Vrouw van Scherpenheuvel te bouwen. Hun hofarchitect, de veelzijdige Wenceslas Coberger, tekende de plannen. Op 2 juli 1609 werd in aanwezigheid van Albrecht en Isabella en aartsbisschop Hovius de eerste steen gelegd. Daaruit groeide dan de barokke koepelkerk die men heden nog kan bewonderen.

In 1609-1610 werd Scherpenheuvel ook kerkelijk van Zichem losgemaakt. De Bruggeling Joost Bouckaert werd tot eerste pastoor van de nieuwe parochie benoemd. Deze 27-jarige theoloog kan gelden als een exponent van de nieuw aantredende contrareformatorische clerus: vroom, geleerd, energiek en vooral volhardend. Afgezien van de aartshertogen heeft Scherpenheuvel wellicht aan niemand zoveel te danken als aan zijn eerste pastoor. Anderen hadden de fundamenten gelegd; Bouckaert evenwel zou het bedevaartcomplex opbouwen en het zijn definitieve organisatie schenken. In de eerste plaats de kerk zelf, waarvan pas de eerste steen gelegd was. De courante voorstelling als zou dit monument volledig op kosten van de aartshertogen gebouwd zijn, doet Bouckaert onrecht. Hun directe geldelijke inbreng was onmiskenbaar groot, maar daarnaast was er nog zeer veel geld nodig. Subsidies van koning Filips IV en de vele kleinere en grotere offergiften van de bedevaartgangers konden de financiële put niet dempen. Het waren voornamelijk de kerkfabriek van Scherpenheuvel en op de eerste plaats pastoor Bouckaert die, weliswaar met de onontbeerlijke steun van Albrecht en Isabella, de nodige fondsen bijeenbrachten. Gedurende achttien jaar werd, soms met grote tussenpozen als gevolg van geldgebrek, aan de kerk gebouwd. Bouckaert heeft voor zijn nationaal heiligdom, want zo zag hij het, geschreven en gestreden, gebeden en gebedeld.

Behoeders van het heiligdom

Bij al deze zorgen om het stoffelijke verloor hij de specifiek religieuze noden van zijn parochie met haar nationaal en stilaan zelfs internationaal bedevaartsoord niet uit het oog. De begeleiding van de massa bedevaartgangers eiste een groot aantal priesters op. Zo was er anno 1618 in het heiligdom, naast de pastoor, nog een negental andere priesters werkzaam, vooral als predikant en biechtvader. Bij Bouckaert rijpte de overtuiging dat een permanent geestelijk college, veel efficiënter dan individueel samenwerkende priesters, het geestelijk en stoffelijk patrimonium van Scherpenheuvel zou kunnen in stand houden en uitbreiden. Dit resulteerde in de oprichting, in 1624, van een typisch contrareformatorisch instituut: het oratorium van Scherpenheuvel. Bouckaert werd eerste proost of overste van dit eerste oratorianenklooster in de Nederlanden. De oratorianen waren in gemeenschap levende seculiere priesters die samen en naar het voorbeeld van Philippus Neri naar de vervolmaking van de wereldgeestelijkheid streefden. Het oratorium van Scherpenheuvel had bovendien tot doel door het werven van leden een hechte equipe te vormen die door de wisselvalligheden van de tijd heen het bedevaartsoord zou bedienen. De oratorianen werden de behoeders van het heiligdom. Zij verkregen een flink aandeel in het beheer van de bedevaartplaats. In 1630 belastte Isabella hen zelfs met het toezicht op het respecteren van de typische plattegrond van de stad. Dit stadsplan, in de

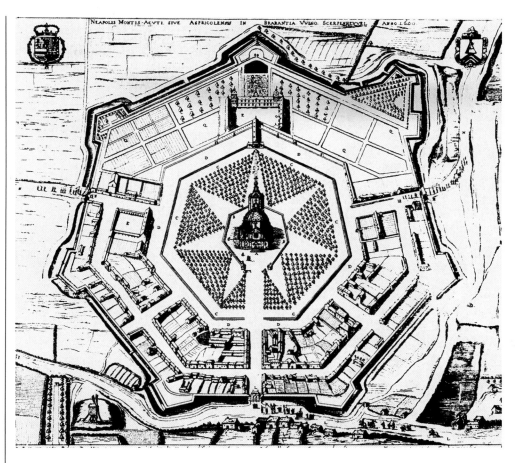

Boven: in dit figuratieve grondplan van de stad Scherpenheuvel uit 1660 is duidelijk de symbolisch bedoelde, zevenhoekige vorm van de stad te zien, met als centrum de kerk. Links: in grote lijnen is datzelfde grondplan nog steeds te herkennen in het tegenwoordige Scherpenheuvel. Onder: deze mantels (voor het beeld van Maria en Kind) zouden geschonken zijn door aartshertogin Isabella.

vorm van een zevenhoek met bastionvormige uitlopers en streng symmetrisch aangelegde straten, was van de aartshertogen zelf uitgegaan. Middenin lag de 'Besloten Hof' met als kern de met sterren bezaaide koepelkerk waarbinnen het miraculeuze beeldje de centrale plaats bekleedde. Het geheel had een theologische betekenis.

In 1627 was de kerk eindelijk af; op 6, 7 en 8 juni verrichtte de nieuwe aartsbisschop van Mechelen, Jacobus Boonen, de plechtige wijding. Aartshertog Albrecht was er niet meer bij. In juni 1621, enkele weken voor zijn dood, was hij een laatste maal naar zijn geliefd Scherpenheuvel ter bedevaart gegaan.

Toen pastoor Bouckaert in januari 1642, als opvolger van de bekende Cornelius Jansenius tot achtste bisschop van Ieper werd gewijd, liet hij het nageslacht een materieel en geestelijk goed georganiseerd bedevaartsoord na. Tijdens de rest van de 17de en 18de eeuw groeide Scherpenheuvel uit tot de belangrijkste bedevaartplaats van de Nederlanden. Het vormde een wezenlijk element van de Mariavering en het geloofsleven in het algemeen in de Zuidelijke Nederlanden. Prinsen en kardinalen kwamen bij Onze Lieve Vrouw van Scherpenheuvel bidden; maar het waren vooral de generaties kleine luiden die haar in ere hielden. Zij kwamen alleen, in groeps- en in parochieverband. Zelfs vanuit Aken, Bonn, Keulen, Maastricht, Valkenburg en Venlo trokken zij, soms jaar na jaar, op naar de Brabantse heuvel. Maar ook voor Scherpenheuvel betekende de Franse Revolutie een breuk. De orato-

rianen ondergingen het lot van alle kloosterinstellingen: opheffing en verkoop. Hun klooster werd grotendeels afgebroken. Pas na 1830 begon een nieuwe bloei die tot op vandaag voortduurt.

Plaats vol symboliek
Het bedevaartsoord Scherpenheuvel is doortrokken van christelijke en vooral mariale symboliek. Rondom de basiliek ligt een park, dat aangelegd werd als 'hortus conclusus', een door muren omgeven 'besloten hof', één van de symbolen van de maagdelijkheid van Maria. Door deze dicht met bomen beplante hof voert een brede laan naar de basiliek, de eerste koepelkerk die in de Nederlanden werd gebouwd. Het grondplan is zevenhoekig en verwijst naar het in de christelijke doctrine als heilig beschouwde getal zeven. Dit getal vinden we samen met de ster (symbool voor Maria) steeds terug in de basiliek. Zo bezaaien zevenpuntige sterren bijvoorbeeld de koepel, terwijl in de vloer een zevenpuntig stermotief is aangebracht. We betreden de basiliek via een portaal, waarin de beelden zijn te zien van de vier evangelisten: de Heilige Marcus met de leeuw, de Heilige Johannes met de arend, de Heilige Lucas met de os en de Heilige Matteüs met de engel. Ze werden in opdracht van de aartshertogen vervaardigd door de in Antwerpen geboren beeldhouwer Robert de Nole. De marmeren vloer in de centrale koepelruimte dateert uit 1936. Oorspronkelijk

Boven: deelnemers aan de Maastrichtse bedevaart naar Scherpenheuvel genieten het zeldzame voorrecht ieder persoonlijk te worden gezegend met het genadebeeld.
Onder: deze gevelsteen herinnert aan de oorspronkelijke plaats van het miraculeuze beeld aan een eik.

bestond de vloer uit rode plavuizen. Het marmeren hoogaltaar is eveneens het werk van Robert de Nole en werd in 1622 in de kerk geplaatst. De imitatie-eik van hout, ijzer en blik die zich tot hoog boven het altaar verheft, is een herinnering aan de eeuwenoude eik, die vroeger ongeveer op deze plaats moet hebben gestaan. Hij dateert uit de 19de eeuw.

In een zilveren nis boven het altaar prijkt het genadebeeld. Het is slechts 30,5 cm hoog en 11 cm breed. Het is een zeer antiek eikehouten beeld, gemaakt door een onbekende houtsnijder en moet, toen het door Jan Momboers in 1587 aan de eik bevestigd werd, al zeer oud zijn geweest. Het is getooid met een van de vele kleedjes en manteltjes, die in de loop der eeuwen door bedevaartgangers uit dankbaarheid voor bekomen gunsten of uit vrome verering geschonken werden. De madonna draagt een scepter in de rechterhand en op de linkerarm het kindeke Jezus. De kroontjes op beide hoofden zijn ook weer giften van gelovigen. Reeds in 1603 offerde de stad Brussel een gouden kroontje om van de pest verlost te worden. In 1872 werd het genadebeeld namens Pius IX plechtig gekroond door kardinaal Dechamps van Mechelen. Deze plechtigheid werd vereeuwigd op een schilderij van G. Hendrickx dat in de zesde straalkapel van de basiliek te zien is. Onder de zilveren kandelaars op het altaar bevinden zich ettelijke exemplaren, die in de 17de eeuw werden geschonken; de prachtige koorkandelaars in gegoten geelkoper, 1,90 m hoog, dateren ook uit de 17de eeuw; de paaskandelaar werd op 4 juli 1960 geschonken door de 300ste bedevaart van Geulle (Nederlands Limburg).

Het altaarschilderij, omlijst door twee marmeren zuilen, stelt de tenhemelopneming van Maria voor en wordt toegeschreven aan Theodoor van Loon, een vriend van architect Coberger. In de straalkapellen hangen nog zes andere werken van dezelfde meester die betrekking hebben op Maria's leven. Bijzondere aandacht verdient ook de doopvont in de doopkapel. Ze werd vervaardigd in 1610, draagt het keurteken van Pieter II De Clerck van Mechelen en werd gegoten uit geel koper.

De ontbrekende profeet
In nissen van 2,50 m bij 1,30 m die in de dikke muren werden uitgespaard, staan beelden van profeten uit het Oude Testament, die verband houden met het goddelijk heilsgebeuren: Mozes, Isaïas, Ezechiël, David, Jeremias en Daniël. Ook deze beelden zijn afkomstig uit het atelier van Robert de Nole, die ze samen met zijn broer Jan en zijn neef Andries uit wit marmer heeft gehouwen nadat de modellen in kleiaarde door Isabella waren goedgekeurd. Uit documenten blijkt dat de aartshertogen zeven profetenbeelden hadden besteld (in overeenstemming met de symboliek van het getal 7), maar de zeven-

Rechts: het interieur van de
17de-eeuwse koepelkerk
van Scherpenheuvel tijdens
een van de vele
bedevaarten die jaarlijks van
heinde en ver naar het
genadeoord van Maria
trekken.
Boven: de gegoten
geelkoperen doopvont uit
1610 in de doopkapel van de
koepelkerk. Ze werd
waarschijnlijk gemaakt door
Pieter II De Clerck van
Mechelen.

de nis, achter het hoofdaltaar, bevat thans
geen beeld. Een prachtig beeldhouwwerk
aan de wand is ook de witmarmeren
Christuskop onder het beeld van David.
Deze wordt toegeschreven aan een Du
Quesnoy en er wordt van verteld dat toen
Franse sansculotten het wilden ont-
vreemden, ze er niet in slaagden het marmeren blok uit de muur te verwijderen.
De gebrandschilderde ramen werden in
1860 aangebracht en zijn het werk van
Samuël Coucke van Brugge. De onderwerpen houden verband met het ontstaan
van Scherpenheuvel en op de zes taferelen
ziet men onder anderen de aartshertogen,
architect Coberger en aartsbisschop
Mathias Hovius afgebeeld.
De toren van de kerk is onvoltooid gebleven. De koepel die het ongeveer 50 m hoge
bouwwerk had moeten bekronen, is er
nooit gekomen. Het exterieur is een prachtig voorbeeld van weelderige, grillige
barokstijl, waarin de bouwmeester zijn
fantasie vrij spel kon geven. In het binnenste van de toren, die voor het publiek
niet toegankelijk is, bevindt zich onder
meer de schatkamer van de basiliek, waarin prachtig edelsmeedwerk en unieke
voortbrengselen van borduurkunst
bewaard worden, alles in de loop der eeuwen aan de kerk geschonken en – won-
derlijk genoeg – tot op de huidige dag
bewaard gebleven ondanks alle troebelen
die Scherpenheuvel moest doorstaan. Een
deel van deze schat wordt in de
zomermaanden voor het publiek tentoon-

gesteld in een van de resten van het oratorianenklooster, dat tijdens de Franse
Revolutie grotendeels verwoest werd.
Het arcadengebouw van het vroegere oratorianenklooster bevindt zich aan het einde van de kruisweg, die in de 19de eeuw
achter de toren werd aangelegd. De taferelen van dertien staties werden tussen 1843
en 1849 uit witte steen gebeiteld door
Charles Geerts van Leuven.
Een merkwaardigheid in het park van de
basiliek is tenslotte nog de waterput uit
1632 met zijn groot wiel van 3 m diameter
dat al trappend in beweging werd
gebracht. Tot het begin van deze eeuw
kwamen de inwoners van Scherpenheuvel
hier water halen.

Zegening met het beeld
Honderdduizenden mensen trekken nog
jaarlijks naar Scherpenheuvel, waar vooral de Kaarskensprocessie op de eerste
zondag na Allerheiligen een enorme
menigte bedevaartgangers trekt. Dan
wordt het genadebeeld in processie rond-

gedragen. De bezoekers die niet meelopen
in de processie, stellen zich op langs de
weg of in het park en ontsteken bosjes
kaarsen. Zodra het beeld voorbij is gegaan
worden de kaarsen gedoofd en mee naar
huis genomen om ze later weer te ontsteken bij een ziekbed of bevalling.
Van de vele honderden georganiseerde
bedevaarten naar Scherpenheuvel noemen
wij slechts de voetgangersbedevaart van
Maastricht. Reeds vanaf 1635 trokken
ieder jaar vele Maastrichtenaren te voet
naar Scherpenheuvel. Tegenwoordig
gebeurt dat op de vijfde maandag na
Pasen vanuit de Sint-Martinuskerk van
Wijck. De afstand naar Scherpenheuvel,
60 km, wordt in twee dagen afgelegd,
waarna men in wederom twee dagen
terugloopt. De Maastrichtenaren behoren
tot de weinige bedevaartgangers die het
voorrecht genieten van de zegening met
het genadebeeld, hetgeen inhoudt dat na
de dienst in de basiliek het beeld eventjes
op het hoofd van iedere bedevaartganger
wordt geplaatst.

Zolder voor een paapse minderheid

DRS. PETER THOBEN

Boven: deze uitgesleten traptreden leiden naar de uit de 17de eeuw daterende – en nu unieke – zolderkerk Ons'Lieve Heer op Solder, een der schuilkerken in Oud-Amsterdam.
Onder: de afwijkende gevel van deze schuilkerk, die nu vooral als museum dient.
Rechts: 19de-eeuwse litho van de kort vóór 1700 ingerichte schuilkerk 'de Ster' in Amsterdam, die in 1848 werd vervangen door een kerkgebouw.

In het centrum van Amsterdam, aan de Oude Zijds Voorburgwal, staat op de hoek van de Heintje Hoekssteeg een 17de-eeuws woonhuis, dat een fenomeen uit het religieus-historisch verleden van Nederland herbergt: een schuilkerk op de zolderverdiepingen. Dit huis, sinds 1888 een museum, houdt de herinnering levend aan een tijd dat de rooms-katholieken gedwongen waren hun geloof in het geheim of zo onopvallend mogelijk te belijden.

De positie van de katholieken in de Noordelijke Nederlanden verslechterde na het midden van de 16de eeuw doordat de hervormde leer meer en meer aanhangers vond. Gezindten die niet convenieerden met de calvinistische religie, werden verboden. De Statenvergadering vaardigde op 20 december 1581 een eerste plakkaat uit, waarna nog vele plakkaten van de landelijke, provinciale of stedelijke overheden tegen de 'paepsche stoutigheden' volgden. Door de politieke troebelen waren de bisschopszetels vacant of anderszins onbezet.

Het kerkelijk bestuur kwam in handen van een apostolisch vicaris, die in naam van de paus het gebied bestuurde. De Noordnederlandse katholieke kerk werd in de ogen van Rome missiegebied. Aanvankelijk trokken seculieren en regulieren 'in burger' rond. Zij werden in hun kerk geassisteerd door geëngageerde geloofsgenoten als klopjes en begijnen én door plichtsgetrouwe katholieken die hun huizen voor bijeenkomsten beschikbaar stelden en zich niet lieten afschrikken door geld- en/of gevangenisstraffen. Hoe

moeilijk de situatie in het begin voor de roomsen is geweest, moge blijken uit de volgende ambtelijke notitie uit 1609: 'Op den XVI february des verleden jaars hebbe ik ter huyse van eenen wagenmaeker alhier soodanighe eener vergaderinge van omtrent 200 mensen gestoort, synden de paep (de priester) door verbaestheydt gesprongen door de glazen van de raemen, dewelcken zij om de kortheydt des tijds niet en conden openen.'

De bevolkingsgroepen die successievelijk tot de reformatie overgingen, waren enerzijds de welgestelde bovenlaag, vaak met het oog op sociaal-economisch zelfbehoud, anderzijds de sociaal-zwakken, die dit veelal om den brode deden, daar de armenzorg (tot 1715) alleen aan de hervormde gemeente toekwam. De middengroep van zelfstandige koop- en ambachtslieden bleef over het algemeen katholiek. Zij vormde een getolereerde minderheid, die aan de willekeur van minnelijke en lucratieve schikkingen van de schouten was overgeleverd. Het oogluikend toestaan van godsdienstoefeningen kostte de katholieken handenvol geld: de zogeheten recognitiegelden.

Heimelijke bijeenkomsten

In het begin kwamen de katholieken heimelijk in kamers, kelders, pakhuizen of op zolders samen, doch van 1640 af kregen de kerkruimten een duurzamer karakter. De eerste zolderkerken werden ingericht en na 1670 kwamen de eerste galerijkerken tot stand, al mochten de exterieurs ervan niet als kerkgebouwen herkenbaar zijn. Tot de eerste categorie behoort Ons'Lieve Heer op Solder, tot de laatste de nog altijd in gebruik zijnde, in 1671 gebouwde kerk op het Begijnhof te Amsterdam. De schuilkerken werden niet aangeduid met de naam van de patroonheilige aan wie zij waren toegewijd, maar droegen de naam van het huis, waarin zij gevestigd waren: De Boom, De Duif, De Krijtberg, De Lelie, De Papegaai, De Pauw enzovoort. Bij verplaatsing behielden zij deze naam. In de 18de eeuw verbeterde de toestand voor de katholieken aanmerkelijk; de idee van de onderdrukking week langzaam voor die van beteugeling. De plakkaten van 1702, 1730 en 1737 geven de stappen aan die van lieverlede tot oogluikende erkenning leidden. Zo werd de admissie van zielzorgers – overigens ten koste van regulieren – officieel geregeld. Daarnaast moesten alle geestelijken een loyaliteitsverklaring tekenen ten aanzien van de wereldlijke overheid. Met betrekking tot de kerkgebouwen werd in 1730 nogmaals vastgesteld dat men had 'zorg te draagen, dat de vergaarderplaatsen der Roomsgezinden in het uiterlijk aanzien aan geen kerken of publicque gebouwen gelijken, nog aan het gemeen in het oog loopen'.

De schuilkerken waren feitelijk steeds eigendom van een parochie, maar omdat deze niet als rechtspersoon mocht en kon

optreden, stond het eigendomsrecht op naam van een goed gesitueerde particulier of soms ook van een priester, die dus in wezen pseudobezitter was.

In de 18de eeuw, vooral na 1750, nam de bouwactiviteit enorm toe en het kerkinterieur werd steeds rijker aangekleed. De werkelijke vrijheid voor de katholieken kwam met de Bataafse Republiek.

Bewogen geschiedenis

De geschiedenis van Ons'Lieve Heer op Solder begint op 10 mei 1661 met de koop van een huis met achterhuis en het daarachter gelegen huis 't Catgen, voor de som van 16.000 gulden, door de katholieke kousenkoopman Jan Hartman. De oude behuizingen vervangt hij door een groot woonhuis aan de gracht en twee kleine huizen in de steeg, die in 1663 gereed zijn. Een kerkruimte wordt gepland op de gezamenlijke zolders van de drie panden. De drie boven elkaar gelegen zolders worden door grote gaten in de balklaag van de tweede en de derde zolderverdieping met elkaar verbonden, zodat voor degenen die bij de balustrade gezeten zijn, het altaar te zien zal zijn geweest, terwijl de overigen alleen hebben kunnen toeho-

ren. Van de derde zolder zal de voorkant in ieder geval als bergruimte dienst hebben gedaan, gezien het hijsluik dat in het topgeveltje op de kap aan de steegkant wordt aangetroffen. Toch kan het gebouw niet onopgemerkt gebleven zijn, want de voorgevel vertoont geen overeenkomst met de gebruikelijke woonhuizen, zeker niet wat het bovengedeelte betreft. De gelijkmatige gevelindeling met vier smalle vensters treft men normaal nergens aan. De drijfveer om deze zolderkerk te bouwen hangt wellicht samen met het feit dat de zoon van Hartman, Cornelis, een priesteropleiding volgde en nadien over een eigen kerkruimte moest kunnen beschikken.

De schuilkerk krijgt naar zijn eerste eigenaar, Hartman, de naam 'Het Hart' of wordt 'Het Hert' genoemd, omdat zich op de halsgevel een gebogen fronton met een liggend hert heeft bevonden. Dat liggend hert voert Hartman ook in zijn wapen. De aanduiding 'Het Haentje' is wellicht ontleend aan het feit dat de kerk haar ingang in de Heintje Hoekssteeg had; de naam Heintje wordt in plat-Amsterdams al gauw Haentje. In de 19de eeuw pas ontstaat voor deze enig overgebleven zolderkerk de naam 'Ons'Lieve Heer op Solder'.

In een codicil, toegevoegd aan Hartmans testament, was gesteld dat het bezit altijd op directe nakomelingen moest overgaan, opdat het huis niet in niet-katholieke handen zou geraken. Desondanks moest Hartmans weduwe, die in financiële moeilijkheden kwam, in 1671 meemaken dat de huizen bij executie werden verkocht. Ze kwamen in bezit van de protestant Jan Reynst, die ze als geldbelegging kocht.

In 1675 werd de kerkruimte echter verhuurd aan de priester Willem Schoen. De statie was klein, zoals uit de doopboeken blijkt, maar onder Laurentius van Schaick (1684-1723) nam het aantal dopelingen flink toe. Zijn opvolger, Ludovicus Josephus Reyniers, ondernam dan ook pogingen een grotere kerkruimte te vestigen in het nabijgelegen woon- en pakhuis Vredenburg, maar dit werd op instigatie van de gereformeerde kerkeraad door de magistraat verboden.

Over de eigendomsrechten van de huizen was intussen heel wat te doen geweest. De al genoemde Reynst had zijn lucratieve bezit in 1689 als huwelijksgift aan zijn dochter Anna gegeven. Na haar dood kwam het aan haar enige dochter, Eva de Wildt, die later met Gerard Bicker van Swieten zou huwen. Na de dood van Eva voerden de erfgenamen een proces om de nalatenschap, totdat in 1717 kerk en huizen in handen van haar nicht Anna Cathe-

Boven: een zwaar vergulde zilveren lavaboschotel, een der pronkstukken uit de fraaie collectie kerkelijk zilver van Ons'Lieve Heer op Solder.
Onder: van een gang af gezien onopvallend biechthokje, met op de biechtstoel een stola, een der tot de schuilkerk behorende ruimten.
Rechts: deel van het kerkinterieur, met zicht op het altaar, dat in de 17de eeuw meer naar achteren geplaatst stond. Door verbouwingen in de 18de eeuw kreeg de zolderkerk meer het aanzien van een galerijkerk.

rina Schaap overgingen. Intussen was een gedeelte verhuurd aan momverkoper ('mom' is een soort bier) Pieter van der Meulen en na diens dood aan zijn weduwe en hun schoonzoon Hendrik Ruger. Hier komt de naam 'Momhuys' vandaan, waaronder het pand ook bekend staat. In 1738 ontstond er opnieuw een conflict in verband met de successierechten.

Belangrijke verbouwingen

In 1739 wist Reyniers, sinds 1723 pastoor van de kerk, de huizen en de kerk in eigendom te verkrijgen. Door deze aankoop werden bepaalde noodzakelijke veranderingen mogelijk. De toegang tot de zolderkerk, via de smalle spiltrap, werd door een bredere trap vervangen. Tevens kwam er in het eerste huis een tweede opgang naar de kerk. De gaten van de tweede en de derde zolderverdieping werden naar de grachtzijde toe aanmerkelijk vergroot. Voor de afgezaagde balken werden lange balken met balustrades aangebracht, die met stangen aan de dakkap werden opgehangen. De zolderkerk kreeg nu het uiterlijk van een galerijkerk. De nauwe, hoge ruimte werd met een nieuw altaar afgesloten, dat in vergelijking met het oude meer naar voren werd geplaatst, zodat daarachter ruimte voor biechtstoelen kwam en ook het nieuwe trappehuis daarop uit kon komen. Voor het in barokke vormgeving gebeeldhouwde altaar schilderde Jacob de Wit drie altaarstukken, die naargelang van het liturgisch jaargetijde konden worden verwisseld. Uit diezelfde tijd dateert de preekstoel die ter wille van ruimtebesparing in het altaar kan worden weggedraaid. Het kerkje werd pas onder het pastoraat van Gerardus Hegeman, in 1794, met een orgel van orgelbouwer Hendrik Meijer verrijkt. Hoewel er omstreeks het midden van de 17de eeuw in Amsterdam tenminste 62 plaatsen waren, waar de rooms-katholieken min of meer geregeld voor de uitoefening van hun godsdienst zo onopvallend mogelijk bijeenkwamen, is er van al die schuilkerken slechts één bewaard gebleven: 'Ons'Lieve Heer op Solder'. Het huidige museum bestaat overigens niet alleen uit de zolderkerk, maar uit nog een tiental andere ruimten, woonvertrekken en keukens, die alle voor bezichtiging zijn opengesteld.

Het museum, met zijn ingang aan de Oude Zijds Voorburgwal 40, ligt in het 'rosse' hart van Oud-Amsterdam, maar zodra men de stoep is opgegaan en de voorkamer binnentreedt, vallen al het moderne straatrumoer en erotische klatergoud weg en waant men zich enige eeuwen terug. De kamer, in de 18de eeuw verbouwd en – naar Hollandse maatstaven – in Lodewijk XV-stijl ingericht, bevat typische herinneringen aan katholieke elementen in de Noordnederlandse samenleving na de hervorming. Via een achterkamertje komt men dan in 'De Sael', een gaaf bewaard gebleven 17de-eeuws woonvertrek in Hollandse klassieke stijl (de meeste in

Amsterdam bewaard gebleven stijlkamers dateren uit de 18de eeuw). Dat geld in de bloeitijd van Amsterdam een hoog-gewaardeerd goed was, komt – bijna iro-nisch – tot uiting in het alliantiewapen van bouwheer Jan Hartman in diens tweede huisvrouw Lysbeth Jans, dat op de fries boven de monumentale schouw is aange-bracht. Het wapenveld wordt voor een derde in beslag genomen door Hartmans wapen met liggend hert en voor twee der-de door het wapen van diens vrouw, dat een kompas toont, hetwelk herinnert aan het ambacht van haar vader: kompas-maker. Deze had in 1661 twee derde van het aankoopbedrag voor de panden gefourneerd en dat diende in het wapen van de echtelieden, op niet al te subtiele wijze, tot uiting te worden gebracht. De verdere rondgang door het huis en de kerk levert tal van onverwachte hoeken, trap-pen, kamers, overlopen en doorkijkjes. Zo komt men onder meer in het kapelaans-kamertje en op de eerste galerij met orgel. In de ruimte aan de achterzijde van het orgel, dat nog perfect functioneert, is de oude luchtvoorziening te zien, die nog met de hand kan worden aangedreven. Men passeert ook een portaal met huisaltaar en

een portaal met biechtstoel.
In vrijwel alle ruimten hangen schilderijen, zo'n kleine 100 in totaal; op de meeste ziet men religieuze taferelen, maar er zijn ook heel wat portretten van geestelijken en van enige vooraanstaande katholieke Amsterdammers. De meeste schilderijen dateren uit de 17de en 18de eeuw. Tot de belangrijkste schilderijen kunnen gerekend worden: Maria met kind (1617) van Cor-nelis Cornelisz. van Haarlem, Anna-te-Drieën (1630) van Dirck van Hoogstraten, Maria en Sint Jan (1630) van Thomas de Keyser, Maria Boodschap (1667) van Adriaen van der Velde, Stilleven met Mariasymbolen (1672) van Dirck de Bray, Dame met engelbewaarder en een glazen wereldbol, waarin passiescènes zijn uit-gebeeld (1693) van Eglon van der Neer, De opdracht in de tempel (ca. 1700) boven de schouw in 'De Sael' en De evangelisten Mattheus en Marcus (1749) van Jacob de Wit. Van het beeldhouwwerk kunnen de uit de schuilkerk 'De Pool' afkomstige levensgrote houten beelden van Petrus en Paulus van de hand van Jacob Cresant worden genoemd. Verder trekt vooral een rijke verzameling Amsterdams, Haarlems en Utrechts kerkelijk zilver de aandacht.

Zo valt in een der vitrines een zilveren kistje met schepje op. Aangezien destijds in Amsterdam geen gewijde grond meer was, waarin men kon worden begraven, haalde de priester van elders wat gewijde aarde die dan uit dat kistje in de open doodskist werd gestrooid.
De zolderkerk zelf, die aan enige honder-den personen plaats biedt, is niet slechts te bezichtigen, maar is ook in gebruik voor orgelconcerten en huwelijksmissen.

Voortbestaan aan zijden draad
Pastoor Reyniers, die de belangrijke ver-bouwingen in de schuilkerk had laten doorvoeren, verkocht zijn bezit in 1772 aan het college van vier kerkmeesters; zij deden dat op hun beurt in 1776 over aan bedienaar Michel van der Wijngaarden en diens erfgenamen verkochten het tenslotte in 1845 aan de parochie zelf, die toen al geruime tijd als rechtspersoon kon op-treden. De zolderkerk bleef in gebruik tot-dat in 1887 de door architect A.C. Bleys gebouwde parochiekerk van Sint Nicolaas aan de Prins Hendrikkade gereed was. Nadat in 1887 de parochie de kerkruimte had verlaten, nam voor 6000 gulden de toen opgerichte stichting 'De Amstelkring' het complex in beheer. De Amstelkring stelt zich tot doel: 'het verzamelen en bewaren van alles wat betrekking heeft op het katholiek leven van Amsterdam, ten-einde door het tentoonstellen daarvan godsdienst- en kunstzin te bevorderen'. Op 24 april 1888 werd het museum 'Ons'Lieve Heer op Solder' geopend. Het voortbestaan van het museum heeft in 1950 aan een zijden draad gehangen: een gedeelte van de collectie is dan reeds ter veiling gebracht, maar de bisschop van Haarlem herroept zijn aanvankelijk ge-geven goedkeuring. Op nieuwe financiële leest geschoeid kan het museum in 1951 weer worden opengesteld en in de daarop-volgende periode van tien jaar wordt het gehele complex naar de oorspronkelijke toestand grondig en verantwoord gerestaureerd. De verzameling wordt door aankopen en bruiklenen uitgebreid tot datgene, wat heden ten dage te zien is. Het museum is op werkdagen geopend van 10.00-17.00 uur en op zondagen van 13.00-17.00 uur.
Behalve dit 'monumentum catholicum', Ons'Lieve Heer op Solder, zijn er uit de schuilkerkentijd nog enkele andere bede-huizen bewaard. In het huis 'de Wilde-man' te Zutphen, waarin het museum Henriette Polak is gehuisvest, is een sobere schuilkerk te zien, die omstreeks 1628 bij de katholieken in gebruik was. De kerk van de H.H. Joannes en Ursula op het Amsterdamse Begijnhof, die dateert uit 1671, is reeds vermeld. Van de oud-katholieke schuilkerken, die na het schisma in 1723 ontstonden, resteren bijvoorbeeld de in 1722 voltooide H.H. Jacobus en Augustinus aan de Juffrouw Idastraat in Den Haag en de uit 1743 daterende H. Ursula op het Begijnhof te Delft.

133

De wereld van de drost van Muiden

DR. M.C.A. VAN DER HEIJDEN

Links: het Muiderslot is een van de bekendste middeleeuwse kastelen in Nederland. De eerste gegevens over het slot, waarover we beschikken, staan in verband met graaf Floris V, die als stichter beschouwd wordt. Na diens dood werd het kasteel echter verwoest. Pas tegen het einde van de 14de eeuw werd begonnen aan de herbouw en kreeg het kasteel langzamerhand zijn huidige vorm. Het Muiderslot was lange tijd van strategisch belang voor Amsterdam door de ligging vlakbij de verkeersweg naar het oosten van het land. Het diende als verblijfplaats van de drost van Muiden, die namens de Staten van Holland de hoogste rechterlijke en bestuurlijke macht uitoefende.
Boven: behalve als voorbeeld van middeleeuwse kastelenbouw in Nederland heeft het Muiderslot een deel van zijn faam te danken aan het verblijf van Pieter Cornelisz. Hooft en zijn Muiderkring. Het slot verkeert heden nog vrijwel in dezelfde staat als in die tijd.

Onder de rook van Amsterdam, hemelsbreed 12 km van de Dam, ligt aan de Vechtmonding het Muiderslot. Voor wie het lopend nadert houdt het zich lang klein. Pas van dichtbij openbaart het zijn ware gedaante: een uit het water oprijzende kolos (32 bij 35 m) met vier ronde torens, de hoogste 25 m. Het is een van de gaafste middeleeuwse kastelen in Nederland, maar doordat de schrijver Pieter Cornelisz. Hooft (1581-1647) er vanaf 1609 woonde, herinnert het vooral aan een bloeiende burgerlijke cultuur van een latere tijd.

In 1609 werd de oorlog tegen Spanje opgeschort (Twaalfjarig Bestand). Het doel dat Willem van Oranje voor ogen had: àlle Nederlandse gewesten verenigd, los van Spanje, was niet verwezenlijkt en zat er ook niet meer in. Maar dat Spanje genoopt was het Bestand te sluiten, was op zich al een triomf. De machtigste monarch ter wereld moest de burgers op een weke delta toestaan hun eigen lot te bepalen. Hun Republiek bouwde een enorme macht en rijkdom op. Het stedenrijke Holland gaf de toon aan. Bij de handel op de Oostzee waren nu die op het Nabije en het Verre Oosten gekomen. Amsterdam groeide snel. De stadsuitbreiding van de Heren-, Keizers- en Prinsengracht, waaraan zoveel schitterende herenhuizen zijn gebouwd, stond als het ware op de tekentafels. Het is begrijpelijk dat de bestuurders van deze stad zelfbewuste heerschappen waren. Cornelis Pietersz. Hooft, vader van de schrijver, fortuinlijk handelaar in granen en haring, was een van hen; zijn grootvader was nog schipper aan de Zaankant.
Tegen de wil van een militante minderheid, vooral bestaande uit dogmatische calvinisten, en van stadhouder prins Maurits was het Bestand er toch gekomen, vooral door de stedelijke regenten. Zij hadden door hun handelsbelangen natuurlijk baat bij vrede, maar de geestelijke atmosfeer waarin de meesten van hen leefden, droeg bovendien een stempel van verdraagzaamheid, passend in de traditie van Erasmiaans christen-humanisme, redelijk en ondogmatisch. Onder deze regenten hadden katholieken en andere dissidenten meestal weinig te vrezen, ondanks plakkaten van de Staten-Generaal. Welvaart en macht riepen stedelijke en nationale fierheid op, die zich onder andere wilde uiten in een opgewekt cultureel leven. Er brak een nieuwe geest door, open naar de wereld, begerig alle menselijke mogelijkheden uit te buiten. In de literatuur werd gebouwd aan een vernieuwde eigen cultuur.
In cultureel Amsterdam begon de jonge Hooft omstreeks 1600 een rol te spelen. Hij was degelijk gevormd en ontwikkeld, kende Latijn, zelfs Italiaans. Hij was

begaafd, gevoelig en bespiegelend van aard. Van 1598 tot 1601 maakte hij een reis door Frankrijk en Italië, als leerschool tot de handel. Maar in Italië nam hij de artistieke sfeer in zich op als een spons. Teruggekomen zag hij uit naar een andere carrière. Ook hield de literatuur hem bezig. Hij was huisvriend van de dichter-koopman Roemer Visscher en leerde daar Vondel en Bredero kennen en de twee lieve en kunstzinnige dochters. Er werden gesprekken over kunst gevoerd en plannen gemaakt. Pieter Cornelisz. was een van de 'artistieke leiders' van de rederijkerskamer 'D'Eglantier' en gaf hieraan nieuw elan. Rederijkerskamers speelden in die tijd een rol als volksuniversiteit, literair café, schouwburg enzovoort. Hooft en enige anderen stichtten later de Nederduitsche Academie (1617), waaruit de eerste echte schouwburg (1637) en indirect het Atheneum Illustre (1632), bakermat van de universiteit, zouden voortkomen.

Drost van Muiden
Op 4 juni 1609 verscheen Pieter Cornelisz. Hooft 'bij rijzende zonne . . . te Muiden aan de brug, zette den regtervoet in een' beugel, die aan eenen grooten witten steen geklonken was' en zwoer aldus 'naar ouder gewoonte' zijn ambtseed als drost van Muiden (tevens baljuw van Gooiland en hoofdofficier van Weesp en Weesperkarspel). Hij oefende als vertegenwoordiger van de Staten van Holland, de dragers van de soevereiniteit, de hoogste rechterlijke en bestuurlijke macht uit. Het slot zag er toen bijna hetzelfde uit als nu. Hooft liet als antichambre voor de ridderzaal op de binnenplaats een 'galerij' bouwen, maar die is later afgebroken. Ook het 'torentje' in de tuin, ongeveer tegenover de brug, waarin de drost zich graag terugtrok om er, staand aan een hoge lessenaar, te lezen of te schrijven, is verdwenen. Over het gebruik der woonvertrekken destijds is niets zeker. Als vriend Constantijn Huygens schrijft over 'Tspoock . . . in graef Floris de V-es gevangkamer' verwijst hij naar een traditie. Waarschijnlijk is wel dat in de Oostertoren Hoofts slaapkamer was. Ook in de 17de eeuw herbergde het slot

Boven: het Muiderslot is ingericht en aangekleed met kunst- en gebruiksvoorwerpen uit de tijd van Hooft. Hier het studeervertrek.
De wapenkamer bevat een verzameling wapens en harnassen uit de middeleeuwen.
Onder: een schilderij van Jan Meinse Molenaer, leerling van Jan Steen, voorstellend een scène uit het laatste bedrijf van Brederodes toneelstuk Lucelle.
Rechterbladzijde boven: tekening van het Muiderslot, zoals het eruit zag in de tijd van Hooft.

soms gevangenen, evenals soldaten, 'veelal schuim ende uitschot van den oorlogh', aldus Hooft. Soms werd dit 'garnizoen' versterkt. Zo dankt Hooft in 1629 – de oorlog was hervat, de vijand viel plots de Veluwe binnen – voor een compagnie soldaten, maar . . . 'Gemerkt hier geene oft luttel voorraedt van kruijt en koeghels is' vroeg hij ook 'herwaerts te schikken vier oft vijf stukken Canons schietende ontrent 6 oft 8 ponts ijzers'.
Gelukkig was het gevaar snel geweken en werd het weer rustig op het slot. Veel brieven van en aan Hooft geven ons een beeld van het leven hier. Tenminste in de zomer; 's winters woonde het drostelijk gezin in Amsterdam. Vele van Hoofts brieven zijn

kunstwerkjes. Die aan zwager Joost Baek in de stad, met wie Hooft genoeglijk kout en nieuws uitwisselt, lezen het prettigst. ''t Is maer in papier, denkt ghij, dat ick UE besoek.' Maar de 'kout is de ziel van de besoeken, gelijk de vreught die van de banketten. Die nestelt zoo wel in 't papier als deez' in den wijn. Maer wat kan hij kouten, die niet nieuws hoort? . . . Nu leeven wij hier als die de werelt gestorven zijn, . . . op zijn Philosoophs. D'eene dagh is den anderen zoo gelijk, dat ons leven een schip schijnt zonder riemen, in doode stroom, ende stilte. Beter stil nochtans als te hart gewaeijt.' 'Op zijn Philosoophs': wel tuk op nieuws, maar zelf liefst terzijde. 'Omnibus idem' was zijn lijfspreuk, nog te zien op de schouw in de zogenaamde prinsenkamer: voor allen dezelfde, maar wellicht ook: in alle omstandigheden dezelfde. Toch schreef deze stoïcijn prachtige liefdesverzen, maar steeds: het gevoel bedwongen in strenge versvormen.
Hoger dan zijn lyriek sloeg Hooft zijn toneelstukken aan, omdat er een 'boodschap' in stak. Zo hield zijn Geraerd van Velsen, spelende 'op ende om het Huys te Muyden', de waarschuwing aan regeerders in niet door persoonlijke strevingen en wraakzucht de samenleving te verzieken. Van Velzen was degene die Floris V na zijn ontvoering vermoordde. Maar zijn 'Hooft-werk' is toch wel zijn Nederlandsche Historiën. Het beschrijft de geschiedenis van de opstand tot 1587, een verhaal vol 'lotwissel en meenigerley geval; gruwzaam van veldslaagen, waaterstryden, beleegheringhen; bitter van twist, warrigh van muitery; bekladt van moorddaad buiten de baan des kryghs; wrang van wreedtheit, zelfs in pais'; maar hoe werd er toch 'in de stormen van den staat op 't scharpst gezeilt'! Het werk verenigt in zich een kritisch gebruik van de bronnen, een zekere onpartijdigheid en pittigheid van taal.

Huis van de Muiderkring

Breder bekendheid geniet de Muiderkring. Een eigenlijke kring, met vaste bijeenkomsten, was het niet. Hooft nodigde in wisselende combinaties vrienden en vriendinnen uit, schrijvers, wetenschappers, musici enzovoort. Er werd geconverseerd, gemusiceerd, gewandeld. Men genoot van vriendschap, spits gesprek, fraaie omgangsvormen en van wat men samen mooi vond. Achteraf geschreven brieven en gedichten geven ons enig idee van wat er zich afspeelde. Zuiver literair had de 'Kring' weinig betekenis, maar wij raken gecharmeerd door de tentoongespreide levensstijl en de menselijkheid die erachter stak. De Antwerpse Leonora Hellemans, Hoofts tweede echtgenote, was een stralende gastvrouw. Hijzelf nam het initiatief. Aan Tesselscha Roemer Visscher: 'De pruijmen beginnen . . . te rijpen, en te roepen Tesseltje, Tesseltjes mondtje.' De mooie Tessel, die prachtig kon zingen, maar ook dichten, glas graveren en haar

mondje roeren, lag de drost na aan het hart. 'Uit mijn Toorentjen' van 1 augustus 1633: 'UE heeft hier haere muilen gelaeten. Dit 's een' lelijke vergetelheit. Want het waer beter, dat 'er UE de voeten vergeten had, en 'tgeen daer aen vast is. De vloer (acht ik) heeft UE willen houden, ende ghy zijt haer ontslipt . . .' Enzovoort, enzovoort. Een van de nauwste vrienden was ook de briljante Haagse Brabander Constantijn Huygens, secretaris van de prins. Druk bezet, 's zomers bij de prins te velde, kon hij meestal niet van de partij zijn, maar àls hij er was, was hij middelpunt, als charmante prater, luitspeler en zanger. Ook Gerbrandt Adriaensz. Bredero voelde zich thuis op het slot, dichter ook hij, maar 'volkser', spontaner dan Hooft en Huygens. Helaas stierf hij jong, in 1618. Vondel is er zelden geweest; Hooft noch Huygens kon goed met hem opschieten. Veel anderen zouden nog te noemen zijn. Wie ze wil leren kennen en de sfeer proeven, kan in brieven en verzen volop terecht.

Ook het slot is te bezoeken. Op de hoofdverdieping bevinden zich onder andere jachtkamer, studeerkamer, prinsenkamer, keuken (met oude keukenapparatuur), eetkamer (ook bisschopskamer genoemd) en de ridderzaal. Hogerop zijn onder andere te vinden: logeerkamer, 18de-eeuwse kamer, poortkamer (ook kapelaanskamer genoemd, in de poorttoren), wapenzaal (met wapens uit de 16de en 17de eeuw) en kapel. De inventaris der verschillende ver-

trekken is meest 17de-eeuws; van de oudere voorwerpen is speciaal een zware, met smeedijzeren banden versterkte kist uit de 13de of 14de eeuw vermeldenswaard. In de ridderzaal hangt onder meer Hoofts door Lodewijk XIII getekende adelsdiploma; deze Franse koning verhief de schrijver in 1639 tot ridder wegens zijn biografie van koning Hendrik IV. Aan te bevelen is een bezoek aan de zo goed mogelijk in de oude staat herstelde kruidhof; voorheen leverde zo'n hof voor de eigen huishouding geneesmiddelen, reuken smaakstoffen, kleurstoffen en bloemen.

Van de sloop gered
De Hollandse graaf Floris V bouwde het slot voor zijn strijd tegen Utrecht. Hijzelf werd er gevangen gezet door eigen edelen die zich bedreigd voelden door zijn machtspolitiek. Toen boeren en burgers hem wilden bevrijden, werd hij haastig weggevoerd en vermoord (1296). Spoedig daarop zag de Utrechtse bisschop kans het slot te slopen en pas weer bijna een eeuw later stond er, op de grondvesten van het oude, een nieuw Muiderslot. Na de Tachtigjarige Oorlog (1568-1648) functioneerde het als militair bolwerk nog tegen de Fransen in 1672 en 1794. Kort na de Franse tijd was het slot zo onderkomen, dat de rijksdienst der domeinen tot sloop besloot (1825). Gealarmeerd door kenners van historie en literatuur, kon koning Willem I hier nog een stokje voor steken, maar de ontluistering ging door. In 1873

publiceerde Victor de Stuers zijn 'Holland op zijn smalst', waarin hij de schandelijke verwaarlozing in Nederland van onder andere historische gebouwen aan de kaak stelde. Dit artikel bewerkte een ommekeer: monumentenzorg werd overheidstaak en De Stuers ging hierbij een grote rol spelen. Intussen naderde 1881, waarin de 300ste geboortedag van Hooft zou vallen. Een particulier comité zorgde ervoor, dat die in een gedeeltelijk opgeknapt Muiderslot gevierd kon worden; Pierre Cuypers, architect van onder meer het Rijksmuseum, had in deze restauratie een voornaam aandeel. Het Muiderslot kwam toen in de belangstelling; hierdoor werd een algehele restauratie, onder leiding van architect J.H.W. Berden (1895-1909), mogelijk. Bovenbedoeld comité bleef zich inspannen voor een passende aankleding en doet dat trouwens nog. Deze restauraties en herinrichting zochten de middeleeuwse situatie te herstellen. Bij gebrek aan gegevens hielp de verbeelding een handje. Toen na de Tweede Wereldoorlog een nieuwe restauratie en een bouwtechnische versterking nodig bleken, gooide men het roer om: richtsnoer werd de situatie in Hoofts tijd. Behalve een kruidentuin werd ook weer een pruimenboomgaard aangelegd. Op de plaats waar Hooft als 'bequaeme mantelinge' tegen 'd'ongeloofijke kracht der winden, hier dominerende' iepen had doen planten, staan er nu wéér. Alleen het poortgebouw is een heel nieuwe vinding.

Het schilderbedrijf in het 'Huis aan de Wapper'

F. BAUDOUIN,
Ere-Conservator der Kunsthistorische Musea van Antwerpen

Van weinig vermaarde kunstenaars in vroeger eeuwen is de woning zo indrukwekkend en ook zo goed in oude staat bewaard gebleven als die van de Vlaamse schilder Petrus Paulus Rubens. Van zijn woning, het 'Huis aan de Wapper', in Antwerpen wist Rubens een prachtig museum te maken. Sinds 1937 onderging de patriciërswoning met groot atelier, paviljoens en tuin een zorgvuldige restauratie, die in 1946 was voltooid. Sindsdien is het Rubenshuis een van de belangrijkste trekpleisters voor het publiek in de aan bezienswaardigheden toch al zo rijke stad Antwerpen.

Op 10 november 1610 kocht de toen 33-jarige Peter Paulus Rubens te Antwerpen het 'Huis aan de Wapper'. Het ontleende zijn naam aan een grote op en neer wippende kraan, waarmee water werd gehaald uit een nabij het huis gelegen kanaal. Het was een kapitaal pand met een groot stuk grond dat als bleekveld werd gebruikt. Rubens moest voor deze aankoop een aanzienlijk bedrag betalen, maar dat deed hij zeker niet lichtvaardig. Sinds hij in 1608, na een achtjarig verblijf in Italië, in Antwerpen was teruggekeerd,

had het hem allerminst aan opdrachten ontbroken. Hij was vrijwel onmiddellijk algemeen erkend als de belangrijkste schilder van de Scheldestad.
Bovendien werd kort na zijn terugkeer het Twaalfjarig Bestand gesloten (9 april 1609). Algemeen verwachtte men dat de handel zou opleven en dat zou ook voor de kunst gunstige perspectieven openen. Rubens zal daar wel rekening mee hebben gehouden. Daar kwam nog bij dat aartshertog Albert en de Infante Isabelle er bij hem op aandrongen hun hofschilder

te worden. Rubens aanvaardde dit aanbod op de uitdrukkelijke voorwaarde dat hij niet te Brussel aan het hof hoefde te verblijven. Zijn aanstelling als hofschilder verzekerde hem van het niet onaanzienlijk inkomen van 500 gulden per jaar.

In 1609 trouwde de schilder met Isabella Brant, oudste dochter van de invloedrijke stadsgriffier. Voordat zij het Huis aan de Wapper konden betrekken moest er veel aan worden verbouwd. Op het voormalige bleekveld liet Rubens een groot atelier bouwen, het 'schilderhuys', zoals hij het noemde. Pas omstreeks 1615 nam het echtpaar zijn intrek in de nieuwe woning. Drie jaar later werd er hun zoon Nicolaas geboren. In het atelier heerste toen al een grote bedrijvigheid. De opdrachten stroomden in snel tempo binnen.

In 1624 overleed in het Huis aan de Wapper Rubens' oudste kind, Clara-Serena. Twee jaar later stierf, tijdens een pestepidemie, zijn vrouw Isabella. Uit de correspondentie van de schilder blijkt dat hij het na haar dood slecht kon uithouden in zijn huis, waar alles hem aan Isabella herinnerde. Er brak nu een periode aan, waarin Rubens veel op reis was. De Infante Isabelle had hem al eerder belangrijke diplomatieke opdrachten verleend (zo was hij nauw betrokken geweest bij onderhandelingen met de Noordelijke Nederlanden over een hernieuwing van het Bestand). Nu werd hij achtereenvolgens gezonden naar Madrid en Londen (1628 en 1629) om er de grondslag te leggen voor het vredesverdrag dat in 1630 tussen Spanje en Engeland werd gesloten. Tijdens deze periode bleef Rubens schilderen. Zo maakte hij in Madrid, onder meer in 1628, verscheidene portretten van de koninklijke familie en in Londen (1629-1630) in opdracht van Karel I 'De allegorie van de vrede en de oorlog' en 'Sint Joris en de draak'.

Huwelijk met Helena

Teruggekeerd in Antwerpen trouwde Rubens in december 1630 (hij was toen 53 jaar) met de mooie, zestienjarige Helena Fourment. Wij kennen haar bloeiende schoonheid uit de talrijke portretten die hij van haar maakte. Samen voerden zij nog bijna tien jaren een grote staat in het Huis aan de Wapper. De vele aanzienlijke personen die het huis bezochten, getuigden met bewondering van de rijkdom aan kunstwerken die het bevatte (Rubens bezat een prachtige collectie schilderijen en antieke beelden). Tot zijn gasten behoorden de aartshertogin Isabella, de koning-moeder van Frankrijk Maria de Medici, de hertog van Buckingham en maarschalk Spinola. Intussen werd er in het atelier naarstig voortgewerkt aan de prachtige kleurige panelen en doeken die nu de trots zijn van kerken en musea over de gehele wereld.

In 1635 kocht Rubens Het Steen te Elewijt. Tijdens de laatste jaren van zijn leven bracht hij de zomermaanden door op dit kasteel. Zijn verblijf aldaar heeft geleid tot

het schilderen van prachtige landschappen. Op 30 mei 1640 overleed Rubens in zijn huis te Antwerpen, dat in 1946 als museum voor het publiek toegankelijk werd gesteld.

Huis vol kunst en kunstzin

Wie door de poort de binnenplaats van het Rubenshuis betreedt, wordt onmiddellijk verrast door de imposante portiek die de binnenplaats van de tuin scheidt. Door de drie bogen van de portiek heeft men een uitzicht op het paviljoen aan het einde van de tuin. Wanneer men naar links kijkt, ziet men het woonhuis en rechts het atelier.

Zowel de portiek als het paviljoen werd door Rubens zelf ontworpen. Zij zijn in de loop der eeuwen geheel intact gebleven. Bij het ontwerpen van de portiek heeft Rubens zich ongetwijfeld door Italiaanse voorbeelden laten inspireren, maar hij heeft er ook een Vlaams karakter aan gegeven, waardoor ze beschouwd kan worden als een uniek hoogtepunt van de vroege Vlaamse barok. In enkele van zijn werken heeft Rubens de portiek weergegeven. De beelden die haar nu bekronen, werden in 1939 ontworpen door F. Deckers. Ze vervingen de beelden van Mercurius en Diana die er vroeger stonden.

Als we van deze vorstelijk aandoende binnenplaats het woonhuis binnengaan, valt ons op dat de vertrekken betrekkelijk klein zijn. We moeten dan wel bedenken dat ze er op berekend waren gemakkelijk met een vuur van hout of turf te worden verwarmd. Het meubilair dat in het huis staat, heeft niet aan Rubens toebehoord, maar het dateert wel uit de 17de eeuw en is met zorg bijeengebracht om de sfeer op te roepen van een bewoond Antwerps patriciërshuis.

Via de spreekkamer, waar de bezoekers moesten wachten voordat ze tot de meester werden toegelaten (er hangt onder andere een schilderij van Jacob Jordaens (1593-1678) die af en toe Rubens' medewerker was en enige van zijn schilderijen na zijn dood voltooide), komen we in de stemmige oudvlaamse keuken met een laat-gotische schoorsteen. Al het keukengerei lijkt aanwezig te zijn: kruiken, tinnen lepels en borden, pannen en potten. In het midden staat een ronde klaptafel.

Het volgende vertrek is de dienkamer waar de gerechten die in de keuken werden bereid, klaargezet werden om opgediend te worden in de aangrenzende eetkamer. In het midden staat een linnenpers

139

voor het oppersen van de tafellakens, zwierig versierd in Vlaamse barokstijl. Het is een uiterst zeldzaam exemplaar.

In de eetkamer, die we vervolgens binnengaan, speelde zich het gezinsleven van de meester af. Volgens zijn neef Ph. Rubens (1611-1678) was de schilder een sober levend man, die zeer weinig at 'uit vrees dat de walmen der vlezen hem zouden beletten zich op zijn werk toe te leggen'. Naast de deur hangt een schilderij van de bekende bloemenschilder Daniël Seghers (1590-1661) en aan de zijwand rechts een zelfportret van Rubens, één van de weinige zelfportretten die hij heeft geschilderd.

Het privé-museum van de meester

In de kunstkamer en het halfronde 'museum' bewaarde Rubens zijn kunstcollectie. Bij zijn dood bezat hij een driehonderdtal schilderijen die natuurlijk niet alle in de kunstkamer konden worden opgehangen. Hij had werk van onder anderen Jan van Eyck, Lucas van Leyden, Quinten Metsys, Pieter Breughel de Oude en ook van Titiaan, Veronese en Rafaël. Vlaamse en Hollandse tijdgenoten ontbraken uiteraard niet. Hoe een dergelijke kunstkamer er tijdens Rubens' leven heeft uitgezien, kunnen we zien op een schilderij van Willem van Haecht (1593-1637), dat de verzameling uitbeeldt van Cornelis van der Geest, een vriend van Rubens. Verder hangen hier drie olieverfschetsen van Rubens, een portret van Adriaan Brouwer

(1605-1638) en werken van tijdgenoten van de meester.

Vanuit de kunstkamer betreden we het 'museum', waar de schilder zijn verzameling antieke sculpturen had tentoongesteld. Ook thans staan er beelden die ongeveer de sfeer oproepen die het 'museum' in Rubens' tijd moet hebben gekenmerkt. Daarboven, in de 'grote slaapkamer', is Rubens gestorven. Tijdens de laatste maanden van zijn leven zou hij dikwijls voor het raampje hebben vertoefd, dat uitzicht biedt op de binnenplaats, om het komen en gaan van zijn medewerkers en bezoekers gade te slaan. Het vertrek is niet opnieuw als slaapkamer ingericht. Er hangt een portret van Nicolaas Rockox dat geschilderd werd door Rubens' voornaamste leermeester Otto van Veen (1558-1629) en een (niet eigenhandig) portret dat Rubens voorstelt toen hij ongeveer 50 jaar was. In een vitrine liggen enkele juwelen, onder andere een halssnoer van bergkristal dat aan Helena Fourment zou hebben toebehoord. Bijzondere aandacht verdienen ook twee prachtige oudvlaamse kasten.

In een kleinere slaapkamer kunnen we een (niet door Rubens geschilderd) portret van Helena Fourment zien. Via de linnenkamer komen we in de hoekslaapkamer waar de Rubensstoel staat. Het is de stoel die voor hem als ere-deken was gereserveerd in de schilderskamer van het Sint-Lucasgilde.

Nu komen we in de huiskamer waar het

gezin 's avonds om de haard bijeen zat. Boven de schoorsteen hangt een schilderij van Adam van Noort (1562-1641), ook een leermeester van Rubens. De portretten van Rubens' grootouders van vaderszijde hangen tussen de ramen aan de straatzijde.

De ateliers

Via een vrij smalle trap komen wij dan op de bovenste verdieping, waar zich het privé-atelier en het leerlingenatelier bevinden. In het privé-atelier trok Rubens zich terug om te tekenen, olieverfschetsen te maken en portretten te schilderen. Ook werd het vertrek door hem als kantoor gebruikt. We kunnen hier schilderijen van Gerard Segers en Jan Breughel I (de Fluwelen) bewonderen, evenals een fraai Antwerps kunstkabinet uit de 17de eeuw. In de trapzaal, die naar het leerlingenatelier leidt, bevindt zich onder meer een merkwaardig doek van Antonie van Dijck, 'De familie van de hertog van Buckingham'.

Wanneer wij na het bezoek aan het leerlingenatelier de monumentale trap afdalen, bereiken wij de tribune, die uitzicht geeft op het grote atelier. Rubens gaf hier zijn gasten de gelegenheid zijn monumentale doeken en panelen op afstand te beschouwen. Aan de wand tegenover de deur op de tribune hangt een doek van Rubens, 'Hendrik IV in de veldslag vóór Parijs'. Tenslotte brengen we een bezoek aan het grote atelier, waar drie schilderijen

Linksboven: het atelier van Rubens, met daarboven de tribune waarop de gasten van de meester diens monumentale doeken konden beschouwen. Rechts: datzelfde atelier in Rubens' tijd, een schilderij van H. Staben waarop het bezoek van de aartshertogen Albrecht en Isabella aan het 'schilderhuys' is verbeeld. Onder: Rubens' kunstkamer, waarin hij een deel van zijn collectie bewaarde.

van Rubens onze bijzondere aandacht trekken: 'De boodschap aan Maria', 'Adam en Eva' en de 'Moorse koning'. Aan weerszijden van de deur naar de tuin hangen verder Rubens' 'Bruinharige engel' en 'Blondharige engel', fragmenten van een altaarstuk dat later in stukken werd gesneden.

Ietwat geringschattend heeft men het atelier de 'schilderijenfabriek' van Rubens genoemd. Ofschoon niet helemaal onjuist, is die benaming toch misleidend, wanneer men hieruit zou concluderen dat Rubens zich meestal beperkt zou hebben tot het ontwerpen van composities en de uitvoering ervan overliet aan zijn medewerkers van wie Antonie van Dijck de bekendste is. Dit is zeker meer dan eens het geval geweest: de stijlkritiek maakt dit onder meer duidelijk. Deze heeft echter ook vastgesteld dat zeer vele en ook grote taferelen inderdaad eigenhandig blijken te zijn of althans zodanig door Rubens werden herwerkt, dat het aandeel van het atelier niet meer is vast te stellen. De term 'schilderijenfabriek' is wel toepasselijk in verband met de vele replica's van onder meer vorstenportretten en populair geworden composities die door medewerkers werden gekopieerd. Dit zou dan gebeurd

zijn in het 'leerlingenatelier'.

We besluiten onze rondgang met een wandeling door de in 17de-eeuwse stijl aangelegde tuin, die door hagen en haagjes in streng geometrische figuren is verdeeld. We kunnen nu ook van nabij het paviljoen beschouwen, dat we bij onze binnenkomst reeds door de poorten van de portiek zagen liggen. Rubens heeft het ontworpen als een landtempeltje met beelden van goden en godinnen. De tuin, het paviljoen en het met geiteblad begroeid prieeltje dat nabij de fontein begint, kunnen we alle terugvinden op schilderijen van Rubens. Het Huis aan de Wapper bleef tot 1680 in het bezit van de nakomelingen van Rubens, die het verhuurden. Het werd onder anderen bewoond door William Cavendish, hertog van New Castle, die in de tuin een rijschool inrichtte. Tot omstreeks het midden van de 18de eeuw bleef het huis vrijwel intact; later werden er veranderingen aangebracht. In 1937 kwam het huis in het bezit van de stad Antwerpen. Een zorgvuldig uitgevoerde restauratie, die ook tijdens de oorlog werd voortgezet, was in 1946 voltooid. Het Rubenshuis is, op acht feest- en andere dagen per jaar na, dagelijks geopend van 10.00-17.00 uur.

Rubens-schilderijen elders

Rubens' grafkapel kan men zien in de Sint-Jacobskerk te Antwerpen. Daar hangt ook zijn 'Madonna met heiligen'. In dezelfde stad zijn schilderijen van Rubens te bewonderen in de Onze-Lieve-Vrouwekathedraal, de Sint-Pauluskerk en het Koninklijk Museum voor Schone Kunsten. Ook kunnen wij nog een bezoek brengen aan de huizen van een paar van Rubens' vrienden: het Museum Plantin-Moretus (zie ook bladzijde 99) en het Museum Rockoxhuis, die ook panelen van de meester bevatten.

Ander musea in België en Nederland die belangrijk werk van Rubens bezitten, zijn onder meer de Koninklijke Musea voor de Schone Kunsten te Brussel, het Museum voor Schone Kunsten te Gent, het Rijksmuseum te Amsterdam, het Museum Boymans-van Beuningen te Rotterdam en het Mauritshuis te 's-Gravenhage.

Het Steen te Elewijt, gelegen in de buurt van Mechelen nabij de steenweg naar Tervuren, is grotendeels intact bewaard. Het is particulier bezit en kan slechts in bepaalde perioden worden bezocht. Het landschap waarin het kasteel is gesitueerd, vertoont ten dele nog het uitzicht dat Rubens heeft gekend.

Linkerbladzijde: als gevolg van een sterke economische opleving nam de immigratie naar de steden in de Republiek van omstreeks 1600 sterk toe. Veel stadsbesturen zagen zich dan ook genoodzaakt op korte termijn hun gebied te vergroten. In Amsterdam werden in de 17de eeuw de meest uitgebreide voorzieningen getroffen. De regenten, die hierover beslisten, kwamen er niet bekaaid af: de uitleg kon alleen tot stand komen, als belangrijke stukken grond die in hun bezit waren, onteigend zouden worden. De rijkdom, die zij op die manier verwierven, ziet men nu nog aan tal van schitterende panden langs de Amsterdamse grachten. Een voorbeeld daarvan is het 'Huis met de Hoofden', naar een ontwerp van Hendrik de Keyzer.
Boven: voor bejaarden en andere hulpbehoevenden werden door de regenten hofjes aangelegd. Hier de ingang van het Raepenhofje aan de Palmgracht.

Een stad breekt uit haar wallen

DRS. MARIUS WESSELS

De periode omstreeks 1600 vormde voor veel steden in de Republiek der Verenigde Nederlanden een tijd van opmerkelijke groei. De toeneming van de bevolking vond omstreeks de eeuwwisseling haar weerslag in een grote expansie van de steden. Ook Amsterdam maakte in die tijd een grote economische opleving door, die de al bestaande immigratie nog belangrijk deed toenemen. In 1609 verkreeg de stad dan ook van de Staten van Holland octrooi voor een nieuwe uitleg. Bij de voorbereidingen van deze stadsuitbreiding brak echter een hevig conflict uit tussen de verschillende regenten.

Zeer omvangrijke plannen tot uitbreiding van de stad werden voorgestaan door Frans Hendriksz. Oetgens, die een medestander vond in zijn medeburgemeester en zwager Barthold Cromhout. Bij hun pleidooi voor een indrukwekkende uitbreiding hielden zij het oog sterk gericht op hun eigen financiële belangen. Zij hadden, met een aantal andere speculanten, stukken grond opgekocht in het gebied waar de uitbreiding zou plaatsvinden, in de hoop deze met fikse winst te kunnen verkopen.
De libertijnse burgemeester Cornelis Pietersz. Hooft, de vader van de bekende geschiedschrijver, verzette zich tegen deze opzet. Hij kreeg daarbij veelal de steun van zijn collega Jacob de Graaff. Maar noch Hooft, noch De Graaff wist zich in deze jaren in het burgemeesterscollege te handhaven. De plannen die aan de vroedschap werden voorgelegd weerspiegelden dan ook goeddeels de ideeën van Oetgens en de zijnen. In 1622 slaagden Oetgens en Cromhout er bovendien in de door hen opgekochte gronden tegen een hoge prijs door de stad te laten 'onteigenen'. Enige stukken grond hielden ze nog vast als belegging voor hun nazaten. Met name de zoon van Oetgens, Anthony Oetgens van Waveren, probeerde jaren later hiermee zijn portemonnee te spekken.
In maart 1613 werden de ambitieuze plannen door de vroedschap goedgekeurd. In het gebied dat vanaf dat moment binnen de nieuwe stadsgrenzen viel, zouden de grachtengordel vanaf het IJ tot aan de huidige Leidsegracht, de Jordaan en de Westelijke Eilanden ontstaan.

Deftig en minder deftig
Terwijl de fortificaties van de uitleg van 1585 nog juist gelegen waren buiten de Herengracht (toen een obscure watergang langs de binnenkant van de omwalling) werden de nieuwe versterkingen ter hoogte van de huidige Marnixstraat aangelegd, vanaf het IJ tot waar nu het Raamplein is. Aan de binnenzijde van de nieuwe bewalling werd de Lijnbaansgracht gegraven. De aanleg van wallen, bastions en poorten was bij een dergelijke stadsuitbreiding de

eerste zorg van het stadsbestuur. In oktober 1613 was men zover dat de versterkingen van 1585 konden worden geslecht. Ondertussen was ook het overleg op gang gekomen over de indeling van de nieuwe stadswijk. Van groot belang was de beslissing de bestaande watergang langs de binnenkant van de vroegere omwalling uit te diepen en naast deze nieuwe 'Herengracht' ook een 'Keizersgracht' en een 'Prinsengracht' aan te leggen. Er was geen sprake van een vooropgezet plan voor een gordel van grachten rondom de hele stad; de uitleg betrof immers alleen het gebied ten westen van Amsterdam. Buiten de drie genoemde grachten kreeg de plattegrond van het nieuwe stadsdeel een geheel ander patroon.

Het onderscheid dat zou ontstaan tussen de verschillende buurten van de 17de-eeuwse uitleg, hing samen met de sociaal-economische ontwikkeling van Amsterdam.
De belangrijkste kooplieden van de stad hadden lange tijd in of vlak bij de Warmoesstraat gewoond. Nu keken de rijkgeworden kooplieden uit naar terreinen voor nieuwe pakhuizen, maar vooral ook voor de aanleg van een rustige en deftige buurt, waar zij zelf konden gaan wonen. Velen verhuisden reeds naar het Singel, maar thans bleek ook het oostelijk gedeelte van de nieuwe uitleg voor hen een geschikt woonoord. Deze ontwikkeling werd ook door het stadsbestuur gestimuleerd.
Op het terrein van de geslechte versterkingen werden tussen de Herengracht en Keizersgracht rechte 'radiaal'-straten aangelegd, die werden doorgetrokken naar de Prinsengracht. Aan de westzijde van de Herengracht en aan de oostzijde van de Keizersgracht werd het gebied verdeeld in tamelijk brede en diepe erven, die door de gegadigden voor hoge prijzen werden gekocht. Vanaf 1614 verrezen daar de trotse huizen, waar tal van Amsterdamse kooplieden en regenten zouden wonen. Om de rust der bewoners te verzekeren werd hier het bouwen van 'brouweryen, zeeperijen, mouterijen ende andere dier-

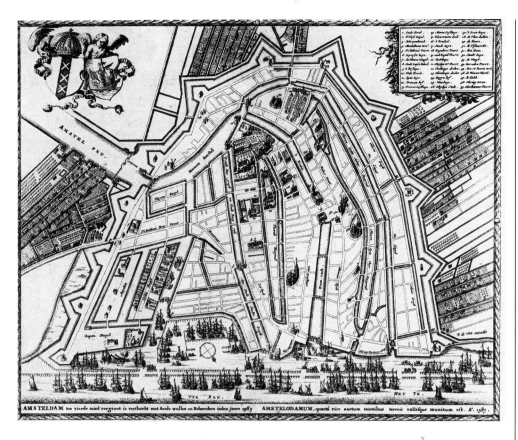

AMSTELDAM ten vierde mael vergroot is verbreet met Aerde wallen en Bolwercken inden jaere 1585   AMSTELODAMUM, quartâ vice auctum maenibus terreis vallîque munitum eìt. A°. 1585.

gelijkcke huysen ende neringen' verboden. De westelijke zijde van de Keizersgracht was al minder deftig; hier verrezen ook pakhuizen en inpandige werkplaatsen. De oostelijke zijde van de Prinsengracht, vanwaar men uitkeek op de Jordaan, werd nóg minder voornaam. Hier kwamen tussen een aantal pakhuizen en werkplaatsen de huizen te staan van 'gezeten burgers'. In het westelijk deel van de grachtengordel waren de erven ook smaller dan in het oostelijk deel.

Al met al gaf de grachtengordel met zijn radiaalstraten en de regelmatig gestoken kavels die niet mochten worden opgesplitst, een tamelijk harmonieus beeld te zien. Een heel ander beeld vertoonde de Jordaan, die een vergaarbak werd van de vele immigranten. Daar was sprake van

een voortzetting van de patronen zoals die reeds voor deze uitleg bestonden. Deze waren voornamelijk bepaald door de loop van bestaande sloten, die een heel andere richting volgden dan de grachtengordel, en werden bestendigd door de wijze waarop tal van nieuwkomers hier vóór 1613, in strijd met de verordeningen, huizen en bedrijfjes hadden gebouwd. In de Jordaan mochten zich tal van industrieën vestigen; het stadsbestuur wees de buurten aan waar de verschillende ambachten uitgeoefend mochten worden. De Jordaan kreeg door dit alles een volkomen ander karakter dan de grachtengordel. Er golden ook minder strikte bepalingen voor de huizenbouw. Zo konden de vele inpandige woonkernen ontstaan, die alleen maar bereikt konden worden langs smalle gangen en die in de 18de en 19de eeuw

berucht werden om hun schrijnende taferelen van armoede.

Notabelen en kooplieden
Wie op de kaart van Amsterdam het gebied van de 17de-eeuwse uitleg opzoekt, wordt terstond getroffen door de asymmetrie van het grachten- en stratenpatroon. En bij een bezoek aan dit stadsdeel valt nog steeds het verschil in sfeer tussen de verschillende buurten op. Maar het is aardig eerst even terug te gaan naar het Singel, dat al vóór 1613 gold als een trekpleister voor de Amsterdamse notabelen. Op Singel 132 woonde in het begin van de 17de eeuw Cornelis Pietersz. Hooft; overigens zijn er aan dit pand later belangrijke veranderingen aangebracht. De zoon van Oetgens, Anthony Oetgens van Waveren, woonde op Singel 284. Dit huis is het middelste van een complex van drie dat in 1639 door de bekende architect Philips Vingboons werd gebouwd. Westelijk van het Singel loopt de Herengracht, waarvan in de eerste decennia na 1613 vooral het deel bij de huidige Raadhuisstraat een grote reputatie genoot. Hier bouwden veel toenmalige coryfeeën hun huizen. Zo liet de succesrijke bierbrouwer-bankier Willem van de Heuvel, alias Guillemo Bartolotti, door Hendrik de Keyzer het 'Huis Bartolotti' bouwen (nr. 170, 172). Aan de andere zijde van de Raadhuisstraat vindt men op nr. 216 het huis, waar Jacob de Graaff, lange tijd een medestander van Hooft, gewoond heeft; hij was de vader van een van de beroemdste burgemeesters van Amsterdam, Cornelis de Graaff. Het is ondoenlijk alle huizen te noemen, die hier in de decennia na 1613 verrezen, maar een uitzondering moet gemaakt worden voor de zogenoemde Cromhouthuizen. Deze werden omstreeks 1660 door Philip Vingboons gebouwd voor Jacob Cromhout, de schatrijke kleinzoon van Barthold Cromhout, aan wiens rijkdom speculatie niet vreemd geweest is. De oostelijke zijde van de Keizersgracht was voornamer dan de westelijke. Daar woonde onder meer een aantal uitgeweken Zuidnederlandse kooplieden, zoals de gebroeders Coymans in het 'Huis van Coymans', omstreeks 1625 gebouwd door Jacob van Campen (nr. 177); of zoals Lodewijk de Geer, de ijzermagnaat, die in 1634 het bestaande pand op nr. 123 kocht; dit pand, van 1621 tot 1624 gebouwd in Hollandse renaissance-stijl naar een ontwerp van Hendrik de Keyzer, is bekend als het 'Huis met de Hoofden'. Zeer interessant is ook het pand nr. 117, dat omstreeks 1618 gebouwd werd voor de zijdereder Nicolaas Delbeeck. Aan de westelijke zijde van de Keizersgracht treft men naast de huizen van notabelen, bijvoorbeeld het huis van de bekende medicus en burgemeester Nicolaas Tulp (210), ook pakhuizen aan, zoals de Groenlandse pakhuizen (nrs. 38-44). Ook op de Prinsengracht staan woon- en pakhuizen. De particuliere huizen treft

Linkerbladzijde boven: op
deze kaart ziet men het
Amsterdam van vóór de
17de-eeuwse uitleg.
Onder: beroemd voorbeeld
van Amsterdamse
pakhuizen uit de 17de eeuw
zijn de Groenlandse
Pakhuizen aan de
Keizersgracht.
Hiernaast: ook op de
westelijke eilanden werden
fraaie huizen gebouwd,
waarschijnlijk om het
schitterende uitzicht, dat
men daar had op het IJ.
Hieronder: een stukje
Jordaan uit de 17de eeuw.
Op deze afbeelding is in het
midden de ingang van het
Anslo's Hofje te zien.

men onder meer aan tegenover de Noor-
derkerk; de pakhuizen staan op het punt
waar men het volle zicht heeft op de straten van de Jordaan (bijv. nrs. 189, 191,
193, 195, 203, 205, 211 en 217).

De Jordaan: het Nieuwe Werk
De Prinsengracht overstekend komt men
in de Jordaan. In die tijd heette deze stadswijk overigens het Nieuwe Werk; pas in de
18de eeuw kwam de benaming 'Jordaan'
in zwang. Veel van de namen van grachten en straten herinnert nog aan de
ambachten die in de verschillende wijken
werden uitgeoefend. De Passeerdersgracht
is genoemd naar de 'passeerders' die
Spaans leer bereidden; in de omgeving
van de Looiersgracht bevonden zich vroeger tal van leerlooierijen; in de omgeving
van de Elandsgracht werden dierehuiden
verhandeld of bewerkt (*Elands*gracht,
*Hazen*straat, *Konijnen*straat); in de Gie-
terstraat was lange tijd een bedrijf
gevestigd, waar kanonnen en klokken
werden gegoten. Een betrekkelijk mooi en
goed geconserveerd deel van de Jordaan is
de Bloemgracht, die vroeger wel 'Herengracht van de Jordaan' genoemd werd.
In dit stadsdeel zijn nog verscheidene
inpandige complexen te vinden, die vaak
alleen via een 'overtimmerde' gang te
bereiken zijn en doorgaans zijn aangelegd
door 'huisjesmelkers', die een maximaal
rendement van hun grond probeerden te
halen. Dergelijke complexen zijn bijvoorbeeld Laurierstraat 196-200, Bloemgracht

147-167, Westerstraat 232-240 (achter de
'Schorumpoort') en Westerstraat 125-137
(Schoenmakersgang).
Geheel anders van opzet zijn de 'hofjes',
waarvan er in de Jordaan opmerkelijk veel
te vinden zijn. Deze hofjes werden vaak
door regenten aangelegd om er bejaarden
en andere hulpbehoevenden te huisvesten
en te onderhouden. Bekende hofjes in de
Jordaan zijn onder meer het Sint
Andrieshofje (Egelantiersgracht 105-141;
gesticht in 1614), Anslo's Hofje (Ege-
lantiersstraat 36-50; gesticht in 1615 of
1616), het Zevenkeurvorstenhofje (Tuin-
straat 197-223; gesticht omstreeks 1645),
het Karthuizerhofje (Karthuizerstraat
121-131; gesticht omstreeks 1650) en het
Raepenhofje (Palmgracht 28-38; gesticht
in 1648).
De ligging van de verschillende bastions,
die in 1613 westelijk van de Jordaan werden aangelegd, ziet men nog terug in de
loop van de Marnixkade en de Nas-
saukade.
Dichtbij de Haarlemmerpoort, die overigens dateert uit de 19de eeuw, ligt de
Brouwersgracht met zijn vele pakhuizen,
die in hun bouwwijze schoonheid en
doelmatigheid verenigen.
Dit overzicht besluiten we met de Westelijke Eilanden, waar vooral de Zandhoek de
moeite van een bezoek loont. De bouw
van een aantal fraaie panden op deze
plaats is waarschijnlijk geïnspireerd door
het uitzicht dat men hiervandaan in de
17de eeuw had op het IJ.

'Città ideale' bleef ideaal
Amsterdam heeft na deze 17de-eeuwse uitleg nog tal van stadsuitbreidingen gekend.
Omstreeks 1655 werden de 'Oostelijke
Eilanden' aan de stad toegevoegd en in
1663 werden de drie grachten van de
grachtengordel doorgetrokken tot aan de
Amstel. Het stadsbestuur volgde daarbij
een strakker beleid dan omstreeks 1613
het geval was. Nieuwe grote uitbreidingen
vonden plaats na 1840; de 19de-eeuwse
buurten kwamen overigens goeddeels tot
stand volgens inzichten van bouwmeesters, die niet afhankelijk waren van
het stadsbestuur. Pas in de 20ste eeuw
zorgde de stedelijke overheid voor een
meer centrale en planmatige aanpak. Dat
kwam bijvoorbeeld duidelijk tot uiting
toen Amsterdam-Zuid werd uitgebreid
volgens de ideeën van Hendrik Petrus Ber-
lage.

Naast de hierboven beschreven uitleg van
Amsterdam kunnen ook de uitbreidingen
van Leiden en Haarlem in de 17de eeuw
genoemd worden als voorbeelden van een
stadsontwikkeling met een nogal verbrokkeld karakter. Ook hier poogden de
verschillende bestuurders en stedebouwers
stelselmatig te werk te gaan, of werd zelfs
gestreefd naar patronen die in overeenstemming waren met renaissance-idealen
omtrent een 'città ideale'. De uiteindelijke
vorm onderging echter ook in Leiden en
Haarlem de invloed van allerlei uiteenlopende factoren.

Onder: het stadhuis van Nijmegen waarin tijdens de vredesconferentie door de partijen veelvuldig is beraadslaagd.
Boven: een zilveren penning die herinnert aan de vrede tussen Nederland en Frankrijk, welke werd gesloten op 10 augustus 1678.
Geheel rechts: Nijmegen in vogelvlucht, een plan van de stad dat tussen 1668 en 1669 geschilderd werd door Hendrik Feltman.

Twee jaar vredetwisten aan de Waal

DRS. MARIUS WESSELS

Nijmegen kan bogen op een lange en boeiende geschiedenis, maar aan geen historische gebeurtenis is zo zeer zijn naam verbonden als aan de 'Vrede van Nijmegen' van 1678-1679. Aan het eigenlijke vredesverdrag gingen enige jaren van diplomatieke besprekingen en onderhandelingen vooraf die in een uitzonderlijk pompeuze sfeer werden gevoerd en die kenschetsend zijn voor de toenmalige diplomatie. Het huidige Nijmegen bewaart nog vele herinneringen aan die zo bewogen congresjaren.

Voor Nijmegen, dat een bloeitijd beleefde in de 14de en 15de eeuw, was de 17de eeuw verhoudingsgewijs aanzienlijk minder voorspoedig. De stad was, met een groot deel van de Republiek, in 1672 bezet door de troepen van de Franse Zonnekoning, Lodewijk XIV. Pas nadat Willem III door diplomatieke en militaire activiteiten erin was geslaagd het strijdtoneel naar de Zuidelijke Nederlanden te verleggen, herwon de stad aan de Waal haar vrijheid (1674). Die herwonnen vrij-

heid werd in 1675 nog extra benadrukt door het feit dat koning Karel II van Engeland Nijmegen voorstelde als de stad waar de oorlogvoerende landen over vrede zouden kunnen onderhandelen. Die oorlogvoerenden waren in 1675 enerzijds de Republiek en haar bondgenoten Spanje, de Duitse keizer, een aantal van diens rijksvorsten en Denemarken, en anderzijds Frankrijk met Zweden als bondgenoot. Eerder hadden Engeland, Munster en Keulen, die samen met Frankrijk de oor-

log tegen de Republiek waren begonnen, zich uit de strijd teruggetrokken. Engeland was nu de meest aangewezen partij om als bemiddelaar op te treden en daarom vond het voorstel van Karel II in Nijmegen te gaan onderhandelen vrij spoedig instemming.

Als eerste diplomaat arriveerde in januari 1676 de Engelsman sir Leoline Jenkins in Nijmegen, maar hij zou al spoedig door zijn illustere landgenoot sir William Temple naar de achtergrond worden gedrongen. Een week na Jenkins kwamen in de stad twee Nederlandse ambassadeurs aan, de Hollander Hieronymus van Beverningk en de Fries Willem van Haren. Van Beverningk, de belangrijkste van de twee, was bovenal de vertegenwoordiger van de Hollandse koopliedenstand.

De Nederlanders namen hun intrek in het Huis Palstercamp aan de Doddendaal. Later zou zich nog een derde Nederlandse ambassadeur, Willem Adriaan graaf van Nassau Odijk, bij hen voegen.

Frans prestige

De gezanten van de Zonnekoning maakten van hun aankomst, in juni 1676, een wel zeer prestigieuze aangelegenheid. De Nijmegenaren keken hun ogen uit, toen de zeker 60 koetsen en karren van de Franse delegatie hun stad binnentrokken; toen de eerste koetsen al voor het Franse verblijf in de Burchtstraat waren aangekomen, stonden de laatste nog voor de poort van de stad. Met dit extravagante vertoon wilde de Zonnekoning terstond duidelijk maken wie de belangrijkste vorst in Europa was. In het Franse gezelschap bevonden zich maarschalk Godefroi comte d'Estrades, Charles Colbert marquis de Croissy en Jean Antoine comte d'Avaux, die voor het congres als ambassadeurs waren aangewezen.

Na de komst van de eerste delegaties begonnen alras de discussies over allerlei protocollaire aangelegenheden die kenmerkend waren voor een congres zoals dat in Nijmegen zou worden gehouden. Steeds weer rezen problemen in verband met de volmachten der verschillende delegaties, waarin beschreven stond waaróm en waaróver de desbetreffende vorst onderhandelingen wenste aan te gaan. Tal van protesten moesten worden onderzocht die betrekking hadden op de uitgebreide titulatuur, welke de vorsten zich aanmaten en die zij gebruikten om hun territoriale en juridische aanspraken op te sommen. Een andere, maanden vergende zaak was de instelling van een neutrale zone rond Nijmegen; zo'n zone was van belang, omdat anders de diplomaten het gevaar liepen te worden gevangengenomen door Staatse of Franse soldaten die nog steeds rondzwierven in de omgeving van de stad. Uiteindelijk werd bepaald dat het neutrale gebied zich een uur gaans rondom Nijmegen zou uitstrekken.

Dergelijke kwesties vormden de hoofdmoot van de besprekingen gedurende het jaar 1676 en de eerste helft van het daar-

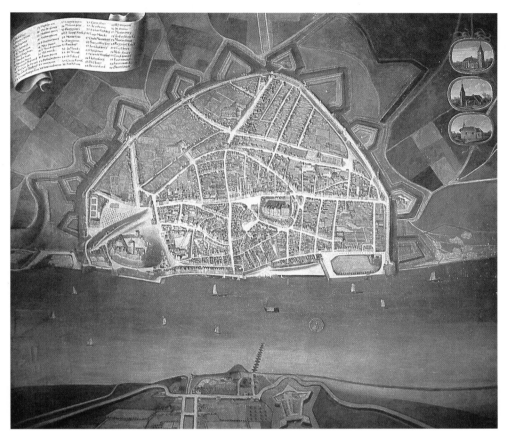

opvolgende jaar. Het duurde trouwens geruime tijd voor alle delegaties in Nijmegen waren aangekomen. De Zweedse graaf Bengt Gabrielsson Oxenstierna en zijn metgezellen, die na de Fransen arriveerden, vestigden zich in de Lange Hezelstraat. De Deense gezant Justus Hoeg kwam, vlakbij de Fransen, in de Burchtstraat te wonen, terwijl de belangrijkste ambassadeur van de Duitse keizer, Franz Ulrich graaf Kinsky, werd ondergebracht in het logement 'De Zwaan' aan de Grote Markt. De Spaanse afgevaardigde don Pedro Ronquillo vond onderdak in de Lange Houtstraat en zijn landgenoot don Pablo de los Balbasos in de Stikke Hezelstraat.

De meeste diplomaten hechtten zeer veel waarde aan prestige en uiterlijk vertoon. Zo achtten de Spanjaarden het nodig zich, bij hun eerste beleefdheidsbezoek aan de Fransen, over de korte afstand van de Stikke Hezelstraat naar de Burchtstraat te laten vervoeren in negen karossen, elk met zes paarden bespannen.

Nuntius op 'ketters' gebied

Nadat de katholieke vorsten hadden aangedrongen op bemiddeling van de zijde van de paus, nam een pauselijk gezant, monseigneur Luigi Bevilaqua, zijn intrek in een woning aan de Muchterstraat. De komst van de pauselijke bemiddelaar betekende voor de Engelsen een aantasting van hún bemiddelaarsrol, reden waarom zij gedurende het gehele congres geen woord met Bevilaqua hebben gewisseld. Het was opmerkelijk dat een pauselijke nuntius bij dit congres genoodzaakt was op 'ketters' grondgebied te vertoeven. De

katholieken hadden voor hun eredienst slechts de beschikking over enige huiskapellen, terwijl de protestanten ter kerke konden gaan in de Broerskerk en de Stevenskerk, die voor deze gelegenheid een grote opknapbeurt hadden gekregen. Overigens was de huiskapel van Bevilaqua het enige nieuwe gebouw dat in verband met het congres werd opgetrokken. Bij de verblijven van de ruim 50 diplomaten ging het om bestaande herenhuizen, weeshuizen en dergelijke, waarvan de oorspronkelijke bewoners naar elders waren verhuisd.

Men kan zich voorstellen dat in het kleine, al gauw overvolle Nijmegen gedurende de lange vredesonderhandelingen tal van irritaties konden ontstaan. Zelfs zag sir William Temple zich genoodzaakt een verbod uit te vaardigen tegen het dragen van wapens en stokken door de dienaren van de gezanten, daar die nogal eens met elkaar slaags raakten; ook werd het duelleren verboden.

Gepaste ontspanning

Een vorm van ontspanning vormden de beleefdheidsbezoeken, die de diplomaten en hun dames elkaar brachten, maar ook hierbij rezen problemen. De smalle straten van Nijmegen waren niet berekend op het drukke verkeer van koetsen dat met de vele beleefdheidsbezoeken gepaard ging. Konden de koetsen elkaar niet passeren en moest de ene voor de andere uitwijken, dan was terstond het prestige van de inzittenden in het geding.

Naast de beleefdheidsbezoeken werd naarstig naar andere vormen van gepaste ontspanning gezocht. Zo werden er

Boven: de ondertekening
van het Frans-Spaanse
vredesverdrag op 17
september 1678. Aan tafel
rechts, van voor naar
achter, De los Balbasos, De
la Fuente en Christijn, links
d'Estrades, Colbert en
d'Avaux, in het midden de
Nederlandse bemiddelaars
van Haren en van
Beverningk (op de rug
gezien).
Onder: de belangrijkste
Engelse onderhandelaar, sir
William Temple.

toneelstukken opgevoerd en in de tuin van
het oude klooster Mariënburg werd een
kaatsbaan ingericht. Wandelen kon men
in het Kelfkensbos en bij de Belvédère,
waarvan het bovenste vertrek aan de
ambassadeurs was afgestaan. Toen eenmaal overeenstemming was bereikt over
een neutrale zone, konden de diplomaten
zich ook buiten de stad begeven.
De Nijmegenaren zelf zagen het vredescongres als een kleurrijk gebeuren, dat
bovendien de omzet van vele neringdoenden deed stijgen. Verder kwamen van
elders tal van marskramers, kwakzalvers
en acrobaten op het evenement af. Soms
werden feesten georganiseerd, zoals naar
aanleiding van de geboorte van de eerste
zoon van keizer Leopold I; men liet toen
rode en witte wijn spuiten uit een fontein
voor het logement 'De Zwaan' aan de
Grote Markt en strooide geld tussen het
grabbelende volk. Minder reden tot jui-
chen vormde voor de Nijmegenaren de
wanbetaling waaraan sommige diplomaten zich schuldig maakten.

Nog meer procedureproblemen

Ondertussen werden in de loop van 1677
enige vorderingen gemaakt bij de onderhandelingen. Voor het noodzakelijke overleg tussen de bondgenoten onderling besloot men twee zalen in het stadhuis te
gebruiken: een voor de gezanten van de
Republiek en hun bondgenoten en een
voor de Fransen en de Zweden. Vervolgens laaiden in het eerstgenoemde

kamp de discussies op over de plaats die
de verschillende gezanten aan de onder-
handelingstafel zouden innemen. Toen
ook deze hindernis was genomen en verder onder meer overeenstemming was
bereikt over aanspreektitels ('vous' of
'excellentie') en dergelijke, konden de
eigenlijke besprekingen over de vrede
beginnen. Toch rezen steeds nieuwe
procedurele problemen.
Pas in 1678 werd een doorbraak bereikt,
nadat Engeland de kant van de Republiek
had gekozen en men tamelijk harde eisen
had gesteld aan Lodewijk XIV, die ook
voor de stadhouder, de Duitse keizer en de
Spaanse koning min of meer aan-
vaardbaar waren. Zo kon op 10 augustus
1678 in het verblijf van de Fransen een
traktaat worden gesloten tussen de
Republiek en Frankrijk. Op 17 september
kwam een vrede tussen Frankrijk en Spanje tot stand ten huize van de Nederlandse
ambassadeurs, die nu ook als bemiddelaars optraden. Op 25 september werd
vanaf de Kerkboog op de Grote Markt de
ondertekening van deze twee traktaten
officieel afgekondigd. Op 5 februari 1679
werd vervolgens in de Trèveszaal van het
stadhuis de vrede tussen Frankrijk en de
Duitse keizer gesloten en in de loop van
dat jaar kwamen ook alle andere partijen
tot overeenstemming.

Herinneringen aan het congres

Het Nijmegen van vandaag bewaart nog
vele herinneringen aan de jaren waarin het

vredescongres werd gehouden. Wie de stad vanuit de richting Arnhem binnenkomt, ontwaart al snel de Belvédère, oorspronkelijk een vestingtoren, maar in 1646 omgebouwd tot een uitgaansgelegenheid die geliefd was om het indrukwekkende uitzicht en die drie decennia later door het congres ook internationale vermaardheid kreeg.

Gaand door de Sint-Jorisstraat komt men al spoedig in de Burchtstraat. Hier staat nog het stadhuis, waar tussen de verschillende coalities werd beraadslaagd. In het gebouw zijn nog de gobelins, de zogenoemde Aeneas- en Metamorfosentapijten, te zien die in 1677 speciaal werden aangeschaft om de onderhandelingsvertrekken te verfraaien. In het stadhuis kan men ook de hiervoor genoemde Trèveszaal bezichtigen, met daarin gobelins, zogeheten verdures, die er overigens al in 1664 hingen. Het stadhuis is ook portretten rijk van een aantal belangrijke ambassadeurs die aan het congres deelnamen, zoals van Temple, Van Haren, D'Estrades, Ronquillo en Bevilaqua.

Vanuit de Burchtstraat komt men op de Grote Markt, waarvan de noordwestelijke en noordoostelijke kant goed bewaard zijn gebleven. Hier vierden de Nijmegenaren feest ter gelegenheid van de geboorte van de latere keizer Josef I. Bewaard is ook de Kerkboog, destijds locatie van de afkondiging van twee der vredesverdragen. Achter de Kerkboog verheft zich de Stevenskerk, waar indertijd veel diplomaten ter kerke gingen.

Westwaarts vanaf de Grote Markt loopt de Stikke Hezelstraat, waar ooit Spaanse livreiknechten voor heel wat onrust zorgden. Aan het begin van de Lange Hezelstraat (nr. 16) kan men het huis zien waarin tussen 1677 en 1679 de Zweedse gezant Oxenstierna verbleef; overigens werd deze meer berucht dan beroemd en dat vanwege zijn overvloedig drankgebruik en zijn vele onbetaalde rekeningen. Hier vlakbij, in de Begijnenstraat, staat nog het Protestantse Weeshuis, tijdens het congres eerst het verblijf van een Engelse en vervolgens van een keizerlijke gezant.

Het noordelijk deel van het Nijmeegse centrum werd traditioneel gekenmerkt door talrijke smalle straten en stegen, hier gassen of – meer gebruikelijk – 'geskes' genoemd. Deze buurt is nu sterk veranderd, maar men wil sommige geskes, zoals het Ottengas (vlakbij de Muchterstraat, waar Bevilaqua verbleef) nog in oorspronkelijke staat bewaren. Men kan zich voorstellen hoe problematisch het rijden met diplomatenkoetsen hier geweest moet zijn.

In het museum Commanderie van Sint Jan zijn enkele voor ons onderwerp zeer belangrijke schilderijen te zien. Een groot geschilderd vogelvluchtplan van Nijmegen uit 1669, van Hendrik Feltman, is een voorname bron voor onze kennis over de toestand van de stad in die periode. Ook

Boven: de Belvédère in Nijmegen, een tot uitgaansgelegenheid en uitzichtpunt omgebouwde vestingtoren, die door het vredescongres enige internationale bekendheid kreeg.
Onder: de Trèveszaal in het Nijmeegse stadhuis waar op 5 februari 1679 het vredesverdrag tussen de Duitse keizer en Frankrijk werd gesloten. Aan de wand de verdures of groenwerktapijten, de enige gobelins in het gebouw die niet speciaal voor de vredesconferentie werden aangeschaft, maar al eerder, in 1644 werden aangekocht.

hangt hier het oorspronkelijke schilderij van Henri Gascard, waarop de vredessluiting tussen Frankrijk en Spanje op schitterende wijze is weergegeven. Men vindt op dit doek een aantal kopstukken van het congres afgebeeld, zoals D'Estrades, Van Beverningk en De los Balbasos. Tenslotte bewaart het museum een aantal penningen en munten die ter gelegenheid van het congres werden geslagen.

Restauratie van monumenten

Ten tijde van het vredescongres was Nijmegen reeds een stad met een rijk verleden; al in de Romeinse en in de Karolingische tijd nam het een vooraanstaande positie in en het beleefde vooral in de 14de en 15de eeuw een grote bloei. Ofschoon de 17de eeuw minder voorspoed bracht, herinneren toch veel monumenten aan deze periode, zoals de Waag (1612), verschillende geveltoppen aan de Grote Markt, aan de Lange Hezelstraat en bij de Ganzenheuvel, delen van het stadhuis (de Gedeputeerdenpoort van 1663), de bekroning van de Stevenskerk, het Protestantse Weeshuis (1644), het Zeilmakershuis, het Brouwershuis, de Belvédère in zijn huidige vorm enzovoort. Nijmegen werd in het laatste deel van de Tweede Wereldoorlog zwaar getroffen door oorlogsgeweld. Vele oude, belangrijke gebouwen werden na 1945 kundig gerestaureerd, maar nog steeds vertoont de stad wonden uit de oorlog.

Niet alleen in Nijmegen, maar ook in andere 'congressteden' zijn herinneringen bewaard aan de opmerkelijk pompeuze diplomatie van de 17de eeuw. Zo vindt men in het plaatselijk museum van Rijswijk documenten, etsen en gravures met betrekking tot de daar in 1697 bereikte Vrede van Rijswijk, die tevens wordt gememoreerd door een gedenknaald.

Lusthof van een koning-stadhouder

DR. A.W. VLIEGENTHART/PROF. DR. A.F. MANNING

Sedert het einde van de 17de eeuw is Het Loo één van de mooiste landgoederen van Nederland. De bekendheid ervan strekt zich uit tot ver over de grenzen. De huidige restauratie van het paleis wordt beschouwd als een van de belangrijkste in Nederland.

De lusthof Het Loo werd in 1685 gesticht door Willem III (1650-1702), sinds 1672 stadhouder van vijf van de zeven provincies der Nederlanden, en zijn vrouw, prinses Mary Stuart (1662-1695), temidden van een uitgestrekt jachtgebied op het terrein van het middeleeuwse kasteeltje Het Loo, voortaan Het Oude Loo genoemd, dat in november 1684 door de stadhouder was gekocht.

Het laatste kwart van de 17de eeuw gaf in Europa een grandioze krachtmeting te zien tussen het Frankrijk van de Zonnekoning, Lodewijk XIV, en de overige mogendheden onder de leiding van stadhouder-koning Willem III.

De stadhouder had zich in de Republiek van de Zeven Verenigde Nederlanden een sterke positie opgebouwd, ondanks het traditionele verzet van de Amsterdamse regenten. Toen de Franse koning in de jaren tachtig zijn grenzen opnieuw ging versterken, ja zelfs een agressieve politiek voerde, stak Willem III zijn voelhorens uit in Duitsland en Engeland met het doel de Franse expansiezucht de baas te blijven en een coalitie tegen Lodewijk XIV te vormen. Op verzoek van het Engelse parlement, dat niets moest hebben van een katholieke koning, alsook om te voorkomen dat Engeland te sterk onder Franse invloed zou geraken, stak Willem III de Noordzee over en verdrong zijn katholieke schoonvader Jacobus II van de Engelse troon. *Dutch William* werd koning van Engeland en leider van een machtige coalitie tegen *Le Roi Soleil*.

Het is verleidelijk de twee rivalen te ver-

Onder: door de restauratie, die tot 1983 zal duren, biedt paleis Het Loo op dit ogenblik een weinig feestelijk beeld. Duidelijk is echter wel dat alleen al door het weghalen van de bepleistering het gebouw veel van zijn oude glorie zal herwinnen.
Rechtsboven: ets van de zogenoemde koningstuin ten westen van het paleis, met op de achtergrond links de doolhof en daarachter Het Oude Loo, een middeleeuws kasteeltje, dat in 1684 werd aangekocht.
Rechtsonder: het Oude Loo zoals het er nu uitziet.

gelijken. Wie dat probeert, komt tot de vraag of Lodewijk niet de meerdere was in creativiteit en als organisator van de staat. Willem III is dan eerder de realist en de militair. De Fransman etaleerde, had meer pose; de Hollander was burgerlijker.

Ieder z'n eigen Versailles

Op gebied van kunst en cultuur stelde Willem III zich zowel in Engeland als in de Republiek open voor sterke Franse invloeden. Haast onontkoombaar, omdat Frankrijk op die terreinen de toon aangaf. De letterkunde met haar voorschriften en regels voor toneeldichters en verzenmakers naar classicistisch patroon, de Franse kleding en haardracht en levensgewoonten, de Franse meubelstijl *(Louis XIV)*, de architectuur en tuinaanleg – overal wekten ze bewondering en navolging. Uitbundige verhalen deden de ronde over wat er in Versailles, in het nieuwe paleis van de Zonnekoning, te zien was. Over de Spiegelzaal, over de prachtigste decoraties en lambrizeringen, over schitterend gemeubileerde vertrekken, om maar te zwijgen van de tuinaanleg, de terrassen met beelden, de kunstig geknipte heggen en bassins met spuitende fonteinen waarvoor allerlei hydraulische voorzieningen waren getroffen. Sinds 1682 woonde Lodewijk XIV er, maar voortdurend bleef men het complex nóg grootser en grandiozer maken, met labyrinten, grotpartijen, frivole theehuisjes enzovoort. Wie het zich enigszins kon permitteren, wilde zijn eigen Versailles hebben en ging imiteren. Duitse vorsten deden het zo en ook de Spaanse koning Filips V. Dateren de navolgingen in Spanje, in Duitse en ook in Italiaanse staten uit de 18de eeuw, Willem III en de Hoogmogende Heren van de Staten-Generaal verstrekten al in de jaren tachtig van de 17de eeuw opdrachten aan de Parijse architect Daniel Marot. Al kort nadat de Zonnekoning zijn paleis in Versailles had betrokken, gaf Willem III opdracht tot de bouw van een paleis op de Veluwe. Het was de bedoeling dat het in de zo bewonderde Franse stijl zou worden opgetrokken. De koning-stadhouder had in die tijd grotere financiële armslag gekregen en stak zijn geld gaarne in kunstaankopen. De bouw van Het Loo zou vele jaren in beslag nemen en leverde een pronkstuk op dat op de landkaart van kunsthistorische stijlen merkwaardig noordelijk is gesitueerd. Willem III heeft zich van Het Loo veel voorgesteld, maar hij heeft eigenlijk nooit goed gelegenheid gehad er te vertoeven. Als de koning-stadhouder al in Den Haag moest zijn, ontvluchtte hij de vochtige en donkere kamers van het stadhouderlijk verblijf op het Binnenhof zodra zijn ambtsbezigheden dat toelieten. Maar hij vond het oude hof aan het Noordeinde en het Huis ten Bosch weinig aantrekkelijk en verkoos meestal de buitenplaatsen te Dieren en Honselaarsdijk. Het Loo hoopte hij tot zijn favoriete oord te maken, een

lusthof met een prachtig jachtgebied en geheel gebouwd in de schitterendst denkbare stijl van die tijd *(A.F. Manning).*

Franse plannen als uitgangspunt

De lusthof bestond uit een huis met ommuurde tuin, die architectonisch gezien één onverbrekelijk geheel vormden. Het gebouw en de tuin waren gecomponeerd om een sterk geaccentueerde as en besloegen een bijna vierkant gebied van 225 bij 250 m. Het huis stond op de zuidelijke helft hiervan, de tuin strekte zich uit op de noordelijke helft. Het *corps de logis* dat door kwartronde colonnades met lage L-vormige vleugels was verbonden, vormde het middelpunt van de aanleg. De gevels waren van baksteen en hadden als enige versiering natuurstenen omlijstingen van de ingangspartijen en beeldhouwwerken in de tympanen. In het hoofdgebouw werden schuifvensters toegepast, een voor die tijd nieuwe constructie.

Behalve de verdiepte, rechthoekige tuin achter het huis, die door drie terrassen en de oprijlaan naar Het Oude Loo werd omsloten, waren er, ten oosten en ten westen van het huis, twee kleine, intiemere tuinen aangelegd, respectievelijk de prinsessen- en de prinsentuin (na 1689 koninginne- en koningstuin) genoemd.
De tuinen waren uitgevoerd met fraaie parterres, waarin met buxushagen, taxus, jeneverbes, verschillende planten, gras en gekleurde steenslag sierlijke patronen werden gevormd. Vanaf de terrassen had men een goed overzicht op de tuin.
Nadat Willem III en Mary Stuart in 1689 tot koning en koningin van Engeland waren gekroond, werd het nodig geacht Het Loo uit te breiden. Reeds in 1691 werden er plannen gemaakt om het jachtslot een koninklijk aanzien te geven. Elk van de colonnades werd vervangen door twee paviljoens en aan de tuin werd, achter de oprijlaan naar Het Oude Loo, een niet-

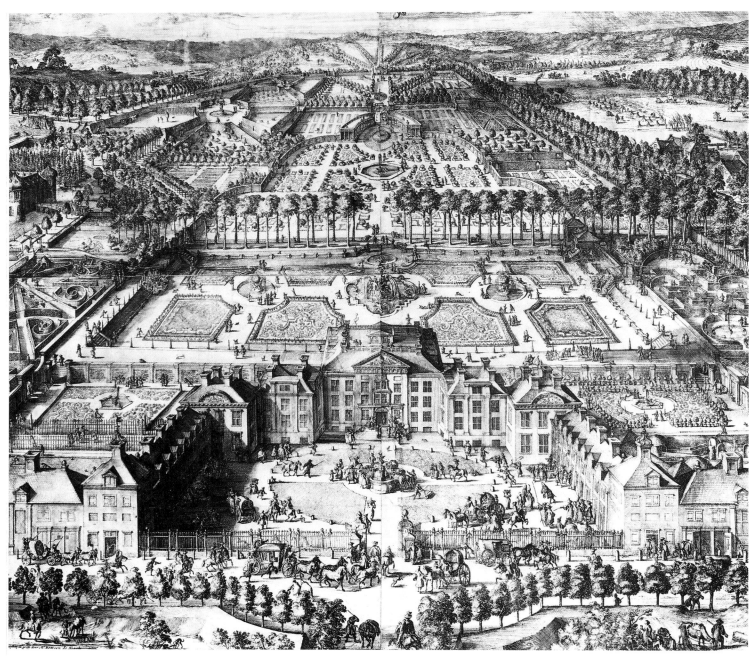

verdiept gedeelte toegevoegd. Ter afsluiting van deze nieuwe halfronde boventuin werden hier de colonnades geplaatst. Het gebouw en de ommuurde tuin lagen in een park met sterrebossen, moestuinen, vijvers, visvijvers en een doolhof. Het omringende landschap bestond in die tijd uit met laag struikgewas en heide begroeide zandgronden.

Hoewel bekend is dat er tussen december 1684 en april 1685 tekeningen voor Het Loo gemaakt zijn door de *Académie d'architecture* te Parijs, zullen deze waarschijnlijk slechts als uitgangspunt voor de aanleg hebben gediend. Gezien het Hollandse karakter van het sobere, bakstenen gebouw en van de tuin, zal Jacob Roman (1640-1716), als architect belast met de uitvoering, wel een groot aandeel hebben gehad in het uiteindelijke ontwerp.

Uit Ozinga's studie van 1938 is duidelijk dat vanaf 1692 Daniël Marot (1661-1752), een gevluchte hugenoot uit Frankrijk, ontwerpen maakte voor het interieur van het paleis, met name voor het hoofdtrappehuis, de grote zaal op de eerste verdieping, de eetzaal en de bibliotheek van de koning met het spiegelplafond. Het is zeker dat Marot opdracht had niet alleen toezicht te houden op de uitvoering van zijn eigen ontwerpen in het paleis maar ook op die van anderen. Onder Marots verantwoordelijkheid viel ook de tuin en het is aannemelijk dat hij zelfs al vóór 1692 een aanzienlijk aandeel had in het ontwerp en de versiering van de verdiepte benedentuin, waarvan de aanleg in 1686 begon.

Restauratie in 1983 voltooid
Architectonisch gezien was de 17de-eeuwse lusthof zowel wat de tuin als wat het gebouw betreft een voorbeeld van voorname, sobere Hollandse barokarchitectuur. Het oorspronkelijke bakstenen huis bleek bij het begin van de restauratie nog aanwezig onder de pleisterlaag en de latere toevoegingen. Voor wat de tuin betreft beschikte men over vele historische gegevens zoals kaarten, prenten, beschrijvingen en vondsten, aan de hand waarvan de exacte plaats van terrassen, fonteinen en bassins kon worden vastgesteld. De restauratie, onder leiding van architect ir. J.B. baron van Asbeck, is in 1977 begonnen en zal in 1983 voltooid zijn. Na de restauratie zullen in het hoofdgebouw en de paviljoens de vertrekken zodanig worden ingericht dat zij een beeld geven van de bewoning door de verschillende stadhouders en koningen tot en met koningin Wilhelmina. In de oostelijke vleugel zullen afzonderlijke objecten zoals tekeningen, prenten, miniaturen, zilver, ceramiek, archivalia en documenten betreffend de stadhouderlijke en koninklijke familie tentoongesteld worden. Wisselende exposities zullen gehouden worden in de westelijke vleugel. Tijdens de restauratie van het paleis is een deel van de museumcollectie tentoongesteld in het in 1971 gerestaureerde stallencomplex. In dit

tijdelijke museum, sinds 1972 voor het
publiek geopend, zijn de belangrijkste
stukken uit de inventaris van het paleis
tentoongesteld als bruikleen van H.K.H.
prinses Juliana, samen met bruiklenen van
de Stichting Historische Verzamelingen
van het Huis van Oranje Nassau en de
Rijkscollecties, de verzameling van de Vereniging Oranje Nassau Museum, schen-
kingen en bruiklenen van particulieren, de
aanwinsten van de Vrienden van Het Loo,
verenigd in de Stichting 't Konings Loo,
en de aankopen van het museum zelf. In
het weidse stallencomplex kan men thans
stijlkamers van de Oranjes, te beginnen
met koning Willem I, bezichtigen. Er zijn
prachtig meubilair geëxposeerd, schilderijen en serviezen, ook rijtuigen, sleden, de
schilderkoets van koningin Wilhelmina en
niet te vergeten een aantal van de oudste
hofauto's. Sedert 1972 hebben ruim anderhalf miljoen Nederlanders deze tijdelijke
expositie van het nieuwe Rijksmuseum
Paleis Het Loo bezocht. Ze is dagelijks geopend van 10.00 tot 17.00 uur.

Plundering en verbouwingen

Na de dood van de stadhouder-koning in
1702 bleef Het Loo tot 1795 in bezit van
de stadhouderlijke familie. In de tweede
helft van de 18de eeuw werd het intensief
bewoond, maar er werden geen ingrijpende wijzigingen aangebracht. Wel kreeg de
tuin een ander aanzien doordat na 1784 de
aanleg van de boventuin achter de
dwarslaan in landschappelijke stijl werd
gewijzigd.
In de periode van de Bataafse Republiek
(1795-1806) werd Het Loo onteigend en
door Nederlanders, Engelsen en Fransen
geplunderd. De tuin werd vernield. In
1808 werd Het Loo zomerverblijf van
Lodewijk Napoleon (1778-1846), koning
van Holland van 1806-1810. De gevels
werden witgepleisterd, de schuifvensters
vervangen door empire-ramen, het paleis
opnieuw ingericht en tuin en park
herschapen tot één groot landschapspark.
Na de vestiging van het Koninkrijk der
Nederlanden werd Het Loo staatsbezit en
aan de regerende vorst ter beschikking gesteld als zomerverblijf.
Vooral koning Willem III (1817-1890) en
koningin Wilhelmina (1880-1962) verbleven graag op Het Loo. Koning Willem III liet achter de oostelijke vleugel een
kunstzaal bouwen. Door koningin Wilhelmina werd in het begin van haar regering een aantal vertrekken, onder andere
het hoofdtrappehuis en de vestibule,
gerestaureerd en in de Lodewijk XIV-stijl
aangepast aan de oorspronkelijke decoratie van het huis.
In het begin van deze eeuw werd het paleis
door de verantwoordelijke ministers te
klein geacht voor de ontvangst van buitenlandse staatshoofden. Om deze reden
volgde in 1911-1914 een ingrijpende verbouwing. Het hoofdgebouw en twee paviljoens werden met een verdieping verhoogd en aan de oostzijde werd het
gebouw uitgebreid met een grote balzaal

Boven: een deel van de
verzameling rijtuigen, sleden
en hofauto's, thans tijdelijk
opgesteld in het
stallencomplex.
Onder: paleis Het Loo vóór
het begin van de
restauratiewerkzaamheden
in 1977.
Linksboven: ets van de
kunstenaar R. de Hooghe
waarop in vogelvlucht het
gehele lusthofcomplex is te
zien zoals het er uitzag na
de uitbreiding aan het einde
van de 17de eeuw.
Onmiddellijk achter het
paleis de verdiepte tuin, met
daarachter het
niet-verdiepte gedeelte. Dat
gedeelte is afgesloten met
de colonnades die eerder
het hoofdgebouw
verbonden met de
L-vormige vleugels.

en een nieuwe vleugel met keuken- en
personeelsvertrekken. Door deze toevoegingen gingen de juiste verhoudingen en
de symmetrie van het gebouw verloren.
Koningin Wilhelmina heeft Het Loo tot
haar dood in 1962 bewoond. In 1969 besloot de regering in overleg met koningin
Juliana Het Loo te bestemmen tot
museum, gewijd aan het Huis van Oranje
Nassau en zijn rol in de Nederlandse
geschiedenis. Prinses Margriet was de laatste Oranje die, van 1967 tot 1975, Het Loo
bewoonde. In juni 1975 betrok zij met
haar gezin een nieuw gebouwde woning in
het park. De slechte staat waarin het
paleis verkeerde – voornamelijk te wijten
aan de uitbreidingen in 1911-1914 –
maakte voor zijn nieuwe bestemming als
museum een complete restauratie noodzakelijk (A.W. Vliegenthart).

Heusden: landfort in rivierenland

DRS. J.P.C.M. VAN HOOF

Links: doorkijkje via de Visbank op een van de twee standerdmolens die hoog op de wallen van de gerestaureerde vestingstad al eeuwenlang gebruikmaken van energie die door geen belegeraar kon worden afgesloten.
Boven: een oud stuk geschut dat als vanouds een deel van de vrije ruimte rondom het waterfort bestrijkt.

Heusden, het stadje aan de Bergse Maas op ongeveer 15 km ten noordwesten van 's-Hertogenbosch, ademt buiten het zomerseizoen een sfeer van vredige rust. Het heeft echter als voormalige vesting- en garnizoensstad een even bewogen als bedrijvige historie achter de rug. Sinds 1978 zijn alle oude, indrukwekkende verdedigingswerken in de oorspronkelijke staat hersteld. Zowel deze fortificaties, de vele prachtige oude huizen alsook het waas van dromerigheid en vervlogen tijden, dat over Heusden hangt, maken een bezoek aan deze vroegere vestingstad meer dan waard.

Vermoedelijk is Heusden in de 12de eeuw ontstaan bij een aldaar gelegen burcht. Hoewel in de literatuur meermalen staat vermeld, dat de plaats in 1231 stadsrechten kreeg, is dit nooit met zekerheid komen vast te staan. Hoe dit ook zij, in 1357 kwamen stad en land van Heusden na een jarenlang conflict in handen van de Hollandse graaf. Dit feit betekende tevens de afronding van diens territorium in deze streken. Heusden werd daardoor een Hollandse grensvesting en als zodanig een belangrijk militair steunpunt.
In 1421 hadden stad en land ernstig te lijden van de Sint-Elisabethsvloed. In 1497 trof een ander onheil de streek rondom Heusden, toen de Geldersen hier een inval deden. Konden de bewoners van de stad de problemen toen nog goed de baas, in 1542 waren zij gedwongen de plundering van Heusden door de beruchte Maarten van Rossem met duur geld af te kopen.
Als gevolg van de nieuwe ideeën op vestingbouwkundig gebied werd de omwalling van de stad in de laatste decennia van de 16de eeuw ingrijpend gewijzigd. De eerste aanleiding tot deze ontwikkelingen in de vestingbouw was in feite de uitvinding van het kanon in de eerste helft van de 14de eeuw. Deze luidde namelijk het einde in van het tijdperk van de fiere hoge muren, poorten en torens rondom steden en kastelen. Richtten aanvankelijk de kogels van het nog primitieve geschut betrekkelijk weinig schade aan, in de loop van de 15de eeuw nam de artillerie zodanig in kracht en omvang toe dat de omwalling van versterkte plaatsen op den duur niet stevig genoeg meer bleek. Onder dreiging van rampzalige oorlogsomstandigheden begonnen in het begin van de 16de eeuw in Italië vele geleerden zich bezig te houden met het probleem hoe men plaatsen minder kwetsbaar kon maken voor vijandelijk geschut. Het belangrijkste resultaat van hun studie was de ontwikkeling van het rondeel, een lage, ronde of halfronde toren met dikke wanden, die buiten het profiel van de stadsmuur uitstak en volop ruimte bood voor het opstellen van vuurmonden. Hier-

uit ontwikkelde zich later het bastion, een vijfhoekig bouwwerk van steen dat voorzien was van zogenoemde kazematten: gewelfde ruimten voor het opstellen van kanonnen. Bovendien brachten de Italianen aan de voor- en achterzijde van de muur aarde aan; in deze materie drongen de kogels slechts in zeer beperkte mate door, zodat het kwetsbare metselwerk grotendeels gespaard bleef voor vijandelijke kanonnades. In het kader van deze ontwikkeling werden hoge stenen muren, poorten en torens op tal van plaatsen verlaagd of geslecht.

Nieuwe fortificaties
In de loop van de 16de eeuw drongen deze Italiaanse fortificatie-ideeën ook in de Nederlanden door. Steden als Utrecht, Breda, Vlissingen, Maastricht en Antwerpen kregen een omwalling van rondelen en stenen bastions. Na het uitbreken van de strijd tegen Spanje stonden de opstandelingen voor de opgave de merendeels nog middeleeuwse verdedigingswerken rondom hun steden op korte termijn en met eenvoudige middelen te verbeteren. Onder druk van de omstandigheden ontstond aldus het zogeheten oudnederlandse stelsel met wallen en bastions van aarde, omgeven door een brede, met water gevulde gracht.
Ter bescherming van de courtine (de vestingwal tussen twee bastions) en van de zich daar bevindende poorten legden de vestingbouwers in deze gracht ravelijnen aan: vijfhoekige, van borstweringen voorziene eilandjes, waarop geschut geplaatst kon worden. Het geheel werd vaak omsloten door een tweede verdedigingsgordel, bestaand uit een tweede aarden wal, de contrescarp, die diende ter dekking van een zogeheten bedekte weg, die op de oever van de binnengracht liep. Vóór deze wal lag dan soms nog een buitengracht. De voordelen van een aarden boven een stenen bastion waren de geringe aanlegkosten en de mogelijkheid om het verdedigingsgeschut in de openlucht op te stellen in plaats van in de kazematten, waar de rook van het verschoten kruit urenlang bleef hangen en het instor-

tingsgevaar als gevolg van vijandelijke treffers bepaald niet denkbeeldig was. De grote voorman van dit nieuwe fortificatiesysteem was de in Alkmaar geboren Adriaan Antonisz., die ontwerpen heeft samengesteld voor nieuwe vestingwerken rondom dertig steden, waaronder Enkhuizen en Willemstad. Zijn collega Jacob Kemp, schout van Gorinchem, kreeg in april 1581 van de Staten van Holland opdracht plannen op te stellen voor de verbetering van de fortificaties rondom de vesting Heusden. De aldus ontstane nieuwe omwalling werd een dertigtal jaren later nog verder uitgebreid. Het eindresultaat was een landfront met zes bastions, een natte gracht met daarin zes ravelijnen en een halve maan (een eilandje ter bescherming van een der bastions) met daarvoor een contrescarp met bedekte weg, een smalle buitengracht en vier hoornwerken. Deze laatste waren een soort forten die tegen de buitengracht aan lagen en voorzien waren van bastionachtige hoeken. Aan de kant van de Maas waren de fortificaties opgetrokken uit steen. Zij bestonden uit drie bastions en een aantal rondelen, waarvan er één bij de ingang van de haven gelegen was. Ter dekking van dit stenen en dus extra kwetsbare front lag aan de overzijde van de rivier, op de Hemertse waard, een groot hoornwerk. Vier jaar voordat Jacob Kemp opdracht had gekregen de fortificaties rondom de vesting Heusden te verbeteren, waren in 1577 op grond van de akkoorden van de

Pacificatie van Gent de laatste Spaanse troepen onder hun bevelhebber kapitein Antoni Grenet uit de vesting weggetrokken. Nog tweemaal werd Heusden met inneming door de Spanjaarden bedreigd, in 1579 door de troepen van Baldeus en in 1589 door het krijgsvolk van Karel van Mansveldt, die het beleg sloeg voor de stad, maar dit na een half jaar moest opbreken.

Geen strijdgewoel meer voor Heusden

Hoewel Heusden verder niet meer rechtstreeks met het oorlogsgeweld werd geconfronteerd, was de strijd tegen Spanje er goed merkbaar. Zolang deze voortduurde verbleef in de stad, nu min of meer fungerend als grensvesting van de Republiek, doorgaans een grote Staatse troepenmacht, met alle gevolgen van dien. Door de verdere uitbreiding van het garnizoen na de val van Breda in 1625 en de grote toevloed van zieke en gewonde frontsoldaten, ontstond er een nijpend tekort aan verpleegruimte. Het gevolg daarvan was dat er in de zogenoemde Nieuwstadt een nieuw gasthuis moest worden gebouwd. Tijdens het grootscheepse beleg van het naburige 's-Hertogenbosch door Frederik Hendrik in 1629 bood Heusden onderdak aan talrijke lieden uit binnen- en buitenland, onder wie vele militaire deskundigen, die dit grote spektakelstuk van nabij wilden meemaken. Na voltooiing van de uitbreiding der fortificaties in het begin van de 17de eeuw

Boven: een der ravelijnen in de natte gracht die het landfort scheidt van het gebied aan de zuidkant ervan. Ravelijnen zijn bolwerken die dienden ter dekking van een poort of van een gedeelte van de wal tussen twee bastions. Onder: de Veerpoort, aan de rivierzijde van de stad, is een van de bouwwerken die in het kader van de restauratie in hun oude staat werden hersteld. Ze werd beschermd door een klein bastion en gaf toegang tot de veerpont naar het plaatsje Hemert aan de overzijde van de Bergse Maas.

bleef de vesting Heusden in de hiervoor geschetste vorm voortbestaan tot in de 19de eeuw, met dien verstande dat, vermoedelijk in de jaren 1680-1720, de vijf hoornwerken werden geslecht als gevolg van de gewijzigde inzichten omtrent het nut van dergelijke fortificaties.

Het verleden herleeft

Van de bedrijvigheid die Heusden tijdens zijn bestaan als garnizoensstad heeft gekend, is nu weinig meer over. Buiten de drukte op zomerse dagen, wanneer toeristen soms in grote drommen het plaatsje komen bekijken en watersporters, die in de jachthaven aan de Maas hebben aangemeerd, hier vertier zoeken of inkopen doen, heerst er een vredige rust. De keistraatjes met de oude geveltjes, waarvan er vele pas gerestaureerd zijn of net een opknapbeurt ondergaan; de Demer, een in een wijde boog lopend grachtje, geflankeerd door lage huizen – vrijwel alles maakt een ietwat dromerige indruk. Midden in het centrum staat het nieuwe stadhuis. Zijn voorganger, een gebouw dat dateerde uit 1588 en in laat-gotische stijl was opgetrokken, werd in de nacht vóór Heusdens bevrijding (5 november 1944) opgeblazen, wat de 134 burgers die hier hun toevlucht hadden gezocht tegen het oorlogsgeweld, het leven kostte . . . We wandelen nu de straat in die, wanneer we met het gezicht naar de voorgevel van het stadhuis staan, rechts langs dit gebouw loopt, de Breedstraat. Hier zijn diverse prachtige huizen uit de 17de eeuw te bewonderen, zoals de nummers 25 ('In 't paradijs'), 17, 13 en 10. Slaan we aan het einde linksaf, dan komen we bij de 15de-eeuwse Catharijnekerk, waarvan de toren in de nacht van 4 op 5 november 1944 door de Duitsers werd opgeblazen, waarbij ook het schip instortte. Alleen dit laatste is na de oorlog, weliswaar in moderne trant, weer opgebouwd. We lopen rechts om de kerk heen en gaan dan rechtdoor de Putterstraat in. Hier zien we op nummer 42 het oude gebouw van het schuttersgilde, de Doelen, met op een steen in de gevel de afbeelding van Sint Joris en de draak.
Verderop slaan we linksaf, de Zustersteeg in en gaan aan het einde daarvan rechtsaf. We lopen deze straat, de Hoogstraat, uit tot aan de Veerpoort, die onlangs weer werd opgebouwd in het kader van de grootscheepse restauratie, welke in 1968 begon en waarbij alle vestingwerken van Heusden in oude staat werden hersteld. De poort, die eertijds toegang bood tot het pontveer naar Hemert, op de weg naar Zaltbommel, wordt door een klein bastion beschermd.
Voor onze wandeling langs het Maasfront gaan we links de wal op in de richting van de standerdmolen. De vestingwerken zijn aan de kant van het water voorzien van een stenen bemanteling. Verderop, ter hoogte van de tweede molen, komen we bij het intieme haventje, dat tijdens de genoemde restauratie weer is uitgegraven.

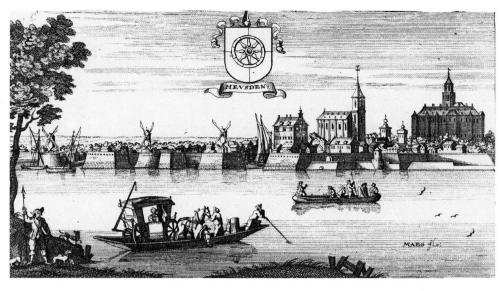

Boven: het waterfort van Heusden, gezien vanaf de overzijde van de Bergse Maas (midden 17de eeuw). Onder: plattegrond van de vestingstad Heusden, met de belangrijkste punten die genoemd worden in dit hoofdstuk.
1. Stadhuis
2. Catharijnekerk
3. Doelen
4. Veerpoort
5. Standerdmolen
6. Standerdmolen
7. Haven
8. Wijkse poort
9. Noordbolwerk
10. Bromsluis
11. Westbolwerk
12. Zuidbolwerk
13. Hoornbolwerk
14. Nassaubolwerk
15. Oranjebolwerk
16. Hollandbolwerk
17. Bossche poort met Kruittoren

Over de havenmond ligt een dubbele ophaalbrug, die de verbinding vormt tussen de twee verdedigingswerken die deze ingang flankeren. Aan de kant waar we vandaan komen, is dat een rondeel en aan de andere kant het grote stenen bastion Vlammenburg. Langs de kademuur tegenover de haveningang loopt een dubbele trap, die naar de uit 1796 daterende Visbank voert. De voorkant van dit bouwwerk krijgen we te zien wanneer we, links langs de haven lopend, op de Vismarkt aankomen. We steken het plein schuin naar rechts over, gaan rechtsaf en meteen weer links, de Wijkse straat in. Aan het eind hiervan ligt de Wijkse poort, onlangs weer opgetrokken aan de hand van 18de-eeuwse tekeningen.

Wallen, bastions en tunnels

We steken de weg over die links langs de poort loopt over en nemen het voetpad

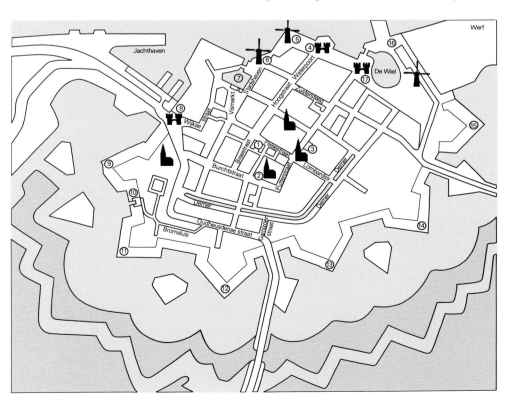

vlak achter de vestingwal, die we op sommige plaatsen via een trapje kunnen bestijgen om te genieten van het uitzicht op de gracht en de daarin liggende ravelijnen. Verder lopend komen we allereerst bij het Noordbolwerk, een van de zes bastions die Heusden eertijds aan de landzijde beschermden. De wallen en bastions zijn voorzien van een borstwering, waarachter het geschut stond opgesteld. Aan de voet hiervan, op de oever van de binnengracht dus, ligt de fausse-braye, een lage voorwal, die een tweeledige functie had. Bij een vijandelijke beschieting verschafte ze dekking aan de infanterie en ze verhinderde bovendien dat de aarde die door treffers van het belegeringsgeschut van de hoofdwal afbrokkelde, in de gracht terechtkwam. Via sortieën en poternen, tunnels onder de hoofdwal door, kon men de ruimte tussen deze wal en de fausse-braye bereiken. Zo'n sortie is te zien bij de Bromsluis, het punt waar vroeger de Demer in de binnengracht uitwaterde. Deze bevindt zich in het tracé tussen het Noordbolwerk en het tweede bastion aan de landzijde dat we op onze wandeling aandoen, het Westbolwerk.
We lopen het pad langs de wallen af tot aan de Oudheusdense straat. Onderweg passeren we dan nog het Zuidbolwerk. Hier gaan we links de Garnizoenstraat in. Op de Demer aangekomen gaan we rechts. We lopen dan achter het Hoornbolwerk langs, een bastion dat in vorm en grootte afwijkt van de andere. Het is namelijk voorzien van een aarden verhoging, een zogeheten katte of cavalier. Deze diende voor het verkrijgen van een goed uitzicht op het gevechtsterrein buiten de vestingwerken. Bovendien kon hierop geschut geplaatst worden, dat zo een breed terrein bestreek.
We lopen de Demer verder af, gaan linksaf de brug over en komen dan via de

Lombardstraat en de Pelsestraat weer bij het stadhuis uit.
Na de sluiting van de Vrede van Munster in 1648 raakten het landleger en de vestingwerken van de Republiek deerlijk in verval. Immers, Engeland ontpopte zich als de nieuwe tegenstander, reden waarom de defensiegelden voortaan voor het overgrote deel werden besteed aan de opbouw en het in stand houden van een sterke vloot.

Het nieuwnederlandse stelsel

Hoe riskant deze eenzijdige politiek was, bleek in 1672, toen de legers van de Franse koning Lodewijk XIV bijna ongehinderd tot diep in de Republiek konden doordringen. Weliswaar zag de Zonnekoning zich in 1678 tenslotte gedwongen vrede te sluiten, maar in Nederland was men voordien reeds tot het inzicht gekomen dat het oudnederlandse vestingstelsel al lang was achterhaald. Men begon daarom plannen te maken de vesting volgens de modernste vestingbouwkundige inzichten te verbeteren.
In 1685 verscheen van de hand van Menno baron van Coehoorn het boek 'Nieuwe Vestingbouw op een natte of lage Horisont', waarin hij ten aanzien van de versterkingskunst een aantal nieuwe principes introduceerde die in de geschiedenis van de vestingbouw zouden voortleven onder de term 'het nieuwnederlandse stelsel'.
Coehoorn pleitte in zijn boek onder meer voor het aanleggen van grotere bastions en ravelijnen. Verder stelde hij voor de flanken van de bastions (dat zijn de beide zijkanten die aansluiten op de vestingwal) niet meer recht maar in een binnenwaartse bocht en in twee verdiepingen uit te voeren. In een latere fase van zijn leven ontwikkelde deze alom vermaarde fortificatiedeskundige nog andere theorieën

op dit gebied, die zijn tijdgenoten als te geavanceerd afwezen, maar door de Nederlandse vestingbouwers van de 18de eeuw in vele opzichten werden nagevolgd. In het kader daarvan moeten ook, zoals reeds vermeld, de vijf hoornwerken van Heusden zijn geslecht.

Barrière tegen de Franse vijand

Bij de Vrede van Utrecht in 1713, die een eind maakte aan de Spaanse Successieoorlog, trachtte de Republiek zich voor eens en voor altijd veilig te stellen tegen het agressieve Frankrijk. Twee jaar later sloot zij hiertoe een verdrag met Oostenrijk, de nieuwe soeverein in de Zuidelijke Nederlanden, waarbij zij het recht kreeg in de zogenoemde barrièresteden (Namen, Doornik, Meenen, Veurne, Warneton, Ieper, Dendermonde en fort Knokke) permanent een troepenmacht van 12.000 man in garnizoen te mogen leggen. Deze zwakke barrière belette de troepen van Lodewijk XV tijdens de Oostenrijkse Successieoorlog (1740-1748) uiteraard niet de keten te doorbreken, de slecht voor hun taak berekende vestingen vrijwel moeiteloos te veroveren en diep in de Generaliteitslanden door te dringen.
Ook na de definitieve nederlaag van Napoleon bij Waterloo in 1815 bleef Frankrijk als potentiële agressor gelden, reden waarom koning Willem I besloot tot de aanleg van het zogeheten 'zuidelijke frontier'. Deze verdedigingslinie omvatte naast de voormalige, nu opnieuw versterkte barrièresteden nog een aantal andere vestingen, waaronder Bergen en Charleroi. Naarmate de werkzaamheden aan het zuidelijke frontier vorderden, boetten de vestingen in Noord-Brabant aan betekenis in. Bergen op Zoom, Breda en 's-Hertogenbosch bleven vanwege hun omvang en de nabijheid van oefenterreinen belangrijk als garnizoensstad, terwijl Willemstad door zijn ligging op de samenkomst van Hollands Diep, Haringvliet en Volkerak nog steeds van grote waarde was. Heusden miste deze eigenschappen. Het werd daarom in 1821 als vesting opgeheven en gedeeltelijk ontmanteld. Tot 1879 bleef het echter nog wel in het bezit van een klein garnizoen. Wat na 1821 wel bleef voortbestaan was de zogenoemde stelling van Heusden, een reeks fortificaties ten zuiden en ten oosten van de stad, gelegen in een inundeerbaar gebied, dat een onderdeel vormde van de

Boven: de vesting Heusden vanuit de lucht gezien. De opname werd gemaakt na de restauratie van de verdedigingswerken die in 1978 vrijwel was voltooid. Wat er voor die restauratie aan werk moest worden verzet blijkt heel duidelijk uit de oudere luchtopname linksboven, die vóór deze operatie werd gemaakt. De gracht die de stad aan de west- en zuidzijde omringt, was vrijwel geheel verland en volgegroeid met riet, en van sommige ravelijnen waren van de lucht uit alleen de contouren nog zichtbaar; op de grond waren deze oude verdedigingswerken nog slechts waarneembaar als lichte verhogingen in het terrein.
Linksonder: gezicht op de Vismarkt, met op de voorgrond een gedeelte van de Visbank die dateert uit 1796, toen Heusden zijn betekenis als vesting al grotendeels was kwijtgeraakt.

Zuidwaterlinie. In de loop van de 19de eeuw verloor ook deze verdedigingsgordel steeds meer zijn betekenis, hetgeen resulteerde in de opheffing van de daarin gelegen vestingen, behalve Willemstad.

Nederland nog rijk aan vestingsteden
Van de verdedigingswerken die in de loop der eeuwen rondom Nederlandse vestingsteden werden aangelegd, is gelukkig nog heel wat bewaard gebleven. Bovendien is in de afgelopen jaren veel hiervan gerestaureerd. Van de plaatsen die volgens het oudnederlandse stelsel zijn versterkt, zijn behalve Heusden ook Brielle, Enkhuizen, Hulst, Willemstad en Woudrichem als vesting nog vrij volledig intact. In dit rijtje hoort ook Bourtange thuis, dat eertijds een belangrijke strategische positie innam vanwege zijn ligging op een van de spaarzame doorgangen door het eens zo ondoordringbare moeras op de grens van Duitsland met Groningen en Drenthe. De restauratie van de fortificaties rondom dit plaatsje nadert langzaamaan haar voltooiing.
Een zeer fraai geheel vormen de vestingwerken rondom de stad Naarden, die zijn opgebouwd op grond van nieuwe ideeën

welke zich in het laatste kwart van de 17de eeuw in de Republiek op dit gebied hebben ontwikkeld. Een gedeelte hiervan is ingericht tot vestingmuseum. Andere plaatsen, met volgens dezelfde principes aangelegde verdedigingswerken, zijn Hellevoetsluis en Nieuwpoort.
Maastricht vormt, ook wat de restanten van vestingbouwkundige activiteiten betreft, een unicum. Wat er nu nog over is, en dat is heel wat, dateert namelijk uit diverse tijdperken, van de middeleeuwen tot in de 19de eeuw. Overigens zijn er nog in vele andere steden in Nederland overblijfselen van fortificaties te zien, zij het op veel beperktere schaal dan in bovengenoemde plaatsen.
Na de grote ontmanteling, die vooral losbarstte in de tweede helft van de 19de eeuw, is in België van de eertijds zo grote rijkdom aan objecten van vestingbouwkundige aard nog maar weinig over. Restanten van omwallingen en poorten zijn nog te zien in Brugge, Damme, Dendermonde, Diest en Ieper. Dinant, Hoei, Luik en Namen beschikken nog over een citadel, een veelhoekig gesloten verdedigingswerk dat de defensieve kern van een vesting uitmaakte.

159

Het Waalse ijzer in het vuur

J. FRAIKIN

Boven: het waterrad van de 17de-eeuwse hoogoven van Gonrieux die opgesteld is in het Musée du Fer et du Charbon in Luik. Het rad dreef de gigantische blaasbalgen aan die het houtskoolvuur in de oven moesten aanwakkeren. Links: eveneens door waterkracht aangedreven werden de zogenoemde 'makas', zware hamers die het gezuiverde gietijzer traag tot staven sloegen.

Van oudsher is een van de belangrijkste centra van ijzerbewerking in West-Europa gelegen geweest in Wallonië en meer in het bijzonder in het gebied rondom de stad Luik, in de Luikse agglomeratie, die tientallen gemeenten telt. In de stad zelf zijn twee belangwekkende musea gevestigd, die veel bezienswaardigs bieden over de historische ijzer- en wapenindustrie in dit gebied.

Al sinds de tijd van de Kelten, die vele eeuwen voor onze jaartelling in West-Europa leefden, heeft de ijzerbewerking een belangrijke rol gespeeld in het economische leven van het Waalse land. Voor een deel is dit te verklaren uit de aanwezigheid van drie grondstoffen die in de vroege IJzertijd (in West-Europa begonnen omstreeks 700 v.Chr.) onmisbaar waren voor de bewerking van ijzer: erts, brandstof (destijds houtskool die in de bossen werd gebrand) en – later – waterkracht. Bovendien ging men vanaf het einde van de 13de eeuw de eveneens in Wallonië aanwezige steenkool in de smederijen gebruiken.

Voor en tijdens de middeleeuwen werd het ijzererts gesmolten in ovens die met houtskool werden gestookt en waarin het vuur werd aangewakkerd met blaasbalgen die met handkracht werden bewogen. Van de 9de eeuw af produceerden zulke smeltovens in één bewerking klompen ijzer die met slakken waren vermengd en die in smidsen werden omgesmeed tot wapens en werktuigen.

In de 13de en 14de eeuw begon men meer en meer gebruik te maken van waterkracht. Schoepenraderen dreven de hamers in de smederijen aan en later ook de blaasbalgen in de smeltovens. Door deze laatste toepassing kon de capaciteit van de ovens aanmerkelijk worden vergroot en was het mogelijk de temperatuur op te voeren tot 1300 à 1400° C. Er ontstond een nieuw type smeltoven, de hoogoven, die geen ijzerklompen meer produceerde maar een vloeibaar mengsel van ijzer, koolstof en silicium: het gietijzer. Nadat dit was gezuiverd kon men er met behulp van vormen allerlei voorwerpen van gieten.

Uitbreiding en concentratie van bedrijven

De techniek van het zuiveren van gietijzer is waarschijnlijk in Wallonië ontwikkeld. In elk geval bleef de 'Waalse methode' van de 15de tot het begin van de 19de eeuw in zwang zonder dat ze ingrijpend werd veranderd. Het nieuwe procédé, waarbij het ijzer in twee etappes werd geproduceerd (eerst smelten, vervolgens zuiveren), zorgde voor een belangrijke uitbreiding van het aantal metaalbedrijven en tevens voor de concentratie van zulke bedrijven in een aantal gebieden waar veel waterkracht voorhanden was. In de loop van de 15de eeuw ontstonden zo de vijf Waalse ijzerindustriebekkens bij Namen, Hoei, Luik, Durbuy en Habay.

De bekkens van Durbuy en Habay in het groothertogdom Luxemburg behoorden tot de Spaanse (en later de Oostenrijkse) Nederlanden. Het bekken van Namen lag gedeeltelijk in het prinsbisdom Luik en gedeeltelijk in de graafschappen Namen en Henegouwen, die eveneens tot de Nederlanden behoorden. De bekkens van Hoei en Luik tenslotte lagen geheel in het prinsbisdom. In Habay werden voornamelijk ijzeren staven gemaakt; de industrie rondom de stad Luik was gespecialiseerd in de verwerking van deze staven, voornamelijk tot spijkers.

In de 16de eeuw, toen zich in geheel West-Europa een economische opleving voordeed, onderging de Waalse ijzerindustrie een aanzienlijke uitbreiding. Omstreeks 1566 omvatte ze ongeveer 200 bedrijven, een nogal opmerkelijke concentratie als men bedenkt dat geheel Frankrijk destijds nauwelijks 400 van zulke bedrijven telde.

Tijdens de godsdienstoorlogen in Frankrijk en in de Spaanse Nederlanden werd de toekomst van de ijzerindustrie ernstig bedreigd. Het prinsbisdom handhaafde echter een wat wankele neutraliteit waardoor het weliswaar niet geheel voor verwoestingen werd gespaard (zo werden alle smeltovens in het dal van Hoyoux in puin gelegd) maar waardoor het toch kon profiteren van de oorlogstoestand door de elkaar bestrijdende legers van wapens te voorzien.

Spijkers voor Nederlandse schepen

Tussen 1566 en 1650 onderging de Waalse ijzerindustrie een ingrijpende verandering. In het prinsbisdom Luik had de bloeiende wapenhandel er voor gezorgd dat men zich steeds meer was gaan toeleggen op de ijzerbewerking en minder op het hoogovenbedrijf. Van het midden van de 17de eeuw af werden spijkers, naast wapens, het belangrijkste exportartikel, vooral dank zij de zeer grote markt die in de Noordelijke Nederlanden was ontstaan door de grote bloei van de scheepswerven. De Luikse spijkerhandelaars kochten staven zacht ijzer in het bekken van Habay en lieten die verwerken in ijzerkloverijen.

De kleine, dunne staven die deze bedrijven als halfprodukt leverden werden vervolgens verdeeld over de talrijke spijkermakers in onder meer de valleien van de Ourthe en de Vesder, die er in hun kleine smederijen met de hand miljoenen spijkers van maakten. In andere streken, zoals in Luxemburg en in het gebied tussen de Sambre en de Maas, legde men zich voornamelijk toe op het vervaardigen van staafijzer en gietijzeren voorwerpen.
Na 1765 begon zich in de Luikse spijkerindustrie een neergang af te tekenen. In de omgeving van Charleroi vond in die tijd een sterke economische opleving plaats en de daar gevestigde spijkerhandelaars slaagden erin het Luikse monopolie op de Noordnederlandse markt te doorbreken. Daar stond tegenover dat de Luikse wapenindustrie bleef profiteren van de vele gewapende conflicten en vooral van de Amerikaanse vrijheidsoorlog.

Grote variatie aan produkten

Vroeger was een hoogoven slechts enkele maanden per jaar continu in bedrijf. In de 17de eeuw bedroeg de dagproduktie van een met houtskool gestookte hoogoven nauwelijks een ton gietijzer. In de daaropvolgende eeuw schommelde de produktie tussen twee en vier ton per dag; in een geheel jaar produceerde een hoogoven toen evenveel als een moderne hoogoveninstallatie in één dag. De produkten van de ijzerindustrie waren overigens wél zeer gevarieerd; men maakte gietijzeren pannen, haardijzers, haardplaten, kanonnen, kogels enzovoort, maar ook gereedschappen, handwapens en natuurlijk spijkers

Boven: het hart van de 17de-eeuwse hoogoven, met rechts de goot waarlangs het vloeibare ijzer werd afgetapt.
Onder: het hoogovencomplex van Ougrée, een van de vele die vroeger in het Waalse land in bedrijf waren.
Rechtsboven: de vernuftig geconstrueerde makas zijn lang in bedrijf gebleven. Deze foto dateert uit 1925 en toont de laatste van deze werktuigen in Chaudfontaine.
Rechts: verzameling gietijzeren voorwerpen in het Luikse museum.

in alle vormen en maten.
Smeltovens, zuiveringsbedrijven, kloverijen en met waterkracht aangedreven smederijen waren over het algemeen in handen van ijzerhandelaren die als zodanig een belangrijke positie in de samenleving innamen. Zij waren het immers tot wie de oorlogvoerende vorsten zich moesten wenden om aan wapens te komen. Ze lieten de leiding van de bedrijven doorgaans over aan bedrijfsleiders. De arbeiders werden meestal aangesteld op een kortlopend contract; hun belangrijkste bron van bestaan vonden deze mensen over het algemeen in de landbouw.

Na de Industriële Revolutie

De Industriële Revolutie in Wallonië begon tussen 1798 en 1800 in de textielnijverheid en sloeg snel over op de ijzerindustrie die onmisbaar bleek voor de produktie van de nieuwe mechanische weefgetouwen. Twee Waalse gebieden profiteerden het eerst van de nieuwe ontwikkelingen: Luik en Charleroi.
In het Luikse werden de oude kloverijen (die door de neergang van de spijkerindustrie toch al grotendeels tot inactiviteit waren gedoemd) al snel vervangen door een nieuw soort bedrijf, de pletmolen, waar plaatijzer werd vervaardigd. Luik ging zich voornamelijk toeleggen op de fabricage van machines voor de textielindustrie en van stoommachines. De bekende John Cockerill stichtte tussen 1820 en 1830 in Seraing een ijzerindustriecomplex van enorme omvang; in 1827 stelde hij hier zijn eerste, met cokes gestookte hoogoven in bedrijf. In de jaren 1821-1822 introduceerde Henri Joseph Orban in dezelfde streek het zogenoemde 'puddelen', een bewerking waardoor ruw ijzer in een vlam- of puddeloven wordt veranderd in smeedijzer of staal door er koolstof aan te onttrekken. In 1822-1823 begon Paul Huart-Chapel deze 'Engelse methode' ook toe te passen in zijn fabriek

te Marcinelle-aux-Hauchis. Al in 1824 begon hij met de bouw van de eerste met cokes gestookte hoogoven in de omgeving van Charleroi. François-Isidore Dupont en Thomas Bonehill deden enige jaren later hetzelfde, respectievelijk in La Hourpes en in Marcinelle-au-Pont.

Vroege produktie van locomotieven

De stoommachine, die in de 18de eeuw nog uitsluitend werd gebruikt om water uit de steenkoolmijnen te pompen, kon in de eeuw daarop ook worden toegepast voor het aandrijven van blaasbalgen in hoogovens en van pletwalsen en hamers in andere ijzerindustrieën. Het aantal machinefabrieken groeide snel, en vanaf 1835 ging een toenemend aantal ervan zich onder meer toeleggen op de fabricage van stoomlocomotieven. De voortvarende ontwikkeling van het Belgische spoorwegnet na 1836 bracht in de Waalse ijzerindustrie grote veranderingen teweeg, niet alleen

doordat zodoende een nieuw afzetgebied ontstond maar ook door de komst van bijzonder doelmatige transportmogelijkheden. De industrie kon nu veel gemakkelijker grondstoffen uit het buitenland betrekken en, omgekeerd, haar produkten sneller exporteren, voornamelijk via de haven van Antwerpen.

Ook de overschakeling van houtskool op cokes in de ijzerindustrie heeft een ingrijpende invloed gehad op de bedrijfsvoering, met als gevolg dat de kleinste en slechtst uitgeruste bedrijfjes en die welke het verst van waterwegen en steenkoolmijnen waren gelegen, het een na het ander verdwenen. Anderzijds werd de concentratie in de industriebekkens in de loop van de jaren steeds dichter. Weliswaar daalde het aantal ijzerverwerkende bedrijven tussen 1850 en 1885 van 88 tot nog slechts 17, maar de omvang van de overblijvende ondernemingen nam enorm toe en hun rendement werd steeds groter. Door de twee wereldoorlogen is de snelle industriële ontwikkeling van het Luikse in ernstige mate onderbroken. Zo vielen er in 1944-1945 ruim 1500 V-1's op de stad Luik en omgeving. Desondanks is de metaalindustrie momenteel nog steeds de belangrijkste activiteit in Luik; de ijzer- en

staalindustrie levert 40 procent van de totale Belgishe staalproduktie, en verder spelen ook de zware en metaalverwerkende industrie nog een belangrijke rol.

Het IJzer- en Steenkoolmuseum

In de voormalige *Fabrique de fer blanc Dieudonné Dothée* aan de Boulevard Poincaré in Luik is thans het *Musée du Fer et du Charbon*, het IJzer- en Steenkoolmuseum gevestigd. In dit belangwekkende museum kan men onder meer een aantal authentieke onderdelen zien van een grote Waalse smederij uit de 17de en 18de eeuw. De hoogoven, die met houtskool werd gestookt, dateert uit de 17de eeuw en is afkomstig uit Gonrieux. Nadat het gietijzer was gezuiverd, werd het bewerkt met *makas*, zware hamers die door waterkracht in beweging werden gebracht en die het ijzer tot staven sloegen. Een van die grote hamers, afkomstig uit Bomerée, dateert uit de 17de eeuw; een andere is van 19de-eeuwse makelij en komt uit Yves-Gomezée. Naast de hoogoven staan in de hal twee gigantische blaasbalgen die worden aangedreven door een waterrad. De in het museum tentoongestelde en eveneens door waterkracht aangedreven pletmolen dateert van 1819 en is daarmee een van de oudste in Wallonië.

Wallonië, en met name het gebied van Luik, was vroeger vermaard om de gietijzeren voorwerpen die er werden gemaakt, zoals haardplaten, haardijzers, kookpotten, braadpannen, wafelijzers en dergelijke. Ook voorzag Luik de Europese legers eeuwenlang van kanonnen, kogels en granaten. Van dit alles vindt men in het museum voorbeelden te over. Zo geven ongeveer honderd haardplaten een duidelijk beeld van de stijlveranderingen in de loop der eeuwen: veel bijbelse taferelen in de 16de eeuw, het wapen van de Franse koningen in de 17de eeuw, allegorische voorstellingen of vrijmetselaarssymbolen in de 18de eeuw enzovoort.

Op de eerste verdieping kan men de stortkokers zien waardoor de arbeiders het erts en de houtskool in de hoogoven stortten. Ook is hier een collectie ondergebracht van kleinschalige modellen van met cokes gestookte hoogovens, van de eerste stoommachines, van een hydraulische pomp van het kasteel van Modave enzovoort. Een belangrijke verzameling sleutels en smeedijzeren voorwerpen toont de ontwikkeling van de slotenmakerij en de smeedkunst in de loop van de eeuwen. Het Musée du Fer en du Charbon is geopend van dinsdag tot en met zaterdag van 14.00 tot 17.00 uur. Het is gratis te bezichtigen op zaterdagen en op feestdagen, met uitzondering van 1 januari, 1 mei, 1 november en 25 december.

Fraai wapenmuseum

Luik herbergt ook een van de beste en mooiste wapenmusea ter wereld. Dit *Musée d'Armes* is gevestigd in een fraai 18de-eeuws herenhuis, Quai de Maastricht 8. Op overzichtelijke en aantrekkelijke wijze is hier een grote en schitterende collectie draagbare vuurwapens tentoongesteld, daterend van 1350 tot heden. Voorts kan men er nog een belangrijke verzameling blanke wapens zien die de periode van de 6de tot de 18de eeuw bestrijkt.

Het Wapenmuseum is gedurende de week (behalve op maandag) geopend van 10.00 tot 12.30 en van 14.00 tot 17.00 uur; op woensdagen bovendien nog van 19.00 tot 22.00 uur. Op zon- en feestdagen kan men er terecht van 10.00 tot 16.00 uur. Het museum is gesloten op 1 januari, 1 mei, 1 november en 25 december.

In Fourneau St.-Michel, op 7 km van Saint-Hubert, vindt men in een schilderachtige omgeving de nagenoeg intact gebleven gebouwen van een ijzergieterij die in 1771 werd geïnstalleerd. Het huis van de bedrijfsleider is nu een museum van oude ambachten. Men vindt er een aardige collectie haardijzers en -platen.

'Gildebroeders maeckt pleysieren'

ERIK AERTS

Linkerbladzijde: de Grote Markt in Brussel is een van de fraaiste pleinen in de wereld met de vele gildehuizen en het in Brabants-gotische stijl gebouwde stadhuis. De gildehuizen dateren alle van na de verwoesting in 1695 door Villeroy. Het stadhuis werd gebouwd in de 13de en 15de eeuw. Het oudst zijn de linkervleugel en het Belfort. De rechtervleugel en de toren werden door Jan van Ruysbroeck later aangebouwd.
Boven: de topgevel van 'De Gulden Boom', het gildehuis van de brouwers dat in 1698 gereedkwam. In dit gildehuis is nu het brouwerijmuseum ondergebracht, een reconstructie van een brouwerij uit de 17de eeuw, met alle benodigdheden voor de bereiding van bier.

Wie thans op de Brusselse Grote Markt de prachtige oude gildehuizen bewondert, kan zich moeilijk voorstellen dat deze plaats op het eind van de 17de eeuw niet veel meer dan een puinhoop was. Op 13 en 14 augustus 1695 beschoten de troepen van de Zonnekoning, Lodewijk XIV, onophoudelijk de Brabantse hoofdstad. Voor de historicus is dit trieste evenement een episode in de Negenjarige Oorlog (1688-1697) tussen Frankrijk enerzijds en Engeland, Spanje en de Republiek anderzijds. Voor Brussel evenwel had dit oorlogsgeweld tot gevolg dat het centrum van de stad nagenoeg met de grond werd gelijk gemaakt en dat 4000 huizen in vlammen opgingen.
De Brusselaars lieten zich door deze ramp niet ontmoedigen. Nadat de vijandelijkheden in september 1697 waren gestaakt, begon de Brusselse bevolking met grote energie aan de wederopbouw van het oude stadscentrum. Het huidige architecturaal decor, dat de Brusselse Grote Markt tot 'één der rijkste en beroemdste pleinen van de wereld' heeft gemaakt, ontstond grotendeels dank zij de toen getoonde ondernemingszin, kunstzinnigheid en bouwijver.

Tussen 1697 en 1700 herrezen de oude gildehuizen rond het marktplein prachtiger dan tevoren uit hun as. De leiding van het herstel berustte bij de stadsmagistraat die de verschillende bouwwerken coördineerde. Het waren echter de ambachten zelf die er veel moeite en geld voor overhadden om hun vergaderlokalen de rijkdom en glorie van weleer terug te schenken. Ook het brouwersambacht nam enthousiast deel aan deze wederopbouw en wist binnen enkele jaren zijn gildehuis, 'De Gulden Boom', volledig te herstellen en te verfraaien. 'De Gulden Boom' is thans het enige gildehuis aan de Brusselse Grote Markt waar men nog sporen aantreft van de oude ambachtelijke activiteit en waar de bezoeker de gelegenheid heeft de sfeer van het verleden te ervaren.

Brussel was reeds in de late middeleeuwen een belangrijk brouwcentrum. Hoewel exacte gegevens schaars zijn, mag men gerust veronderstellen dat ook in de 16de en 17de eeuw dit ambacht in de stad een betekenis was. Naast nieuwe nijverheden, zoals de tapisserie, de kantindustrie, de glasblazerij, het faïencebedrijf, de zeepziederij, bleef de bierbrouwerij een florissant bedrijf. Omdat bier in het begin van de Moderne Tijd een essentieel bestanddeel was geworden van het consumptiepakket van de grote massa, profiteerde de bierindustrie in sterke mate van de groei van de stedelijke bevolking. Bovendien werd zij gestimuleerd door het industrieel beleid van de aartshertogen Albrecht en Isabella. Het is echter moeilijk de gunstige situatie van de 17de-eeuwse biernijverheid te illustreren aan de hand van de gebruikelijke economische indicatoren zoals tewerkstelling, produktie, bedrijfsomvang, rentabiliteit en kapitaalaccumulatie. Er is in dit opzicht nog weinig

onderzoek verricht en we beschikken slechts over fragmentarische gegevens.

Dikke en dunne bieren

In 1617 waren er te Brussel 73 meesterbrouwers werkzaam, die een jaarlijkse omzet hadden van 160.000 tonnen sterk en 80.000 tonnen licht bier. Uit de pegelboeken van de brouwers blijkt dat de 17de-eeuwse Brusselse bieren kwalitatief in twee soorten kunnen worden onderverdeeld: sterke of dikke bieren en dunne of minderwaardige bieren. In de pegelboeken staat namelijk aangegeven hoeveel mout een brouwsel moest bevatten en hoeveel liter bier er met die hoeveelheid bereid moest worden. Voorbeelden van sterke bieren waren het 'dobbel bier' (of tweestuiversbier) en het stuivers- of braspenningbier. Lichtere brouwsels waren het halfstuiverbier en vooral het zeer dunne kuitbier, dat in de 16de eeuw nochtans de beste reputatie bezat. Het blijkt dat te Brussel, evenals elders, de sterke bieren in de loop der jaren 'devalueerden' en verwaterden. Vandaar ook 'revaluatiepogingen' die ook in het woordgebruik tot uiting kwamen: *dobbel* bier, *twee*-stuiversbier enzovoort.
Naast de lokale bieren bleef import van luxesoorten uit Hamburg, Holland en Engeland bestaan. In het begin van de 18de eeuw werd bovendien een *'jonck ghebrouwen'* witbier geïntroduceerd. Al deze bieren werden gebrouwen uit een voorgeschreven mengsel en een voorgeschreven hoeveelheid tarwe, gerst en haver. Over het algemeen bevatten de 17de- en 18de-eeuwse Brusselse bieren minder alcohol dan de huidige soorten. Het dobbel bier bijvoorbeeld bevatte 7,3% alcohol, het halfstuiverbier slechts 2,4%. Wel was de stadsmagistraat ten zeerste bekommerd om de goede kwaliteit der

Van 1688 tot 1697 woedde de Negenjarige Oorlog, een conflict tussen Frankrijk enerzijds en Spanje, Engeland en de Republiek anderzijds. De beide afbeeldingen op deze bladzijde laten zien hoe grondig de Franse veldheer Villeroy de beschieting van Brussel uitvoerde. Het centrum van de stad werd vrijwel met de grond gelijk gemaakt en 4000 huizen brandden af. Het beeld van de huidige Grote Markt wordt dan ook grotendeels bepaald door gevels die na de ramp van 1697 werden opgetrokken door de Brusselse gilden.

brouwsels. Heel de 17de en 18de eeuw door treft men ordonnanties aan die de consument waarschuwen voor bieren *van diversche cruyden ende andere onbehoirlijcke substantien* die niet alleen schadelijk waren voor de gezondheid, maar bovendien dikwijls *twisten, kijvagien, dulligheden ende razernijen* tot gevolg hadden.

In de 18de eeuw waren er in Brussel ongeveer 120 brouwerijen, waarvan de meeste dateerden uit de 17de en soms zelfs uit de 16de eeuw. Deze ondernemingen waren hoofdzakelijk te vinden langs de oevers van de Zenne. Het Zennewater fungeerde bij het brouwproces namelijk als grondstof en als koel- en spoelmiddel. Buiten de

brouwerijen waren er in het 18de-eeuwse Brussel talrijke tapperijen. Aanvankelijk waren dit bierslijterijen; in de loop van de eeuw evolueerden ze tot gewone drankgelegenheden (cabaretten).

Machtig ambacht
In de 17de en 18de eeuw bleef het corporatieve stelsel (dit is de groepering der verschillende handwerkslieden in publiekrechtelijk erkende belangenverenigingen of ambachten) kenmerkend voor de organisatievorm van de Brusselse brouwindustrie. Dit stelsel ontstond in de late middeleeuwen. De ambachten verwierven geleidelijk aan zoveel economische macht dat ze ook in de stedelijke politiek steeds meer te zeggen kregen. Het brouwersambacht behoorde in de Nieuwe Tijd te Brussel, zoals in andere Brabantse grote centra, tot de machtigste ambachten. In stilzwijgende afspraak met het stadsbestuur stelden de brouwers hun winst veilig door hun stijgende onkosten, als gevolg van de stijging der graanprijzen, te compenseren door steeds dunner wordende biersoorten te brouwen.
De sociaal-economische en politieke machtsuitbreiding van de brouwersgroepering leidde in de loop der eeuwen evenwel tot structurele verzwakkingen en misbruiken: het binnensluipende clannepotisme, het collectieve egoïsme en een conservatieve economische doctrine waren typerend voor een ontbindingsproces dat zich onder de Oostenrijkers aftekende. Met de Franse Revolutie werd het op het eind van de 18de eeuw voltooid: de ambachten werden afgeschaft. Nochtans dient men die monopolietendensen en protectionistische maatregelen bij de Brusselse brouwers te relativeren. In feite bleven de brouwers slechts, tot in het halsstarrige toe, consequent trouw aan een verwaterd laatmiddeleeuws gemeenschapsideaal dat vóór en met hen ook werd nagestreefd door de textielberoepen, de bakkers, de vleeshouwers, de fruiteniers en de andere stedelijke ambachtsvormen. Een kapitalistische industrie kan men de biernijverheid te Brussel of elders bezwaarlijk noemen: daarvoor was de arbeidsbezetting te gering, waren de werknemers te weinig afhankelijk van de ondernemers, werd de winst van de brouwers te zeer bepaald door de grondstof (het graan) en was ten slotte de scheiding tussen kapitaal en arbeid te vaag.

Klassiek en Vlaams
Links van het Brusselse Stadhuis, tussen de Karel Bulsstraat en de Hoedemakersstraat, staat het oude natie- of gildehuis van de Brusselse brouwers. Op deze plaats stond reeds in de 13de eeuw een houten woning die pas in het midden van de 16de eeuw door een stenen huis werd vervangen. De brouwers, die op zoek waren naar een vergaderruimte die het invloedrijkste en meest bemiddelde ambacht van de stad eer zou aandoen, verwierven de

Boven: interieur van het brouwerijmuseum in De Gulden Boom.
Hiernaast: de gildehuizen op de Grote Markt:
1. De Koning van Spanje
2. De Kruiwagen
3. De Zak
4. De Wolvin
5. De Hoorn
6. De Vos
7. De Ster
8. De Zwaan
9. De Gulden Boom
10. De Roos
11. De Berg Thabor
12. Huis van de Hertogen van Brabant
13. De Gouden Barkas
14. De Duif
15. De Helm
16. De Pauw
17. De Eik

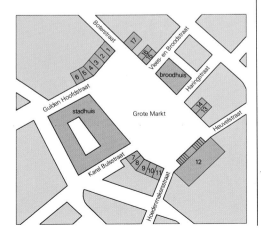

woning in het begin van de 17de eeuw en richtten het gebouw tot hun gildehuis in. Het brouwershuis, in die tijd beter bekend als 'De Gulden Boom', werd tijdens de beschieting van 1695 echter zo deerlijk gehavend dat de brouwers besloten het geheel te herbouwen. Reeds in 1698 kwam een nieuw gildehuis gereed. Het huidige Brouwersmuseum, met zijn geslaagd evenwicht tussen klassieke en Vlaamse bouwelementen, werd grotendeels ontworpen door de architect G. de Bruyn en versierd door de beeldhouwers M. de Vos en P. van Dievoet. De in 1901 gerestaureerde voorgevel heeft een klassiek karakter: vier Dorische pilaren met gecanneleerde schacht schragen vier Corintische zuilen die met hopbloemen werden versierd. Vlaams qua concept daarentegen is het weelderige, ietwat overladen boogvormige fronton, dat rust op een architraaf waarop men in gulden letters nog steeds kan lezen 'Maison des Brasseurs' en dat tot basis dient van een reusachtig voetstuk. Hierop stond aanvankelijk het standbeeld van Maximiliaan Emanuel van Beieren, gouverneur-generaal der Spaanse Nederlanden van 1692 tot 1711. In 1752 werd dit monument vervangen door een ruiterstandbeeld van de Oostenrijkse landvoogd Karel van Lorreinen (1749-1780). Op hem slaat ook de dithyrambische tekst op het fronton. Vlaams zijn ook de verdeling en indeling der vensters, de balustraden met de bas-reliëfs en de vorm van de driehoekige puntgevel.

Wie het brouwershuis thans bezoekt, wordt bij het binnentreden onmiddellijk geconfronteerd met een levensgroot beeld uit 1798 van Sint Arnoldus, de patroonheilige der brouwers. Als we de trap links afdalen, komen we terecht in de vroegere 17de-eeuwse brouwruimte, die nu deels als museum, deels als gelagzaaltje is ingericht. Aan de kuiperij en de smidse achteraan rechts bemerkt men dat de uitrusting eertijds moet hebben toebehoord aan een familiebedrijf dat zoveel mogelijk trachtte zelf in zijn behoeften te voorzien. Het gereedschap is namelijk afkomstig uit het Brabantse dorpje Hoegaarden, dat reeds in 1567 door L. Guicciardini om zijn bier werd geprezen en waar in 1750 meer dan 150 brouwers werkzaam waren.
In de museumzaal zijn enkele 17de- en 18de-eeuwse bierordonnanties, bekers en werktuigen te zien. Hier blijkt dat ondanks de technische vooruitgang en de moderne grootschaligheid de bierbereiding (mouten, brouwen, gisten, lageren en filteren) en ook de natuurlijke grondstoffen (vooral water, gerst en hop) door de eeuwen heen fundamenteel dezelfde zijn gebleven. De gekiemde gerst of mout werd tot driemaal toe met warm water gemengd in de grote brouwkuipen die men bij het binnenkomen links kan bekijken. Met de roerstokken, die in verschillende soorten tegen de muur staan, roerden de brouwersknechten voortdurend in de kuipen om het zetmeel van de mout om te zetten in vergistbare suiker

167

Boven: het Broodhuis, ook wel Koningshuis, gezien door de poort van het stadhuis. De gevel is in de 19de eeuw herbouwd.
Onder: een kleurrijk beeld biedt de Grote markt op zaterdag- en zondagmorgen tijdens de bloemenmarkt.
Rechts: een rij imposante gildehuizen aan de westkant van de Grote Markt: van rechts naar links ziet men: De Kruiwagen, De Zak, De Wolvin, De Hoorn en De Vos.

('wort'). Deze suikerbrij werd vervolgens met speciale emmers in de koperen ketel (rechts in het zaaltje) geschept en daar gedurende 1 à 2 uur samen met de hop gekookt. Na afkoeling in de houten afkoelbak boven de twee kuipen werd de gehopte 'wort' gefiltreerd in een filtergoot en filterzak en vervolgens te gisten gelegd in de gisttonnen die men kan zien in het kleine keldertje achteraan rechts. Tijdens het gistingsproces (5 of 10 dagen naar gelang 'lage' of 'hoge' gisting) werd de suiker van de wort omgezet in alcohol en koolzuurgas. Het bijkomende rijpingsproces van 14 dagen tot 3 maanden (het zoge-

naamde lageren) gaf het bier zijn smaak en helderheid.

Een hoek van de museumzaal is ingericht als een 18de-eeuws *cabaret*. De bezoeker of toerist kan er even verwijlen in een werkelijk zeer gezellig historisch kader en er (gratis) een glas fris bier drinken. Uit oude beschrijvingen weten wij dat vroeger de kamers op de begane grond en de verdiepingen van kostbaar meubilair en talloze kunstvoorwerpen waren voorzien. In de chaos van de Franse Revolutie ging deze rijkdom evenwel verloren. Alleen de oude, gerestaureerde ambachtskamer heeft nog iets van haar oude glorie behouden. De rest van het gebouw wordt nu ingenomen door de kantoren van de 'Confederatie der Brouwerijen van België'.

Dertig gildehuizen bijeen

Behalve het brouwershuis staat aan de Brusselse Grote Markt nog een 30-tal andere gildehuizen. Al deze woningen hebben, volgens een alom verbreid gebruik in het Ancien Régime, een eigen naam, meestal een symbolische verwijzing naar een bepaald beroep of een herinnering aan een architecturale bijzonderheid, een opschrift of een vroeger uithangbord. De mooiste reeks gildehuizen ziet men rechts van het Stadhuis. Daar staan de vroegere vergaderruimten van de bakkers, de vettewariërs (verkopers van smeer, olie, kaarsen enz.), de schrijnwerkers, de kruisboogschutters, de schippers en de merceniers (garenverkopers), die hun residentie hadden in respectievelijk 'De Koning van Spanje' (a), 'De Kruiwagen' (b), 'De Zak' (c), 'De Wolvin' (d), 'De Hoorn' (e) en 'De Vos' (f). Vooral het zeer sterk Italiaans aandoend en sober gehouden vergaderhuis van de bakkers en het in originele stijl opgetrokken huis 'De Hoorn' vallen op.

Onmiddellijk links van het Stadhuis staan twee andere gildehuizen: 'De Zwaan' (h), vanaf 1720 het natiehuis van de slagers, en het reeds ter sprake gebrachte brouwershuis (i). De twee kleine huizen, links van het huidige Brouwersmuseum, 'De Roos' (j) en 'De Berg Thabor' (k), waren privé-woningen en zijn nu als café ingericht. Het laatste staat bekend onder de naam 'Aux Trois Couleurs'. In de hoek, bij de Karel Bulsstraat, bevindt zich 'De Ster' (g), één der oudste huizen aan het plein. Het heeft ook nooit als gildehuis dienst gedaan. Het grote gebouw (l), uiterst links van het Stadhuis, is het zogeheten 'Huis van de Hertogen van Brabant' uit 1698. Achter de lange voorgevel gaan in feite zes gildehuizen – van de molenaars, timmerlieden, beeldhouwers, metselaars, leidekkers en steenhouwers – schuil.

Een derde en laatste groep gildehuizen bevindt zich recht tegenover het Stadhuis, dus links en rechts van het Broodhuis. Dit laatste gebouw was géén ambachtshuis, doch in de middeleeuwen een broodhalle. Omdat er in latere tijden een vorstelijke rechtbank zitting hield, wordt het ook wel 'Koningshuis' genoemd. Thans is er een

stedelijk museum in gevestigd waar onder andere een merkwaardige verzameling retabels, aardewerk, porselein en keramiek te bewonderen valt en waar men interessante getuigenissen aantreft van Brusselse kunst, geschiedenis en folklore. Rechts van het Broodhuis staan onder andere de vroegere gildehuizen van de kleermakers en de schilders: 'De Gouden Barkas' (m) en 'De Duif' (n), waar Victor Hugo in 1852 verbleef. Links van het Broodhuis zijn 'De Helm' (o), 'De Pauw' (p) en 'De Eik' (q) de meest interessante gildewoningen. Bij een bezoek aan de Brusselse Grote Markt mag natuurlijk niet het Stadhuis vergeten worden, een meesterwerk van laat-middeleeuwse Brabantse hooggotiek. Wie het fraaie aanzien van de Grote Markt aandachtig in zich opneemt, zal niet alleen worden bekoord door de schoonheid van het geheel. De urbanistische principes van de stadsoverheid bij de heropbouw van 1697 zorgden er immers voor dat het één van Europa's mooiste pleinen ook niet ontbrak aan een zekere artistieke eenheid. Kenmerkend is de Italiaanse barok die door de meer exuberante Vlaamse elementen tot een werkelijk eigen stijlinrichting werd uitgebouwd. De meeste gildehuizen vertonen ook in andere opzichten overeenkomst; de toepassing van de Griekse, boven elkaar geplaatste bouworden, de weelderige versieringselementen van de 17de-eeuwse Vlaamse architecten, de punt- en trapgevels en het

kwistig gebruik van het bladgoud dat zo goed tot zijn recht komt tegen de donkere achtergrond.

Verval en herstel
Na de overwinning van de Fransen op de Oostenrijkers bij Fleurus (26 juni 1794) werden de Zuidelijke Nederlanden en het prinsbisdom Luik bij Frankrijk ingelijfd. Het jaar daarop was Brussel reeds een gewone hoofdplaats van een Frans departement. Eén van de eerste zorgen van de Franse bezetter was de afschaffing van de gilden door de strikte toepassing van de wet-Le Chapelier (juni 1791 en november 1795). De beroepsgroeperingen hadden te Brussel, zoals elders, echter reeds vóór de Franse inval veel van hun maatschappelijk belang verloren. De gildehuizen aan de Grote Markt verloren hun oorspronkelijke functie en werden bij openbare veiling verkocht op 7 Fructidor IV (24 augustus 1796). Eertijds het trotse symbool van de macht en rijkdom der oude corperaties, verkommerden zij jammerlijk in de volgende eeuw. Zij werden voor de meest uiteenlopende doeleinden gebruikt. Nadat de meeste woningen eind vorige, begin deze eeuw werden hersteld, werd hun voorgevel een toeristische attractie. Hun interieur leende zich uitstekend voor nieuwe functies: koffiehuis, restaurant of zelfs kantooren winkelruimte.
Het brouwershuis onderging na 1796 het trieste, wisselvallige lot van de overige gil-

dehuizen. In de 19de eeuw werd het leeggeplunderde huis achtereenvolgens kazerne en café, totdat het in 1914 door de stad voor administratieve doeleinden werd aangekocht. Het is hoofdzakelijk te danken aan de inzet van een culturele groepering, 'De Ridderschap van de Roerstok', die het oude brouwershuis vanaf 1954 als museum openstelde, dat het brouwershuis – in tegenstelling tot de overige gildehuizen – weer kon aanknopen bij de oude tradities. De vele brouwerijen die het 18de-eeuwse Brussel nog rijk was, zijn nu verdwenen. De vervuiling van het Zennewater in de 19de eeuw, de overwelving van de rivier en het aanleggen van brede lanen hebben overigens tal van pittoreske buurten en schilderachtige steegjes uit het Brusselse stadsbeeld voorgoed weggevaagd.
Andere Brabantse steden bezaten in het verleden eveneens een brouwershuis aan hun Grote Markt (bijvoorbeeld Leuven en Lier). Jammer genoeg overleefden deze gildehuizen niet de oorlogsgruwel van 1914-1918. Een zéér mooi voorbeeld van een meer bescheiden 16de-eeuws brouwershuis – zij het niet aan een Grote Markt – zal de geïnteresseerde vinden te Antwerpen. De bezoeker zal er ontdekken dat, zelfs buiten het somptueuze barokkader van het historisch centrum van Belgiës hoofdstad, de schoonheid der oude gildehuizen overal tot haar recht komt.

Uit Friese klei gebakken

IR. P.J. TICHELAAR

Linkerbladzijde: sinds het begin van de 17de eeuw wordt in Friesland aardewerk geproduceerd, dat door velen hooglijk gewaardeerd wordt om de vorm, maar vooral om de kleurrijke afbeeldingen. Hiernaast een aantal voorbeelden van schotels en sieraardewerk, zoals dat tot de dag van vandaag in Makkum gemaakt wordt. Boven: naast schotels, kommen, vazen en wat dies meer zij hebben tegels uit Friesland een grote faam. Vaak werden ze verwerkt in omvangrijke tableaus, die in het Hollandse binnenhuis een belangrijke rol speelden.

In de loop van de 17de eeuw ontwikkelde zich in de Noordelijke Nederlanden een vrij omvangrijke industrie die zich bezighield met de produktie van tinglazuur-aardewerk. Van deze historische nijverheid is slechts op één plaats iets terug te vinden: in het Friese Makkum waar de Makkumer Aardewerkfabriek naar alle waarschijnlijkheid de oudste, nog werkende fabriek van dit type ter wereld is.

Het Makkumer aardewerk van vroeger en vandaag behoort tot de grote familie van het tinglazuur-aardewerk, dat in de jaren 1000 tot 1800 een triomftocht door de wereld maakte.

Wit glazuur werd in de 10de eeuw ontdekt in Perzië. Het werd verkregen door toevoeging van tinerts aan al bekende glazuurcomposities. Dit glazuur werd bepalend voor acht eeuwen aardewerkproduktie in West-Europa.

Via Noord-Afrika en Spanje kwam deze techniek in Italië terecht en verspreidde zich daarvandaan over Midden- en West-Europa. In dit verband wordt Antwerpen genoemd als eerste stad in de Lage Landen. Vanuit die plaats reisden gleibakkers (glei = beschilderd wit aardewerk) naar het noorden om zich daar te vestigen of om plaatselijke pottenbakkers bekend te maken met de nieuwe materialen. Niet bekend is hoe en wanneer de mogelijkheden van tinglazuur in Makkum bekend werden. De huidige fabriek van de familie Tichelaar is vanaf 1674 onafgebroken van vader op zoon overgegaan, maar het staat vast dat het bedrijf ouder is: het oudst gedateerde en vermoedelijk in Makkum gemaakte stuk dateert uit 1629.

Delfts aardewerk

Delft was het middelpunt van de Nederlandse produktie van tinglazuur-aardewerk. Van de ongeveer 80 fabrieken en werkplaatsen stonden er zo'n 40 in Delft, 17 in het Rotterdamse en zeven in Friesland; de rest was verspreid over een groot aantal plaatsen in Holland en Zeeland.

Aan het eind van de 16de eeuw werd in de gleibakkerijen voornamelijk majolica – gewoonlijk vrij zwaar vaatwerk en schotelgoed – vervaardigd van roodbakkende klei. Na het bakken werd dit aan de voorzijde bedekt met tinglazuur en beschilderd in blauw of in vijf heldere kleuren (blauw, paars, groen, geel en oranje). De beschilderde schotel werd aan de achterkant met doorzichtig loodglazuur bedekt en in stapels ondersteboven gebakken, onderling van elkaar gescheiden door de 'proen', een driekantige steun van gebakken klei. Op dezelfde manier en vaak ook in dezelfde fabrieken werden muurtegels van

13 x 13 cm gemaakt, die echter aan de achterkant niet waren geglazuurd.

Mede onder invloed van de invoer van Chinees porselein ging men zich vooral in Delft toeleggen op een fijner soort aardewerk, dunner, fijner beschilderd en geheel met tinglazuur bedekt. Door toevoeging van een sterk kalkhoudende klei, Doornikse aarde of mergel was de massa geelbakkend. Anders dan bij de schotels werden de fijnere borden gladgebakken in keramische kokers. Hierin hingen de borden op pennen, die een afdruk nalieten op de achterzijde van het bord, wat een verbetering was ten opzichte van de bij schotels gebruikelijke proen, die een afdruk achterliet op de voorzijde. De beschildering was vrijwel uitsluitend in blauw; pas tegen het einde van de 17de eeuw komen de andere kleuren terug.

In de 18de eeuw raakte Delft als producent van tinglazuur-aardewerk in verval; het definitieve einde kwam met de Franse bezetting. De fabrieken elders in Nederland waren toen al gesloten, met uitzondering van één in Rotterdam en drie in Friesland.

De Friese fabrieken

Van de zeven Friese fabrieken stonden er vier in Harlingen, één in Bolsward en twee in Makkum. Daarvan wist alleen één bedrijf in Makkum zich tot in onze dagen te handhaven. Het is de enige overgebleven fabriek van tinglazuur-aardewerk in Nederland en vrij zeker de oudste thans nog in bedrijf zijnde ter wereld.

De fabrieken waren eigendom van ondernemende kooplieden, die ook vaak andere activiteiten hadden als reder, houthandelaar of olieslager. De eigenaar vertoonde zich dan ook niet veel. De dagelijkse leiding van de fabriek berustte bij een baas, die een sleutelpositie bekleedde, omdat hij de oven kon stoken. Bij de kleine groep schilders werd het werk verdeeld door een voorman, die ook artistiek leider van het groepje was. De werklieden waren ongeschoold en kregen in het bedrijf hun vakopleiding. Schilders en draaiers werkten op stukloon. De arbeiders woonden in het dorp, vaak in door de eigenaar gebouwde kleine woningen. Soms waren dit rug aan rug

gebouwde eenkamerwoningen. Het gezinsleven speelde zich geheel af in die ene kamer, rondom de – betegelde – stookplaats. In de kamer waren één of twee bedsteden. De kinderen sliepen op de onbeschoten zolder.

Van de sociale omstandigheden in en om het bedrijf is weinig bekend. Dat in de 19de eeuw de drank een rol speelde blijkt uit het feit, dat de toenmalige eigenaar daar in 1900 een einde aan maakte.

De produkten

In de Friese fabrieken werden schotels, tegels en sieraardewerk gemaakt. De schotels waren vrij zwaar. In de oude ovenboeken worden ze aangeduid met hun maten: kleine, groote en groote-groote. In Makkum moeten er zo'n 8 miljoen gemaakt zijn; het totaal voor Friesland wordt geschat op 25 miljoen. De beschildering was vlot en eenvoudig uitgevoerd, in blauw of in meer kleuren: paars, geel, groen en blauw. De achterkant was bedekt met loodglazuur.

In de 17de eeuw werden de schotels beschilderd met geometrische en bloemmotieven, net als in Antwerpen, of werd soms gewerkt naar Chinese voorbeelden. Naderhand ontwikkelde zich een eigen stijl en waren vooral de landschappen en bijbelse voorstellingen voor schotels en tegels gewild.

In de 18de eeuw werden de voorstellingen grover en vaak onbegrepen gekopieerd. Gewilde voorstellingen waren ruiters, figu-

ren en dieren in landschappen en vruchtenmanden. Het verval in de 19de eeuw ziet men hier aan het gebruik van slappe spreuken als hoofdmotief.

De schotels werden in grote hoeveelheden geëxporteerd naar Duitsland en Engeland; ze werden in de keukens van de burgerij gebruikt als aanvulling op het rode pottengoed. Op het platteland dienden ze als versiering, als men zich geen porselein kon veroorloven. Bij de opkomst van het sterkere Engelse aardewerk nam de belangstelling voor de schotels af. De laatste kwamen omstreeks 1880 uit de ovens.

De tegels, die in het Hollandse binnenhuis zo'n grote rol hebben gespeeld, zijn zeker voor meer dan de helft afkomstig uit Friesland. Technisch ligt de oorsprong van de tegelfabricage in het verlengde van die van geglazuurde vloertegels, plavuizen, die al in de 15de en 16de eeuw in Makkum werden gemaakt.

De overgang naar tinglazuur was niet zo groot. De oudste muurtegels uit de eerste helft van de 17de eeuw waren 1½ tot 2 cm dik en van roodbakkende klei gemaakt. Na 1660 werd aan de klei mergel toegevoegd en ontstond een geelbakkend mengsel. De tegel kon nu ook dunner worden, tot 7 mm in de 18de eeuw. De afmeting bleef onveranderd 13 x 13 cm. De tegels werden in vrijwel alle stenen huizen gebruikt als wandbekleding, de meeste onbeschilderd, sommige beschilderd. De voorstellingen, eerst ongeveer als op de schotels, werden steeds gevarieerder. Heel bekend zijn ook de tegeltableaus die in grote aantallen gemaakt zijn.

Tenminste twee van de Friese fabrieken, één in Harlingen en die in Makkum, vervaardigden in de 18de eeuw sieraardewerk. De produkten hebben onderling veel gemeen, maar verschillen ook duidelijk van karakter: het Harlinger aardewerk is strak geschilderd, fijn uitgewerkt en wat droog van karakter. Het Makkumer aardewerk uit die tijd is zachter van tint, losser geschilderd en minder verfijnd. Het schilderen van sieraardewerk en tegeltableaus, altijd in blauw, is duidelijk het werk van één of twee schilders. Daardoor is de omvang van de produktie beperkt gebleven. Het oudst gedateerde stuk is uit 1709, het jongste uit 1810. Pas

omstreeks 1880 wordt in de Makkumse fabriek dan weer aan een nieuw assortiment aardewerk gewerkt. In de 20ste eeuw wordt dit voortgezet en komt na 1917 geheel onder invloed van Jan Romke Steensma, die tot in 1967 het aanzien van het huidige Makkumer aardewerk bepaalde.

Makkum vandaag

In de Makkumer Aardewerkfabriek zet men de traditie van het handbeschilderde tinglazuuraardewerk voort. Uitgangspunt bij de vervaardiging is nog steeds de klei van eigen bodem. De Friese geelbakkende klei wordt gezuiverd en gemengd met mergel. Dat gebeurt door klei en mergel in water op te roeren en het slib te zeven. De overmaat van water wordt in de filterpers verwijderd en de verkregen koek gekneed. Voor het maken van het tinglazuur worden de grondstoffen in een smeltkroes samengebracht. In de oven vormt zich het glazuur; na afkoeling is dit een witte glasmassa. Die wordt tot gruis gebroken, vermalen tot een fijn poeder en met water vermengd tot een glazuurbad.

Met behulp van gipsvormen wordt de plastische klei in de gewenste vorm gebracht. Dit kan gebeuren door een soort pannekoek van klei op een vorm te leggen, deze met de hand te rekken en te plooien tot de klei de welvingen van de vorm nauwkeurig volgt. Deze methode wordt toegepast bij het maken van plooischotels, ovale en achtkantige voorwerpen. Vlakke schotels worden op soortgelijke wijze, maar dan machinaal gevormd.

Een andere methode is het gieten. Hierbij wordt een holle meerdelige gipsen vorm geheel volgegoten met gietklei. Het poreuze gips trekt water aan uit de pap, waardoor zich een kleilaagje afzet op de binnenkant van de vorm. Zodra het laagje dik genoeg is, wordt de vorm leeggegoten. Het laagje blijft achter, stijft op, droogt en krimpt los van de vorm. De gieteling komt vrij door de vorm uit elkaar te halen.

Voor het maken van tegels maakt men een walk of voorvorm, een koekje van 13 x 13 cm, iets dikker dan de tegel. De walk wordt in een ijzeren vormraam gelegd. Door het uitrollen van de te dikke walk met een korte ronde strijkstok raakt

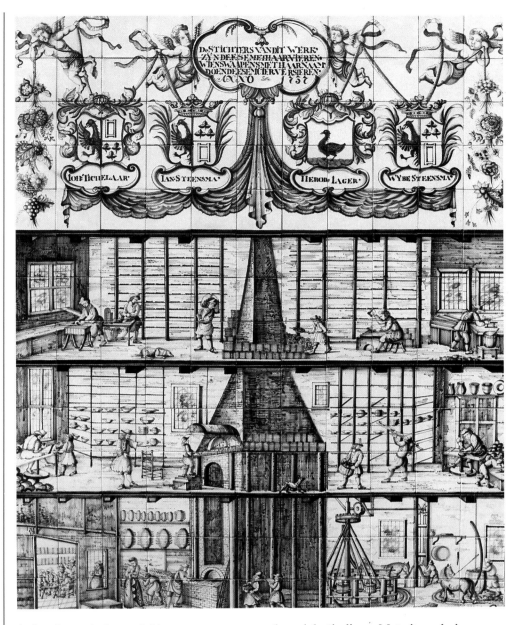

Linkerbladzijde linksboven:
op een gipsen model wordt
een kleitablet in de gewenste
schotelvorm gebracht.
Midden: de na het drogen
gebakken schotel wordt in
het tinglazuurbad
gedompeld.
Rechts: de met een ponsief
aangebrachte lijnen worden
door de plateelschilder
nagetrokken met een fijn
penseel, de trekker.
Linksonder: tenslotte
worden de kleuren ingevuld
met een zogenoemde
dieper.
Hiernaast: dit 18de-eeuwse
tegeltableau vindt men in de
Makkumer
Aardewerkfabriek.

het raam geheel gevuld. De tegelmaker
neemt de tegel uit het raampje en legt hem
te drogen.
Bij het drogen krimpt het voorwerp. Als
het door en door droog is en goed afgewerkt, wordt het gebakken tot steen. Dit
gebeurt in een elektrische oven, die in acht
uur naar een temperatuur van 1050° C
wordt gestookt. Het een keer gebakken
produkt, de biscuit, is geel. Aardewerk
wordt alzijdig geglazuurd door onderdom-
peling in het glazuurbad; tegels worden
maar aan één kant geglazuurd.

Plateelschilderen: een specialisme

Plateelschilderen is een vak apart. De
opleiding geschiedt in de fabriek en duurt
vijf jaar. In Makkum werken ongeveer
honderd schilders. Zij werken naar uitgewerkte voorbeelden. De hoofdlijnen van
het decor zijn met een naald doorgeprikt
in een stuk rek- en krimpvrij papier, spons
of ponsief genaamd. Deze wordt doorsto-
ven met houtskool, waardoor de schilder
de lijnen overbrengt op het geglazuurde
voorwerp. De lijnen worden vervolgens
met een fijngeknipt penseel, de trekker,
nagetrokken en waar nodig gecompleteerd. Daarna worden met een breder
geknipt penseel, de dieper, de kleuren
ingevuld en met dunne verf lichtere tinten
aangebracht.
Het geschilderde aardewerk wordt dan
geplaatst in vuurvaste ronde dozen of
kokers, die aan de binnenkant met glazuur
zijn bestreken. Tijdens het bakken smelten
glazuur en verven bij ongeveer 1000° C en
tegelijk zinkt de beschildering enigszins
weg in de onderliggende glazuurlaag. Dit
is het moment in de majolica-, faience- of
tinglazuurtechniek, waardoor het karakter
van het produkt bepaald wordt.
In het Makkumer Waaggebouw is een
fraaie collectie aardewerkprodukten uit
het verleden bijeengebracht. De Waag
werd in 1696 gebouwd voor de handel in
boter, kaas en vlees. Het museum is van
Goede Vrijdag tot 15 september op alle
werkdagen geopend van 10 tot 17 uur.
Ook kan men Tichelaars Koninklijke
Makkumer Aardewerk- en Tegelfabriek
B.V. aan de Turfmarkt bezichtigen. Dit
kan op werkdagen het gehele jaar door
van 10 tot 16 uur.

Andere keramische produkten

In onze huiselijke omgeving kennen we
drie soorten keramische produkten:
aardewerk, steengoed en porselein.
In aardewerk onderscheiden we weer drie
soorten, rood pottegoed, tinglazuuraardewerk en Engels aardewerk. Het rode pottegoed is het oudste; in Nederland is dat in
grote hoeveelheden gemaakt als huishoudelijk vaatwerk. Vooral Friesland en West-
Brabant zijn bekende produktieplaatsen,
maar overal waar geschikte klei voorhanden was, hebben pottenbakkerijen
gewerkt. De enige overgebleven en nog
volop werkende pottenbakkerij in ons
land is De Boer in Workum.
Engels aardewerk wordt sinds de eerste
helft van de 18de eeuw gemaakt van witbakkende grondstoffen die in Nederland
niet voorkomen. De produktie ervan
kwam dan ook pas honderd jaar later op
gang. De pionier van dit soort huishoudelijk aardewerk was de glasfabrikant
Petrus Regout, die in 1834 in Maastricht
een aardewerkfabriek geheel naar Engels
voorbeeld begon. In 1959 moest deze
Sphinx-Céramique de produktie van aar-

dewerk beëindigen. Met uitzondering van
Zenith in Gouda zijn alle andere kera-
miekfabrieken in Nederland gestopt met
de produktie van huishoudelijk aardewerk.
Pionier van het sieraardewerk was Joost
Thooft, die tegen het einde van de
19de eeuw in een bestaand fabriekje in
Delft, de Porceleyne Fles, hand-
beschilderd sieraardewerk ging maken.
Hij ging uit van witbakkende klei en schilderde op de gebakken klei. Het over de
beschildering aangebrachte doorzichtige
glazuur werd in een tweede brand gladgebakken.

Vaatwerk van steengoed is in Nederland
nooit gemaakt, maar wel veel ingevoerd,
onder andere uit Duitsland (Keuls aardewerk). Handgeschilderd porselein van
goede kwaliteit is gemaakt in Loosdrecht,
Amsterdam en Den Haag. De enige
fabriek die huishoudelijk porselein heeft
gemaakt, is de Mosa in Maastricht, die in
1883 werd opgericht. In 1970 werd de produktie ervan beëindigd. Wel wordt daar
nog hotelporselein gemaakt.

Heer en meester over de Ommelanden

SIETSE VAN DER HOEK

Links: het unieke van de Menkemaborg bij Uithuizen is dat dit adellijk bezit in z'n geheel in de 18de-eeuwse stijl bewaard is gebleven en zo een gedetailleerd beeld geeft van de omgeving en de leefwijze van de Groninger landjonkers. Dit is de schitterende ontvangzaal van de borg: geen overdreven pracht en praal, want dat hoorde niet bij het noorden, maar toch wel zodanig rijk ingericht dat het geheel bijdroeg tot het aanzien van de heer.
Boven: een gedeelte van de siertuin van de borg.

Zoals nu nog de Menkemaborg stonden er zo'n 150 in het wijde Ommelander landschap van Groningen. Bij elk dorp een borg, soms twee of drie. Van veraf zichtbaar de kerktoren, de molen en de hoge bomen van de singels rondom de borg. Vanuit de oprijlaan lijkt het of bij Uithuizen het landheerlijke tijdperk voortduurt. Hier op de Menkemaborg hebben generaties adellijke families hun bevoorrechte bestaan kunnen leiden, de landjonker heer en meester over de wijde omgeving.

Edelen op hun kastelen, net als overal elders, maar in Groningen heetten ze jonkers op hun borgen. En nog een bijzonderheid: de Clanten, de Alberda's, de Tjarda's en hoe de families nog meer heetten, ze hadden zichzelf op het adellijke voetstuk geplaatst. Ze heersten eeuwenlang over de Groninger Ommelanden. Van de 150 trotse borgen zijn er in de 20ste eeuw slechts een paar overgebleven. De Menkemaborg bij Uithuizen is één van de gaafste.

In de 18de eeuw beleefde de Groninger adel zijn glorietijd. 's Zondags wachtte de dominee op de kansel tot de heer en zijn familie door een speciale deur de dorpskerk waren binnengekomen en hadden plaatsgenomen in de adellijke banken. De heer was burgemeester, notaris, rechter en grootgrondbezitter in één persoon. Rechtspraak, waterschap, kerkvoogdij, ze waren in handen van de jonker; zo ook het jachtrecht, het strandrecht, het recht van zwanevlucht, het recht om duiven te houden. De jonkheer vertegenwoordigde het dorp in de Ommelander Regering. Landbezit was de oorsprong van de landadel in Groningen. In de middeleeuwen ontbrak in dit gebied feitelijk het bestuurlijk gezag van een leenheer (keizer, koning of hertog). De bewoners regelden de zaken zelf. Wie een bepaalde hoeveelheid land in eigendom had, met daarop een boerenplaats (een steenhuis, 'edele heerde'), mocht bijvoorbeeld ook rechtspreken. Door samenvoeging van landgoederen, bij huwelijken of simpelweg door verkoop, kwamen heerden en de daarbij behorende rechten in handen van een beperkt aantal families. Zo ontwikkelden de afstammelingen van de hoofdelingen of jonkers uit de middeleeuwen zichzelf tot landadel. Geen leenheer of leenkamer die eraan te pas kwam. Grachten, een ophaalbrug en andere versterkingen moesten het stenen huis beschermen tegen overvallen. De heerde werd een burcht of burg (= versterkte plaats of kasteel en ook stad in het oud-Germaans). De naam 'borg' of 'börg' bleef in Groningen bestaan, zoals in Friesland 'stins', ook toen de burchten omgebouwd waren tot deftige landhuizen. De oudste zoon werd van jongs af voorbereid op het opvolgen van zijn vader. Een gouverneur of wel de dominee hield zich bezig met de scholing van de jonge jonker. Later, na de Latijnse school in Appingedam of in Groningen, ging hij naar de Academie in Groningen, waar hij met meer of minder vrucht enige studiën deed te midden van zijn standgenoten uit Friesland, Overijssel en Oost-Friesland. Soms volgden dan nog een andere hogeschool en daarna een reis te paard door Duitsland, Frankrijk en zelfs wel tot in Italië. Inmiddels was meestal zijn huwelijk al lang geregeld. De partnerkeuze werd gemaakt door de adellijke ouders. Niet de liefde telde, maar veel meer de samenvoeging van kapitaal en landerijen. De stambomen van de Ommelander adellijke geslachten vertonen dan ook weinig variatie in namen. Slechts bij uitzondering waren de jonggehuwden geen familie van elkaar.

Drukte in de zomer
Waar leefde de adellijke familie van? Van de opbrengsten van het land, van de inkomsten die uit de verschillende rechten voortvloeiden, van de aandelen in de handel als van de Oost- en de Westindische Compagnie en van de vergoedingen voor de ambten die de jonker bekleedde.
's Winters woonde men in de stad, in Groningen. De borg lag dan te geïsoleerd, de wegen waren te slecht begaanbaar. Dit gaf dan mooi gelegenheid tot culturele vorming voor de kinderen. Het huidige Hotel de Doelen aan de Grote Markt in Groningen was eertijds het winterhuis voor de familie Alberda van Menkema en Dijksterhuis. In de zomer heerste op de borg de meeste drukte in en rond het schathuis, het bijgebouw waarin geslacht en ingemaakt werd, waar de pachters de oogst voor de heer brachten en waar koetsen en paarden werden gestald en een deel van het personeel sliep: de tuinlieden, palfrenier/koetsier, de keukenmeisjes, de linnenmeid met haar hulp, de kamermeisjes en de huisknecht. Enigen van hen hadden een bedstee bij de keuken in de borg. De borg was echter niet de weerspiegeling van het leven van de 'gewone man'. Deze

Boven: de Menkemaborg in de gerestaureerde vorm zoals het kasteeltje die kreeg na de 18de-eeuwse verbouwing.
Onder: hoe ingrijpend die verbouwing destijds moet zijn geweest blijkt uit deze tekening uit 1717 waarop, zij het nogal schetsmatig, het toenmalige exterieur van het kasteeltje is afgebeeld. De ingang werd later verplaatst naar de westelijke zijde.
Rechterbladzijde boven: evenals in de andere vertrekken is ook in de keuken van het kasteel nog het grootste gedeelte van de oorspronkelijke inventaris aanwezig.
Onder: het 'stilletje' in de logeerkamer.

geschiedenis. Slechts een enkeling bracht het tot iets meer dan vertegenwoordiger van het gewest in de Staten-Generaal of de Raad van State in Den Haag. Diderik Sonoy van het huis ter Dijke bij Pieterburen was een beroemde watergeus. Deze borg, gesloopt in 1902, heeft overigens toch altijd al de fantasie geprikkeld: zeeroof vanuit dit roofnest, een legende die verhaalt van een *crime passionnel*, en nóg waren op het Pieterburense wad 'witte wieven' rond.... In 1704 raakte het geslacht Dijksterhuis van huis ter Dijke door een huwelijk verbonden met dat van de Alberda's van Menkema.

18de-eeuwse glorie

De Menkemaborg bij Uithuizen is uniek in Nederland. Nergens anders is een adellijk bezit zo in zijn geheel 18de-eeuwse stijl bewaard gebleven: het huis, het schathuis, de tuinen, de grachten, de singels en de groenlanden eromheen. In 1902 is de laatste van het geslacht, jonkheer Gerhard Alberda van Menkema en Dijksterhuis, ongehuwd gestorven. De erfgenamen, de familie Lewe van Nijenstein, schonken de borg in 1921 aan het Museum voor Stad en Lande in Groningen.

De oprijlaan heeft aan weerszijden een dubbele rij lindebomen. Achter de brug over de buitengracht ligt het voorplein, links het schathuis, rechts de tuinmuur met een poortje dat toegang geeft tot de tuinen, aangelegd naar de Franse mode van die tijd: 18de-eeuwse meetkunde toegepast op paden, perken en struikgewas. Symmetrisch tot in de graspol. Een engeltje met een bazuin en daarachter een prieeltje, een zonnewijzer voor het rosarium. Aan de achterkant van de borg een tuin met een patroon van driehoeken en vier grote zandstenen beelden die de jaargetijden verbeelden.

Aan de andere zijde van de borg een doolhof, een appelhof en de keukentuin. Ook hier heeft de 18de-eeuwse mens tekenen achtergelaten van zijn wens de natuur ondergeschikt te maken. De takken van de perebomen zijn met elkaar tot een tunnel vervlochten, een *berceau*, naar links overgaand in een tunnel van rozen. Zelfs

was voor en van de landadel. Het interieur en de tuinen dienden bij te dragen tot het aanzien van de heer. Niet dat de Ommelander adel in het algemeen zich uitputte in uiterlijke praal, zoals elders soms het geval was, maar ook hier *noblesse oblige*. Zo de mode was, zo werd de oorspronkelijke heerde verbouwd, en zo werd ook keer op keer de tuin aangelegd. 'Kunstig' in de 18de eeuw – met geschoren heggetjes – en was een boompje in de vorm van een kegeltje leuk, dan schoor de tuinman de boom in de vorm van een kegeltje (op z'n Frans). Later kwam het 'terug naar de natuur' en maakten de tuinarchitecten er imitaties van landschapsparken van. Romantisch, met bruggetjes en zelfs nagebouwde ruïnes.

De Groninger jonkers hebben slechts een bescheiden rol gespeeld in de nationale

het gras in de appelhof is geschoren.
Bij de restauratie van de borg vond men
het oorspronkelijke 18de-eeuwse ontwerp
van de tuin – leidraad voor de reconstructie. Men vond ook een lijst met vruchtbomen, zo samengesteld dat er nagenoeg
het gehele jaar door wel een soort was die
vrucht droeg. Deze vruchtbomen komen
straks ook terug in de Menkematuin, zoals
er ook nog een viskenij met snoekegat en
een oranjerie voor het bewaren in de winter van de subtropische bomen komen.
Van gerechtigde boerenplaats tot Menkemaborg, hoe een steenhuis een adellijke
burcht werd. Vóór 1400 zullen er rijke
boeren met de naam Menke of Menko
gewoond hebben. De twisten tussen Schie-
ringers en Vetkopers hebben de versterkte
boerenplaats vernield. Een steen in de
noordelijke gevel van de huidige Menkemaborg vermeldt: 'Anno 1400 is Men-
kemahuis vernielt. Anno 1614 Gode gena-
dich gerenoveert'.

Beeld van het adellijk leven
Inmiddels had het geslacht Clant het huis
overgenomen en later mocht het geslacht
Alberda zich eigenaar en naamgever noemen. Van 1702 tot 1902 bewoonden de
Alberda's van Menkema de borg in zijn
huidige vorm.
De 18de-eeuwse verbouwing van de borg
maakte het kasteeltje net zo meetkundig
en symmetrisch van indeling als de tuinen
eromheen. De brug over de binnengracht
heeft aan weerszijden twee schilddragende
leeuwen, afkomstig van het in 1902
gesloopte Dijksterhuis bij Pieterburen. In
de hoeken boven de gracht staan twee
huisjes, *cabinets d'aisance*, oftewel 'gehei-
me gemakken', plaats biedend aan meerdere personen tegelijk voor het doen van
hun behoefte in de gracht.
Het huis, drie paviljoens naast elkaar,
bestaat uit drie grote kamers rechts en drie
links, gescheiden door een brede mid-
dengang. De damessalon ligt tegenover de
herenkamer, de ontvangzaal tegenover
de eetkamer en de bibliotheek tegenover
de logeerkamer. Alles staat en hangt en
ligt er zoals een adellijke familie ermee
geleefd heeft in de 18de eeuw. Gebeeldhouwde eiken schoorsteenmantels, com-
modes, porseleinkasten, Venetiaanse luch-
ters, een spiegelschrijfkabinet, boeken,
schrijf- en eetgerei, een pijporgels, karpet-
ten op de vloer met het wapen van
Alberda van Menkema erin verwerkt, een
hemelbed waarin koning Willem II nog
eens zijn vorstelijke slaap heeft geslapen
naast het stilletje, portretten, geschilderde
schoorsteenstukken.

Komst van de hereboeren
De Franse Revolutie heeft ook de Groninger jonkers hun heerlijke rechten ontnomen – en daarmee brokkelde ook hun
zelfbewuste macht af. Ze werden afhankelijk van hun grootgrondbezit zonder
meer. De pachtopbrengsten vielen vaak
tegen. Sommigen van de heren hadden de
eeuwen daarvoor oprecht geprobeerd naar

recht en goedertierenheid te handelen.
Anderen hadden uit geldzucht schromelijk
misbruik gemaakt van de in de landadel
opeengehoopte macht. Zoals bijvoorbeeld
Rudolf de Mepsche van Faan, een beruchte jonker in het Westerkwartier die in de
eerste helft van de 18de eeuw 22 mannen
in Zuidhorn liet terechtstellen op verden-
king van 'sodomieterij' (homoseksualiteit).
Een aantal van de gehangenen behoorde
tot de politieke tegenstanders van deze
jonker. In de 19de eeuw kwam in de Gro-

ninger Ommelanden een nieuwe stand op,
die der hereboeren. Dit werkte het mis-
verstand in de hand als zou de landadel
'niet meer zijn dan boerenadel'. Daar lag
wel de oorsprong – en zoveel eeuwen later
nam de boerenstand ook weer de status
over van de borgengeslachten. Soms is een
boerderij gebouwd op de plaats van een
voormalige borg, waarvan in muren en
kelders, oprijlanen en singels, nog resten
zichtbaar zijn. De meeste borgen zijn radicaal verdwenen.
Overgebleven zijn de Menkemaborg bij
Uithuizen en de Fraeylemaborg bij Sloch-
teren, beide musea. Meer of minder onderdelen van borgen vindt men in Den Ham
(het 17de-eeuwse Piloersema), in Leens de
borg Verhildersum, de Allersmaborg in
Ezinge, de Coendersborg in Groningen,
Nienoord in Leek, Rensuma in Uithui-
zermeeden, Ekenstein in Appingedam, bij
Niebert een oud steenhuis, in Wirdum en
in Farnsum de landhuizen Rusthoven en
Vliethoven, in Middelstum een 15de-
eeuwse toren waarin nog steeds het caril-
lon klingelt dat Johan Lewe en Geertruit
Alberda in 1663 schonken. De adellijke
families zijn eveneens verdwenen, in de
eeuwigheid of naar elders.
De Ommelander kerken bewaren nog de
meeste herinneringen aan de vergane glorie van de Groninger adel. Herengestoel-
ten, rouwborden, preekstoelen, orgels en
soms een grafmonument getuigen tot op
de dag van vandaag van de vroegere
macht van de Groninger jonkers.

177

Per brief uit het keurslijf

JAN STARINK

Aan de Vecht, bij het Utrechtse plaatsje Zuilen, ligt kasteel Oud-Zuylen. Het slot is, ondanks zijn lange voorgeschiedenis, vooral verbonden met de persoon van Belle van Zuylen, die er in de 18de eeuw geboren werd en zich ontwikkelde tot een zeer opmerkelijk schrijfster.

Boven: in 1770 schilderde Jacob Maurer dit portret van de toen 30-jarige Belle van Zuylen: een jonge en niet onknappe vrouw, die met haar klare, blauwe ogen, blond haar en stevige hals een typisch Hollands uiterlijk heeft. Het doek hangt in een van de eigen kamers, die Belle op kasteel Oud-Zuylen had vóór zij naar Zwitserland vertrok, waar zij zich ontwikkelde tot een schrijfster van formaat. Onder: deze zogeheten slangemuur, die kasteel Oud-Zuylen omgeeft, maakt het kweken van subtropische vruchten mogelijk.

Belle, voluit Isabella Agneta Elisabeth geheten, was het eerste kind van Diederik van Tuyll van Serooskerken en Helena Jacoba de Vicq. Vader Diederik was een bedachtzame, typisch Hollandse aristocraat, destijds een der voornaamste ingezetenen van Utrecht en bekleder van allerlei bestuursambten. Het kasteel kan men niet los denken van het 18de-eeuwse Utrecht, een fraaie, boomrijke stad, toen nog gelegen binnen de omsingeling van stadsgrachten en wallen. Daar lag, aan de Kromme Nieuwegracht, het statige stadshuis van de Van Tuylls. Het kasteel aan de Vecht, sinds het midden van de 17de eeuw in het bezit van de familie, was 'alleen maar' een buitenhuis, waar de Van Tuylls 's zomers woonden.

Belle, die leefde van 1740-1805, ontwikkelde al heel jong een groot schrijftalent, dat gepaard ging aan een ware schrijfwoede. Naast die uitgesproken aanleg bezat zij een zeer onafhankelijke aard, welke haar dingen op papier liet zetten, waarmee haar rechtzinnige, aristocratische ouders niet bijster ingenomen waren. Belles schrijf-'dwang' hing ook samen met haar bepaald niet eenvoudige gevoelsleven. Zij had een sterke behoefte aan ongeremde, onconventionele vertrouwelijke omgang, aan wezenlijke mededeelzaamheid. De 18de-eeuwse omgangsregels stonden dat een meisje nauwelijks toe; alleen op papier kon zij zich 'geven'.

Belles vertrouwelingen

Nog pas negentien begon zij – langs steelse omwegen – een uitgebreide correspondentie te voeren met de markies d'Hermenches, een 37-jarige Zwitserse officier, die zij in 's-Gravenhage op een bal had ontmoet. De briefwisseling liep jaren en geeft een helder inzicht in haar ideeën, gevoelens en leefomstandigheden. Maar d'Hermenches blijft niet haar enige vertrouweling. In september 1763 – Belle was toen 22 jaar – duikt in Utrecht James Boswell op, een adellijke Schotse student, die – zeer tegen zijn zin – van zijn vader daar rechten moest studeren. Boswell, een intelligente bon-vivant die het leven in het grote Londen gewend is, vindt Utrecht de vervelendste aller steden. Geen wonder dat de wat pafferige, ijdele, maar vaak ook melancholieke student zijn vertier zoekt bij de vooraanstaande Utrechtse families. Daar ontmoet hij ook Belle. Hoewel zij zeker niet bijzonder mooi is, fascineert zij hem – en hij haar. Er ontstaat tussen de van nature snel verliefde Schotse jongeling en Belle een – opnieuw – steelse briefwisseling. Boswells speelzieke hanigheid wekt bij Belle gevoelens op die dicht bij liefde komen; zelf schijnt hij aan een huwelijk te denken. Het komt er niet van; hij is onder de indruk van haar onderlegdheid en briljante conversatie, maar die schrikken hem ook af. Wil de jonge Schot Belle na april ontmoeten, dan moet hij zich per cabriolet naar haar kasteel laten brengen. Hij, die zich toch *quite the man of fashion* waant, blijkt door Belles uitbundigheid en haar spot met redelijkheid en orde in de war gebracht. Als hij tenslotte op 18 juni 1764 voor een grote ontwikkelingsreis door Europa vertrekt, verklaart hij zich in een afscheidsbriefje aan Belle niet *amoureux*, maar *fidèle ami*. De scheiding moet Belle méér hebben aangegrepen dan hem.

Briljante kritiek op maatschappij

Boswells aantekeningen over zijn verblijf in Utrecht geven een goed inzicht in het 18de-eeuwse standenwereldje. Het 'winterseizoen' loopt van oktober tot april. Luisterrijk vertier is er nauwelijks. Er worden dan wat concerten en toneelvoorstellingen gegeven, maar het gezelligheidsleven speelt zich overwegend tijdens bijeenkomsten binnenshuis af. Er wordt naar muziek geluisterd, soms een spelletje geëenendertigd, veel thee en nu en dan een glas gedronken. Het belang van de samenkomsten ligt echter vooral in de – min of meer – intellectuele conversatie. Daarbij trekt de scherpzinnige Belle aller aandacht, niet aller sympathie; daarvoor is zij te agressief, te weinig aangepast, niet 'vrouwelijk' genoeg. Haar omgeving zal bij haar hetzelfde onbehaaglijke gevoel hebben gekregen, dat Boswell onderging: haar overwicht is haar glorie én haar doem. Zij spreidt dat tentoon in haar honderden brieven, waarin belijdenis en zelfanalyse worden afgewisseld met spotzieke of harde kritiek op

Boven: het oorspronkelijke 'Huys te Zuylen' in het begin van de 17de eeuw; zo'n 100 jaar eerder was het gebouwd op de grondvesten van een uit de 13de eeuw daterend stenen huis of woontoren.
Onder: in het midden van de 18de eeuw liet de Zeeuwse edelman Diederik van Tuyll van Serooskerken, de vader van Belle van Zuylen, de oude ridderhofstede door de architect Jacob Marot ingrijpend verbouwen en moderniseren, waarbij hem een kleine lusthof à la Versailles voor ogen stond; deze prent toont het kasteel na de verbouwing.

de standenmaatschappij met haar kerkelijke en andere instituties, op de conventies, het stereotype beeld van de vrouw, het kleinmenselijk bedrijf.

Eindelijk gehuwd

Na het vertrek van Boswell begint de familie zich langzamerhand ongerust te maken, omdat Belle nog steeds niet is gehuwd. Naar 18de-eeuwse maatstaven wordt zij immers al knap oud; haar moeder trouwde met vijftien, zij lijkt over te schieten. Daar komt bij dat haar kritische instelling haar veel schampers over het huwelijk doet zeggen. De situatie wordt pas opgelost, als Belle – 30 jaar oud – op 17 februari 1771 in het dorpskerkje van Oud-Zuylen, om de hoek van de oprijlaan

van het kasteel, in het huwelijk treedt met de zes jaar oudere Zwitserse landedelman Charles-Emmanuel de Penthès de Saint-Hyacinthe de Charrière. Ondanks diens indrukwekkende naam is dit huwelijk bijna een vlucht met behulp van een mésalliance, want De Charrière is als huisleraar van Belles broers niet meer dan een dienstman.

Belle verlaat Zuylen en Utrecht voorgoed; zij gaat wonen op 'Le Pontet', een eenvoudig goed van haar man, gelegen in het dorp Colombier, vlakbij het Meer van Neuchâtel. Er bestaat genegenheid tussen de echtgenoten, vooral van de kant van de man, maar aan Belle zelf lijkt de verbintenis toch vooral de rust van een goed verstandshuwelijk te hebben geschonken.

Literaire 'verhouding' met Constant
Op enkele reizen na woont Belle 34 jaar in Colombier. Zij is er, al corresponderend, op haar eentje een complete literaire salon. Een werkelijke salon heeft ze nooit kunnen houden; in Utrecht en op Zuylen woonde zij niet op zichzelf en in Colombier leefde zij te ver van alles verwijderd. Sarcastisch als zij aankeek tegen modieuze zaken, blijft het trouwens de vraag of zij wel een salon had willen hebben. Hoe het ook zij, ook in Colombier onderhoudt ze niet alleen een intensieve correspondentie met vele belangwekkende figuren uit die tijd, maar zij schrijft er ook toneelstukken, publiceert in een eenvoudige, heldere stijl

(brief)romans, zedenschetsen en essays, en gaat in 1786, als zij 46 jaar oud is, een zeer nauwe literaire 'verhouding' aan met de in Lausanne geboren, 21-jarige Franse schrijver Benjamin Constant, die zij tijdens een verblijf in Parijs heeft ontmoet.

Haar laatste jaren maken de indruk van vereenzaming: ook van haar man schijnt zij zich terug te trekken. 'Ik ben altijd ontevreden over mijzelf' – dat staat in een van de laatste brieven, die zij schreef. Zij sterft op 27 december 1805, ruim 65 jaar oud. Haar man overlijdt in 1808. Het kerkhof, waar Belle en Charles-Emmanuel werden begraven, is geruimd.

Van kasteel tot kleine lusthof
Op de plaats waar nu kasteel Oud-Zuylen staat, bevond zich omstreeks 1250 al een stenen huis, al was dat waarschijnlijk niet meer dan een woontoren. Het werd bewoond door de adellijke familie Van Zuylen, leenmannen van de bisschop van Utrecht. Tijdens de Hoekse en Kabeljauwse twisten werd door de Hoeksen, de tegenstanders van de bisschop, de toren 'omvergeworpen'. De woonstede was toen in bezit van Frank van Borsselen, de Zeeuwse edelman die later huwde met Jacoba van Beieren. Tot 1510 bleef de ruïne liggen.

Toen begon men terzelfder plaatse met de bouw van een rechthoekig huis, met op de hoeken smalle torens, een 'ridderhofstede, meer buitenplaats dan burcht'. Er was een

Boven: een tot vitrine gemaakte kast met kleding en andere voorwerpen van Belle in een van haar – in pasteltinten gehouden – kamers. In 1951, precies 200 jaar na de verbouwing van het kasteel, werd dit door de familie van Tuyll voor publiek opengesteld.
Onder: sobere, maar toch sierlijke rustbank in een der kamers van Belle.
Linksonder: hal met trap naar ingangsdeur; de dikke muur in het midden was voorheen de buitenmuur.
Rechts: de eetzaal met portretten van de heren van Tuyll sinds de 16de eeuw; op tafel familiekristal.

singel rondom en verder een moestuin, een kruidentuin en een boomgaard; een versterkt poortgebouwtje bewaakte de toegang tot terrein en bijgebouwen.

Het kasteeltje kwam in 1665 in bezit van de Zeeuwse adellijke familie Van Tuyll van Serooskerken, die het nog bezit. Sinds 1951 zijn echter het huis en de tuinen opengesteld; de familie heeft sindsdien de bijgebouwen betrokken.

Diederik van Tuyll, Belles vader, werd in 1707 op het kasteel geboren. In 1751, Belle was toen zo'n jaar of elf, liet hij door de van oorsprong Franse architect Jacob Marot het kasteel ingrijpend verbouwen. Vader Diederik stond met Zuylen kennelijk een kleine lusthof à la Versailles voor ogen: een ruime tuin met een het oog strelende, rustige vlakverdeling, een geriefelijker toegang en een betere bereikbaarheid van de kamers die, naar middeleeuwse bouwtrant, slechts via elkaar waren te bereiken. De onhandige entree, een via een houten ophaalbrugje te bereiken poort, lag – voor wie nu vóór de gracht staat – in de linkerflank. Die toegang werd door Marot verlegd naar wat nu de achtergevel lijkt. Daar werd na het slopen van een muur die een binnenplaats afsloot, een brede, Frans-classicistische villagevel gebouwd die opende op de Franse tuin. Met zijn U-vorm en streng-symmetrisch geplaatste grote ruitjes- (of roedel-) ramen gaf die gevel naar binnen toe meer ruimte en licht. Er werden een trappehuis en gang gebouwd, waardoor elke kamer afzonderlijk bereikbaar werd. Ook in de overige muren vervingen grote, moderne vensters de smalle van weleer.

Zoals het kasteel toen werd, is het nog steeds, compleet met poortgebouwtje, bijgebouwen en, heel bijzonder voor Nederland, zijn 'slangemuur': een golvende muur waarlangs door handige oriëntering van het spalierwerk (latwerk), beschut tegen de wind en zoveel mogelijk zonlicht vangend, zelfs subtropische vruchten als vijgen kunnen groeien.

Oude interieur gehandhaafd

Ook in het slot is nog veel als vanouds. In vitrines hangt en ligt de oude kant en het linnengoed van de familie, deels nog authentiek 18de-eeuws. Ook als museum is het een typisch woonhuis gebleven; de kamers vol familiestukken zijn ingericht zoals ze in onze jaren vijftig werden verlaten. Er is een grote, heldere keuken, welgevuld met het oorspronkelijke gerief en gerei. In de eetzaal hangen de familieportretten van de heren Van Tuyll sinds de 16de eeuw en staat de tafel gedekt met damast en kristal binnen de kring van 18de-eeuwse stoelen. Het opmerkelijkst is de feestzaal, waarvan alle wanden met gobelin zijn bespannen, op de lichte lambrizering na. Op deze wandbekleding, die in 1643 werd vervaardigd door de Delftse tapijtwever Maximiliaan van der Gught, komt onder meer het slot Zuylen van vóór de verbouwing voor alsook bostaferelen, die met hun optisch gezichtsbedrog sterk

de indruk van ruimte scheppen.

Wie speciaal in Belle van Zuylen belangstelt, vindt haar eigen twee kamers op de eerste verdieping; ze zijn klein, rechthoekig en in de destijds moderne pasteltinten geschilderd. Tussen stijlmeubilair hangt hier haar portret, dat Jacob Maurer in 1770 schilderde. Ook staat hier een afgietsel van de portretbuste in roze marmer, die Jean-Antoine Houdon in 1771 in Parijs van haar maakte. Met haar nogal stevige hals, regelmatige trekken, heldere ogen en een rond voorhoofd onder opgekamd donkerblond haar maakt zij een – wat men noemt – typisch Hollandse indruk. In de kamers vindt men ook allerlei dingen, die zij zelf heeft vervaardigd, van haar verplichte merkborduurlap tot haar pastels en schilderijen, handschriften en partituren van de kamermuziek die zij schreef. Uit dit alles blijkt hoe veelzijdig ontwikkeld een meisje van stand in de 18de eeuw kon zijn: huiselijkheid (handwerken) en het hogere (kunst en kunstvaardigheid) verenigd, dat was het ideaal, al zullen de meeste meisjes het niet verder dan het eerste hebben gebracht. Wat Belles schilderijen en muziek aangaat, die zijn niet meer dan geknutsel, maar schrijvend stak zij met kop en forse schouders uit boven ook de meeste mannen van haar tijd. Het woonhuis van de Van Tuylls aan de Kromme Nieuwegracht in Utrecht is nu het hoofdgebouw van het Sint-Bonifatiuslyceum.

De grijze, mistroostige 19de-eeuwse gevel verraadt nog nauwelijks iets van het herenhuis, dat Marot in 1751 eveneens verbouwde; slechts de leraarskamer gelijkvloers heeft door haar schouw nog een vleug allure.

Van 15 maart tot 15 november is het kasteel vijf dagen per week open voor bezichtiging.

Andere buitenverblijven langs de Vecht

De Vecht tussen Utrecht en Muiden doet denken aan de Theems op zijn mooist. In de 17de eeuw lieten steeds meer rijke kooplieden uit Amsterdam en Utrecht aan het stille water fraaie buitenplaatsen aanleggen met grote tuinen in Franse stijl. Van de doorgaans strakke gevels, sommige ingelijst met ornamenten van zwieriger barok, spiegelen er zich nog verscheidene in het water. De tuinen zijn echter merendeels opgeofferd aan de wegenbouw. De buitens droegen klinkende namen als Doornburg, Harteveld, Hofwerk, Gunterstein (ooit in het bezit van Van Oldenbarnevelt), Groenevecht en Queekhoven. In Nieuwersluis lag een versterkte schans; vandaar liep het jaagpad van de Vecht richting Loenen, Nederhorst den Berg en Nigtevecht. Daar lag het oogverblindende park van het Huis Petersburg, waar de eigenaar Christoffel van Brands, gezant van Zijne Tsaarse Majesteit, Peter de Grote en zijn tsarina te gast had.

Grandeur op aardse maat

PROF. DR. E. STOLS

Links: in de vestibule van het kasteel van Attre bevindt zich deze merkwaardige 'kastkapel'. Als de deuren ervan worden geopend, wordt een compleet altaar zichtbaar waaraan vroeger missen werden gelezen en andere religieuze plechtigheden plaatsvonden ten behoeve van mensen op het domein die niet op het kasteel zelf woonden maar er op deze wijze toch hun godsdienstige plichten konden vervullen. De marmeren vloer in de vestibule is afkomstig uit de abdij van Cambron die ten tijde van de bouw van Attre werd afgebroken.
Boven: gezicht op de achterzijde van het kasteel.

Het kasteel van Attre ligt op de rand van een driehoek, die zich van Brussel uitstrekt naar het zuiden en zuidwesten. In dit gebied treffen we opvallend veel kastelen aan van belangrijke adellijke families. Op korte afstand van Attre liggen de bezittingen van de geslachten de Ligne te Beloeil, de Croy te Roeulx, de Lalaing te Ecaussines, d'Arenberg te Edingen, de Mérode te Rixensart, de Trazegnies in het gelijknamige dorp, de Pestre te Seneffe, Snoy te Bois-Seigneur-Isaac en bovendien het voormalige buitengoed van de landvoogden te Mariemont. Al die kastelen werden in de loop van de 18de eeuw nieuw opgetrokken of grondig vernieuwd. Bij voorkeur werden ze gebouwd op korte afstand – nauwelijks een halve dagreis – van stedelijke centra.

Hoewel de adel zich in de loop van de 18de eeuw ontwikkelde tot een duidelijk afgebakende sociale klasse, vertoonde hij toch nog een grote heterogeniteit. Nog altijd werden burgers in de adelstand verheven of werden nieuwe en hogere adellijke titels verleend en erkend wegens een verdienstelijke ambachtelijke carrière of als gevolg van de aankoop van heerlijkheden dan wel het sluiten van een huwelijk. Voorwaarde was uiteraard dat patenten en registratiekosten werden betaald. Toch verminderde in de loop van de 18de eeuw het aantal personen dat in de adelstand werd erkend of verheven. Er werden hogere eisen aan de afstamming gesteld (tenminste vier adellijke kwartieren) en de wapenherauten (ambtenaren belast met het toezicht op het voeren en verlenen van wapens) oefenden een strengere controle uit op het gebruik van titels en blazoenen. Soms werden zelfs titels geannuleerd.

De oude adel was verdeeld in een hogere en een lagere klasse. De hoge adel voerde grafelijke, hertogelijke en prinselijke titels, beschikte meestal over uitgestrekte domeinen, zocht zijn huwelijkspartners in de grote Europese geslachten en kon zich vrijer opstellen ten opzichte van het Brusselse gezag. Tot deze adel behoorden onder andere de families d'Arenberg en de Ligne.

De lage adel was minder kapitaalkrachtig en was meer afhankelijk van de overheid die gunsten en ambten verdeelde. Deze categorie sloot over het algemeen ook minder kosmopolitische huwelijken. Een voorbeeld van een geslacht uit de lage adel is de familie Franeau, van Engelse origine, die in 1520 de heerlijkheid Attre en in het begin van de 18de eeuw de grafelijke titel van Gommignies verwierf, waardoor zij toen uiteraard tot de hoge adel ging behoren.

Naast de landadel was er ook een belangrijke stadsadel, waarvan een deel zijn oorsprong vond in het middeleeuwse stadspatriciaat (zoals de Gentse familie Borluut of de Antwerpse Van de Werve de

Schilde), terwijl een ander deel recenter in de adelstand was verheven (bijvoorbeeld het Brusselse geslacht Van der Noot of het Mechelse Cuypers de Rymenam). Talrijk waren ook de adellijke families van Spaanse of Portugese origine (zoals de Villegas en de Rodriguez d'Evora).
Een echt arme en kinderrijke adel, zoals die in Bretagne of in Spanje kon worden aangetroffen, bestond in de Zuidelijke Nederlanden nagenoeg niet.

Uiteenlopende ambten
De hoogste ambten in het landsbestuur waren voorbehouden aan vreemdelingen, maar veel Zuidnederlandse edellieden werden opgenomen in de hogere adviescolleges. Toen ten tijde van Karel van Lotharingen het hofleven intenser werd, kon de invloed van de adel toenemen. Voorts werd de stem van de adel gehoord in de Staten-Generaal en de Provinciale Staten. Op regionaal en lokaal vlak oefenden edellieden doorgaans het baljuwschap en het burgemeesters- of schepenambt uit. Zo was François Joseph Philippe Franeau kamerheer van de landvoogd, lid van de Staten van Henegouwen en intendant van Bergen.

Het kosmopolitische karakter van een deel van de adel kwam ook tot uiting door toetreding tot internationale ridderordes (bijvoorbeeld de Orde van Malta) en vooral doordat tal van edellieden bij de Franse of de Spaanse koning in dienst traden. Vooral in de Waalse gardes van de Spaanse koning dienden veel Zuidnederlandse edellieden. Daarnaast was in vele families een militaire carrière in eigen land (aan het hoofd van een regiment of als militair gouverneur) traditie. Ook traden talrijke edellieden toe tot de geestelijke stand. De bisschoppen werden in die tijd bijna uitsluitend uit het adellijk milieu gekozen, dat ook profiteerde van veel kanunnikenprebenden (renten uit kerkelijke goederen). Adellijke meisjes konden worden opgenomen in de exclusieve kapittels te Nijvel, Bergen en Andenne, die haar een veilig maar toch werelds onderkomen

Enkele edellieden schreven zelf beschouwingen over de problemen van hun tijd. Zo publiceerde Vilian XIV over opsluiting en tewerkstelling van misdadigers en leeglopers, schreef baron de Poederlee over het nut van boomaanplantingen en verschenen van de hand van de kasteelheer van Attre, François Joseph Franeau, verhandelingen over de relatie tussen bevolkingsdichtheid en agrarische exploitatie. Op literair gebied gaf Charles Joseph de Ligne blijk van groot talent.

Ontspannen tijdverdrijf

Groot was in de 18de eeuw de belangstelling voor de wetenschap. Edellieden legden verzamelingen aan van curiosa, zoals schelpen, mineralen en fossielen. Ook schaften zij zich instrumenten aan als microscopen, verrekijkers en toestellen waarmee natuurkundige proeven konden worden gedaan. Van hun artistieke smaak getuigden collecties van schilderijen, Griekse en Romeinse oudheden en Chinees porselein. Deze interesse voor wetenschap en cultuur werd gecultiveerd als een onderdeel van het gezelschapsleven – men zou kunnen zeggen dat zij behoorde tot het modieuze vermaak van het establishment in dat tijdsgewricht.

Op het landgoed hield de adel zich onledig met de traditionele jacht. Ook werden er tochtjes gemaakt per karos of (in de winter) met sleden. Dat laatste gebeurde ook 's avonds bij het licht van fakkels. Met

Linksboven: de imposante gevel van het kasteel is in classicistische stijl uitgevoerd. Het witte pleisterwerk tussen de natuurstenen omlijsting is later aangebracht over de muren van baksteen.
Rechtsboven: aan de rijke decoratie van de grote salon is gewerkt door internationale vaklieden. Italianen verzorgden het voor die tijd typerende stucwerk en de modieuze schilderijen aan de wand zouden vervaardigd zijn door de Franse schilder Hubert Robert.
Boven: een ander modetrekje van de 18de eeuw is terug te vinden in deze salon die in Chinese stijl is ingericht en een verfijnde sfeer ademt.

boden totdat de geschikte huwelijkskandidaat was gevonden.

Het leven van de adel

Doordat zij op zo veel verschillende wijzen deelnamen aan het maatschappelijke leven werden de edellieden vanzelf betrokken bij de sociale en politieke conflicten van hun tijd. Hun houding werd daarbij minder bepaald door politieke overtuigingen dan door de bekommernis hun bevoorrechte positie niet te verliezen. De ambten vormden namelijk een belangrijk onderdeel van hun inkomsten, ook al maakte het grondbezit nog altijd hun voornaamste rijkdom uit. Die rijkdom lag echter grotendeels vast in majoraatschappen, dat wil zeggen in familiegoederen die onverdeelbaar waren, daar ze bij vererving geheel aan het oudste lid moesten toevallen; het bezit leverde zodoende niet veel rendement op. Om dit rendement te verhogen gingen velen er scherper op toezien dat zij datgene ontvingen, waarop zij krachtens hun heerlijke rechten (zoals jacht-, vis-, molen- en andere rechten) aanspraak konden maken. Dit zette vaak kwaad bloed bij de boeren. Anderen probeerden hun financiële positie te verbeteren en te verstevigen door huwelijken te sluiten met dochters van gefortuneerde fabrikanten, handelaars en financiers. Ook gingen edellieden er steeds meer toe over hun geld te beleggen in aandelen van grote compagnieën, zoals de Oostendse of de Zweedse. Voorts investeerden zij in –

door slaven bewerkte – plantages op het Caribische eiland Santo Domingo, in mijnen, porseleinfabrieken en katoendrukkerijen.

De landadel beschikte naast één of meer kastelen op het platteland ook over een stadswoonhuis (te Brussel veelal in de buurt van de Zavel). De stadsadel had op het platteland vaak een 'hof van plaisantie', een buitengoed. Kastelen en stadswoningen werden, naar de smaak van de tijd, in laat-barok- en later in rococo- of in classicistische stijl gebouwd of verbouwd. De parken werden aanvankelijk in Franse geometrische stijl aangelegd en na 1770 steeds meer in de Engelse landschapsstijl. Men bouwde ook orangeries en kassen, waarin soms, zoals te Seneffe, zelfs ananassen werden gekweekt.

De opvoeding van de kinderen werd toevertrouwd aan gouvernantes die, als de kinderen ouder waren geworden, vervangen werden door huisleraren. Op kostscholen en colleges werd het onderricht voortgezet. De jongens gingen tenslotte naar een universiteit; veelal was dat Leuven, maar velen studeerden ook in het buitenland: te Straatsburg of in Pont-à-Mousson.

Voor de verdere culturele vorming kon men doorgaans een beroep doen op de eigen bibliotheek, waarin naast de werken van de klassieken ook veel reisverhalen, verhandelingen over landbouw en botanica en niet zelden de verboden boeken van Voltaire en Rousseau te vinden waren.

wandelingen in het park trachtte men de geest tot rust te brengen en de melancholie te verdrijven. Soms werd er vuurwerk ontstoken en traden koorddansers op. Binnenshuis amuseerde men zich met allerlei modieuze spelen, zoals trictrac of biljart. Het volkse kaartspel kreeg een aristocratisch tintje door het steeds ingewikkelder te maken. Er werd ook veel gemusiceerd, met een duidelijke voorkeur voor dwarsfluit en klavecimbel.

Verbleef men aan het hof of in de stad, dan kon men zich vermaken op bals en in het theater, waarin adellijke families dikwijls een vaste loge hadden gehuurd. Sommige kastelen, zoals Heverlee, hadden een eigen theater. Trefpunt van de adel waren verder selecte genootschappen zoals de 'Société Littéraire' of het 'Concert Noble'. Talrijk waren ook reeds de vrijmetselaarsloges. De markiezin Louise Marie Thérèse de Lambertye hield te Pont d-Oye een salon waar zelfs Voltaire verscheen, maar dat was in de Zuidelijke Nederlanden een uitzondering. Voor een echt opwindend societyleven moest men naar het buitenland. Verscheidene leden van de hoge adel verbleven gedurende langere periodes te Parijs of in Wenen; anderen gingen naar Italië. Algemeen gebruikelijk was ook een verblijf te Spa, dat als kuuroord reeds internationaal vermaard was. Over het algemeen manifesteerde zich de Zuidnederlandse adel op een bescheidener manier en ook iets later dan in het aan schittering zo rijke adellijke leven in Euro-

pa gebruikelijk was. In buitenlandse ogen leek deze adel een beetje dof, verveeld en zelfgenoegzaam. Daar stond als positief punt tegenover dat de kloof tussen adel en burgerij minder groot was dan elders in Europa. Door huwelijken en activiteiten op politiek en cultureel gebied onderhield de adel goede contacten met de opkomende bourgeoisie. Ook de omgang met het 'gemene volk' werd niet geheel geschuwd. Op paternalistische wijze nam de adel deel aan volksvermaken als kermissen en optochten, en op even paternalistische manier werd voedsel uitgedeeld en op een vat bier getrakteerd als zich daartoe de gelegenheid voordeed. Een zekere progressiviteit kan men de Zuidnederlandse adel in die tijd niet ontzeggen.

Het kasteel in zijn huidige staat

Uit het kasteel van Attre spreekt iets van het relatief bescheiden, middelmatige en weinig pompeuze karakter van de Zuidnederlandse adel. Het kasteel ziet er statig en voornaam uit, maar past toch goed in het landschap.

Nadat de oude burcht was afgebroken en de omringende slotvijver en moerassen waren drooggelegd, werd in 1752 onder François Joseph Philippe Franeau begonnen met de bouw van een nieuw kasteel, dat pas zo'n dertig jaar later onder zijn zoon François Ferdinand werd voltooid. Men nadert het kasteel via een lange dreef. Waar vroeger aan de hoofdingang een hek stond, vindt men nu zuilen,

afkomstig uit de nabijgelegen abdij van Cambron, die afgebroken werd. Ook het marmer van de vloeren in de vestibule van het kasteel is van deze sloop afkomstig. Op de plaats van de huidige voortuin bevonden zich oorspronkelijk een voorplein en een 'cour d'honneur' (binnenplaats), geplaveid met kasseistenen, die gehouwen werden uit nabijgelegen steengroeven (ze zijn nog te zien in Maffle). De koetshuizen aan de zijkanten dienden onder meer voor stalling van de lichtere rijtuigen van Brusselse makelij, die toen in zwang kwamen.

De gevel, uitgevoerd in classicistische stijl, vertoont een fraai evenwicht tussen het middengebouw (bekroond met een frontispice) en de twee zijvleugels, waarvan de imposante daken door enige vensternissen onderbroken worden. De stenen omlijstingen contrasteren met de bakstenen, die later bepleisterd werden. Grote vensters tonen aan dat men in die tijd licht en luchtigheid was gaan waarderen en nieuwe glastechnieken toepaste. De ingang wordt geflankeerd door twee sfinxen, die naar men zegt de gelaatstrekken vertonen van Madame du Barry en Madame de Pompadour.

Kapel in wandkast

Het interieur wordt gekenmerkt door een evenwichtige indeling van de vertrekken. Het oorspronkelijke decor is goed bewaard gebleven. In de vestibule vindt men in een wandkast een kleine kapel die,

Boven: de heer van Attre oefende zijn privilege op het houden van duiven uit in deze massieve duiventoren die meer dan 3000 vogels kon bevatten. Ze leverden vlees en mest voor de landerijen.
Onder: de sierlijke eretrap in de trappehal van het kasteel, waarvan de leuning werd ontworpen door de binnenhuisdecorateur François Blondel.

als de kast geopend werd, het mogelijk maakte dat mensen van het domein, die niet op het kasteel woonden, de religieuze diensten konden volgen. Op twee schilderijen, bovenaan, zijn het oude en het nieuwe kasteel afgebeeld.

Rechts bevindt zich de trappehal met een sierlijke eretrap. De ijzeren leuning werd ontworpen door de bekende binnenhuisdecorateur François Blondel en gesmeed door Jean François de Cuvilliès uit Zinnik. Het sluitsysteem van een kleine deur, dat bedoeld was om de warmte binnen te houden, getuigt van een geheel in de tijdgeest passende inventiviteit. Ook de glijvensters van een draagstoel in de vestibule geven blijk van een voorliefde voor technische snufjes. Enige frisse aquarellen aan de wand geven een beeld van het romantische park en tonen aan dat de kasteelheer, evenals andere edelen, zich reeds interesseerde voor de Engelse paardenfokkerij en -rennen.

Van de vestibule komen we in een grote salon, die voorzien is van twee schouwen, vervaardigd van Rance-marmer. Boven aan de wanden treft men rijk stucwerk aan, dat ook in andere vertrekken is terug te vinden. Het werd uitgevoerd door Italiaanse vaklieden, zoals de gebroeders Ferrari, die ook in vele andere Zuidnederlandse kastelen en herenhuizen hebben gewerkt. Typerend voor het stucwerk uit deze periode zijn het rocaille met schelpen en koralen en de afgebeelde muziekinstru-

menten, mythologische vogels en vooral aapjes, een uiting van de schalkse humor uit die tijd. De schilderijen met modieuze thema's, zoals antieke ruïnes en in oosterse kledij gehulde personen, zouden vervaardigd zijn door de Franse schilder Hubert Robert. De kristallen luchter in Maria-Theresiastijl, met amethisten pendants, is van Weense makelij.

Verfijnde sfeer
Aan de rechterzijde sluiten op de grote salon twee kleinere salons aan. De eerste noemt men de aartshertogelijke salon, een benaming die eraan herinnert dat de aartshertogen het kasteel plachten te bezoeken. Frans bedrukt behangpapier, dat toen nog niet in rollen maar in losse stukken werd geleverd, bedekt de wanden. De aangrenzende salon is ingericht in de Chinese stijl die toentertijd zeer in de mode was, zowel voor binnenhuisdecoratie als voor tuinpaviljoenen. De muren zijn behangen met gele zijde, die harmonieert met de gordijnen en de bekleding van de stoelen. Rolgordijnen in Louis-XVI-stijl filteren, als zij worden neergelaten, het licht en verhogen dan de sfeer van intieme verfijning. Een kamerscherm uit Kanton en een Parijse tafel die in China werd gelakt, benadrukken het exotische karakter van dit vertrek. Aan de linkerzijde van de grote salon bevindt zich de wintersalon, die behangen is met papier dat in rollen werd afgeleverd

Rechts: een deel van de kunstmatige rotspartijen die de heren van Attre in het park lieten bouwen in plaats van de in die tijd gebruikelijke Griekse tempeltjes en dergelijke. Onder: onderdeel van het rotsencomplex in het park vormt ook deze zogenoemde cyclopentoren.

en dus van recentere datum is dan het behang in de aartshertogelijke salon. Hier zien we ook een 'duchesse brisée' (een soort dubbele sofa) die typerend is voor de vindingrijkheid van de toenmalige meubelmakers. Vervolgens komt men in de staatsiekamer, behangen met rijstpapier. Op het kleine bed kon aartshertogin Maria Christina de 'levée' of ochtendontvangst houden. Aan de kamer grenst een klein boudoir met een merkwaardige collectie rammelaars en fluitjes die de kinderen kregen opgespeld. In dit tijdsbestek begon immers de precieuze kindervertroeteling.

Over alle vertrekken zijn Franse meubelen verspreid, veel lichter uitgevoerd dan de zware kisten en kasten die men vroeger gebruikte. Voorts zijn er veel bustes en beeldjes in brons en biscuit en een heterogene collectie schilderijen van zowel oude Vlaamse meesters als van contemporaine Franse schilders, zoals Watteau.

Voordat men het park achter het kasteel bereikt, komt men bij de bijgebouwen, die in het begin van deze eeuw in pseudo-Louis-XV-stijl werden herbouwd. Hier staat ook een massieve duiventoren. Het houden van duiven was een van de privileges van de landheer. De toren kon meer dan 3000 duiven bevatten. Van tijd tot tijd werden er een paar geslacht om te worden verwerkt tot een gastronomische specialiteit. De vogels leverden bovendien grote hoeveelheden mest die in de landbouw werd gebruikt.

Kunstmatig complex van rotsen

Het park is 17 ha groot en werd aangelegd in Engelse stijl. Men treft er een grote variatie aan van zeldzame en kostbare houtsoorten. Kronkelende beekjes en de rivier de Dender verhogen de romantische sfeer van het park, waarin men in plaats van de toen gebruikelijke Griekse tempeltjes en oosterse bouwseltjes een indrukwekkend, kunstmatig complex van rotsen heeft aangebracht. Het werd omstreeks 1780 door een groot aantal (vermoedelijk werkloze) arbeiders aangelegd en heeft het kolossale bedrag van 288.000 pond gekost. Men vindt er holen en grotten en een cyclopentoren van 24 m hoog. Daarnaast bouwden Zwitserse werklieden in 1830 boven een steengroeve een alpenhut. Aan de oever van de Dender staat een badpaviljoentje, opgetrokken in de vorm van een tempel, met een zuilenrij die ook weer afkomstig is uit de sloop van de abdij van Cambron. Voorts is er nog de ruïne van een middeleeuwse toren, waarin een echte heremiet gehuisd zou hebben.

Het kasteel is geopend van 10.00-12.00 en van 14.00-18.00 uur op zaterdagen, zon- en feestdagen van 15 maart tot en met 31 oktober; dagelijks, behalve op woensdagen, is het voor bezichtiging open in de maanden juli en augustus.

Positie van adel lang onaangetast

De woelingen van de Brabantse omwenteling en de Franse Revolutie hebben de rust van het kasteel van Attre nauwelijks verstoord. Het kasteel kwam in handen van aangetrouwde verwanten, eerst de graven du Val de Beaulieu en vervolgens de familie Meester de Heyndonck. Zij hebben ervoor gezorgd dat het domein ongeschonden bewaard bleef. Over het algemeen konden de edellieden, die met de inval van de Fransen op de vlucht geslagen waren, spoedig terugkeren. Onder Napoleon kregen zij hun machtspositie en hun bezittingen grotendeels terug. Ook onder het Koninkrijk der Nederlanden en in het 19de-eeuwse België bleef hun positie onaangetast. In het politieke leven speelden zij een belangrijke rol als burgemeesters, senatoren en kamerleden. Bijna alle belangrijke posten in de diplomatie en het leger werden door edellieden bezet. Pas in de loop van onze eeuw is hun aandeel in het politieke leven sterk verminderd.

Om het beeld van het adellijke leven in de Zuidelijke Nederlanden in de 18de eeuw aan te vullen, noemen we nog de kastelen van Beloeil, Leeuwergem en Annevoie met hun bijzondere Franse tuinen en verder nog Le Roeulx, Heks, Aigremont en Modave. Het zeer merkwaardige kasteel van Seneffe wordt thans gerestaureerd. Fraaie adellijke stadswoningen zijn de huizen Falligan en d'Hane Steenhuyse (opgetrokken in Franse rococostijl) te Gent, het Osterrieth-huis en het voormalige Koninklijke Paleis aan de Meir te Antwerpen en te Luik het Ansembourgmuseum.

De wonderen verklaard en opgeborgen

WOLF KIELICH

Boven: Pieter Teyler van der Hulst (1702-1778), telg uit een rijk Haarlems koopmansgeslacht. Als doopsgezind broeder en diaken leidde hij een sober leven. Uit de schaarse gegevens, die er bewaard zijn gebleven, komt het beeld naar voren van een man, die zich na zijn werk terugtrok in zijn kabinet, dat prenten en tekeningen bevatte, alsmede een bibliotheek van voornamelijk theologische en natuurwetenschappelijke werken. Zijn testament vormde de grondslag voor de stichting van Nederlands oudste museum.
Links: de beroemde overkoepelde ovale zaal van Teylers Museum bevat een aantal historische natuurkundige instrumenten en mineralen.

In de 18de eeuw, de eeuw van de Verlichting en van de triomf van de rede, mochten de vernieuwde wetenschap en de ermee samenhangende experimentele techniek zich in brede kringen verheugen in een uitzonderlijke populariteit. Een van de 'wetenschappelijke amateurs' die zich in Nederland sterk voor dit alles interesseerde, was de rijke Haarlemse textielfabrikant Pieter Teyler van der Hulst, die de grondslag legde voor het Teylers Museum in die stad.

Toen Pieter Teyler van der Hulst in 1778 kinderloos overleed, bleek hij in zijn testament te hebben bepaald dat een deel van zijn vermogen aangewend moest worden tot 'de bevordering van Godsdienst, aanmoedigingen van kunsten en wetenschappen en het nut van het algemeen'. Volgens zijn aanwijzingen werden na zijn dood door de eerste directeuren van de Teylers Stichting twee genootschappen gevormd: Teylers Eerste of Godgeleerde Genootschap en Teylers Tweede Genootschap dat tot taak had de natuurwetenschappen, de dichtkunst, de geschiedenis, de tekenkunst en de penningkunde te bevorderen. Aan de stichting liet Teyler ook zijn statige woonhuis in de Damstraat (daterend uit 1715) na, compleet met het fraaie Lodewijk XIV-meubilair, een uitgebreide bibliotheek en een verzameling prenten, tekeningen, munten en penningen, die de erflater had aangelegd. Teyler leidde een teruggetrokken en sober leven. Een groot deel van zijn tijd zal hij hebben doorgebracht in zijn bibliotheek, die voornamelijk werken bevatte op natuurwetenschappelijk en theologisch gebied. Verder weten we niet veel van hem, maar uit zijn testament kunnen we toch opmaken dat hij een typische 18de-eeuwse Nederlandse 'honnête homme' was, een deugdzaam, godvruchtig en ontwikkeld man, die zich openstelde voor de cultuur van zijn tijd zonder zich van de wijs te laten brengen door allerlei tegen kerk en staat gerichte nieuwlichterij, welke in die jaren vooral uit Frankrijk overwaaide naar de Nederlanden.

Alle wonderen verklaard

De cultuur van de 18de eeuw der 'Verlichting' stond voor een belangrijk deel in het teken van de wetenschap en de daarmee onverbrekelijk verbonden filosofie. Met een groot optimistisch vertrouwen in de rede werd de strijd aangebonden tegen overgeleverde vooroordelen en bijgeloof (waartoe volgens sommigen ook de godsdienst gerekend moest worden). 'Laat je niets wijsmaken, durf je eigen verstand te gebruiken!' was de leus. Met dat verstand, zo werd betoogd, was de mens in staat de hele schepping te doorgronden. Met empirische analyse en

experimentele onderzoekingen zouden alle 'wonderen' kunnen worden verklaard. En in de 18de eeuw zag men dat ook gebeuren. Een paar voorbeelden, die ook op Teyler indruk zullen hebben gemaakt. Omstreeks 1752 toonde Benjamin Franklin aan dat de bliksem een redelijk verklaarbaar elektrisch verschijnsel was en tevens gaf hij het middel (de bliksemafleider) aan waarmee de mens zich tegen deze 'gesel Gods' kon beschermen.
Op Kerstmis 1758 verscheen aan het firmament een grote komeet, die toen niet meer beschouwd werd als een onverwacht en gevreesd 'voorteken van de ondergang der wereld', maar als een ongevaarlijk en aan begrijpelijke natuurwetten gebonden fenomeen, dat reeds in 1705 voorspeld was door de astronoom Edmund Halley. Zulke spectaculaire resultaten bevorderden natuurlijk in sterke mate de belangstelling voor de 'ontsluiting van de geheimen der natuur'. De wetenschappers die zich daarmee bezighielden, beperkten zich meestal niet tot één vakgebied. Er waren veel 'universele geleerden', zoals Leibniz (1646-1716), die publiceerde op het gebied van de wiskunde, de filosofie, de theologie, de geschiedenis, de taalkunde, de rechtswetenschap en de natuurkunde. Réaumur (1683-1757) was niet alleen fysicus, maar ook zoöloog. De Nederlander Petrus Camper (1722-1789), door Goethe 'ein Meteor von Geist, Wissenschaft, Talent und Thätigkeit' genoemd, was geneeskundige, filosoof, anatoom en antropoloog.
De verbreiding van de wetenschap in brede kring werd bevorderd doordat de bezoekers hun publicaties niet alleen richtten tot hun vakgenoten. Ze waren ook toegankelijk voor een betrekkelijk grote categorie ontwikkelde leken. Voorts werd tijdens de Verlichting sterk de nadruk gelegd op 'popularisering' van de wetenschap. Tussen 1751 en 1772 verscheen de 'Encyclopédie ou Dictionnaire raisonné des sciences, des arts et des métiers' (17 delen tekst en 11 delen illustraties), samengesteld door Diderot en d'Alembert met medewerking van een groot aantal geleerden, filosofen, dichters, schrijvers en ambachtslieden. Ongeveer tegelijkertijd (1749-1789) verscheen in

Boven: de voorgevel van
Teylers Museum aan het
Spaarne, gebouwd door
Leendert Viervant. Behalve
door de ovale zaal een
bezienswaardigheid door de
fraaie eiken betimmeringen
en decoraties.
Onder: de bibliotheek bevat
veel unieke werken op het
gebied van biologie en
geologie.

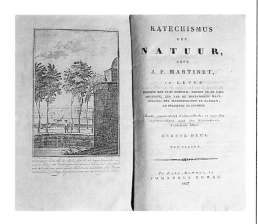

36 delen Buffons 'Histoire naturelle et
particulière', waarin alles werd verteld wat
toen bekend was over aarde, planeten,
mens, viervoetige dieren, vogels, mineralen en fossielen. Bovendien werden in de
18de eeuw steeds meer tijdschriften uitgegeven waarvan de inhoud deels letterkundig deels populair wetenschappelijk
was.

Wetenschap als amusement

Al die publikaties stimuleerden de wetenschappelijke belangstelling van de ontwikkelde bovenlaag der maatschappij. Er ontstond zoiets als een wetenschappelijk ama-
teurisme. Velen schaften zich kijkers en
microscopen aan om met eigen ogen te
zien wat de geleerden beschreven. Ook
amuseerde men zich met allerlei appara-
tuur, zoals elektriseermachines, luchtpom-
pen en dergelijke, waarmee in de huiskamer of het privé-laboratorium spectaculaire proeven konden worden gedaan.
En natuurlijk werden er ook 'naturaliën-
kabinetten' aangelegd, verzamelingen en
curiosa uit het rijk van de levende en dode
natuur. Het bezitten van zo'n kabinet
werd een prestigekwestie, een modeverschijnsel, gestimuleerd door de ver-
zamelwoede van vele vorsten. (Buffon
geeft in zijn 'Histoire naturelle' een uit-
voerige beschrijving van het kabinet van
koning Lodewijk XV.)
In genootschappen (sommige geheim,
zoals de loges der vrijmetselaars en der
rozekruizers), academies en salons werd
uitvoerig gediscussieerd over de filosofi-
sche en sociale vraagstukken, die mede als
gevolg van het zegevieren van de rede op
natuurwetenschappelijk gebied waren
ontstaan. In Frankrijk vooral openbaarde
zich een tegen kerk en godsdienst gericht
materialisme en anti-dogmatisme. In
andere landen streefde men er meer naar
de redelijke inzichten te verzoenen en te
verbinden met het christendom. Ook als
men de rede boven de openbaring stelde,
hoefde men het bestaan van God niet af te
wijzen. Integendeel, leverden de opzienbarende ontdekkingen van de wetenschap
niet juist het overtuigend bewijs van Gods
almacht? En hadden grote wetenschappers als Newton, Leibniz, Priestley niet
verklaard dat zij hun werk verrichtten tot
meerdere glorie van God?
In deze geest heeft waarschijnlijk ook Teyler zijn testament geschreven: de wetenschap moest bevorderd worden en de
resultaten ervan moesten ter kennis van
een zo groot mogelijk publiek worden
gebracht als een ondersteuning van de
godsdienst.

Het cultureel klimaat in Nederland was
tijdens Teylers leven overigens merkwaardig rustig gebleven. Er werd in de 18de
eeuw niet voortgebouwd op de traditie

van Erasmus, Hugo de Groot, Huygens,
Stevin en Swammerdam. In Nederland
geen Voltaire, geen Kant, geen Lavoisier,
geen Rousseau. De meest 'verlichte'
Nederlandse schrijfster was misschien Belle van Zuylen, maar zij woonde in Zwitserland en publiceerde in het Frans. Verder waren er nog Betje Wolff en Aagje
Deken en de al eerder genoemde Camper.
Het duurde tot 1752 voordat te Haarlem
het eerste Nederlandse wetenschappelijke
genootschap werd opgericht: De Hollandsche Maatschappij van Wetenschappen. (Zulke genootschappen bestonden
reeds lang in Duitsland (1652), Italië
(1657), Engeland (1662), Frankrijk (1666),
Zweden (1739), Denemarken (1742).) Deze
Hollandsche Maatschappij van Wetenschappen stelde in 1777 tot directeur van
haar 'Naturaliën-Kabinet' aan de medicus, chemicus en fysicus (natuurlijk tevens
filosoof) Martinus van Marum. Deze 'universele geleerde' was uiteraard de aangewezen man om in 1784 tot directeur te
worden benoemd van Teylers Physische
en Naturaliën Kabinetten en Bibliotheek'.
Dat hij Teylers bedoelingen goed begreep
bleek toen hij bij de directeuren van de
stichting de aankoop van een kostbare
sterrenkijker bepleitte met het argument
dat het kijken in de oneindige ruimte de
religieuze gevoelens sterk zou bevorderen.
Reeds voordat Van Marum directeur
werd, en wel in 1780, werd door de directeuren de eerste steen gelegd voor een
museumgebouw achter Teylers woonhuis.
In dit museum kwam later als pronkstuk
in een grote overkoepelde ovale zaal een
geweldige, door Van Marum uitgevonden
elektriseermachine te staan. Ook andere
demonstratie-instrumenten heeft Van
Marum aan het museum toegevoegd, zoals
de toestellen van 's-Gravesande.
Bovendien richtte hij in een koepeltje
bovenop het gebouw een sterrenwacht in.

Museumstuk onder de musea

Wie thans door de monumentale ingang
aan het Spaarne (op nr. 16) Teylers
Museum betreedt, krijgt het gevoel dat hij
een stap terug doet in de tijd. Hoewel door
de voortdurende uitbreiding in de loop
van 200 jaar nog slechts een klein gedeelte
van het totaal der verzameling van Teyler
zelf afkomstig is, heerst hier toch nog de
sfeer van een vorstelijke 'Schatz- und
Wunderkammer'. Teylers, het oudste
museum van Nederland, is eigenlijk een
museumstuk onder de musea.
In het Natuurkundig Kabinet treft ons
natuurlijk allereerst de gigantische elektriseermachine. In het museum had Van
Marum ook een laboratorium en hier
heeft hij als eerste een gas, namelijk
ammoniak, vloeibaar gemaakt. De lucht-
pomp waarmee hij dit deed, maakt deel uit
van de fraaie instrumentenverzameling in
het Natuurkundig Kabinet.
In de afdeling fossielen en mineralen,
waarvoor Van Marum de grondslag legde,
is het beroemde fossiel te zien van een reu-
zensalamander, dat van 1725 tot 1811

werd aangezien voor het 'trieste beender-
gestel van een oude zondaar, die tijdens de
zondvloed verdronk'. Ook zijn hier zeldzame zandsteenplaten met sporen van de
Chiroterium, een dier dat we slechts door
zijn voetsporen kennen.

Het penningkabinet bevat vele munten die
nog door Teyler zelf zijn verzameld. De
collectie, later uitgebreid met legaten en
aankopen, is één van de grootste verzamelingen, in het bijzonder van Nederlandse penningen uit de 17de, 18de en
19de eeuw.

De Teylers Stichting is tegenwoordig in
binnen- en buitenland het meest vermaard
door de kunstverzameling die onder meer
ongeveer 4000 tekeningen van de Nederlandse, Franse en Italiaanse School bevat.
Vooral Rembrandt en Van Ostade zijn in
de afdeling grafiek bijzonder goed vertegenwoordigd. De kern van de verzameling heeft toebehoord aan koningin
Christina van Zweden. In steeds wisselende tentoonstellingen wordt telkens
een deel van de collectie geëxposeerd.
De bibliotheek, die reeds onder Van
Marums leiding belangrijk werd uitgebreid, telt thans circa 100.000 delen.
Bovendien kan men er 700 contemporaine
wetenschappelijke periodieken raad-
plegen.

Teylers Museum is van 1 maart tot 30 september van dinsdag tot en met zaterdag
geopend van 10.00 tot 17.00 uur en in diezelfde periode op de eerste zondag van de

Rechtsboven: het
natuurkundig kabinet bevat
onder meer de in 1784 door
Van Marum gebouwde
elektriseermachine.
Links: het museum bezit een
aantal waardevolle
schilderijen uit de
Romantische en Haagse
School. Het belangrijkste
kunstbezit echter vormt de
grote collectie tekeningen
uit de Nederlandse, Franse
en Italiaanse School, waarin
onder meer grafiek en
tekeningen van Rembrandt,
Michelangelo, Raffael en
Watteau.
De Hollandse tekeningen
geven een compleet
beeld van de
ontwikkeling
van de tekenkunst
in Nederland.

maand van 13.00 tot 16.00 uur. Van 1 oktober tot 28 februari zijn die tijden respectievelijk 10.00 tot 16.00 uur en 13.00 tot
16.00 uur.

Instrumentenmusea in Nederland en België
Dat de faam van Teylers Stichting reeds in
de 18de en 19de eeuw groot was, blijkt uit
de vele illustere Nederlandse en buitenlandse namen in de bezoekersboeken. In
1811 vereerde Napoleon Teylers met een
bezoek. In 1878 werd de expositieruimte
van het museum vergroot.
De directeuren van de Teylers Stichting
hebben er steeds naar gestreefd het
contact met de ontwikkeling van de
wetenschappen te behouden. Zo werd er
vanwege de stichting een leerstoel in de
fysica ingesteld aan de universiteit te Leiden. De Nobelprijswinnaar prof. dr. A.H.
Lorentz was één van de curators van Teylers Natuurkundig Laboratorium. Hij
werd (ook op de leerstoel) opgevolgd door
prof. dr. A.D. Fokker. Het 31-toonsorgel
dat deze construeerde, staat sinds 1950
opgesteld in de bovenhal van Teylers
Museum. Er worden elke eerste zondag
van de maand concerten op gegeven.
De directeuren van de twee Teylers
Genootschappen hebben van meet af aan
de taak gehad prijsvragen uit te schrijven
over wetenschappelijke onderwerpen:
theologie, natuurkunde (ook biologie), letteren, geschiedenis, tekenkunst en penningkunde. Dit gebeurt nog steeds. De
bekroonde antwoorden zijn opgenomen in

de 'Archives du Musée Teyler' en vormen
een indrukwekkende reeks wetenschappelijke verhandelingen.
Andere musea waarin zich verzamelingen
van oude wetenschappelijke instrumenten
bevinden, zijn:
Museum Boerhaave (Rijksmuseum voor
de Geschiedenis van de Natuurwetenschappen en van de Geneeskunde),
Steenstraat 1a, Leiden (onder andere een
prachtige collectie microscopen, waaronder exemplaren van Van Leeuwenhoek;
instrumenten van 's-Gravesande en Van
Musschenbroek; Christiaan Huygensver-
zameling);
Utrechts Universiteitsmuseum, Trans 8,
Utrecht (lenzen en een klok van Huygens;
microscopen van Van Leeuwenhoek en
Van Musschenbroek; antieke instrumenten van het in 1777 opgerichte Natuurkundig Gezelschap; maten en gewichten van
Van Swinden);
Medisch-Pharmaceutisch Museum, Waaggebouw, Nieuwmarkt, Amsterdam (medische instrumenten, oude apothekerspot-
ten, vijzels, weegschalen);
*Museum voor de Geschiedenis der Weten-
schappen*, Korte Meer 9, Gent (panorama
van verschillende wetenschappelijke en
technische disciplines).
Een bewijs van Teylers sociale betrokken-
heid is het hofje dat hij reeds tijdens zijn
leven stichtte aan het Klein Heiligland te
Haarlem. Het bestaat nog. De toegangspoort in Hollands-classicistische stijl
werd ontworpen door Leendert Viervant.

Het lokaas van een ongehoord welzijn

MARINETTE BRUWIER

Tussen de rivieren de Trouille en de Hene en de Franse grens ligt het Belgische steenkolenbekken de Borinage. Het strekt zich van het oosten naar het westen uit van Mons (Bergen) tot Quiévrain, een afstand van ongeveer 18 km. De grootste breedte in noord-zuidelijke richting is 12 km.

Boven: buste in Grand-Hornu van Henri Joseph De Gorge, de man die in het hartje van 'de hel van de Borinage' woon- en fabrieksruimten samenbracht in één groot stedebouwkundig project en daarmee voor zijn arbeiders een omgeving schiep die in vergelijking met wat de 19de eeuw het werkende volk elders te bieden had, bijna paradijselijk kon worden genoemd.
Links: het grillige lijnenspel van de romaans aandoende arcades rondom de 'cour d'honneur' dat de vorm heeft van een antiek hippodroom.

Reeds in de middeleeuwen werd in dit gebied steenkool gedolven, zoals bijvoorbeeld blijkt uit een kaart van 1270 waarop bij Frameries mijnen staan aangegeven. In de 17de eeuw werd steenkool uit de Borinage al geëxporteerd naar het noorden van Frankrijk, Vlaanderen en Brabant. De steenkoolwinning geschiedde toen door lieden die ook op het land werkten. Zij werden telkens opnieuw voor het probleem gesteld dat de schachten die zij groeven na verloop van tijd en naarmate men dieper groef volliepen met water. Over effectieve middelen om dit water weg te pompen beschikten zij nog niet. Daarom moest omstreeks 1700 in de omgeving van het dorp Hornu de kolenwinning in meer dan 60 schachten nagenoeg geheel worden gestaakt.

De abdij van Saint-Ghislain bezat de rechten op de grond in dit gebied. In 1747 sloten de monniken van deze abdij een contract met Pierre Toussaint Durieu, een groothandelaar te Bergen, die de steenkoolwinning wilde hervatten met behulp van een 'vuurmachine', die het mogelijk maakte het water uit de schachten te pompen.

Met deze vuurmachine moet de atmosferische stoommachine zijn bedoeld die in 1712 werd uitgevonden door de jonge Engelse smid Thomas Newcomen. Tot de jaren tachtig van de 18de eeuw werden de pompen van Newcomen op vrij grote schaal gebruikt in de mijnbouw in Engeland en op het Europese vasteland. Zij werkten tamelijk bevredigend, maar verslonden enorme hoeveelheden brandstof. Na 1780 konden zij worden vervangen door stoommachines van James Watt en Matthew Boulton die minder brandstof verbruikten en sterker waren en waarmee het tijdperk van de Industriële Revolutie werd ingeluid.

De stoommachines deden dus ook in de omgeving van Hornu de mijnbouw herleven. In 1778 sloten de monniken van Saint-Ghislain wederom een contract, nu met een maatschappij die gesticht was door drie vennoten: Charles Godonnesche (een hooggeplaatst ambtenaar uit Valenciennes), een broer uit Hornu en een kolenhandelaar uit Warquignies. Hun concessie lag ten westen van die van Durieu en het is op deze plaats dat later de gemeenschap Grand-Hornu zou ontstaan.

De Gorge: een bijzonder man

De winsten die de maatschappij maakte, waren niet erg groot en na de dood van Godonnesche werd zijn weduwe bij het beheer van het bedrijf voor steeds grotere problemen gesteld. Zij verkocht haar aandeel aan de handelaar Henri De Gorge, die reeds met haar man een contract had gesloten dat hem het recht gaf een deel van de kolenproduktie af te nemen. In 1812 was De Gorge de enige eigenaar van de mijn geworden.

Deze Henri-Joseph De Gorge was een bijzonder man. In 1774 werd hij geboren in de buurt van Quesnoy. Zijn ouders waren rijk en konden hun zoon dus een goede opvoeding geven. In 1800 trouwde hij (voor de tweede maal) met Eugénie Legrand, een dochter van eveneens gefortuneerde ouders.

Zodra De Gorge het bewind over de mijn had overgenomen, veranderde er veel in Grand-Hornu. Hij investeerde grote sommen in het bedrijf en liet nieuwe schachten bouwen. Dank zij zijn opzichter Saussez en een aantal ervaren mijnwerkers kon hij nieuwe steenkoollagen vinden, die voor de exploitatie heel gunstig gelegen waren. In 1815 was er voor het eerst een batig saldo. Sindsdien groeide de produktie ieder jaar. Henri De Gorge-Legrand (hij had de naam van zijn vrouw bij de zijne gevoegd) was op weg één van de grootste industriëlen van de Borinage te worden.

Veel gunstige factoren bevorderden de bloei van Grand-Hornu. De vetkool die hier gedolven werd (uit zogenaamde Flénulagen) was van zeer goede kwaliteit en bijzonder geschikt om er stoommachines mee te stoken. Ook werd ze veel gevraagd door brouwerijen, raffinaderijen, suikerfabrieken en distilleerderijen. Voor de ijzer- en staalindustrie kon ze worden verwerkt tot uitstekende cokes. In het noorden van Frankrijk, Parijs, Vlaanderen en Holland vond De Gorge afnemers genoeg. Het stoomtijdperk was immers begonnen en met de groei van de industrie groeide ook de behoefte aan brandstof.

Bovendien lag de mijn uiterst gunstig voor wat de transportmogelijkheden betreft. De weg van Bergen naar Valenciennes liep erlangs; een andere weg verbond de mijn rechtstreeks met Doornik, dat ligt aan de Schelde, de scheepvaartroute naar Antwerpen. Het Kanaal van Bergen naar

Boven: de monumentale poort die toegang geeft tot de 'ateliers de Grand-Hornu'. Ze is opgetrokken in de strenge classicistische bouwstijl van de eerste helft van de 19de eeuw.
Onder: gezicht, door de vervallen poort aan de rue Royale, op de 'cour d'honneur' en het beeld van De Gorge uit 1855.
Geheel rechts: luchtopname van het imposante complex van Grand-Hornu, met de bedrijfsruimten rondom de binnenplaats en de ovale 'cour d'honneur' en daar min of meer in carrévorm omheen de rijen arbeiderswoningen.

Condé, dat in 1816 geopend werd, lag op slechts enkele kilometers afstand van de mijn. In 1830 legde De Gorge een spoorlijntje aan, waarover door paarden getrokken wagens reden.

Visie krijgt gestalte

Maar De Gorge beperkte zich niet tot de mijnbouw. De toenemende vraag naar machines bracht hem er in de jaren 1820-1825 toe zijn bedrijf uit te breiden met een fabriek waar verschillende typen stoommachines, locomotieven en mechanische weefgetouwen werden vervaardigd. Aangezien in de Borinage geen hoogovens waren opgericht (dit in tegenstelling tot de andere Waalse kolenbekkens) was de ijzer-

en staalindustrie er tot dusver beperkt gebleven tot enige kleine machinefabrieken. Maar nu pakte De Gorge de zaak grootscheeps aan – zo grootscheeps dat het industriecomplex dat hij stichtte, in onze tijd een toeristische attractie kon worden, die de bezoekers nog steeds imponeert.

Dit is vooral te danken aan het feit dat De Gorge een architect wist aan te trekken, die de grootse visie van de industrieel begreep en er op even grootse wijze gestalte aan gaf. Deze architect was de uit Doornik afkomstige Bruno Renard. Hij kreeg zijn opleiding in Parijs bij de beroemde bouwmeesters Percier en Fontaine, die onder meer de rue de Rivoli hebben ontworpen. Het classicisme van het Empire spreekt dan ook duidelijk uit de gebouwen die Renard voor de werkplaatsen van De Gorge ontwierp.

De Gorge wilde een harmonisch geheel maken van de nieuwe ateliers en de gebouwen die tot het mijnbedrijf behoorden. Maar bovendien – en daarin was hij zijn tijdgenoten ver vooruit – wilde hij rond het industriecomplex een nederzetting stichten voor zijn arbeiders. Dat hij bij dit laatste initiatief niet uitsluitend gedreven werd door sociale motieven, ook al zullen die wel een rol gespeeld hebben, blijkt uit een brief die hij in 1829 richtte aan koning Willem I. Hij schrijft daarin werkkrachten te willen aantrekken 'met het lokaas van een ongehoord welzijn'. Met andere woorden: De Gorge voorzag een personeelstekort voor zijn onderneming en vooral daarom bouwde hij zijn arbeidersdorp.

Hel en 'paradijs'

De introductie van de stoommachine bracht in de Borinage inderdaad een explosie van bedrijvigheid teweeg, waardoor een tekort aan werkkrachten ontstond, dat de gehele 19de eeuw zou voortduren. Weliswaar schakelden velen om van landarbeid op werk in de mijnen en trokken er nogal wat mensen uit Frankrijk en het platteland van Henegouwen naar het kolenbekken, maar daarmee werd het tekort niet opgeheven. De huisvesting van de arbeiders was bovendien een groot probleem. In deze tijd ontstonden de 'corons', slecht gebouwde, zwarte, troosteloze werkmanswijken rond de dorpen en steden, waar de mensen samengepakt werden in huizen die verstoken waren van licht, lucht en elk comfort. Dit was de 'hel van de Borinage', waarbij het dorp dat De Gorge liet bouwen, sterk afstak en bijna als een paradijs kon worden beschouwd. Omstreeks 1830 had Grand-Hornu 2500 inwoners van wie het merendeel gehuisvest was in het nieuwe arbeidersdorp, dat in 1832 niet minder dan 412 woningen telde. Een tijdgenoot beschrijft deze woningen als 'gezond en praktisch . . . omringd door tuintjes en voorzien van alle gemakken, zoals een oven om brood te bakken en een put voor het water'. De inwoners konden wandelen door brede, geplaveide straten en zich

verpozen op twee pleinen die beplant waren met bomen en zelfs versierd met beelden. Er was een badhuis, een feestzaal, een grote school, die in 1830 door meer dan 200 kinderen werd bezocht, en een bibliotheek. Later kwam er ook een ziekenhuis. Merkwaardigerwijze ontbrak een kerk. Toch was De Gorge geen ongelovige, zoals blijkt uit de namen die hij aan zijn mijnschachten gaf: Saint-Henri, Sainte-Eugénie. Dat was overigens in deze streek gebruikelijk.

We moeten ons natuurlijk het leven van de arbeiders in Grand-Hornu niet te idyllisch voorstellen. Zij waren beslist beter gehuisvest dan in de 'corons' en tot in de 20ste eeuw bestond er een zekere trots te mogen behoren tot 'het dorp'. Maar ook de arbeiders van De Gorge moesten lange werkdagen maken tegen lage lonen. Zij waren tegen beroepsziekten en bedrijfsongevallen niet beter beveiligd dan andere arbeiders en mijnwerkers. Drankmisbruik kwam veel voor en het ontbrak in Grand-Hornu dan ook niet aan kroegen. Enige tijd heeft er ook het truck-stelsel bestaan,

dat de arbeiders dwong een deel van hun loon te besteden in zaken die door de werkgever werden geëxploiteerd.

De arbeiders van Grand-Hornu zijn ook wel eens in verzet gekomen tegen hun baas. Maar dat vond minder zijn oorzaak in hun materiële omstandigheden dan in hun angst ontslagen te worden doordat er steeds meer machines kwamen. Zo leidden, in 1830, de installatie van een nieuwe hijsmachine en de aanleg van het spoorlijntje tot een ware opstand, die, volgens het traditionele verhaal, De Gorge haast het leven kostte.

Van 1851 tot 1874 heeft een suikerfabriek nog deel uitgemaakt van het industriecomplex van Grand-Hornu. De Gorge was toen al overleden, maar zijn opvolgers hebben niet nagelaten zowel de werkplaatsen als de mijnen voortdurend te moderniseren. In 1905 ging men over op het gebruik van elektriciteit.

Indrukwekkend complex

Als men op de snelweg van Brussel naar Parijs bij Saint-Ghislain afslaat in de rich-

ting van Hornu, bereikt men weldra Grand-Hornu, dat een oppervlakte van ongeveer 5 ha beslaat. Vanzelf komt men op de twee pleinen. In het midden van de place Saint-Henri staat een kleine buste van Henri De Gorge. Op de place Verte groeien nog altijd de platanen die daar in de 19de eeuw geplant werden en ook zijn hier nog enkele overblijfselen van beelden te zien.

De bezoeker wordt echter het meest getroffen door de honderden arbeiderswoningen langs de straten welke naar de fabriek leiden. (Van de mijnen is niets meer over; zelfs de steenberg is geheel afgegraven.) De meeste huizen zijn, nadat het bedrijf gesloten werd, door de bewoners gekocht. Zij zijn gemoderniseerd, maar enkele hebben toch nog steeds de oude tweedelige deur, zoals we die ook nog bij sommige oude boerderijen aantreffen. Het onderste deel van de muren is geteerd en deur en ramen zijn gevat in imitatie-natuursteen. Vroeger waren huizen en fabrieksgebouwen voorzien van een zelfde gele bepleistering. Aan de rue

Boven: de vervallen villa aan de rue Royale, recht tegenover de kantoren van het complex van Grand-Hornu, werd vroeger bewoond door een van de leidinggevende medewerkers van het bedrijf.
Onder: gezicht vanaf de overzijde van de 'cour' op onder andere een gedeelte van de vroegere koperslagerij en op de kegelvormige schoorsteen van de stoommachine waarmee allerlei werktuigen werden aangedreven.
Onder de schoorsteen een van de nieuwe glaswanden die tijdens de restauratie werden aangebracht.

opvallend zijn, rechts, de kantoor-gebouwen en, aan de andere zijde daar-tegenover, de oude koperslagerij. Dit plein, dat ook wel 'cour d'honneur' wordt genoemd, heeft de vorm van een hip-podroom uit de oudheid en is 80 m breed en 140 m lang. De gevel van het kantoor-gebouw wordt aan weerszijden van een grote koetsdeur onderbroken door acht elegante hoge vensters; in het midden staat op een driehoekige gevelsteen een klok-ketorentje, met de gietijzeren klok waar-door de werkdag van de arbeiders gere-geld werd. De voormalige koperslagerij wordt gedomineerd door de kegelvormige schoorsteen van de stoommachine, waarmee diverse werktuigmachines wer-den aangedreven. In de fabriekshal, die 70 m lang en 28 m breed is, staan acht 6.80 m hoge massieve zuilen, gehouwen uit blauwe steen. Zij zijn voorzien van Tos-caanse kapitelen en zijn waarschijnlijk afkomstig uit de nabijgelegen abdij van Saint-Ghislain. Zij droegen de koepel-gewelven van het dak. Het geheel doet romaans aan, maar toendertijd werd deze bouwstijl op het platteland veel toegepast. De koepelgewelven zijn na de sluiting van het bedrijf ingestort.

In het midden van de 'cour d'honneur' staat een roestig gietijzeren standbeeld van Henri De Gorge, dat in 1855 werd opge-richt. Van hier ziet men, aan de andere kant van de arcades, ook een kruisbeeld, gemaakt door de beeldhouwer Giraudon. Het staat op de grafkelder waarin de stof-felijke resten rusten van De Gorge en eni-ge leden van de familie Legrand.

Royale staan de grotere woningen, die bestemd waren voor de opzichters en andere bevoorrechten.
Voor het fabriekscomplex heeft de gemeente Hornu onlangs een ruim plein aangelegd, dat ons in staat stelt voldoende afstand te nemen van de indrukwekkende gebouwen. Hier kunnen wij goed de monumentale toegangspoort bezichtigen, die met haar drie bogen en driehoekig fronton typerend is voor de classicistische bouwstijl uit de eerste helft van de vorige eeuw. Door deze poort komen we op een rechthoekige binnenplaats vanwaar een tweede poort toegang geeft tot het grote binnenplein. Dit wordt omzoomd door lage gebouwen met arcades. Het meest

Guchez' onzinnige plan
Toen Henri De Gorge in 1832, tijdens een cholera-epidemie, plotseling stierf, was hij één van de belangrijkste ondernemers van de Borinage: een man met een vooruit-ziende blik, die ten volle had weten te pro-fiteren van de Industriële Revolutie. Kort voor zijn dood was hij nog tot senator gekozen. Een man als hij zou ook in de politiek een belangrijke rol hebben kun-nen spelen. Omdat hij kinderloos stierf, werd zijn vrouw zijn enige erfgename. Zij stichtte met enige leden van haar eigen familie een maatschappij. Leden van de

famile Legrand hebben tot de sluiting, in 1951, Grand-Hornu beheerd.

Tijdens de steenkoolcrisis die in de jaren vijftig begon, werden de mijnen in de Borinage de een na de ander gesloten en daarmee verdween ook een groot deel van de industrie, die voor de energievoorziening op steenkool was ingesteld. Schachten werden dichtgeworpen, fabrieken afgebroken. Veel schoons ging daarmee niet verloren. Maar Grand-Hornu was in dit opzicht een uitzondering. De voor fabrieken ongebruikelijke, bijna monumentale architectuur en de harmonieuze eenheid van het complex deden vanaf 1968 steeds meer stemmen opgaan om dit voor totaal verval te behoeden. De overheid kon daar evenwel geen middelen voor ter beschikking stellen. De redding kwam in 1971 van de zijde van de architect Henri Guchez. Guchez was in 1929 in Hornu geboren en had zich opgewerkt tot een internationaal befaamd bouwmeester met een groot architectenbureau. Grand-Hornu had hem al vele jaren gefascineerd en tenslotte vatte hij het – in veler ogen onzinnige – plan op de fabriek te kopen en te restaureren om er dan in te gaan wonen en er zijn bureau te vestigen. Ondanks veel moeilijkheden is hij erin geslaagd dit plan te verwezenlijken.

Grand-Hornu is nu voor een deel gerestaureerd en heeft een nieuwe bestemming gekregen: behalve het architectenbureau zijn er nu ook ateliers en expositieruimten voor kunstenaars, een concert- en conferentiezaal. Daken en muren zijn gerepareerd, op de 'cour d'honneur' kwam een gazon, de andere binnenplaats werd opnieuw geplaveid. Enkele moderniseringen, zoals glazen en metalen deuren, werden zo smaakvol uitgevoerd dat zij goed harmoniëren met de oorspronkelijke bouwstijl. Guchez schakelde daarvoor de Belgische beeldhouwer Félix Roulin in. In de voormalige suikerfabriek, gelegen aan de rechterzijde van de eerste binnenplaats, zal in de toekomst waarschijnlijk een mijnmuseum gevestigd worden.

Een ander arbeidersdorp kan men bezichtigen als men op de terugweg naar Brussel de snelweg voorbij Bergen verlaat bij de afslag naar La Louvière en Houdeng-Aimeries. Bij deze laatste plaats ligt 'Les Carrés', een tussen 1838 en 1853 gebouwde nederzetting voor de mijnwerkers van Bois-du-Luc. Het dorp wordt thans gerestaureerd.

Uit hetzelfde tijdperk dateren de arbeiderswoningen die te Val-Saint-Lambert, in de buurt van Luik, werden gebouwd voor de werklieden van de beroemde kristalfabrieken die hier gevestigd zijn. De rust die in deze nederzetting heerst, gaf aanleiding tot de naam 'Petit Béguinage' (Klein Begijnhof).

Een andere vorm van arbeidershuisvesting is het Hôtel Louise, in 1870 gebouwd door de 'Charbonnages du Hasard' te Micheroux, eveneens in de buurt van Luik. In dit grote gebouw konden in 100 kamers

Boven en onder: twee voorbeelden van de wijze waarop in Grand-Hornu de arbeiders van De Gorge werden gehuisvest. Wat ons vandaag de dag als een uiterst troosteloos onderkomen voorkomt, was in de 19de-eeuwse 'hel van de Borinage' een woonsituatie waarvan de meeste arbeiders in de mijnstreek niet eens durfden dromen: 'gezond en praktisch . . . omringd door tuintjes en voorzien van alle gemakken, zoals een oven om brood te bakken en een put voor het water,' zoals een tijdgenoot in bewondering schreef.

200 vrijgezellen worden ondergebracht. Er zijn een keuken, een eetzaal, een recreatiezaal en een wasserij; het geheel doet enigszins denken aan een ideaal dat de utopistische socialist Charles Fourier (1772-1837) propageerde: de 'phalanstères', grote produktie-, verbruik- en leefgemeenschappen, die een eind moesten maken aan 'arbeidsverspilling, onsamenhangende arbeid en verbrokkeld eigendom'.

Henri De Gorge was overigens niet de laatste ondernemer die bedrijf en werknemers in een leefgemeenschap wilde integreren. Vóór de Tweede Wereldoorlog stichtte de Tsjechoslowaakse schoenenfabrikant Bat'a in vele landen zulke 'communes'. Het Batadorp bij Best was er één van. Ook de Italiaanse schrijfmachinefabriek Adriano Olivetti heeft in onze tijd bij zijn fabrieken gemeenschappen gesticht, waarin de werknemers door het bedrijf worden voorzien van huisvesting, medische hulp, crèches, scholen, ontspanningsmogelijkheden en culturele evenementen. De gemeenschap bij de fabriek te Ivrea staat, ook in architectonisch opzicht, op een zeer hoog peil.

Hoe het in de tweede helft van deze eeuw, kort vóór de sluiting van de mijnen, toeging in een steenkoolmijn, kan men zien op twee plaatsen in de Nederlandse provincie Limburg: in het Mijnmuseum in de oude abdij van Rolduc bij Kerkrade en in het Mijnmuseum te Valkenburg, waar in een mergelgroeve een complete kolenmijn natuurgetrouw is nagebouwd.

197

Boekweitepap
in Drents Californië

PROF. DR. A.F. MANNING

Midden in Drenthe ligt het Ellertsveld, een golvend plateau van 10 tot 20 m hoog. Meer oostelijk kromt zich de Hondsrug en verder naar Duitsland toe ligt, van Groningen zuidwaarts tot Emmen, een geïsoleerde strook land met uitgestrekte veenmoerassen en doorsneden door beekjes. Van de vroege middeleeuwen af was dit een arme uithoek, bestuurd vanuit Coevorden of Groningen. Heel Drenthe was trouwens politiek en economisch zó onbelangrijk dat het niet eens was vertegenwoordigd in de Staten-Generaal. Er was akkerbouw rondom de dorpen en later ook in het veen; er kwamen wat aardappelmeelfabrieken en één strokartonbedrijf. En natuurlijk was er het veen, waar turf werd gestoken en veel mensen in plaggenhutten huisden.

Onder: een half in de grond gegraven Drentse plaggenhut. Deze hut is te zien in het Veenmuseum 't Aole Compas in de uit 1866 daterende veenkolonie Barger-Compascuum. Tot in de jaren dertig van onze eeuw woonden nog vele veenarbeiders in zulke primitieve hutten, maar na de crisistijd verdwenen ze in snel tempo. Indertijd bouwden jonggehuwden, met de hulp van buren, vaak een kleine hut in één nacht.

Tegen het midden van de vorige eeuw trokken veel jonge bewoners uit overvol geraakte Drentse dorpen naar de hei of het veen om er schapen te houden en rogge en aardappelen te verbouwen. Ofschoon ze onvoorstelbaar hard moesten werken, kregen ze het toch vaak beter dan de mensen in de dorpen. Op de hei en in het veen ging men boekweit verbouwen, een gewas met roze en witte bloemtrossen, dat bruine, melige korrels oplevert. Van het boekweitmeel maakte men onder andere pap en pannekoeken; het was ook geschikt als veevoeder. De boekweitakkers kon men 's winters huren in de veenkroegen, waar eventuele gegadigden ter stimulering de nodige rondjes werden aangeboden.

Voor men in mei ging zaaien, strooide men op het gehuurde smalle perceel uit een vuurpot aan een lange steel kleine stukjes brandende turf over het veld om de hei en de scherpe randen van de veenkluiten af te branden, wat tranende ogen en hoestbuien veroorzaakte. Er vormde zich daarbij maar een dunne

aslaag, want door het vocht doofde het
vuur spoedig. Vervolgens werd er gezaaid
en bij uitblijven van nachtvorst, te felle
zon of te veel regen kon dan in september
worden geoogst.
Daar de boekweitbloem rijk is aan honing,
zetten de bewoners tal van bijenkorven
uit. Daarin had men verschillende typen,
zoals de bisschopsmuts en de ronde
Drentse korven van ongedorst roggestro
of ook wel van buntgras. De raten werden
uitgeperst; in Schoonoord kan men nog
een 400 jaar oude grote, houten honing-
pers zien.
De meeste heidebewoners leefden in hutten die aan de buitenkant met plaggen
waren afgedekt. Brandstof had men in het
veengebied natuurlijk voldoende en voor
de verlichting waren er kleine olielampjes.
De watervoorziening in zo'n heidekeet
was echter ronduit erbarmelijk. Uit de
welput kwam geel- tot bruinkleurig water;
de enkeling die een pannendak had, was
veel beter af, omdat hij het regenwater via
een goot in een ton liet lopen. Dat regenwater had een veel betere smaak. Bij elk
woninkje hoorden wel een geit en een paar
schapen. Boekweit, honing en schapewol
waren voor eigen gebruik of brachten een
schamele bijverdienste op. Turfwinning
voor eigen gebruik completeerde het
zwoegen voor een hard, sober bestaan.

Het turfsteken

Veen is de sponzig-moerassige bodem, die
bestaat uit afgestorven, maar nog niet
geheel verteerde planteresten. De Drentse
boeren spraken niet over hoog- en laag-
veen, zoals dat vroeger op school werd
geleerd, maar over het binnenveen, vlakbij
de dorpjes, en over het buiten- of grote
veen dat in het wijde land met zijn vele
kanalen lag. Het grote veen lag oostelijk
van de Hondsrug en was met de dorpen
verbonden door dijken, die reikten tot ver
over het riviertje de Hunze, dat parallel
aan de Hondsrug loopt. Het Buinerboer-
veen, het Eeserveen en het Westdorper-
veen waren binnenvenen, die in de
gemeente Borger lagen.
Oorspronkelijk groef men eenvoudigweg
turfputten; de eerste halve meter grond
daaruit werd niet gebruikt, maar in een
oude, veelal vol grondwater gelopen put
gedeponeerd. De turven werden met een
scherpe schop gestoken en vervolgens in
'dijken' te drogen gelegd. Na drie weken
werden ze gekeerd en weer drie weken
later stapelde en verzamelde men de turven in bulten of hopen. Twee maanden na
het steken was de geslonken turf gereed
voor gebruik.
De grote venen werden al in de 17de eeuw
geëxploiteerd; zo haalde men toen bij Sap-
pemeer de brandstof voor de stad Groningen. Naarmate de veengraverijen verder-
weg kwamen te liggen verlengde men het
Stadskanaal. Het veen in Zuidoost-
Drenthe kwam het laatst 'aan snee'.
In het grote veen werkten hoofdzakelijk
seizoenarbeiders uit Friesland of Duitsland, die in kleine groepen, te voet en zin-

Boven: een uit de jaren
veertig daterende foto van
twee bedsteden in een toen
nog bewoonde plaggenhut;
in één zo'n bedstee slapen
dikwijls vier of meer
kinderen. Het woonkamertje
in een plaggenhut mat vaak
niet meer dan 3x3 m; de
behuizing bevatte verder
veelal een plaats voor de
geit, een rommelruimte, een
wc-doos en tenslotte een
vlierinkje.
Onder: een raam in een ten
dele uit hout opgetrokken
plaggenhut; als men zo'n hut
bouwde, placht de veenbaas
het raam of ook wel een
deur te schenken. Verder
waren de veenbazen echter
doorgaans bepaald niet
goedgeefs; ze gaven zeer
karige lonen en lieten de
mensen voor voedsel veel
te hoge prijzen betalen.

gend naar het veen trokken. Zij hadden de
slechtste onderkomens. Zo zaten ze na het
werk op houtblokken rondom een met
keien gemarkeerde stookplaats te eten en
ze sliepen op een planken vloertje. Soms
vestigden zich nieuwelingen in een buurt;
die bouwden dan 's nachts een hutje, half
in de grond. Als men maar zorgde dat er
geen heibel kwam en de schoorsteen rook-
te, dan placht een grondeigenaar dergelijke nieuwelingen rustig te laten zitten.

Drents Californië

Tussen 1860 en 1920 vond de grootste toe-
loop van seizoenarbeiders plaats, uit
Friesland, Groningen en in opmerkelijk
groten getale ook uit het Duitse Lippe
Detmold. Een aantal veenbazen pakte
toen de veenwinning in Zuidoost-Drenthe
aan en bezorgde dit gebied de veel-
belovende bijnaam van 'Drents Cali-
fornië'. De primitieve, ruwe wereld van de
veenarbeiders daar rechtvaardigt de vergelijking.
Daar de grote, lompe vrachten turf
moeilijk door het bonkige heidegebied of,
verderop, over stukken keiweg konden
worden vervoerd, was een kanalen-
complex noodzakelijk. Aanvankelijk had
men een zogenoemd enkel-kanaalstelsel,
dat echter het nadeel had van talloze bruggen over de dicht bij elkaar – om de 200 m
– gelegen zijkanalen. Bij een dubbel-
kanaalstelsel kon de verkeersweg zonder
veel bruggen worden aangelegd tussen de
hoofdkanalen die, ook weer 200 m van elkaar, parallel liepen. Op het land tussen de
twee hoofdkanalen, dat men 'vooraffen'
noemde, werden tevens boerderijen
gebouwd. De zijkanalen groeiden elk jaar
een paar honderd meter, zodat de schippers dichtbij de turfbulten konden komen.
Van de hopen laadden twee man de turf
op een kruiwagen, die door anderen naar

de schuiten werden gekruid, waar vrouwen de vrachten perfect opstapelden. Over de Verlengde Hoogeveense Vaart, het Oranjekanaal en het Scholtenskanaal trokken paarden de schuiten naar de steenbakkerijen, die altijd veel en goedkope brandstof nodig hadden, naar de glasfabriek te Buinen of naar Groningen en in vroeger eeuwen naar de Hollandse steden en zelfs naar Petersburg, de toenmalige hoofdstad van Rusland.

Modernisering en verzet

Begin van deze eeuw verschenen in het zuidelijk veengebied de eerste grote locomobielen en baggermachines, die van 8 tot 9 m diepte baggerveen omhoogbrachten, dat in grote modderbassins werd verzameld. Als na een dag of wat het water verdampt was, kon de bagger in blokken worden gesneden en in rijtjes gelegd om verder te drogen. Ook in dit baggerturfbedrijf moest er, zolang het licht was, heel hard worden aangepakt. De veenbazen maakten economisch en sociaal volledig de dienst uit. In slechte tijden bepaalden zij wie mocht werken: iemand met twee kinderen had recht op drie dagen werk; wie er acht had, kon de hele week aan de slag. De veenbazen richtten ook winkeltjes in, waar het loon in natura werd uitbetaald of waar de vrouwen van de seizoenarbeiders tegen veel te hoge prijzen wel moesten kopen, omdat inkopen doen in bijvoorbeeld Assen –

Boven: oude foto van het laden van baggerturf in Emmer-Compascuum. Mannen kruiden de turf van de bulten naar de schuiten, waar vooral vrouwen en meisjes het volladen van het ruim en het keurig optasten van de hoge deklast voor hun rekening namen. Door het vervoer te water ontstond een steeds groter stelsel van rechte kanalen en zijkanalen.
Onder: deze foto uit het boek 'hoe wij het rooiden' geeft een beeld van het oude Drentse veengebied.
Rechts: demonstratie van turfsteken in het Veenmuseum 't Aole Compas.

heen en terug 40 km lopen – natuurlijk te gek was. Behalve voedsel kon men bij de veenbazen ook jenever kopen, zij het onder de toonbank; als op een gevel het bordje 'margarine' uithing, wist ieder dat hij daar terecht kon. Zo kwam het uitbetaalde geld weer terug bij de baas. Dat wekte veel verzet en leidde in de jaren tachtig van de vorige eeuw tot tal van stakingen. Klompengeroffel kondigde voor dag en dauw een stakingsbijeenkomst aan, waar de nieuwe looneisen werden afgesproken. In optocht ging het dan naar de eigenaars of verhuurders van veenputten, waarbij wanordelijkheden en dronkenschap zoveel mogelijk werden vermeden. Na twee of drie dagen werden de

eisen dan ingewilligd. Een en ander droeg
ertoe bij dat, via Friese en Duitse veenarbeiders, het anarchisme en socialisme in
deze streken ingang vond.

Plaggenhutten en boerderijen
Alle Boelens, zelf geboren in een plaggenhut, heeft de stoot gegeven voor het openluchtmuseum *De Zeven Marken* te
Schoonoord, welk dorp zijn ontstaan te
danken heeft aan het Oranjekanaal, dat de
exploitatie van nabijgelegen veengebieden
mogelijk maakte. Het museum ligt iets ten
noorden van het nu bijna 130 jaar oude
Schoonoord, aan de weg van Emmen naar
Assen. Links van de ingang staren de beeltenissen van Ellert en Bramert, twee
legendarische reuzen uit het oude
Drenthe, de bezoeker aan.
Als toegang tot het museum dient een tolhuisje, zoals die voorheen langs de ver-
harde wegen stonden. Onmiddellijk
daarna staat links een plaggenhut met
schaapskooi. Wil een bezoeker de donkere
ruimte in, dan moet hij zich bukken. Binnen ontdekt hij een plaats voor de geit, een
rommelruimte en een getimmerde wc-
doos. Onder de vliering ligt een woonkamertje van 3 × 3 m, met daarin een tafel,
een paar rechte stoelen en een voetenstoof.
Ook is er een stookplaats met daarboven
zelfs een schouw, waarop wat bussen
staan. Waar aan de rechterwand het dak
al schuin oploopt, is er over de volle lengte
een plank bevestigd, waarop de kof-
fiemolen, een paar potten en wat servies-
goed prijken. Een armetierige, in menie-
rood geverfde lakenkast completeert het
meubilair. Aan de zolderbalkjes van jonge
boomstammen hangt een olielampje.
Links, achter gordijntjes, zijn twee bedsteden voor het hele gezin; in één bedstee
moesten soms vier kinderen slapen.
Op het museumterrein staan meer van dergelijke woninkjes, die onderling kleine verschillen tonen. Soms hebben ze niet eens
een schouw, soms zowaar een fornuisje.
Ook ziet men binnen wel eens een lage,
gevlochten wieg die gemakkelijk kon worden meegenomen naar de 'baggelput'.
Enkele huisjes hebben een heel of gedeeltelijk pannendak en ergens staat een bakoven, die ook door de buren kon worden
gebruikt. Voor bijvoorbeeld jonggetrouw-
de stellen werd met de hulp van buren en
vrienden in één dag een heel primitief
huisje gebouwd, waarvoor de veenbaas
dan een raampje of deur schonk. De
schoorsteen was niet meer dan een door
het plaggendak gestoken kist of vaatje,
waaruit de bodem was geslagen.
Op het terrein staan ook grotere behuizingen, echte boerderijen zoals een uit de
17de eeuw daterende oudsaksische boerderij met wagenschuur. Het meubilair in
deze boerderijen is mooier en de woonkamer veel ruimer. Het harmonium ontbreekt er niet, er staan enkele oerdegelijke
kasten langs de wand en op de tegelvloer
staat een tafel, waarop de kraantjeskan
voor de koffie prijkt.
Elders kan men een uit één lokaal

bestaand oud schooltje bekijken, en ook
een openluchtbezembinderij, kleine veenputten, een kalkoventje en een keienklop-
perij.
Aan het eind van de rondgang staat een
expositieschuur met daarin veel oude
materialen voor de turfwinning, de boom-
zagerij en de bijenhouderij. Bovendien ziet
men er wat nodig was voor de rietdekkerij,
de wagenmaker en de smid en bovendien
de uitrusting van een klassieke bakkerij,
tot en met de handkarren om het brood
rond te brengen.

Het openluchtmuseum *De Zeven Marken*,
gevestigd in de Tramstraat 73 te Schoonoord, is van Palmzondag tot 31 oktober
dagelijks open van 09.00-17.00 uur.

Andere Drentse bezienswaardigheden
Wie van de Drentse venen nog een natuurgetrouwe indruk wil krijgen, moet na zijn
bezoek aan *De Zeven Marken* de kleine rit
langs Emmen richting Klazinaveen maken
en bij Nieuw-Dordrecht de weg inslaan
naar Bargercompascuum (*Compascuum-
= gezamenlijke weidegrond*), een uit 1866
daterende veenkolonie. Nu ligt daar het
190 ha grote *Veenmuseum 't Aole Compas*.
In het hoofdgebouwtje geven een goede
diaprojectie, een kleine expositie en oude
foto's een uitstekend beeld van de wijze,
waarop in Drenthes uiterste zuidoosthoek

turf werd gebaggerd, hoe tot 1910 boekweit werd verbouwd en daarna
veenaardappels. Men leert er steek-, pers-
en baggerturf kennen, terwijl op
demonstratiedagen in het seizoen oude
ambachten aan hun trekken komen. Het
overgrote deel van dit complex is een
natuurhistorisch monument van de eerste
orde. Zo kan men er een eind varen door
een veenkanaal en dan overstappen op
een origineel veentreintje, waarmee men
een rit maakt over het golvende, zompige
landschap, waar over de moerassigste
plekken oude veenbruggetjes van boomstammen liggen. Men kan er verder genieten van de oorspronkelijke flora en op stille ochtenden zelfs van de fauna.
Ook het niet ver ten noorden van Schoonoord gelegen Borger, een typisch oud
dorp, is een bezoek waard. Men vindt er
het *Flinthoes*, een nu als museum ingerichte, gerestaureerde boerderij van 1619.
Oude kerkjes treft men aan in onder meer
Sleen, Ruinen, Rolde, Westerbork en
Zweeloo. In vele verrukkelijke Drentse
dorpjes kan men zonder veel moeite nog
de oude sfeer proeven. Een compleet
dorpje in oude trant is het bekende Orvel-
te. En buiten Drenthe is er nog het *Openluchtmuseum* te Arnhem (zie bladzijde 245) waarvan de collecties heel wat
over Drenthe bevatten, zoals het ruim
200 jaar oude dorpsschooltje uit Lhee.

Stoom
tegen het water

IR. K. VAN DER POLS

De uitvinding en ontwikkeling van de stoommachine, die in Europa de Industriële Revolutie tot gevolg hadden, zorgden in Nederland ook voor een omwenteling in de 'eeuwige' strijd tegen het water. Nederlandse deskundigheid en Engels vernuft leidden halverwege de 19de eeuw tot de bouw van een drietal uitzonderlijke stoomgemalen die in de wereld hun weerga niet kenden. Eén ervan, de Cruquius, is als technisch-historisch monument bewaard gebleven.

Boven: schaalmodel van de Cruquius, met de balansen en de zuigers die per slag in totaal 100 ton water omhoog brachten.
Onder: de Cruquius, het laatste van de drie enorme stoomgemalen waarmee in de 19de eeuw het Haarlemmermeer drooggemalen werd.

Het laagveengebied van Holland en Utrecht werd al vanaf de 11de, 12de eeuw ontgonnen en bewoonbaar gemaakt door langs rivieren en zeearmen waterkerende dijken te bouwen en door het land in omkade polders te leggen. Die dijken werden bij de uitmondingen van binnenwateren voorzien van sluizen, terwijl de polders via kleine uitwateringssluisjes hun water loosden op de binnenwateren die dus als boezems dienden.
Deze natuurlijke lozing werd van ongeveer

1400 af onvoldoende door de inklinking (verzakking) van de ontwaterde veengrond, zodat geleidelijk al de polders in het gebied werden voorzien van een windbemaling door middel van schepradmolens.
Ongeveer een eeuw later was de molentechniek zo ver gevorderd dat ook moeilijker projecten ter hand konden worden genomen, namelijk het droogmaken van meren die op natuurlijke wijze waren ontstaan (voornamelijk in Noord-

Rechts: kaart van
Melchior Bolstra uit 1740
waarop te zien is hoe de vier
oorspronkelijke meren zijn
uitgegroeid tot één
reusachtige watervlakte.

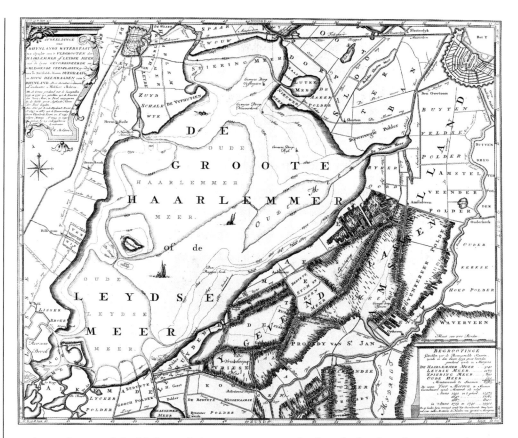

Holland) en van plassen die terwille van
de turfwinning waren uitgeveend (vooral
in Zuid-Holland).
Jan Adriaansz. Leeghwater, ingenieur en
molenmaker van De Rijp en al bekend
door zijn droogmakingen van de Beem-
ster, de Wormer, de Purmer en de Scher-
mer, stelde in 1629 het vroegste plan tot
droogmaking van het Haarlemmermeer
op dat redelijk gefundeerd en uitgewerkt
was. Het lag wel voor de hand dat aan die
droogmaking werd gedacht. De oorspronkelijke plassen in deze streek, Haarlemmermeer, Oudemeer, Leidsemeer en Spie-
ringmeer, waren door oeverafslag veranderd in één reusachtige watervlakte. De
afkalving van de zuidoostelijke en noordoostelijke oevers werd daardoor steeds
sterker. Door opwaaiing over zulke grote
afstanden werd de lozing van de aangrenzende polders bovendien dikwijls
bemoeilijkt en werden deze steeds vaker
door overstromingen bedreigd.
Toch duurde het nog meer dan 200 jaar
voor tot droogmaking van het Haarlemmermeer kon worden overgegaan. Er
kwam pas schot in de zaak in 1836, toen
de herfststormen op zich niet ernstige
overstromingen veroorzaakten, eerst in
Amsterdam en daarna in Leiden. De
publieke opinie kwam in beweging en in
1837 benoemde koning Willem I een commissie die in twee maanden een project tot
droogmaking ter tafel moest brengen – en
dat deed door een plan uit 1767 aan te
vullen met een bescheiden hulp-
stoombemaling. De Tweede Kamer ging
in 1839 met de droogmaking akkoord en
voteerde voor de uitvoering ervan
8 miljoen gulden.
Intussen was een technische commissie
benoemd die nader moest adviseren over
de bemalingswerktuigen, en met name
over de vraag of de stoomketels ook met
turf gestookt konden worden. De vertegenwoordiger van het departement van
financiën in die commissie was dr. Gerrit
Simons, een natuurkundige die op de
hoogte was van de nieuwste ontwikkelingen van de stoomtechniek in Engeland.
Vandaar dat hij weinig voelde voor het
plan het Haarlemmermeer voornamelijk
met windkracht droog te malen en stoomkracht daarbij slechts een assisterende rol
toe te kennen. Op zijn beurt diende hij
daarom een plan in waarbij de droogmaking geheel voor rekening zou komen
van een klein aantal krachtige stoom-
pompwerktuigen. Bij de waterstaats-
ingenieurs in de commissie viel dit plan
slecht, zodat geen eenstemmigheid kon
worden bereikt. Maar toen greep de
koning zelf in. Hij bestudeerde de zaak en
gaf Simons gelijk. De oude commissie
werd vervangen door een nieuwe waarin,
behalve ir. Simons en enige medestanders,

onder anderen ook ir. Lipkens zitting
nam, de directeur van de Academie tot
opleiding van burgerlijke ingenieurs te
Delft. De leden van deze nieuwe commissie werden tevens opgenomen in de veel
grotere commissie van beheer en toezicht
op droogmaking.
De technische commissie had al vroeg
contact gehad met twee Engelse raad-
gevend ingenieurs, de heren Gibbs en
Dean. Dezen organiseerden een excursie
naar Cornwall waarbij een aantal grote,
moderne en zuinige mijnpompmachines
werd bezichtigd. Op grond van de ervarin-
gen tijdens deze reis werd besloten drie
sterke balansmachines in te zetten, elk met
een vermogen van 350 pk. Met behulp van
een aantal grote door ir. Lipkens ontworpen zuigpompen zouden deze het water uit
het Haarlemmermeer in een ringvaart
pompen. Later zouden ze ook voor het
drooghouden van de polder moeten zorgen.
Omdat machines van deze grootte ook in
Engeland nog niet eerder waren gemaakt,
werd besloten één ervan op te stellen aan
de Kaag en daar te beproeven. Dat werd
de Leeghwater. Voor dat beproeven was
tijd genoeg, want het zou nog jaren duren
voor de waterstaatkundige werken, met
name de ringdijk en de ringvaart, zo ver
gevorderd zouden zijn dat met de eigenlijke uitmaling zou kunnen worden begonnen.
De Leeghwater was wel een bijzondere
machine. Midden in een torenvormig
gebouw stond een dubbele cilinder
opgesteld, de binnenste (hogedruk) met
een doorsnee van 2,14 m, de buitenste
(lagedruk) met een diameter van 3,63 m.
De hogedrukzuiger was door één, de ring-

vormige lagedrukzuiger door vier zuiger-
stangen verbonden met een ongeveer
85 ton zware gewichtsbak. Deze werd
door de stoomdruk in de hogedrukcilinder
naar boven gebracht over een slag van 3 m
lengte. Samen met de kracht van de
expanderende stoom op de ringzuiger
werkte dit gewicht op elf balansen die aan
hun buitenzijde de zuigers naar boven
trokken van de in een kring opgestelde
pompen (elk met een doorsnee van
1,60 m) en zo een waterlast van ongeveer
100 ton omhoog voerden.
Vijf stoomketels leverden de stoom onder
3 atm. overdruk; de stoomtoevoer en -af-
voer werden door een ingenieus mechanisme geregeld met behulp van drie klep-
pen: de inlaatklep, de overstroomklep (uit
historische overwegingen altijd even-
wichtsklep genoemd) en de uitlaatklep. Er
was een inrichting om de machine in de
bovenstand van de stoomzuigers even te
laten pauzeren en de pompzuigerkleppen
zo in de gelegenheid te stellen dicht te vallen; in de benedenstand was er gelegenheid het aantal slagen per minuut (volgens
het ontwerp 10, in de praktijk 6 tot 8) te
regelen.
De machine werd vervaardigd in de
fabriek van de firma Harvey te Hayle, in
Cornwall. Om ook de Nederlandse
industrie een aandeel te gunnen in deze
belangrijke order werden de stoomketels
en de balansen besteld bij de fabriek van
Paul van Vlissingen en Dudok van Heel in
Amsterdam, het latere Werkspoor.

'De Meer is droog'
Het beproeven van de Leeghwater, in september 1845, verliep op een kleine
onvolkomenheid na geheel volgens de ver-

Boven: een mooie
steendruk van het gemaal
de Leeghwater, het eerste
van de drie stoomgemalen
die in nauw overleg tussen
Engelse ingenieurs en
Nederlandse
bemalingsdeskundigen
werden gebouwd voor de
strijd tegen het water en die
het einde inluidden van de
windbemalingstechnieken.
Het was dit gemaal
waarmee in september 1845
de nieuwe constructie met
succes werd beproefd.
Onder: het hart van het
Vijfhuizense gemaal is de
Cornwallse stoommachine
met haar acht grote
pompen.

wachtingen. Toen werden ook de bestellingen geplaatst voor de twee andere machines: de Lijnden, die later in de buurt van Halfweg aan de noordoostzijde van de Hoofdvaart zou worden geplaatst, en de Cruquius, die een plaats zou krijgen aan de noordwestzijde van de Kruisvaart, tegenover het begin van het Spaarne, en die dus in directe verbinding zou staan met het boezemgemaal van Rijnland te Spaarndam. In het machine-ontwerp werden nog enige kleine wijzigingen aangebracht, maar belangrijker was dat de zuigpompen van Lipkens zo goed hadden gewerkt, dat men het aandurfde ze nog wat groter te maken. Met behoud van de totale capaciteit werden in beide nieuwe

gemalen in plaats van elf pompen met een doorsnee van 1,60 m doorsnee acht pompen geplaatst met een diameter van 1,85 m, hetgeen een aanzienlijke vereenvoudiging betekende.

Om een redelijke levertijd te krijgen werd de opdracht voor de bouw van de tweede machine, de Lijnden, gegund aan Fox te Perranporth bij Falmouth, die de grote cilinder overigens betrok van Harvey. De Cruquius werd, evenals de Leeghwater, bij Harvey gebouwd, terwijl de balansen en ketels voor beide nieuwe gemalen weer in Amsterdam werden vervaardigd.

Het werk aan ringvaart en ringdijk was intussen goed gevorderd. In juni 1848 was de ringdijk gesloten en kon begonnen worden met de uitmaling, die voorlopig dus volledig voor rekening van de Leeghwater kwam. Beide andere gemalen werden te laat geleverd, zodat de Lijnden pas begin april 1849 in bedrijf kwam en de Cruquius op de 19de van die maand.

De ontwerpers hadden berekend dat er twee jaar gepompt zou moeten worden, maar dat kwam niet helemaal uit. Pas op 1 juli 1852 kon de Staatscourant het bericht opnemen 'De Meer is droog'. Dat had overigens niet aan de machines gelegen; die hadden in die tijd, bij elkaar opgeteld, slechts 19½ maand kunnen werken. Zeker is dat door de uitstekende samenwerking tussen Nederlandse deskundigen, Engelse adviserende ingenieurs en Cornwallse machinefabrikanten voortreffelijk werk was verricht dat voor z'n tijd bijzonder vooruitstrevend was. Vóór die tijd waren er nog maar enkele toepassingen van stoomkracht voor bemaling geweest. Het succes van de Haarlemmermeermachines gaf de stoot tot een veel algemener gebruik op dit terrein. Tot 1860 ging dit nog mondjesmaat maar daarna werden ieder jaar tientallen windbemalingen vervangen door stoomgemalen.

Grootste stoomcilinder uit de geschiedenis
Het spreekt vanzelf dat met het voortschrijden van de techniek andere constructies voor grote gemalen op de voorgrond traden. In 1892 kreeg de Lijnden centrifugaalpompen en in 1912 gebeurde hetzelfde met de Leeghwater. De oude machines zijn daarbij gesloopt. Ze werden achtereenvolgens vervangen door snellopende stoommachines, door elektromotoren en tenslotte door – uitsluitend – dieselmotoren. Daarbij werd het vermogen steeds hoger opgevoerd, een ontwikkeling die ertoe leidde dat de Cruquius sedert 1912 alleen als reserve dienst hoefde te doen en in 1932 geheel overbodig werd.

Gelukkig had toen de gedachte al post gevat dat deze uitzonderlijke machine als technisch-historisch monument behouden moest blijven. In overleg tussen het Koninklijk Instituut van Ingenieurs en dijkgraaf en heemraden van de Haarlemmermeer werd in 1933 de stichting 'de Cruquius' opgericht waaraan de instandhouding van het gemaal en het beheer

ervan als voor het publiek opengesteld museum werden opgedragen.

De ketels waren niet meer bruikbaar en zijn verwijderd; de ketelhuizen herbergen thans een vrij volledige expositie over de polder- en bemalingsgeschiedenis. Men vindt er een maquette van het Hollands poldersysteem, die duidelijk de functie van polder- en boezembemaling demonstreert, en een grote maquette van Nederland als polderland die zeer aanschouwelijk laat zien hoe een groot gedeelte van het land alleen maar in stand kan blijven door dijken en bemaling.

Verder omvat de collectie een aantal modellen van watermolens en demonstratiemodellen van de eerste drie 'stoommolens' in Nederland, één van de drie balansmachines van het schepradgemaal aan de Arkelse Dam uit 1825 dat tot 1946 heeft gewerkt, onderdelen van het schepradgemaal van Steenenhoek uit 1864 en een groot aantal modellen, kaarten, tekeningen en foto's die alle betrekking hebben op de polder- en bemalingstechniek. In het filmzaaltje tenslotte worden over deze onderwerpen en over waterstaats- en stoomtechniek in het algemeen regelmatig films en diaseries vertoond.

Maar het hoogtepunt van de verzameling blijft toch de Cornwallse stoommachine met haar acht grote pompen in de oorspronkelijke staat, waaraan alle kunstige technische constructies nog zijn na te gaan en die naar onze mening de grootste stoomcilinder bevat die in de geschiedenis

Boven: het uitwendige deel van drie van de acht balansen die binnen door de stoommachine in beweging werden gebracht en aan de buitenzijde de zuigers en daarmee het weg te pompen water omhoog brachten. De Lijnden was qua constructie gelijk aan de Cruquius; alleen de Leeghwater had in plaats van acht elf van deze balansen omdat in dit 'proefmodel' nog pompen met een geringere doorsnee waren geplaatst.
Onder: model van een kleinere stoommachine die tegen het eind van de 18de eeuw in Mijdrecht werd toegepast.

ooit werd vervaardigd. Er is wel over gedacht de machine ter demonstratie weer te laten werken, maar dat idee moest men laten varen als te bezwaarlijk en ook te gevaarlijk. Wel kan men op een filmpje uit 1934 zien hoe de machine voor het laatst heeft gewerkt.

Het museum is tussen 1 april en 30 november geopend van 9.00 tot 17.00 uur op werkdagen en van 10.00 tot 16.00 uur in de weekends.

De laatste stoomgemalen
In de loop van het 'stoomtijdperk' werden in Nederland steeds meer stoomgemalen in gebruik genomen. In 1894 telde men er bijna 500, in 1920 waren er zo'n 700 in werking. De stoomkracht bracht in de 19de eeuw verscheidene ingenieurs ertoe plannen te ontwerpen voor een nog grotere droogmakerij dan die van de Haarlemmermeer: het droogleggen van de Zuiderzee! Het eerste plan hiertoe, dat ook de drooglegging van het grootste deel van de Waddenzee omvatte, werd al gepubliceerd in 1849, dus nog voordat de Haarlemmermeer droog was.

Van de vele plannen die volgden, werd uiteindelijk het plan-Lely (1891) na 1918 in hoofdlijnen uitgevoerd. Stoomgemalen kwamen er bij de Zuiderzeewerken echter niet meer aan te pas. In geheel Nederland geschiedt de polderbemaling nu met elektro- of dieselmotoren.

Van de vele stoomgemalen van vroeger zijn er, in enigszins oorspronkelijke staat, maar weinig overgebleven. Een paar oudere zijn het gemaal van de polder Mastenbroek bij IJsselmuiden, het Puttersgemaal en het Nijkerkergemaal te Nijkerk. Een betrekkelijk nieuw en zeer groot stoomgemaal is dat van Frieslands boezem in Tacozijl uit 1919, met vier grote tandem-compound stoommachines met centrifugaalpompen. Het werd kort geleden buiten gebruik gesteld. Hetzelfde geldt voor Rijnlands boezemgemaal bij Halfweg, een fraai voorbeeld van een stoomschepradgemaal, met de schepraderen nog ongeveer zoals in de tijd van de stichting in 1852; de stoommachine is van de vierde generatie. Pogingen om dit gemaal als werkend monument in stand te houden zijn nog steeds gaande.

Ook de gemalen te Schellingwoude, onderdeel van het Oranjesluizencomplex, en het gemaal 'De Vier Koggen' in Medemblik zijn interessant. Beide hebben een kleurrijke geschiedenis die gedeeltelijk nog te zien, gedeeltelijk te reconstrueren is. Onlangs nog werd het gemaal in de Velserbroek bij Velsen op de monumentenlijst geplaatst. Dit gemaal bestond al in het begin van de vorige eeuw; de aandrijving ervan geschiedt sinds 1915 door een dieselmotor.

Wie zich op de hoogte wil stellen van de allernieuwste inpolderings- en bemalingstechnieken moet beslist een bezoek brengen aan het Museum en Informatiecentrum 'Nieuw Land' van de Dienst der Zuiderzeewerken in Lelystad.

In het spoor
van De Arend

ING. W. MEIJNEN

Op geen andere stad in Nederland hebben de spoorwegen zo sterk hun stempel gedrukt als op het centraal gelegen Utrecht. Geen wonder dan ook dàt zich in deze stad het Nederlands Spoorwegmuseum bevindt, toepasselijk ondergebracht in een voormalig station. Voortgekomen uit de collectie van een enthousiaste spoorwegambtenaar biedt het museum nu een rijke verzameling aan gegevens en objecten uit de ruim 140-jarige geschiedenis van de spoorwegen in Nederland.

Boven: bord in de oude spelling op een perron van het Spoorwegmuseum te Utrecht.
Onder: een pronkstuk van het museum is NS-stoomloc. 3737, die in 1958 haar laatste rit maakte – naar het museum.
Rechtsboven: oude litho van R. de Vries jr., de Volks Trekschuit; de schrijver Nicolaas Beets (Hildebrand) ergerde zich danig over dit zo trage vervoermiddel.
Rechtsonder: dit doek van F. Carlebur uit 1861 toont stoomschepen van de Antwerpen-Rotterdamsche Spoorwegmij. bij Dordrecht.

Er is weinig fantasie nodig om te veronderstellen dat in de jaren dertig van de vorige eeuw in Belgische en Nederlandse huiskamers vaak lang en heftig werd gediscussieerd. Er waren immers zichtbare tekenen dat een nieuwe tijd was aangebroken. De stoommachine ontpopte zich meer en meer als een aantrekkelijk en praktisch werktuig om zware lichamelijke arbeid te verlichten of te vervangen.
In het begin van de jaren twintig verschenen ook op de Nederlandse rivieren de eerste stoomboten. Stoomwerktuigen vonden hun weg naar de textielindustrie en in 1835 werd in België de eerste spoorweg in de Lage Landen, de lijn tussen Brussel en Mechelen, geopend.

In Nederland zou het nog tot september 1839 duren alvorens de locomotief 'De Arend' tussen Amsterdam en Haarlem zijn vurig spoor zou trekken. Met name de Rijnschippers, die hun broodwinning door het nieuwe vervoermiddel ernstig in gevaar zagen komen, weerden zich danig. Ook de horecabedrijven voelden zich bedreigd. Zo lezen we in een brochure uit die tijd: 'De Stoomwegen (. . .) verkorten in dit geval 's Rijks en veler trafieken belang, door dat de doorreizende vreemdelingen, ons landje in weinige uren als het ware doorvliegende, in geene de minste verteeringen, hoe ook genaamd, zullen behoeven te vervallen'.
Na eindeloos geharrewar kwam toch ein-

delijk, in 1860, in Nederland een wet tot stand, waarbij de aanleg van spoorwegen werd bevolen. Het Nederlandse net omvatte op dat moment nog geen 400 km, tegen in België 1800 km. Toen de kogel evenwel door de kerk was, leverden de Nederlandse ingenieurs een bewonderenswaardige prestatie. In slechts tien jaar tijds werd de helft van het huidige Nederlandse net voltooid en in 25 jaar ruim driekwart deel! De bouw van een aantal machtige spoorbruggen over de grote rivieren dwong allerwegen respect af. De brug over de Lek bij Culemborg was in Europa lange tijd de brug met de grootste overspanning, de spoorbrug over het Hollandsch Diep bij Moerdijk de langste oeververbinding.

Hildebrands 'heerlijke spoorwegen'

Nicolaas Beets, een Haarlemse apothekerszoon, die student, dichter, auteur van de 'Camera Obscura' en later dominee en professor was, moet tijdens zijn studietijd met de trekschuit menig reisje van Haarlem naar Leiden hebben gemaakt. Hij onderscheidde in de trekschuit drie soorten reizigers: de slapers, de rokers en de praters. In zijn in 1837 onder het pseudoniem Hildebrand geschreven opstel 'Varen en Rijden' ergerde hij zich danig over het tergend langzame tempo van de trekschuit. Maar over de spoorwegen schreef hij geestdriftig: 'Spoorwegen! Heerlijke spoorwegen! Op u zal niet gerookt worden; want daar is geen adem! Op u zal niet geslapen worden; want daar is geen rust! Op u zal niet worden gebabbeld; want daar is geen tijd!'
De uitkomst is wel even anders geworden, want de drie soorten medepassagiers, die door Hildebrand als lastig werden getypeerd, zijn ook vandaag nog te herkennen. Er zijn trouwens twee categorieën spoorreizigers, die de auteur destijds bij zijn overpeinzingen in het duistere roefje van een trekschuit over het hoofd heeft gezien: de lezers en de kijkers. En juist het lezen en uitkijken zijn zaken gebleken, die de treinreiziger zo veel plezier kunnen verschaffen. Wat Hildebrand wel goed heeft gezien, is de belangrijke sociaaleconomische rol, die de spoorwegen zouden gaan spelen. Hij besloot destijds zijn artikel met: 'Dan eerst als de Nederlandsche natie, langs uw gladde banen, dagelijks door elkander zal geschoten worden als een partij weverspoelen, zal er welvaart en bloei en leven en spoed in ons dierbaar vaderland heerschen!'

Vele ingrijpende gevolgen

De spoorwegen zijn inderdaad in de vorige eeuw een belangrijke factor geweest in de ontwikkeling van een moderne maatschappij en bij het bevorderen van meer welvaart. Zij brachten namelijk een ingrijpende wijziging in de ruimtelijke infrastructuur, vooral toen na 1880 het railnet nog een belangrijke toevoeging kreeg in de vorm van lokaal-, spoor- en tramwegen. Naast en in aanvulling op het

watertransport speelden zij een grote rol bij de vestiging en spreiding van de industrie. Het gesloten samenlevingspatroon, vooral dat op het platteland, werd doorbroken en de verstedelijking van een groeiende bevolking vergemakkelijkt.
De nieuwe mogelijkheden die in de tweede helft van de vorige eeuw op het terrein van vervoer en verkeer werden geboden, hebben ook het persoonlijk leven van de mensen sterk beïnvloed. Tot die tijd was de al vermelde trekschuit het comfortabelste middel van vervoer geweest. De kosten ervan waren echter, gezien de toenmalige prijsverhoudingen, uitzonderlijk hoog, waardoor de 'gewone' man er nauwelijks gebruik van kon maken. Doordat het personenvervoer sneller en gemakkelijker werd, konden bezoeken worden afgelegd en vergaderingen, sportbijeenkomsten en dergelijke worden bijgewoond. Natuur-

gebieden, zeebaden en musea werden beter toegankelijk, aanvankelijk nog slechts voor de rijkeren, maar al vóór 1914 ook voor de grote massa. In de zomer liepen extra-treinen naar populaire vakantieoorden. In het woon-werkverkeer ontwikkelde zich het 'forensendom'. De leerplicht en het terugdringen van het analfabetisme, de ruime mogelijkheden voor het uitwisselen van gedachten in de vorm van boeken, kranten en tijdschriften vergrootten de volksontwikkeling en schiepen gunstige voorwaarden voor het tot stand komen van instituten, die thans onmisbaar worden geacht voor onze democratische staatsinrichting. De spoorwegen waren bij dit alles het middel bij uitstek voor het verspreiden van vernieuwingen van velerlei aard.
Door de ontstane schaalvergroting ging Nederland op vele terreinen een geïntegreerd geheel vormen, waarin vooral

ook de spoorwegbruggen over de grote rivieren een belangrijk onderdeel vormden. Dat de spoorwegen, zoals eerder opgemerkt, handel en industrie sterk hebben bevorderd, kwam mede doordat de actieradius van de kooplieden werd vergroot, evenals trouwens de markt in het algemeen. De spoorwegen maakten immers de aanvoer van grond- en brandstoffen - en daardoor het produkt - goedkoper, terwijl de consument artikelen leerde kennen die hem voordien niet bereikten; de massaconsumptie nam daardoor toe.

Naast dit alles hebben de spoorwegen de unieke verkeersligging van Nederland tussen een rijk achterland enerzijds en een druk bevaren zee anderzijds, waarin al bestaande scheepvaartwegen een grote rol speelden, nog zeer versterkt; het transitoverkeer alsook de ontwikkeling van de Nederlandse havensteden werden dank zij de spoorwegen krachtig bevorderd. Daarbij mag tenslotte niet vergeten worden dat de spoorwegaanleg een belangrijk instru-

ment voor de economische politiek kon worden. De Belgische spoorwegverbinding van Luik via Frankrijk naar Zwitserland beïnvloedde de Rijnvaart en was tevens een factor in het spel van de aanleg van de Nederlandsche Rijnspoorweg.

Utrecht krijgt zijn eerste station
Voordat in 1839 de eerste treinen tussen Amsterdam en Haarlem gingen lopen, had - al in 1832 - een luitenant-kolonel Willem Archibald Bake een plan voor een spoorwegverbinding tussen Amsterdam en Keulen ontworpen, waarvan het tracé via Amersfoort zou lopen. Ondanks vele adhesiebetuigingen kon het hiervoor benodigde kapitaal niet bijeengebracht worden. Een in 1836 door koning Willem I ingestelde studiecommissie gaf de voorkeur aan een spoorweg Amsterdam-Arnhem, die mogelijk later tot Keulen kon worden doorgetrokken. Aanbevolen werd de lijn over het in Nederland zo centraal gelegen Utrecht - en dus niet Amersfoort - te leggen. Bij Koninklijk Besluit van

30 april 1838 werd opdracht gegeven tot de aanleg van de spoorweg Amsterdam-Utrecht-Arnhem, waarbij een door de koning persoonlijk gewaarborgde geldlening werd aangegaan. Zo kreeg Utrecht zijn plaats in het spoorwegnet. Een plaats, die het gemeentebestuur sindsdien versterkte door bij spoorwegplannen invloed op ontwerpers en regering uit te oefenen en zonodig voor financiële offers niet terug te deinzen.

Als gevolg van onteigeningsproblemen en andere moeilijkheden is het met de aanleg van de spoorweg Amsterdam-Utrecht-Arnhem bepaald niet vlot gegaan. Het duurde ruim vijf jaar voor de eerste 35 km tussen Amsterdam-Weesperpoort en Utrecht in exploitatie kon worden genomen. Maar toen het op 6 december 1843 eindelijk zover was, waren in Utrecht duizenden mensen samengestroomd langs de weg die de feesttrein moest afleggen. Op het Vredenburg werd 's avonds een luisterrijk vuurwerk ontstoken, waarin onder meer een door erezuilen omgeven tempel voorkwam, met daarin een beeltenis van de koning en daarboven het lyrische opschrift:

Voortaan is Amsterdam en Utrecht nauw verbonden,
Door Stoomkracht is daartoe het middel uitgevonden.
Dat de afstand van vier uren slechts één uur bedraagt.
Dat Koning Willem leef!
Het doelwit is geslaagd.

Het NRS-station was even buiten de in 1625 gebouwde Catharijnepoort gelegen. Een wat afgelegen bosje, Flora geheten, waar de rust af en toe werd verstoord door duellerende militairen, had voor het station plaats moeten maken. Toen in 1845 ook de spoorlijn Utrecht-Arnhem werd geopend, kon de Catharijnepoort al het verkeer tussen stad en station niet meer verwerken en werd ze, mét de aansluitende wallen, gesloopt.

Links: in 1875 schilderde
C.C. Kannemans deze
spoorbrug over de Lek bij
Culemborg, lange tijd de
brug met de grootste
overspanning in Europa.
Linksonder: dit rijtuigje
van de Rotterdamsche
Tramweg Mij. staat ook
in het museum.
Onder: voor het 100-jarig
bestaan van de spoorwegen
werd deze kopie van de
eerste Nederlandse
locomotief, de Arend, voor
het museum vervaardigd.

Een knooppunt van spoorwegen

De positie van Utrecht als spoorstad werd
vervolgens snel versterkt. In 1855 opende
de NRS haar lijn Utrecht-Rotterdam, in
1870 gevolgd door een aftakking naar
Den Haag. In dat jaar kwam ook de door
de Staat aangelegde spoorweg Utrecht-
's-Hertogenbosch gereed. Bovendien had
al in 1864 de NCS (Nederlandsche
Centraal Spoorweg-Maatschappij) de lijn
Utrecht-Zwolle in gebruik genomen.
Tenslotte werd in 1874 door de aanleg van
de lijn Utrecht-Hilversum door de HIJSM
(Hollandsche IJzeren Spoorweg-
Maatschappij) Utrecht aangesloten op de
zogenoemde Oosterspoorlijn van
Amsterdam naar Zutphen. In Utrecht
werd daartoe het Maliebaanstation
gebouwd. Dit station werd echter in 1939
gesloten, omdat het door zijn ongunstige
ligging weinig reizigers trok. Later zou er

evenwel nog een interessante bestemming
voor het station worden gevonden.
Het Centraal Station van Utrecht moest
daarentegen regelmatig worden vergroot.
Op 17 december 1938 werd het station
door brand verwoest. Het daarna her-
bouwde Centraal Station moest echter in
de jaren zeventig al weer plaats maken
voor een station 'nieuwe stijl', dat geheel
was geïntegreerd in het hypermoderne
winkelcentrum Hoog-Catharijne.
Aanvankelijk hadden de spoorweg-
maatschappijen hun zetel in Amsterdam
of Den Haag gevestigd, maar het lag voor
de hand dat Utrecht de aangewezen plaats
voor de concentratie van het spoorweg-
management zou worden. Er verrees daar
dan ook geleidelijk aan een complex van
twee hoofdgebouwen. Na de fusie in 1917
van de twee laatst overgebleven spoorweg-
maatschappijen, de Maatschappij tot
Exploitatie van Staatsspoorwegen en de
HIJSM, werd de administratie van de
HIJSM van Amsterdam naar Utrecht
overgeplaatst, wat de bouw noodzakelijk
maakte van een derde hoofdgebouw, dat
in 1921 gereedkwam.
Een bijzonderheid van het complex is nog
dat reeds in 1895 de twee eerste hoofdgebouwen met elkaar werden verbonden
door een 'zink'-tunnel van gewapend
beton; de 20 m lange tunnel was qua
materiaal en qua afzinktechniek waarschijnlijk de eerste in zijn soort in Nederland, zo niet in Europa.

Een van de eerste grote werken in gewapend beton in Nederland was overigens
het viaduct van de Zuid-Hollandsch Electrische Spoorweg-Maatschappij (ZHESM)
in Rotterdam ten behoeve van de eerste
elektrische spoorweg in Nederland, die
tussen Rotterdam en Scheveningen, welke
in 1908 werd geopend; daarmee was het
tijdperk aangebroken van de elektrische
tractie die overigens pas in de jaren twintig sterk werd uitgebreid. Vóór de Tweede
Wereldoorlog was al een groot deel van
het spoorwegnet geëlektrificeerd, doch het
werd tijdens de Duitse bezetting grondig
vernield. Dit heeft echter niet kunnen verhinderen dat Nederland precies vijftig jaar
na invoering van elektrische tractie als
eerste land in Europa afscheid nam van
zijn stoomlocomotieven – een afscheid
waarmee in veler ogen voorgoed een stuk
romantiek uit de samenleving verdween.

Station werd museum

Veel van de historie van de spoorwegen,
van de Nederlandse in het bijzonder, kan
men terugvinden in het al vijftig jaar oude
Spoorwegmuseum te Utrecht. Voor de collectie heeft men uiteindelijk een definitieve
behuizing gevonden in het uit 1874
daterende en in 1939 gesloten Maliebaanstation. Die keuze mag voortreffelijk
worden genoemd, omdat het gebouw een
waardige representant van de 19de-eeuwse
stationsstijl is. Het vormt bovendien de
begrenzing van een rustiek, uit dezelfde

het 50-jarig jubileum van zijn maatschappij trad hij er in 1913 mee voor het voetlicht en verzorgde een expositie, waaraan ook anderen bijdroegen. Uit de destijds tentoongestelde collectie is in de loop der jaren een rijke verzameling gegroeid, die nu jaarlijks ruim 150.000 bezoekers trekt. Als men het museum in het Maliebaanstation binnengaat, krijgt men in de grote hal al direct twaalf prachtige tot in de kleinste details uitgewerkte locomotiefmodellen te zien. De hal is verder 'aangekleed' met een balansstoommachine, vaandels, portretten van oudspoorwegdirecteuren en verder een verscheidenheid aan 'klein goed.' Rechts van de hal bevindt zich de historische afdeling, waar in acht zalen aan wanden en in vitrines een veelheid aan voorwerpen, afbeeldingen en modellen meer dan honderd jaar spoorwegromantiek wordt belicht. Het vervoer in het algemeen – postkoets en spoorwegraderboot ontbreken niet – staat hier overigens centraal, maar liefhebbers en kenners van kunst en cultuur komen er ook ruimschoots aan hun trekken dank zij de collectie schilderijen, aquarellen, litho's en tekeningen, penningen en plaquettes die hier wordt geëxposeerd. Verder vindt men er duizenden spoorwegattributen, vaak primitief, soms uitgekiend, uit vervlogen of recente tijden. Ze variëren van dienstpotlood tot mechanisch beveiligingstoestel, van uniformknoop tot brugmodel, van telegraaftoestel tot scheepskompas.

Boven: het Nederlands Spoorwegmuseum is ook deze balansstoommachine rijk; dank zij stoomboten, stoomlocomotieven en niet te vergeten stoomgemalen nam in de vorige eeuw de welvaart in Nederland met sprongen toe.
Onder: oude goederenwagon; in wagons als deze werden voorheen goederen naar alle uithoeken van Nederland en ook tot ver daarbuiten vervoerd.

tijd daterend en 's avonds met lantaarns verlicht pleintje.
De grondlegger van de museumcollectie was de ambtenaar G.W. van Vloten, destijds in dienst van de Maatschappij tot Exploitatie van Staatsspoorwegen. Al op jeugdige leeftijd verzamelde Van Vloten als hobby alles, wat maar op spoorwegen betrekking had. In de loop van de tijd verkreeg hij portefeuilles vol platen, knipsels en foto's, die thuis wel aan vrienden werden getoond. Naar aanleiding van

Modern materieel én oude stoomloc
De linkervleugel van het gebouw wordt gevormd door één grote, negende zaal, waarin de NS (Nederlandse Spoorwegen) van de laatste vijftien, twintig jaar 'in kaart' is gebracht. Hier wordt op een spoorbaan onder meer de NX-beveiliging met haar moderne lichtseinstelsels gedemonstreerd, terwijl op een andere maquette onder andere de aanleg van de baan zelf en de werking van de wissels worden uitgelegd; ook wordt hier aan de hand van een echte cabine de functie van dodemansknop en remkraan verklaard. Via schaalmodellen van rijtuigen, wagens en locomotieven kan er modern materieel worden bekeken. Verder ook hier beeldende kunst en verklarende en aanvullende foto's.
In het perrongedeelte van het museumstation staan op een aantal sporen de door menigeen als 'enig echte' beschouwde locomotieven, zoals 'De Arend' met zijn bijpassende rijtuigjes en kopieën van het materieel, waarmee de HIJSM in 1839 zijn diensten tussen Amsterdam en Haarlem startte. Er vallen ook verscheidene andere, soms indrukwekkende 'locs' te bewonderen, die van lang geleden tot amper twintig jaar terug treinen door het land trokken.
Als sluitstuk van een afgesloten periode staat langs het derde perron de langstovergebleven NS-stoomloc. 3737, die in januari 1958 op eigen kracht haar laatste rit, die

Boven: deze kleurenlitho uit het midden van de vorige eeuw toont het oudste stationsgebouw van de NRS, de Nederlandsche Rijn Spoorweg, te Utrecht. Deze centraal gelegen stad zou uitgroeien tot veruit het belangrijkste knooppunt van spoorwegen in Nederland.
Onder: detail van een oude 3de klasse-coupé voor vrouwen in een nog bijna geheel houten rijtuig.

naar het Spoorwegmuseum, maakte. Niet lang geleden werd zij door de NS in haar oude luister hersteld; ze vormt hier nu het pronkstuk van alle ijzeren paradepaardjes. Complete rijtuigen en modelcoupés tonen het toenmalige interieur, soms een-voudiger, maar soms ook veel luxueuzer dan nu; vooral het kunstig lofwerk en de duurzame materialen vallen daarbij op. Zowel langs het tweede perron als op een terrein aan de rechtervoorzijde van het gebouw staat allerlei tramwegmaterieel als paardetram- en stoomtramrijtuigen en -lo-comotieven opgesteld, dat de bezoeker aan landelijke taferelen in een schijnbaar haastloze tijd doet denken.

Tenslotte bezit het museum de eerste die-seltrein uit 1934 en een motorrijtuig van de eerste Nederlandse elektrisch bereden spoorlijn tussen Rotterdam en Scheveningen uit 1908.

De openingstijden van het Nederlands Spoorwegmuseum zijn: dinsdag tot en met zaterdag van 10.00-17.00 uur, zondag van 13.00-17.00 uur.

Voor het nageslacht bewaard

De oprechte liefhebbers van stoomtractie zullen zeker niet alleen het museum in het Utrechtse Maliebaanstation hebben bezocht, maar allang hun weg hebben gevonden naar de weer in gebruik geno-men (toeristische) stoomtreinen en -trams, die rijden op verscheidene baanvakken in het land, zij het meestal slechts in het zomerseizoen. Zo kan men ritten maken tussen Apeldoorn en Dieren, Goes en Borssele, Haaksbergen en Boekelo, Til-burg en Baarle-Nassau en tenslotte tussen Hoorn en Medemblik. Enkele van deze ritten zijn in de dagtochten van de NS opgenomen.

In het algemeen hebben stationsgebouwen in het verleden door hun geheel eigen karakter in vele dorpen en steden een versterkende, positieve invloed gehad op het leef- en woonmilieu. Door hun herken-baarheid hielpen zij een vertrouwde om-geving scheppen, die de inwoners en reizigers als onmisbaar zijn gaan beschouwen. Met het oog hierop, en vooral ook om belangrijke voorbeelden van de stationsar-chitectuur uit de periode tot 1940 voor de toekomst te bewaren, zijn in overleg tussen de Rijksdienst voor Monumentenzorg en de NS het Maliebaanstation en nog zo'n twintig andere NS-stations op de voor-lopige monumentenlijst geplaatst. Als gro-tere stations staan daarop onder meer het Amsterdams Centraal Station en de sta-tions van Groningen, Haarlem en Zwolle. Maar ook verscheidene kleinere stations, zoals die van Baarn, Hulshorst en Valken-burg zullen voor het nageslacht bewaard blijven.

Voor andere musea in de Lage Landen, die aan de historie van de spoor- en tramwegen zijn gewijd, wordt verwezen naar het hierna volgende artikel over de Belgische buurt-spoorwegen en het Trammuseum te Schepdaal in België.

Met de tram de staties langs

JOS NEYENS

Van 1885 tot een tiental jaren na afloop van de Tweede Wereldoorlog heeft het stelsel van buurtspoorwegen in België een belangrijke sociaal-economische rol gespeeld bij de ontsluiting van het platteland. Toen echter autobussen steeds meer het passagiersvervoer gingen overnemen, betekende dit het einde van de buurtspoorwegen. Daarmee zouden ook de oude stoomtrams, dieseltrams en elektrische trams zijn verdwenen, ware het niet dat een groep geestdriftige particulieren in samenwerking met een aantal functionarissen van de NMVB, de Nationale Maatschappij van Buurtspoorwegen, besloot tot oprichting van het Trammuseum van Schepdaal, gelegen in het westelijk gedeelte van de Brusselse agglomeratie.

In 1835 werd in België de eerste spoorlijn van het Europese continent plechtig ingewijd. Het was de lijn tussen Mechelen en Brussel. Al spoedig daarna bezat België een volledig net van hoofdlijnen. Maar de grote spoorlijnen konden niet overal doordringen en tal van gemeenten bleven daardoor verstoken van een spoorverbinding. Het grote net moest derhalve worden uitgebreid met lokale spoorwegen. Samenwerking tussen de gemeenten, de provincies en de Staat leidde op 28 mei 1884 tot de oprichting, van de Nationale Maatschappij van Buurtspoorwegen (NMVB).

5 juli 1885 was voor de pas opgerichte NMVB een heuglijke dag. Het eerste baanvak, Oostende-Middelkerke, werd toen met veel luister geopend. In 1886 waren vijf lijnen in gebruik genomen. Eenenvijftig nieuwe volgden in de jaren 1887-1890. Verhoudingsgewijs was in 1908 het net van buurtspoorwegen in België negen maal uitgebreider dan in Duitsland en veertien maal groter dan in Frankrijk. Dank zij het lage tarief – de diligence kost-

Onder: de hoofdloods van het Trammuseum in Schepdaal bij Brussel, waar de NMVB een grote verzameling curiosa en een aantal wagons en locomotieven heeft bijeengebracht. Rechterbladzijde: het dichte netwerk van buurtspoorwegen speelde een belangrijke rol in de ontwikkeling van het Belgische platteland. De haltes, zoals die hier te Diechem, waren vaak in de buurt van een dorpscafé, waarmee een wachtkamer werd uitgespaard. Onder: tot ver in de jaren dertig vond men alom in het Vlaamstalige België dergelijke borden.

te drie keer zoveel als de stoomtram – namen de verplaatsingen massaal toe. Al ging het in gebruik nemen van een nieuwe lijn niet altijd met veel plichtplegingen gepaard, toch was dat steeds een belangrijke gebeurtenis. Afgelegen gehuchten en buurten werden er door uit hun isolement verlost doordat ze werden ingeschakeld in het steeds dichter wordende net van buurtlijnen. Lange tijd bleef op het Belgische platteland de stoomtram het enige vervoermiddel voor personen en goederen.

Logge locomotieven die voortdurend witte of zwarte rookpluimen uitspuwden, trokken meestal een pakwagen en twee typen rijtuigen voor passagiers. In de eerste klasse, met de rode, verschoten kussens, trof men de notaris, de dorpsdokter, de kasteelheer en andere notabelen aan. In de tweede klasse, met harde houten banken, reisden de handelaars, de boeren, de werklieden en de vrouwen die naar de wekelijkse markt gingen.

Ontspannen avontuur

Een rit per tram was in die dagen een avontuur in het onbekende. Zo'n reis was geen recordpoging, maar een aangenaam, bedaard tijdverdrijf. Blazend en puffend bewogen de stoomtrams zich in een gezapig tempo van het ene dorp naar het andere. Men had alle tijd om het landschap te bewonderen en het vee en de bloeiende fruitbomen te bekijken. Opende men 's zomers het raampje, dan kreeg men, behalve een sintel in de oogboek, ook de geur van het land in de neusgaten. Iedereen praatte gemoedelijk met de conducteur, want iedereen kende deze 'garde'. Ook de machinist had veel kennissen en soms begroette hij onderweg een vriend met een scherp, vrolijk gefluit. Met zo'n fluitsignaal meldde hij ook al van verre zijn komst aan de halte, die meestal aan een kruispunt van wegen lag. Daar stond dan een herberg die 'in de wachtzaal van de tram' of 'in de tramstatie' heette. Reizigers stegen uit, anderen stapten in en gewoonlijk had de 'chef-trein' in de halte een postcollo of een andere zending te bestellen. Als het warm weer was, maakte hij graag van die gelegenheid gebruik om een glas te drinken, hetgeen ook de machinist en de stoker zich niet lieten ontgaan. Ze zouden immers toch wel op het vastgestelde uur het eindpunt bereiken. Iedereen kwam toen nog op zijn gemak overal op tijd aan.

Belangrijke gevolgen

De ontwikkeling van het net van buurtspoorwegen heeft in meer dan één opzicht belangrijke gevolgen gehad. Het verkeer ging sneller dan met paard en kar en er konden ook grotere hoeveelheden goederen worden getransporteerd. Aldus werd de aanvoer van veevoeders en handelsmest in de hand gewerkt, evenals de afzet van land- en tuinbouwprodukten. Dat stimuleerde de activiteit van de lokale markten zowel als de produktie. Zo breid-

de bijvoorbeeld de verbouw van suikerbieten zich sterk uit. De stoomtram kon ook een rol spelen bij het oprichten van nieuwe industriële en commerciële bedrijven.

Naast het treinnet hebben ook de buurtspoorwegen de pendelarbeid sterk in de hand gewerkt. De bevolkingstoename en de versnippering van de bedrijven hadden sedert het midden van de 19de eeuw tot 'plattelandsvlucht' geleid, terwijl massale invoer van buitenlands graan tijdens de jaren zeventig en tachtig een crisis in de landbouw veroorzaakte. Goedkope werkabonnementen, zowel voor buurtspoor als voor spoor, maakten het plattelandsbewoners mogelijk zich dagelijks – of wekelijks – te verplaatsen naar de industriële centra waar ze werkgelegenheid vonden, en toch in hun dorp te blijven wonen. Ondanks de tijd die dergelijke verplaatsingen kostte nam de pendelarbeid in België een bijzonder grote omvang aan. Pendelaars vormden veruit de grootste groep onder meer dan een kwart miljoen mensen die zich, aan de vooravond van de Eerste Wereldoorlog, elke dag verplaatsten. Langs de spoorlijnen groeiden nederzettingen van pen-

delaars. Waar een buurtspoorweg werd aangelegd, steeg de waarde van de grond. De stoomtram heeft een eind gemaakt aan het isolement van het platteland, terwijl er bovendien door het personenverkeer nieuwe opvattingen doordrongen, vaak door de pendelaars vanuit de steden meegebracht. De dorpen begonnen, met de ontwikkeling van de kleinhandel, niet alleen hun landelijk karakter te verliezen maar er traden ook veranderingen op in het gedragspatroon van de bewoners. Ook nieuwe technieken, nieuwe opvattingen inzake het agrarisch bedrijf en betere noties van hygiëne konden, zowel mondeling als schriftelijk, makkelijker worden verspreid.

Opkomst van de autobus

De bloeiperiode van de stoomtram, die thans een folkloristische herinnering is geworden, duurde tot een tiental jaren na de Eerste Wereldoorlog. Toen werden overal de eerste spoorauto's (dieseltrams) in dienst genomen en werden ook reeds enige lijnen geëlektrificeerd. De stoomtrams verdwenen de een na de ander, het eerst aan de rand van de grote steden en in dichtbevolkte agglomeraties; later moesten ook de meest afgelegen plaatsen afscheid nemen van hun tram. Maar zelfs de spoorauto's en de elektrische trams voldeden na enige decennia niet meer aan de eisen en verdwenen geleidelijkaan uit de circulatie. De Nationale Maatschappij van Buurtspoorwegen diende zich immers aan te passen aan de voortschrijdende industrialisatie en de voortdurende bevolkingsgroei. De vervoersproblemen die daardoor ontstonden, moesten worden opgelost met autobussen, die reizigers niet alleen de gelegenheid bieden zich te verplaatsen van dorp tot dorp en van stad tot stad, maar de werknemers ook kunnen afzetten aan de fabriek, de bouwwerf of het kantoor, terwijl de scholieren tot bij de poort van de onderwijsinstelling worden gebracht.

Toepasselijke plaats voor museum

Toen het buurtspoorwegennet begon af te takelen, ontstond bij een aantal hogere functionarissen van de NMVB het plan

Boven: aan het eind van de jaren twintig werden de stoomlocomotieven vervangen door dieseltrams. Hier een 'autorailtracteur', die gebruikt werd op de lijn Maaseik-Tongeren. Deze wagens rijden nu nog bij de grotten van Han.
Onder: de Autorail de Dion Bouton werd gebruikt in Vlaanderen en Charleroi.
Rechterbladzijde: het lijnennet van de NMVB in 1920.

men een tweecilindrische zuig- en perspomp aan. De metalen waterbak is omkleed met metselwerk. Het peilglas aan de buitenzijde, de hydraulische kraan en haar overloop zijn nog geheel in oorspronkelijke staat. Naast de toren bevindt zich de zandoven voor het drogen van remzand.

Expositiezaal met rijke collectie
Door drie sporen van het complex watertoren-zandoven gescheiden, ligt rechts een gebouw zonder verdieping, dat vroeger dienst deed als magazijn. Het is voorzien van verhoogde roldeuren om het overladen in de goederenwagons te vergemakkelijken. Thans wordt de ruimte ingericht als tentoonstellingszaal, waarin een rijke verzameling foto's, oude documenten, biljetten en gereedschap van eertijds zal worden ondergebracht. Een fraai gekleurd muurschema toont de dwarsdoorsnede alsook de werking van een stoomlocomotief van het type 18. Er staan een volledig elektrische stuurinrichting en een gedeeltelijk opengewerkte elektrische motor opgesteld, terwijl men bovendien kan zien hoe de mechanische overbrenging op de wielen in haar werk gaat. Verder bevat dit gebouw nog een kleedkamer, een projectiecabine en een vergaderzaal die tevens als filmzaal kan dienst doen.

enige oude trams te bewaren. Intussen had een groep jeugdige en enthousiaste tramliefhebbers reeds de gedachte opgevat een trammuseum op te richten. Dank zij een goede samenwerking tussen beide groepen kon op 26 mei 1962 het Trammuseum van Schepdaal geopend worden. Het trammuseum is eigendom van de NMVB die het heeft ingericht. Het wordt echter geëxploiteerd door de Vereniging van het Trammuseum (AMUTRA). Een overeenkomst tussen NMVB en AMUTRA geeft de laatste het recht het buurtspoorwegmuseum te exploiteren, maar op eigen risico en onder eigen verantwoordelijkheid. Het stationmuseum werd ondergebracht op de vroegere stelplaats (remise) van Schepdaal, gelegen op de buurtspoorweglijn Brussel-Ninove. Het baanvak Brussel-Schepdaal werd in gebruik genomen op 8 september 1887, terwijl het hoofdgebouw – in rode baksteen en met één verdieping – het jaar daarop verrees.

Buiten de woning voor de chef omvat dit gebouw nog een wachtzaal, een zaal voor het personeel en een bureel voor de ontvangsten. De lokalen werden ingericht als loket van het museum, vergaderzaal, bibliotheek en ontvangstbureel. De muren van deze vertrekken zijn behangen met talrijke borden vol foto's van rollend materieel en van buurtwegstations, alsook met landkaarten die het buurtspoorwegnet in zijn glorietijd tonen.
Tegenover het hoofdgebouw bevindt zich de eerste gebouwde loods met twee sporen en schouwputten, welke laatste ten behoeve van het museum werden dichtgemaakt. Een klein gebouw en een magazijn voor de dienst 'Weg en Werken' zijn weliswaar tegen de loods aangebouwd, maar behoren niet tot het museum. Links van de uitgang van de loods bevinden zich een depot en een bergplaats voor fietsen.
Enkele meters verderop staat een watertoren; op de begane grond daarvan treft

Het sporenemplacement is al even interessant: één spoor bij de ingang, dat uitgroeit tot drie en verderop zelfs tot zeven sporen. Deze eindigen in twee naast elkaar gelegen loodsen, loods II en loods III. Loods II, gebouwd in 1908, bevat vier sporen, terwijl de uit 1888 daterende loods III drie sporen bezit.
Op de binnenplaats van het rangeerterrein annex remise, de stelplaats, liggen een wissel met drie standen, twee Engelse en vijf enkelvoudige wissels. De binnenplaats werd bij de inrichting van het museum 'geplaveid' met gemalen rode baksteen. Naast het ingangsspoor staat een éénarmig signaal met verlichting, dat geheel is teruggebracht in zijn oorspronkelijke staat. De traditie wil dat de seinarm op 'veilig' staat, als het museum is geopend. Het signaal is afkomstig van de normaalspoorlijn Groenendaal-Overijse; dergelijke seinpalen werden zelden gebruikt bij de buurtspoorwegen; ze waren over het algemeen in gebruik bij de grote spoorlijnen ter beveiliging van overwegen en draaibare bruggen.

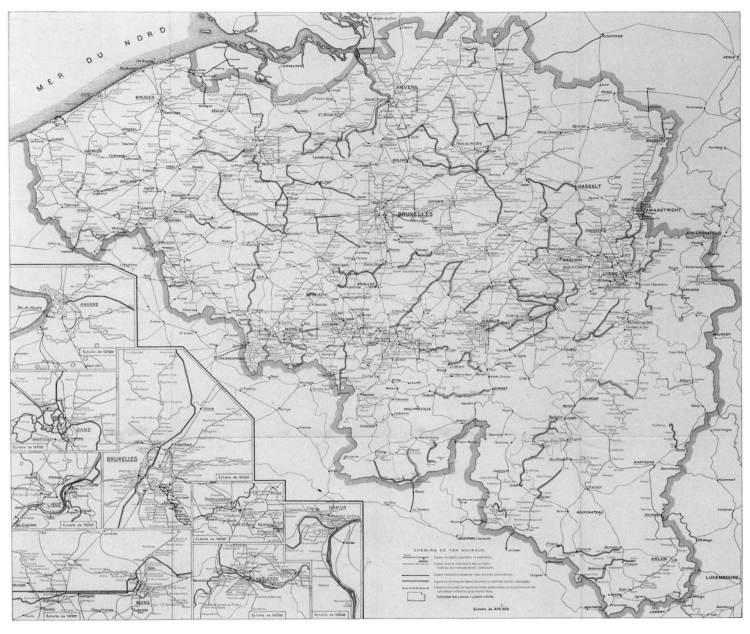

Een meter of vijftien verderop staat een grote weegschaal, afkomstig van de stelplaats van Paliseul en geschonken door de Groep Luxemburg van de NMVB. Ook staat er een waterkraan uit het station van Maissin, die nog is uitgerust met een petroleumlantaarn. Er zijn zelfs zes van de eerste petroleumlantaarns te zien, die oorspronkelijk de buurtwegstations verlichtten; vier ervan zijn originelen en komen van de stelplaats Diksmuide, de twee overige werden nagebouwd. Verder staat er een aantal borden opgesteld met opschriften als 'Tramstatie' en 'Verboden op de sporen te gaan'. Langs de uiterste rechterzijde van de stelplaats wordt nog een terugblik geboden op de verschillende types spoorstaven, die bij de NMVB in gebruik waren. Het paardetramspoor is eveneens aanwezig.

Vijftig voer- en rijtuigen
In het museum staan momenteel de volgende voer- en rijtuigen opgesteld: vier stoomlocomotieven, een spoorauto-tractor (een verzwaarde, versterkte of van ballast voorziene spoorauto voor het trekken van goederentreinen), een spoorauto-reizigers, een elektrische motorwagen met metalen koetswerk, een elektrische motorwagen met twee enkelvoudige assen, vijf twee-assige elektrische motorwagens met houten koetswerk, een motorladderwagen, drie pakwagens-tractor (een pakwagen is een gecombineerde bagage- en goederenwagon), een aanhangwagen met schamel-stellen (een wielenonderstel van vier wielen en op zichzelf draaibare assen) en houten koetswerk, veertien twee-assige aanhangwagens, drie rijtuigenpakwagens, een pakwagen, vier bakwagons, drie platte wagons, drie gesloten wagons, een tankwagen en een tussenloper, dat wil zeggen een wagon die zowel is uitgerust met een buffer voor spoorwagens (1,435 m) als met een buffer voor tramwagons (1 m). Een overvloedige plantengroei plaatst het museum in een fleurig en landelijk kader. Het Trammuseum is toegankelijk van Pasen tot 31 oktober op zaterdagen, zondagen en wettelijke feestdagen van 14.00 tot 18.00 uur.

Soortgelijke musea
Enigszins vergelijkbaar met het Trammuseum is het eveneens belangwekkende Spoorwegmuseum te Utrecht (zie ook bladzijde 206), dat is gevestigd in het oude Maliebaanstation. Verder kan men nog gaan naar het Rijdend Elektrisch Tram Museum, gelegen aan de achterzijde van het voormalige Haarlemmermeerstation in Amsterdam. Dit museum, opgericht in 1977, omvat een collectie van ruim veertig oude trams. De meeste daarvan zijn afkomstig uit Amsterdam, maar er zijn ook wagens uit andere grote steden, van de NBM-lijn Utrecht-Zeist en zelfs exemplaren uit Antwerpen en Wenen. Men kan op een deel van de baanvakken, waarop tot 1950 personendiensten van de lokaalspoorlijnen naar Amstelveen, Bovenkerk en verder werden onderhouden, ritten in oude trams maken.

Tenslotte is in Weert het Nederlands Trammuseum gevestigd, waar naast een tweetal oude tramrijtuigen veel curiosa zijn bijeengebracht.

Mondjesmaat
de macht gespreid

DR. D. DOLMAN/H.L. VAN MIERLO

Links: in de Ridderzaal, omstreeks 1200 gebouwd als jachtslot voor de graven van Holland, opent de koningin ieder jaar op Prinsjesdag de nieuwe zitting van de twee Kamers van de Staten-Generaal. Voor de rest speelt het markante gebouw vrijwel geen rol meer in het dagelijks werk van de Nederlandse volksvertegenwoordiging. Boven: de aankomst van koningin Beatrix en prins Claus, met de gouden koets, bij de Ridderzaal waar de vorstin even later het nieuwe zittingsjaar van de Eerste en Tweede Kamer zal openen met het uitspreken van de troonrede.

Het Haagse Binnenhof is zonder twijfel een van de bekendste plekken van Nederland. Al bijna 400 jaar lang komen hier de Staten-Generaal bijeen. Vandaag vormen die Staten-Generaal (Eerste en Tweede Kamer samen) de vertegenwoordiging van het hele Nederlandse volk. Aanvankelijk hadden zij een wat ander karakter.

De geschiedenis van de Staten-Generaal gaat terug tot 9 januari 1464. Toen riep de Bourgondische hertog Filips de Goede voor de eerste maal vertegenwoordigers van gewesten en van de toenmalige standen in het stadhuis van Brugge bijeen om met hen te beraadslagen over zijn plannen. Filips kon toen niet vermoeden dat de naam van deze bijeenkomst, 'Staten-Generaal' (bij die gelegenheid in de Nederlanden voor het eerst gebruikt), meer dan 500 jaar later nog zou gelden.
De Staten, of liever 'standen', waren oorspronkelijk de groepen, die tot op zekere hoogte de toenmalige bevolking vertegenwoordigden: de adel, soms de geestelijkheid en in alle gevallen de steden. Ofschoon ze alleen bijeenkwamen wanneer de vorst hen daartoe opriep, hadden ze een aanzienlijke invloed, want de vorst kon geen nieuwe belastingen heffen zonder hun toestemming en ze konden voor hun medewerking soms bepaalde gunsten verkrijgen.
Wanneer een landsheer soevereiniteit over verscheidene gewesten verkreeg, trachtte hij gelijktijdig met de vertegenwoordigers van al die gewesten te onderhandelen. Zo kwamen dus via de 'Staten-Provinciaal' de 'Staten-Generaal' tot stand. De landsheren moesten anders voor allerhand beraad, voor het spreken van recht en vooral voor hun zogenoemde 'bede' (dat was het vragen van geld voor hofhouding, het voeren van oorlogen enzovoort) stad en land afreizen. In de 'bede' kan men de vroegste vorm van de Troonrede herkennen.

Primitief maar machtig
In 1568 begon de opstand tegen de door Filips II, heer der Nederlanden, uit Spanje gezonden bezetter. Elf jaar later sloot een aantal gewesten en steden de Unie van Utrecht en in 1581 trokken de Staten-Generaal de soevereiniteit aan zich: zo ontstond de Republiek der Verenigde Nederlanden.
Het overleg in de Staten-Generaal, vooral betrekking hebbend op buitenlands beleid en defensie, werd aldra in Den Haag gevoerd. Zij waren samengesteld uit afgevaardigden van de zeven gewesten Holland, Zeeland, Utrecht, Gelderland, Overijssel, Friesland en Groningen. Het

landschap Drenthe, alsmede Staats-Vlaanderen, Staats-Brabant en Staats-Limburg waren niet vertegenwoordigd. De gewesten bleven zelfstandig; iedere beslissing die in de Staten-Generaal met meerderheid van stemmen werd genomen, kon men naast zich neerleggen. Elk gewest had één stem. Iedere week was een afgevaardigde van een ander gewest voorzitter. De afgevaardigden hadden weinig volmachten. Voor belangrijke beslissingen moesten ze vaak eerst terug naar hun gewest om 'last (opdracht) en ruggespraak' (overleg).
Men kan voor deze periode nog slechts van een vrij primitieve vorm van volksvertegenwoordiging spreken. De dienst werd uitgemaakt door de beperkte kring der stadsregenten. Toch had het vertegenwoordigend lichaam meer macht dan in een modern parlementair stelsel. Er bestond immers geen afzonderlijke uitvoerende macht. Ofschoon sommige ambtenaren van de Staten-Generaal zich tot een soort minister ontwikkelden, moesten alle belangrijke beslissingen in voltallige vergaderingen worden genomen, nadat men in commissies voorbereidende besprekingen had gevoerd. De Staten-Generaal stelden zelf gezanten aan, ontvingen vertegenwoordigers uit den vreemde en onderhielden betrekkingen met staatshoofden.

Zuiden voor tweekamerstelsel
In 1796 (in de Franse tijd) was voor het eerst sprake van een volksvertegenwoordiging: de Nationale Vergadering. De leden daarvan dienden niet slechts het belang van hun provincie, maar dat van het hele land. Na de Franse tijd bleven enkele van de veranderingen, die het bestuur van het land had ondergaan, gehandhaafd; andere werden ongedaan gemaakt. Het stelsel van zelfstandige provincies keerde niet terug. Enige van de oude namen van instellingen herleefden. Zo werd bijvoorbeeld voor de volksvertegenwoordiging de naam Staten-Generaal weer in gebruik genomen. Onder deze oude naam kreeg zij een nieuw karakter: vertegenwoordiging van het land als een eenheid. Het congres van Wenen besloot in 1815 dat de vroegere Oostenrijkse provincies, die nu België vormen, te

Links: op 13 augustus 1796, in de Franse tijd dus, kwam in Den Haag voor het eerst de Nationale Vergadering bijeen, in feite de eerste echte volksvertegenwoordiging in de Nederlanden. N. Bauer maakte er deze aquarel van. Linksonder: vóór de Franse tijd behartigden de afgevaardigden in de Staten-Generaal niet in de eerste plaats het landsbelang maar vooral dat van hun provincie. Dit schilderij van Dirck van Delen toont een bijeenkomst uit 1651. Rechts: schoolplaat van een kamerzitting (± 1900).

zamen met de gewesten, welke de Nederlandse republiek hadden gevormd, in een Koninkrijk der Nederlanden zouden worden samengevoegd. De zuidelijke gewesten gaven de voorkeur aan een tweekamerstelsel; zowel in Nederland als in het sinds 1830 zelfstandige België is dit gehandhaafd gebleven.
Aanvankelijk werden de leden van de Eerste Kamer niet gekozen, maar door de koning aangewezen. Die van de Tweede Kamer werden gekozen door de leden van de provinciale staten, die weer waren gekozen door de gegoede burgerij.
De grondwetswijziging van 1848 bracht voor de positie en de werkwijze van de Staten-Generaal aanzienlijke wijzigingen, die grotendeels nu nog gelden. Zo werden in dat jaar de ministeriële verantwoordelijkheid tegenover de volksvertegen-

woordiging en de onschendbaarheid van de koning vastgelegd. Na een zekere ontwikkeling in de wederzijdse verhouding geldt sinds 1868 als vaste regel dat ministers dienen af te treden, wanneer een ernstig en blijvend conflict is ontstaan tussen hen en een meerderheid van de volksvertegenwoordiging.
De Tweede Kamer vergaderde voor en ook na 1848 minder vaak dan tegenwoordig: enige malen per jaar gedurende een wisselend aantal dagen, maar dan ook achtereen. We moeten ons realiseren dat er in die tijd nog vrijwel geen spoorlijnen waren en dat een afgevaardigde uit het Benedenmoerdijkse een hele dag en iemand uit Groningen zelfs een etmaal onderweg waren om naar en van Den Haag te komen. De afgevaardigden logeerden voor de beperkte periode dat de Kamer vergaderde, in een hotel en aten met elkaar in een sociëteit. 's Avonds en op de zaterdagen gingen de beraadslagingen gewoon door. De heren vormden losse 'clubs': gelijkgezinden zochten elkaar dus op, hetgeen niet wilde zeggen dat ze bij een stemming één lijn trokken. Ook wie vrij dicht bij Den Haag woonde, zoals de Leidse professor Thorbecke, bleef logeren als hij betrokken was bij de besprekingen over de grondwetsherziening of een kabinetsformatie.
In 1848 werd ook voor de Tweede Kamer het rechtstreeks kiesrecht ingesteld in plaats van een verkiezing door Provinciale Staten. Aanvankelijk gold het kiesrecht slechts voor 6% van de mannelijke bevolking van 25 jaar en ouder: de meest welgestelden. Als gevolg van welvaartsgroei en wetswijzigingen was dit percentage in 1880 gestegen tot 13, in 1900 tot 49 en in 1913 tot 68.
De kieswet van 1896 kende belasting-, woning-, loon-, spaar- en examenkiezers. De strijd voor uitbreiding van het kiesrecht speelde in de tweede helft van de vorige en het begin van deze eeuw steeds een hoofdrol. Daarmee gepaard ging een verandering van de politieke samenstelling der Tweede Kamer. In de sociëteit van conservatieve en liberale heren kregen de emancipatorische bewegingen van katholieken, protestanten en socialisten een steeds belangrijker plaats. Tevens wer-

den de verschillende stromingen hechter georganiseerd in partijen en fracties met een voor de daartoe behorende leden gemeenschappelijk program. In 1917 kwam het algemeen kiesrecht voor mannen tot stand en het recht voor vrouwen gekozen te worden. Sinds 1919 mogen vrouwen ook zelf kiezen.

Het aantal leden van de Tweede Kamer bedraagt thans 150. In 1848 telde zij 68 leden; in 1862 waren het er 72, in 1868: 80, in 1884: 86 en van 1887 tot 1956: 100. In dat laatste jaar werd de Tweede Kamer tot 150 leden uitgebreid (de Eerste Kamer van 50 tot 75). Ook de minimumleeftijd van de kiezers is sinds 1814 enkele keren gewijzigd. In 1896 moest men nog 25 jaar zijn om te mogen stemmen. In de jaren 1946, 1963 en 1972 is die kiesgerechtigde leeftijd sprongsgewijs verlaagd tot 23, 21 en tenslotte 18 jaar.

De Eerste Kamer wordt sedert 1848, zoals de Tweede Kamer voordien, door de Provinciale Staten gekozen. Het lidmaatschap ervan is, anders dan tegenwoordig dat van de Tweede Kamer, een nevenfunctie. De Eerste Kamer heeft minder bevoegdheden en vergadert veel minder vaak. Haar leden mogen geen wetsontwerpen wijzigen (amenderen) of indienen (initiatief). De Eerste Kamer moet een wetsontwerp dat de Tweede Kamer is gepasseerd 'zoals het

daar ligt' aannemen of verwerpen.

De gebouwen aan het Binnenhof worden sedert eeuwen bewoond door de Staten-Generaal, de regering en de Raad van State. Hun precieze woonplaats wijzigde zich in de loop der jaren nogal eens, evenals hun plaats in het politieke krachtenveld.

Ridderzaal als exercitieplaats

In de Ridderzaal, het meest markante gebouw op het Binnenhof, wordt eenmaal per jaar door de koningin de nieuwe zitting van beide Kamers der Staten-Generaal geopend en wel op de derde dinsdag van september (Prinsjesdag). De rest van het jaar is de Ridderzaal opengesteld voor toeristen, ontvangsten en belangrijke conferenties. In het gebouw vindt men op de eerste verdieping nog de Rolzaal, waar vroeger recht werd gesproken door het Hof van Holland (de Rolzaal is genoemd naar de perkamenten rol met de namen van degenen, die terecht moesten staan). Naast deze zaal ligt de raadkamer van het hof, genoemd naar schilder De Lairesse, die haar in 1688 opsierde.

De Ridderzaal is omstreeks 1200 gebouwd als jachtslot voor de graven van Holland en vormde in later jaren met de omliggende en aangebouwde dienstwoningen een vesting, waarbij het dorpje Die Haghe

ontstond. Daarna wisselde de functie vaak: af en toe vergaderden de Staten-Generaal er in de breedste samenstelling, maar ook vonden er trekkingen plaats van de Staatsloterij. Rond 1800 leerden jonge militairen in deze zaal exerceren en omstreeks 1850 werd zij in gebruik genomen als archief van het ministerie van binnenlandse zaken. Na een ingrijpende restauratie werd de zaal in 1903 voor het eerst gebruikt bij de opening van de Staten-Generaal. Die plechtige opening vond voordien plaats in de Trèveszaal, die nog aanwezig is in het onlangs gerestaureerde ministerie van algemene zaken, dat huist aan Binnenhof 19-20. Tot 1978 was hier anderhalve eeuw lang het ministerie van binnenlandse zaken gevestigd.

De Trèveszaal, omstreeks 1700 gebouwd in opdracht van de Staten-Generaal als ontvangzaal voor buitenlandse gezanten, ontkwam aan de slopershamer. De zaal is genoemd naar de 'trèves', het bestand dat in 1609 met Spanje werd overeengekomen en dat twaalf jaar duurde. Naast deze Trèveszaal ligt, in hetzelfde ministerie, de Statenzaal. In deze zaal vergaderden vanaf 1588 tot 1795 doorgaans de Staten-Generaal. Na het ontstaan van het tweekamerstelsel werd tot 1848 de Trèveszaal gebruikt door de Eerste Kamer, die daarna verhuisde naar Binnenhof 21.

Boven: op de eerste verdieping van het gebouw van de Ridderzaal bevindt zich de Rolzaal, zo genoemd naar de perkamenten rol met de namen van degenen die hier vroeger terecht moesten staan voor het Hof van Holland.
Onder: sinds 1903 wordt de Ridderzaal gebruikt bij de opening van de Staten-Generaal. Daarvoor was de ruimte onder andere in gebruik als archief en als exercitiezaal.

Onder het oog van de wereld

De huidige vergaderzaal van de Eerste Kamer is de vroegere vergaderzaal van de Staten van Holland, het machtige gewest dat haar wereldwijde handelscontacten ook in de beschildering van deze prachtige zaal deed uitkomen. Vanaf het houten koepelplafond kijken volkeren van de hele wereld als het ware door open ramen naar binnen. Aan het gebouw van de Eerste Kamer is nog de vierkante toren te zien, die van ongeveer 1580 tot 1795 de woonplaats was van de stadhouders, de opeenvolgende prinsen van Oranje. Later werd

het Stadhouderlijk Kwartier sterk vergroot naar de zijde van het Buitenhof. In de vleugel die het Binnenhof scheidt, het pand Binnenhof 1, huist de Raad van State. Ooit het uit edelen samengestelde adviescollege van de vorst, na de onafhankelijkheid van Spanje het uitvoerend gezag namens de Staten-Generaal, sinds 1814 opnieuw adviesorgaan van de regering. De regering moet over alle wetsontwerpen, die zij naar de Staten-Generaal wil sturen, eerst advies vragen aan deze raad. Deze adviezen zijn sinds mei 1980 openbaar. Sinds 1976 is de Raad van State ook een zelfstandig rechtscollege; hij spreekt recht in geschillen waarbij de overheid betrokken is.
De rest van de gebouwen van het Binnenhof, de huisnummers 1a tot en met 7, zijn in gebruik bij de Tweede Kamer. Het oudste deel van deze behuizing (de huisnummers 1a tot en met 2) werd tussen 1780 en 1790 in opdracht van stadhouder Willem V gebouwd door de Duitse architect Gunckel. Het gebouw diende als uitbreiding van het Stadhouderlijk Kwartier en omvatte onder meer een grote balzaal, de huidige vergaderzaal.
Op 1 maart 1796 kwam de Nationale Vergadering in deze balzaal bijeen. Na het herwinnen van de onafhankelijkheid werd deze bestemming gehandhaafd ten behoeve van de Tweede Kamer, zij het dat de Staten-Generaal tot 1830 bij toerbeurt ook in Brussel bijeenkwamen.
De marmeren vloer van de grote zaal

wordt sinds de verbouwing van 1950 aan het oog onttrokken door de naar weerszijden oplopende groene banken van de leden: naar fractie gegroepeerd links en rechts van de voorzitter. Tegenover hem staat de regeringstafel. Tussen voorzitter en regering is plaats voor stenografen, die al het gesprokene opschrijven voor de wekelijks verschijnende Handelingen. In de loge kunnen ambtenaren de vergaderingen bijwonen en telefonisch dan wel via briefjes de ministers van advies dienen. De twee balkons zijn beschikbaar als publieke en gereserveerde tribune, terwijl ook de pers daar zijn plaats vindt. De huidige ministerskamer, boven de ingang Binnenhof 2, was ooit de kamer van de echtgenote van Willem V, prinses 'Willemijntje'.

Uitbreiding van invloed en werk

Na de Franse tijd kwamen de gebouwen op het Binnenhof goeddeels beschikbaar voor ministeries en rijksdiensten. Het huidige kamergebouw werd aanvankelijk slechts gedeeltelijk Tweede Kamer; het overgrote deel werd toegewezen aan rijksdiensten.

De invloed van de Tweede Kamer nam vooral na de Grondwetswijziging van 1848 sterk toe. Het aantal leden steeg in de loop der jaren. Het aantal zaken dat aan de orde kwam, steeg nog sneller. Na 1945 zijn tientallen commissies ingesteld, die thans te zamen veel meer vergaderen dan

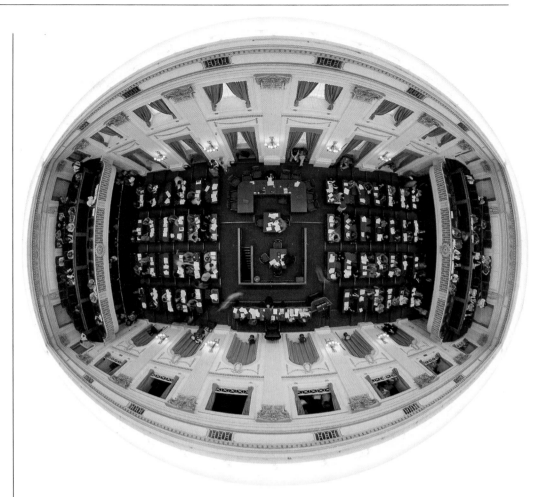

Boven: de huidige vergaderzaal van de Tweede Kamer in vol bedrijf tijdens een van de laatste zittingen van de volksvertegenwoordiging onder het eerste kabinet-Van Agt (1981). Onder: de De Lairessezaal, genoemd naar de schilder.

de voltallige Kamer, dikwijls ook in het openbaar.

De fracties hebben inmiddels eigen secretariaten en medewerkers en eigen vergaderruimten. Pers, radio en televisie komen dagelijks het werk verslaan. Er draait nu een compleet bedrijf achter de 150 kamerleden. Naast de fractiestaven en persoonlijke medewerkers van leden zijn bij de Kamer als zodanig enige honderden ambtenaren werkzaam: de griffie, de bibliotheek- en documentatiedienst, de stenografische dienst, de afdeling verzoekschriften, het commissiesecretariaat, archief, postkamer en registers, reproduktie, de bodendienst, technische en huishoudelijke diensten, de beveiligingsdienst, het restaurant, afdelingen personeel, comptabiliteit en voorlichting. Geen wonder dat ruimtenood een blijvend euvel werd. Enkele rijksdiensten verlieten in de loop van deze eeuw het oude gebouw. Vervolgens werden allengs de panden 2a tot en met 7 in gebruik genomen.

Twee nieuwe vleugels werden bijgebouwd: een aan de Hofweg en een achter het pand Binnenhof 5. Tenslotte week men zelfs uit naar het gebouw Vijverhof aan het Buitenhof 35-37 en naar het vroegere ministerie van koloniën aan het Plein.

En opnieuw dreigt de Tweede Kamer uit haar behuizing te groeien. In 1976 werd daarom besloten tot een grote nieuwbouw aan de Hofweg en de Lange Poten. Het Binnenhof is vrij toegankelijk voor

iedereen. De meeste gebouwen echter niet. Door samenwerking van een aantal rijksdiensten, de Staten-Generaal en de VVV van Den Haag is een Stichting Voorlichtingscentrum Binnenhof ontstaan, die zetelt in de kelder van de Ridderzaal, Binnenhof 8. Deze Stichting verzorgt rondleidingen over het Binnenhof. Het programma omvat, behalve rondleidingen door de Ridderzaal en (indien er niet vergaderd wordt) door de vergaderzalen van de Eerste en Tweede Kamer, ook een diapresentatie over de historie van de Binnenhofgebouwen. In de kelder is een permanente expositie ingericht over het parlementair gebeuren ('parlementair museum'). Tevens vindt men hier de gerestaureerde grafstenen van enige graven van Holland.

De vergaderingen van de Eerste en Tweede Kamer zijn voor het publiek toegankelijk. De ingang van de publieke tribune van de Tweede Kamer (dinsdag, woensdag en donderdag; op maandagen zijn er vaak openbare commissievergaderingen) is gelegen aan het Binnenhof 2a, die van de Eerste Kamer (daar vergadert men meestal alleen op dinsdag) aan het Binnenhof 23.

Het bij het Binnenhof gelegen Koninklijk Schilderijenkabinet 'het Mauritshuis' (Plein 29) en vooral de afdeling Haagse historie van het Gemeentemuseum (Stadhouderslaan 41) bezitten prachtige schilderijen, die samen de ontwikkeling van het Binnenhof tonen.

Stenen
voor brood

MARIA PROOST

De Rupelstreek ontleent zijn naam aan de Rupel, een riviertje dat ten noordwesten van Mechelen ontstaat uit de samenvloeiing van Dijle en Nete en bij Rupelmonde uitmondt in de Schelde. Het aanzien van de streek wordt bepaald door het grote aantal steenbakkerijen dat daar in de loop der eeuwen gewerkt heeft en deels nog werkt. De kleigrond langs de noordelijke oever van de Rupel is zeer geschikt voor het maken van baksteen en bovendien is er een enorme hoeveelheid van. Op sommige plaatsen is de kleilaag zo'n 35 m dik.

Onder: karakteristiek voor de Rupelstreek zijn de vele fabrieksschoorstenen, de vervallen pannendaken en de verwilderde gelagen. Rechterbladzijde onder: van oudsher worden langs de Rupel stenen gebakken. De grondstof daarvoor is dan ook rijkelijk aanwezig. Op sommige plaatsen is de kleilaag 35 m dik. Boven: tegenwoordig wordt de kleilaag met zware machines afgegraven. Tot in de jaren vijftig gebeurde dat met de hand. Dat zware werk geschiedde voornamelijk in de winter en werd slecht betaald.

De eerste stenen werden al in de eerste helft van de 13de eeuw gebakken. Ze werden gebruikt door monniken die zich in Hemiksem vestigden en daar de Sint-Bernardusabdij bouwden. In de eerste tijd werden vrijwel alleen voor gebruik door de monniken stenen gebakken; als bouwmateriaal voor huizen en schuren werd immers veelal hout gebruikt. Maar nadat in 1546 Antwerpen bij een grote brand vrijwel in de as gelegd werd, mocht er op bevel van het stadsbestuur uitsluitend nog met steen gebouwd worden. Uiteraard konden de bestaande bedrijfjes de daardoor ontstane vraag in het geheel niet aan en gingen steeds meer ondernemende lieden zich op de steenfabricage toeleggen. Daardoor ontstond weer een geheel ander probleem: de ovens werden gestookt met hout, dat vooral afkomstig was uit de bossen van de monniken. Nu een groot aantal anderen een beroep deden op de houtvoorraad, bleken de monniken zoals vaker in de geschiedenis, goede handelslieden: de schaarste dreef de prijs zo hoog op dat men ofwel moest stoppen, ofwel naar een andere brandstof moest uitzien. Omdat daardoor het vuur minder lang op de hoge temperatuur gehouden kon worden, werd het formaat van de steen verkleind. Uiteindelijk ging men over op turf uit met name de Kempen. In 1670 kwam een

bevaarbare verbinding tot stand met Brussel, de vaart Rupel-Brussel, wat een nieuwe bloeiperiode tot gevolg had. Toen in 1832 het kanaal tussen Charleroi en Brussel gereedkwam, had de Rupelstreek een rechtstreekse verbinding met het Waalse kolenbekken en kon men overgaan op het stoken van kolen, zoals dat tot nu toe gebeurt.

In de 19de eeuw werden de bedrijven steeds groter en breidde het gebied waar de klei gegraven werd, zich van west naar oost uit. De voornaamste plaatsen, waar steenbakkerijen gevestigd waren, zijn Hemiksem, Schelle, Niel, Boom, Terhagen, Reet en Rumst. Net als in vele andere bedrijfstakken had de expansie grote gevolgen voor de sociale omstandigheden: het kapitalisme en de daarmee gepaard gaande uitbuiting van de arbeiders vierden hoogtij.

In de fabricage van handsteen zit een sterk seizoenmatig karakter. De stenen kunnen slechts in de zomer gevormd worden en in de openlucht te drogen gelegd zonder risico. Bij vorst breken de stenen, die nog niet door en door droog zijn. Het vormen van de stenen begon dan ook pas in april en eindigde in oktober. De meeste mannen konden een groot deel van de winter aan het werk blijven om het 'jar' (de klei waaruit de stenen gevormd worden) in de putten af te steken. Dat ging door tot men voldoende had voor het volgende zomerseizoen.

De berg klei kon de rest van de winter 'roten' of 'rotten'. Aan het einde van het zomerseizoen werden de arbeiders aangeworven voor het volgende zomerseizoen. Tot tegen het einde van de 19de eeuw sloten arbeider en patroon (meestergast) alleen een mondeling akkoord. Het gebeurde wel dat een arbeider zich bij meer dan één onderneming aanmeldde en tenslotte de meest gunstige aanbieding uitkoos. Maar anderzijds was het niet ongebruikelijk dat de werkgever in de lente nieuwe eisen stelde. Als de arbeider daar niet op inging, dan had hij geen werk. Want in de Rupelstreek gaven de ondernemers, bij ontslag van een arbeider, diens naam en de reden van het ontslag aan de anderen door. De meeste ondernemers waren aan elkaar verwant en kwamen overeen dat zij geen arbeiders in dienst zouden nemen, die elders waren ontslagen of geen werk hadden willen aanvaarden.

De werktijden waren aanzienlijk in het zomerseizoen. Met een aantal onderbrekingen duurde de standaardwerkdag van 6 tot 6. Maar niet zelden moest er worden doorgewerkt tot 16 uur per dag. De arbeiders werkten op stukloon. De vormers verdienden het meest; afdragers, meestal kinderen die de stenen te drogen legden, en gamsters, die de droge stenen opstapelden, kregen maximaal de helft, maar waren dus ook afhankelijk van het werktempo van de vormer.

Het trucksysteem, waarbij het loon gedeeltelijk 'in natura' werd uitbetaald in win-

kels, waarvan de patroon eigenaar was, bleef lang in zwang. Ook na 1887, toen de wet tot stand kwam, die voorschreef dat alle betalingen moesten plaatsvinden in klinkende munt en de betaling niet mocht geschieden in winkels of herbergen, bleef dat in de Rupelstreek heel gebruikelijk. Ook morele dwang gingen de werkgevers niet uit de weg. Bovendien woonden veel arbeiders in huisjes die eigendom waren van de ondernemers. De huur (ca. 60 frank per jaar) werd meestal afgehouden van het loon. De piepkleine woningen waren slecht geventileerd, nauwelijks te verlichten, vochtig en kil. Vaak was er slechts één kamer, 'gemeubileerd' met een stoof (de kachel), een tafel en een paar

stoelen. De bewoners sliepen in dezelfde kamer. Sanitaire voorzieningen waren er nauwelijks. Soms had men de beschikking over een klein stukje grond, waarop wat aardappelen en groente verbouwd werden. Na een onderzoek door de gezondsheidscommissie naar de woonomstandigheden in het gehucht Noeveren (Boom) in 1893, werd de bewoners aangeraden geen kippen en konijnen in de woonkamer te houden. De leefomstandigheden waren niet beter dan in arbeiderswijken van de industriesteden.

Het gebeurde ook nogal eens dat verbindingswegen werden doorgegraven of dat arbeiders gewoon uit hun huisje gezet werden, omdat de klei nodig was. Met

reparaties, watervoorziening of hygiëni-
sche voorzorgsmaatregelen namen de
eigenaars het dan ook niet zo nauw. Er
was vrijwel nooit een rioleringssysteem: bij
regen dreef de vuiligheid door de straatjes
en liep vaak de huisjes binnen. Afvalwater
en uitwerpselen vermengden zich met het
drinkwater. Besmettelijke ziekten als tyfus
vormden een voortdurende bedreiging.
Volgens de ondernemers hadden de arbeiders ruim voldoende te eten: witbrood,
mosselen, stokvis enz. De werkelijkheid
was anders. Het dagelijks menu in de
Rupelstreek zag er ongeveer als volgt uit:
's morgens – als er gewerkt werd, at men
om 7 uur op de werkplaats – slappe koffie,
brood met stroop of jam, of een enkele
keer met een half ei of een stukje haring;
's middags aardappelen met 'slingersaus'
(water met azijn en bloem) of uiensaus;
's avonds pap, soms met wat brood, of als
het even kon, met stroop of gestoofde
aardappelen. Als er geld voor was kocht
men voor de zondag een stukje paarde-
vlees. Het 'kostelijke' vleesnat werd de volgende dag over de aardappels gegoten.
Dat onder dergelijke omstandigheden het
alcoholisme hoogtij vierde, zal niemand

verbazen. Evenmin is het verwonderlijk
dat de meeste arbeiders analfabeet waren.
Kinderen waren al met vijf of zes jaar aan
het werk. Pas in het laatste decennium van
de vorige eeuw was arbeid voor kinderen
beneden de 12 jaar verboden, hetgeen in
1914 werd uitgebreid tot 14 jaar, waarbij
tevens de leerplicht werd ingevoerd. Maar
nog jaren later moest de gendarmerie
jacht maken op overtreders van deze wettelijke bepalingen.

De steenbakkerij

Eeuwenlang heeft men in de Rupelstreek
op dezelfde manier stenen gefabriceerd.
Voor handsteen werd de klei in de winter
gestoken en zodanig bewerkt ('roten') dat
het materiaal bruikbaar werd om er stenen
van te maken. In april, zodra de kans op
vorst erg klein geworden was, konden de
stenen gemaakt worden. Dat gebeurde op
het 'gelaag', een lange (tot meer dan
200 m) en brede open plek, waarlangs
smalle, langgerekte en met pannen afge-
dekte opbergruimten opgetrokken waren.
Samen met de diepe kleiputten zijn deze
nu vaak niet meer gebruikte en in verval
geraakte rijen pannendaken het meest

karakteristiek voor de Rupelstreek.
De vormer, een van de bestbetaalde arbeiders, werkte aan de vormtafel, waarop hij
met behulp van een houten vorm een steen
zijn juiste afmetingen gaf. Met een houten
'plaan' werd de bovenkant gladgestreken.
De vormer werd geholpen door 'afdragers', meestal kinderen, die de gevulde
vorm van de vormtafel meenamen, de
steen uit de vorm schudden en de toekomstige stenen in lange rijen op de grond te
drogen legden. Tijdens het drogen
moesten de stenen een paar keer gedraaid
worden om ze gelijkmatig te laten drogen.
Als de stenen zonder ze te beschadigen
konden worden gestapeld, werden ze
gegamd, dat wil zeggen: onder de afdaken
haaks op elkaar gezet, waarbij tussen de
stenen onderling steeds een kleine ruimte
moest blijven, zodat het drogen zo goed
mogelijk kon plaatsvinden. Dat gebeurde
meestal door vrouwen, die gamsters
genoemd werden. Het woord is afgeleid
van het Franse 'gammé', dat haaks betekent. Behalve door het afdak werden de
stenen tegen de regen beschermd door
rietmatten, die aan de zijkanten werden
geplaatst.
Na vier tot zes weken zijn de stenen door
en door droog en kunnen gebakken worden. De stenen worden naar de oven
gebracht en daar door de ovenwerkers
gestapeld. Dat gebeurt door leveraars, die
de stenen aangeven, en inzetters, die het
stapelen voor hun rekening nemen.
Onderin de stapel wordt een aantal gangen vrijgehouden waardoor de oven kan
worden aangestoken. Deze gangen worden gevuld met hout. Tussen elke laag
stenen wordt een dun laagje antraciet
gestrooid; onderin de oven is dat vrij grof
en hoe hoger in de oven, des te fijner de
antraciet is, die gebruikt wordt. Als de
oven gevuld is, wordt hij afgesloten en
door de brandgangen aangestoken. Door
de wijze van stapelen ontstaat een sterk
gereduceerd vuur, waarbij de antraciet
langzaam zonder vlammen verbrandt.
Daardoor ontstaat een langdurige, zeer
gelijkmatige hitte. De temperatuur in de
oven loopt op tot 700 à 1200° C. Daarna
koelt de oven weer af en kan na zes tot
acht weken weer geopend worden. De stenen worden uit de oven gehaald en tegelijk
op kleur gesorteerd. De vakman ziet aan
de kleur, hoe hard de steen is. De verschillen in hardheid ontstaan tijdens het bakken, want ondanks de gelijkmatigheid
treden nog behoorlijke temperatuur-
verschillen op.
Met uitzondering van het vormen, wordt
deze methode nog toegepast in enkele
fabrieken in Boom. Door hun kwaliteit en
natuurlijke kleuren worden ze graag toegepast als gevelsteen.
Een andere karakteristiek van de
Rupelstreek is de grote hoeveelheid
fabrieksschoorstenen. Vaak horen die bij
de ringoven of Hoffmannoven die na 1910
geïntroduceerd werd. Deze ovens werden
gecombineerd met machinaal vormen van
de stenen. Het stoken van de ringovens

Links: 'gammen', het stapelen van stenen onder de pannendaken om ze verder te drogen, was meestal vrouwenwerk. Boven: bij het stapelen van de stenen in de oven wordt tussen de lagen antraciet gestrooid. Het stoken gebeurt zo, dat de zoldering van houten balken niet door de hitte wordt aangetast. Dat is ook te zien aan het kleurverloop op de muur. Onder: een ring- of Hoffmannoven.

gebeurde van bovenaf, door gaten die in het gewelf aangebracht waren. Terwijl een deel van de oven op de gewenste temperatuur gestookt wordt, zijn de inzetters in een ander deel van de oven een nieuwe stapel aan het opbouwen, terwijl in een derde deel een al gebakken hoeveelheid uitgehaald wordt. De stenen die uit de ringoven komen, zijn veel vlakker van kleur en vertonen weinig schakering.

De Rupelstreek

De Rupelstreek doortrekken is niet iets dat iedereen graag zal doen tijdens zijn vakantie. Het gebied maakt een desolate indruk: verwilderde gelagen, vervallen pannendaken, verlaten bedrijfsruimtes, scheve schoorstenen. Bovendien een af en aan rijden van vrachtwagens met containers huis- en fabrieksvuil, dat in niet meer gebruikte kleiputten gestort wordt. Maar uit het oogpunt van industriële archeologie is de streek interessant genoeg om eens kennis mee te maken. En dan vooral hoe de mensen daar tot ver in de 20ste eeuw onder moeilijke omstandigheden hun brood moesten verdienen. De indrukken die je nu opdoet, zijn misschien wat vertekend door het economische verval, dat zich in het gebied hevig doet gevoelen. Het ineenstorten van de bouwmarkt gedurende de laatste jaren heeft sluiting veroorzaakt van een groot aantal steenfabrieken. De volgende route voert langs een aantal karakteristieke punten in de streek, die

zich uitstrekt van Niel tot Rumst. Vertrekpunt is de punt van het gemeentepark aan de Antwerpsestraat in Boom. Rijdt even in de richting van de Provinciale Technische Scholen en vrijwel meteen rechts de Velodroomstraat in. Aan de rechterkant kijkt men uit over de droogrekken van een klampsteenbakkerij. Achteraan verraden zich de ovens door wat rook. In de winter en in het voorjaar ligt er een berg grijze klei te rotten. Wat verderop, na het pleintje, is achter de huizen links nog goed te zien dat de huizen een lus vormen om een – nu gedempte – kleiput. Aan het eind van de straat rechts richting centrum tot aan de Kapelstraat. Daar links in de richting Terhagen. Links van de weg liggen hier kleiputten, rechts langs de Rupel vervallen pannendaken, scheve schoorstenen en ovens. Hier en daar staan langs de weg nog wat arbeiderswoningen. In Terhagen de hoofdweg volgen. Vlak voorbij het dorp ligt rechts aan de weg een nu gesloten ringoven.
Terugkerend naar Terhagen even buiten het dorp rechts loopt de Bosstraat tussen twee kleiputten door. De weg rechts bij de eerste huizen loopt dood: de weg naar Terhagen werd weggegraven.
Hoewel elders in de Lage Landen ook steenbakkerijen voorkomen, vindt men nergens een dergelijke concentratie van fabrieken, die in de loop van de tijd zo'n stempel heeft gedrukt op de streek als langs de boorden van de Rupel.

Onder: in het Twents
Textielmuseum is een
aantal weefgetouwen
bijeengebracht.
Eén ervan is dit getouw met
smietspoel, waarop
linnen geweven wordt.
Boven: het getouw was
eigendom van deze laatste
Twentse huiswevers.

Van huiswever tot loonslaaf

BOUDIEN DE VRIES

Enschede 1981. Met ruim 140.000 inwoners een der grotere steden van Nederland. Hier en daar steekt een fabrieksschoorsteen boven de huizenzee uit. Enschede 1920, een industriestad. Een woud van fabrieksschoorstenen, symbolen van industriële vooruitgang. Eén enkele bedrijfstak doet de schoorstenen roken: de textiel.

Weer 60 jaar eerder, Enschede 1860. Een kar beladen met steenkolen rijdt moeizaam voort over een landweg. In de verte doemt Enschede op. Een idyllisch stadsgezicht met molens, kerktorens en wat huisjes. Een vergeten stadje, waar de industriële ontwikkeling aan voorbij is gegaan? Nee, want bij wat beter kijken ontwaart men de vier schoorstenen van 'De Groote Stoom', de stoomspinnerij. Dáár moeten de steenkolen naar toe om de stoommachine van brandstof te voorzien.

Nog een keer een sprong van 60 jaar terug in de tijd: Enschede 1800. Een plattelandsstadje met ongeveer 2000 inwoners. Het ligt temidden van de schier eindeloze Twentse heidevelden, die maar sporadisch door wegen worden doorsneden. Hier zou men een handelaar tegen kunnen komen, op weg naar een boer om wat handgeweven linnen op te kopen. In een tijdsbestek van nog geen 200 jaar is in deze streek een textielindustrie met een massaproduktie ontstaan, tot grote bloei gekomen en ten onder gegaan.

Boven: de 19de-eeuwse arbeidersbuurt 'De Krim' werd gebouwd na de grote brand van Enschede in 1862. Later was De Krim een paar keer brandhaard in conflicten tussen Twentse arbeiders en fabrikanten.
Onder: de nieuwe behuizing van het Textielmuseum: een verbouwde, voormalige textielfabriek uit 1900.

Al sinds mensenheugenis hielden de Twentse boeren zich bezig met de vervaardiging van textiel. Op hun akkers verbouwden ze vlas, waar ze zelf linnen weefden. Dit linnen was voornamelijk bestemd voor eigen gebruik. Wat de boeren meer weefden, verkochten ze aan rondreizende kooplieden, de zogenoemde fabrikeurs. Omstreeks 1800 kwamen katoenen stoffen in de mode. Ook in Twente drong de katoen door. In plaats van zuiver linnen stoffen gingen de boeren bombazijnen weven, halfkatoenen stoffen met een linnen schering en een katoenen inslag. Ze maakten vooral bontgestreepte bombazijnen, bestemd voor de vele klederdrachten die Nederland toen nog kende. Geëxporteerd werden deze handgeweven Twentse bontjes niet.

Het bewind van koning Willem I zou veel veranderen voor de Twentse textielnijverheid. Om de handel in het land weer leven in te blazen richtte de koning in 1824 de Nederlandsche Handelmaatschappij (NHM) op. Voor de export van katoen naar Nederlands-Indië ging de NHM op zoek naar produktiegebieden in Nederland. Het oog viel uiteraard ook op Twente.

Buitenlandse inbreng

De directeur-secretaris van de NHM, Willem de Clerq, vertrok in 1832 voor nader onderzoek naar Twente. Op zijn reis maakte hij kennis met twee mannen, twee buitenlanders, die een belangrijke rol zouden spelen in de verdere ontwikkeling van de Twentse textielnijverheid: de Vlaming Charles de Maere en de Engelsman Thomas Ainsworth. Charles de Maere was een textielfabrikant uit Sint-Niklaas. Tijdens de Belgische Opstand was hij naar Nederland gevlucht en had zich gevestigd in Twente. Hij ontvouwde Willem de Clerq zijn plannen voor een nieuwe snelweefmethode, met gebruik van de schiet- of snelspoel in plaats van de tot dan toe in zwang zijnde smietspoel. Hij stelde bovendien voor een weefschool te stichten, waar arme kinderen deze weefmethode in betrekkelijk korte tijd konden leren. De Clerq was niet enthousiast over de plannen van De Maere. Hij vreesde dat er met de weefschool ook textielfabrieken zouden komen, en volgens hem was het werken in de huisindustrie toch altijd nog beter dan in fabriekshallen met stoommachines. De Clerq ontmoette in Twente echter ook Thomas Ainsworth, zoon van een Britse katoenfabrikant. Ook hij had plannen de snelweefmethode in te voeren.

Hij wist De Clerq ervan te overtuigen dat snelweven géén mechanisatie hoefde te betekenen. De Clerq ging overstag en in 1833 stichtte de NHM een weefschool te Goor. Hier konden jongens en meisjes uit arme boerengezinnen in ongeveer vier maanden het snelweven leren. Bij het verlaten van de school kregen zij hun snelweefgetouw mee naar huis. Hierop weefden zij, tegen een stukloon van 2 cent per meter, zogeheten calicots, zuiver katoenen stoffen. Op hun loon werd elke week een paar centen ingehouden voor de afbetaling van hun weefgetouw. De nieuwe weefmethode bleek een groot succes. Er kwamen meer weefscholen en weldra weefde bijna elke boer met de schietspoel. De export van calicots, waar het de NHM om begonnen was, steeg met sprongen.

Opkomst van de stoomkracht

Toch kon op den duur de handweverij niet concurreren met de stoommachines, die steeds sneller en beter gingen werken. In Twente was het Godfried Salomonson die met zijn broer in 1852 te Nijverdal de eerste stap zette tot een stoomweverij. Daarvoor waren er al enige stoomspinnerijen, onder andere een te Enschede, die in de volksmond 'De Groote Stoom' werd genoemd. Ondanks de goede resultaten van het stoomweven volgden overigens andere ondernemers het voorbeeld van Salomonson maar aarzelend. Een belangrijke belemmering op grote schaal op stoommachines over te schakelen, waren de hoge brandstofkosten. Vóór 1865 was er geen spoorlijn in Twente en dit betekende dat de steenkool met paard en wagen moest worden aangevoerd. Toen in 1865 Twente op het spoorwegnet werd aangesloten, daalde door de gemakkelijke aanvoer de prijs van steenkool aanzienlijk. In Enschede kwam daar nog bij dat de fabrikanten letterlijk en figuurlijk garen sponnen bij de grote brand van 1862. Op 7 mei brandde bijna de gehele stad af. Ook een achttal fabrieken, voornamelijk ouderwetse handspinnerijen, werd in de as gelegd. Met de verzekeringspenningen konden de fabrikanten moderne fabrieken met stoommachines bouwen. Het aantal stoomweefgetouwen in Twente nam dan ook snel toe: van 3092 in 1860 tot 9180 in 1873.

Voor de boeren betekende de invoering van de stoomkracht een ingrijpende verandering in hun bestaan. In de huisindustrie waren de luttele guldens, die hiermee werden verdiend, een welkome aanvulling op het karige inkomen. Breed hadden de boeren het bepaald niet. Hun voedsel bestond voornamelijk uit roggebrood en aardappelen. Alleen op feestdagen kwam er vlees of spek op tafel. Ze woonden in primitieve lemen hutten, die

227

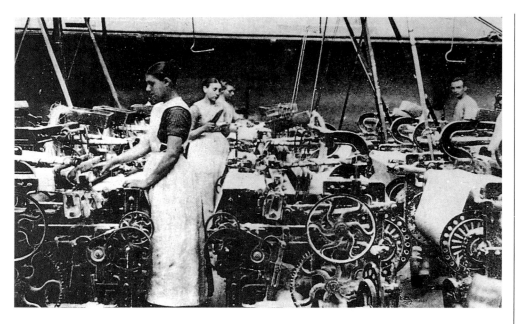

meestal wel een aparte weefkamer hadden. Vooral in de winter, als er minder werk op het land was, werden vele uren in dit lage, donkere en vochtige vertrek doorgebracht. Toch hadden de boeren het doorgaans nog niet zo slecht als de arbeiders in de industriesteden. De relatie met hun werkgever, de fabrikeur, had iets gemoedelijks. Voor de boeren was hij 'meneer Jan' of 'meneer Piet' en ze waren hem dankbaar voor het werk dat hij hun verschafte.

Trek naar de steden
Toen de handweverij verdween, trokken de boeren naar Enschede, Almelo en Hengelo om daar in fabrieken te werken. Ze werden volledig afhankelijk van hun looninkomsten. De Twentse lonen behoorden tot de laagste in heel Nederland en de werktijden waren zeer lang. Meestal werd van 's morgens 5 uur tot 's avonds 8 uur gewerkt met één uur schafttijd. De fabrieken waren ongezonde, stoffige ruimten met een hoge temperatuur en vochtigheidsgraad en met oorverdovend machi-

nelawaai. De arbeid zelf was eentonig, maar jachtig, want het tempo lag zeer hoog vanwege het stukloon. Veel jonge kinderen werkten in de fabrieken om het gezinsinkomen wat aan te vullen. Geen wonder dat de gemoedelijke verhoudingen tussen arbeider en werkgever voorgoed verdwenen. In het laatste kwart van de 19de eeuw en ook in de jaren dertig van deze eeuw deden zich dan ook heftige arbeidsconflicten en stakingen voor.

Villa werd museum
Op 4 november 1957 schonk Johanna Ida Beltman-Blijdenstein haar villa aan de gemeente Enschede, onder voorwaarde dat aan het huis een passende bestemming diende te worden gegeven. Johanna stamde uit een bekende familie van textielfabrikanten. Een passende bestemming is inderdaad gevonden: sinds 1962 is in de villa het Twents-Gelders textielmuseum gehuisvest.
De verzameling van het museum geeft een goed overzicht van met name de tech-

nische ontwikkeling van de textielnijverheid, te beginnen bij de linnenweverij, de oude huisnijverheid. Men ziet de verschillende hulpmiddelen die werden gebruikt bij het spinnen en weven. Zo is er bijvoorbeeld een hekel, waarmee de vlasstengels uit elkaar werden getrokken en een spinstoel met maar één armleuning om de spinster bewegingsvrijheid te geven bij het spinnen. Verder een 200 jaar oud weefgetouw waar het linnen op werd geweven met een smietspoel, de voorganger van de schietspoel. Deze smietspoel werd door de kettingdraden gegooid en met de hand weer opgevangen. Aan de balken van het getouw hangen twee lijmborstels, die werden gebruikt voor het kettingpappen, het insmeren van de kettingdraden met roggepap om ze sterker te maken.
De Engelsman John Kay ontwierp in 1733 de schietspoel die niet met de hand, maar met een zweepmechanisme door de kettingdraden werd geslagen. In het museum staan twee weefgetouwen met een schietspoel. Met een dergelijk weefgetouw kon een wever in dezelfde tijd driemaal zoveel produceren. Een nadeel van deze uitvinding was wel dat er een tekort ontstond aan gesponnen garen. De spinners, die met een spinnewiel met één spoel werkten, konden niet voldoende garen maken om de snelwevers te voorzien. Dit probleem werd echter opgelost door nieuwe uitvindingen. De 'spinning jenny' van Hargreaves – genoemd naar zijn vrouw Jenny – stelde een spinner in staat meer spoelen tegelijk te bedienen. Ook het 'waterframe' van Richard Arkwright, een door water aangedreven spinmachine, zorgde voor de nodige garens. In het museum zijn deze machines niet opgesteld vanwege hun grootte; er zijn echter wel duidelijke tekeningen van.
In 1830 waren in Twente deze nieuwe technieken nog niet doorgedrongen. De boeren weefden hun linnen toen nog met de smietspoel. Jonge boerendochters kregen bij hun trouwen een uitzet, gemaakt van dit handgeweven linnen, mee. In een museumkast ligt zo'n uitzet. We zien lakens, hemden en handdoeken en heel wat banen kunstig opgerold linnen. Dit linnen was bestemd om er later nieuwe lakens en hemden van te maken en natuurlijk ook babykleertjes.
Naast de weefgetouwen, waarop linnen, bombazijnen en calicots geweven konden worden, bezit het museum ook een prachtig jacquardweefgetouw. Met zo'n weefgetouw is het mogelijk ingewikkelde patronen te weven. De patronen worden 'vertaald' in een kaart met gaatjes, die het mechanisme stuurt. Hierdoor worden steeds andere groepjes draden gebruikt, zodat patronen met vogels of bloemen ontstaan.
Wat de invoering van de stoomkracht voor de arbeiders betekende, wordt duidelijk gemaakt aan de hand van teksten, oude foto's en loonlijsten. Op een loonlijst van 1865 staat dat spoelsters F. 2,50 per week verdienden, wevers F. 5,—.

Linksboven: in de
fabriekshallen werden de
getouwen zo krap mogelijk
opgesteld. Op die manier
kon één meisje vier
getouwen bedienen.
Linksonder: Enschede
omstreeks 1900. Het
stadsbeeld wordt
gedomineerd door rokende
fabrieksschoorstenen.
Boven: op 10 maart 1924
organiseerde de
textielarbeidersbond 'De
Eendracht' een grote
demonstratie op de Markt in
Enschede als protest tegen
de uitsluiting van arbeiders
in de textielindustrie.
Onder: linnenkast met de
zelfgeweven uitzet van een
Twents boerenmeisje.

Nieuwe behuizing voor museum

De techniek van het stoomtijdperk in de
textielindustrie wordt in het museum
alleen met behulp van modellen van
machines op schaal uiteengezet. De stichting, die het museum beheert, bezit wel een
aantal authentieke machines, maar die zijn
veel te groot om een plaats te kunnen krijgen in het museum. Men heeft daarom
gezocht naar een andere tentoonstellingsruimte en die gevonden op een unieke
plaats: in de loop van 1982, zo is het plan,
zal het museum namelijk verhuizen naar
de verbouwde textielfabriek van Gerhard
Jannink en Zonen. Het complex dateert
van 1900 en is een karakteristiek voorbeeld van een spinfabriek uit die tijd. Alle
grote textielmachines, waarvoor nu geen
plaats is, komen in het nieuwe museum. Er
zal dan echter ook ruime aandacht aan
andere aspecten van de techniek worden
geschonken. Het museum in het Jannink-
complex is bedoeld om de invloed van de
textielindustrie op het economische, politieke, culturele, maar vooral sociale leven
in de regio zichtbaar te maken. Tot medio
1982 kan men echter nog in het museum
in de Espoortstraat 182 terecht. Het
museum is van dinsdag tot en met
zaterdag open van 10.00-12.00 uur en van
14.00-17.00 uur; op zondag van 14.00-
17.00 uur.

Reeds een aantal jaren heeft de Nederlandse textielindustrie te kampen met felle
concurrentie van het buitenland. Vooral
landen met een lage loonstandaard kunnen veel goedkoper produceren dan de
Twentse fabrieken. Veel bedrijven hebben
de concurrentie dan ook niet kunnen vol-
houden en moesten sluiten. Andere bedrijven verplaatsten hun produktie naar de
lage-lonen-landen, met als gevolg dat vele
duizenden textielarbeiders op straat kwamen te staan. De fabrieken, die nu nog in
bedrijf zijn, leggen zich toe op de produktie van speciale, hoogwaardige weefsels en
niet op massaproduktie van textiel-
goederen, want op dat vlak lijkt de rol van
de Nederlandse textielindustrie voorgoed
uitgespeeld.

Ook elders in Nederland heeft er in de
19de eeuw een bloeiende textielnijverheid
bestaan, die nu nagenoeg is verdwenen. In
Noord-Brabant, met als belangrijkste
centrum Tilburg, legde men zich toe op de
vervaardiging van wollen stoffen. En ook
daar werden in de tweede helft van de
19de eeuw in ras tempo textielfabrieken
gesticht. Na de Tweede Wereldoorlog
heeft de internationale concurrentie ook
in deze streek de textielnijverheid een
gevoelige klap toegebracht.

In Tilburg is het Nederlandse Textielmuseum gevestigd: ook hier kan men de
ontwikkeling van handwerk naar gemechaniseerde nijverheid volgen. Een verschil met het Twents museum is echter dat
het museum in Tilburg een uitgebreide
collectie textielprodukten uit exotische
culturen bezit, onder meer uit Perzië,
India en China. Terwijl in Tilburg de
nadruk op het tonen van de grote diversi-
teit van weefsel en weeftechnieken ligt,
tracht men in Twente daarentegen vooral
de sociale en economische aspecten van de
textielnijverheid te belichten.

Bommen en buizen bij de vleet

DR. J. P. VAN DE VOORT

Boven: de Groote Visscherije van Holland, in dit titelblad van een manuscript uit de tweede helft van de 18de eeuw op kunstige wijze in beeld gebracht, was een soort publiekrechtelijk bedrijfsorgaan dat onder andere wetten voorbereidde voor de haringvisserij.
Onder: naamplaat van een Vlaardingse scheepswerf uit de 19de eeuw.
Rechtsboven: Scheveningse bomschuiten in de baai van Lerwick op de Shetland Eilanden. Met dit type werd onder andere de schrobnetvisserij bedreven.

De kleine Noordzee is één van de rijkste visgebieden ter wereld. Ze herbergt een grote verscheidenheid aan vissoorten. En omdat er een sterk verband bestaat tussen de leefwijze van de vis en de gebruikte vangmethoden en scheepstypen kent de Noordzeevisserij een grote variatie aan vistuigen en vissersschepen. Onder invloed van economische en technische ontwikkelingen onderging de zeevisserij in de tweede helft van de 19de eeuw een ingrijpend proces van aanpassing en intensivering. Nieuwe scheepstypen en verbeterde vismethoden deden hun entree, de afzet werd vergroot, sommige oude vissersplaatsen verloren aan betekenis, andere herleefden, nieuwe kwamen op.
De Noordzeevisserij heeft diepe sporen nagelaten in de geschiedenis van de Lage Landen, in onze taal en in ons volksleven. De hechte vissersgemeenschappen hebben nog lange tijd hun eeuwenoude tradities bewaard, sommige zelfs tot op de dag van vandaag.

De meest gewaardeerde Noordzeevis was en is in feite nog steeds de haring. Zo zelfs dat hij nadrukkelijk wordt onderscheiden: 'Handel in haring en vis' staat ook vandaag nog te lezen op naamborden in vooral Nederlandse vissershavens.
De haring behoort tot de pelagische vissen en vertoeft bij voorkeur op verschillende diepten. De vis leeft in grote groepen, de zogenoemde scholen. Tegen het vallen van de avond stijgen deze scholen naar de oppervlakte. De haringvissers zetten het haringdrijfnet of 'vleet' dan ook uit tegen het einde van de middag. De vleet is een samenstel van netten, 4 tot 6 km lang en 15 m hoog, dat drijvend wordt gehouden door tonnetjes, de zogenoemde 'breels'. De school haringen zwemt tegen het net aan, de ondermaatse haringen glippen door de mazen heen, de grotere vissen blijven er met hun kieuwen in haken.
's Nachts halen de vissers de vleet weer in, een zwaar karwei dat vele uren in beslag neemt. Het traditionele schip voor deze vorm van visserij is eeuwenlang de haringbuis geweest, die echter vanaf 1886 verdrongen werd door de logger.
Naast de haringdrijfnetvisserij, veruit de belangrijkste tak van Noordzeevisserij, was ook de hoekwantvisserij van grote betekenis. Het meest toegepaste hoekwant was de beug: een lange lijn op de zeebo-

dem van 10 tot 15 km lengte en met op bepaalde afstanden zijlijntjes of 'sneuen' met daaraan een haak met aas. Kabeljauwbeugen droegen zo'n 3600 haken, schelvisbeugen het dubbele aantal. Met de beug werd ook platvis gevangen en voorts roggen, vleten en heilbotten. De beugvisserij werd voornamelijk uitgeoefend met vishoekers en beugsloepen en voorts ook wel met schuiten van verschillend type. De derde tak van visserijbedrijf op de Noordzee was de kustvisserij met schrobnetten, ook wel kornetten genoemd. Het waren zakvormige netten die werden opengehouden door een balk of boom. Aan de uiteinden van deze boom waren sleepijzers bevestigd, die door de vissers 'paardepoten' werden genoemd en die over de zeebodem schuurden. Met deze schrobnetten ving men vooral platvis en garnalen. In tegenstelling tot de passieve vleet- en beugvisserij was de schrobnetvisserij een actieve vorm van visvangst. Ze werd vooral bedreven met kleine vissersvaartuigen die werden aangeduid met de soortnaam 'schuiten'. Zo kende men onder andere de bomschuit, de bezaanschuit, de Panneschuit, de Blankenbergse en de Heistse schuit. Omstreeks 1880 ontwikkelde zich, als variant op het schrobnet, het zogenoemde treilnet, dat opengehouden werd door zijwaarts uitscherende planken. De invoering van de treilvisserij werd mogelijk gemaakt door de invoering van de stoommachine.

'Nieuw leven' in de 19de eeuw

De Franse bezetting van de Nederlanden bracht aan de Noordzeevisserij een gevoelige slag toe. Verscheidene jaren was uitvaren onmogelijk door oorlogsdreiging of vaarverboden. Traditionele afzetgebieden voor haring gingen verloren en vielen toe aan concurrenten zoals de Engelsen, de Schotten en de Noren. Het zou duren tot het midden van de 19de eeuw eer er voor de zeevisserij in de Lage Landen weer een 'nieuw leven' zou aanbreken. Van grote betekenis voor deze heropbloei was de rol van de ondernemende Scheveningse reder Ariaan Eugène Maas. Hij voerde lichtere netten in en bracht omstreeks 1865 de eerste *lougre* (logger) uit Frankrijk naar Nederland. Twintig jaar later waren bijvoorbeeld in Nederland alle traditionele haringschepen door dit nieuwe scheepstype vervangen.

De visserij was een typisch seizoenbedrijf. Na afloop van ieder seizoen werd een groot deel van de bemanning ontslagen. Zowel om economische als om sociale redenen als om noodzakelijk de continuïteit in de werkgelegenheid te verzekeren. De Vlaardingse reder Ary Hoogendijk zag de oplossing daarvoor in de bouw van stalen bunschepen, die zowel voor de beugvisserij als voor de haringvisserij konden worden uitgerust. Voor dit doel richtte hij in 1891 de Doggermaatschappij op, die zulke schepen liet bouwen en er ook succes mee had. In 1897 bracht deze maatschappij in Nederland de

eerste stoomlogger in de vaart.

Een nieuwe ontwikkeling was de opkomst van de treilvisserij met stoomtreilers. In België bouwde de werf Decoene te Oostende in 1885 de eerste stoomtreiler. In Nederland gebeurde dat tien jaar later: in 1895 bouwde de Rotterdamse werf Bonn & Mees zo'n schip voor rekening van de Stoomvisserij Mij. 'Mercurius' in Den Helder. Dit bedrijf werd in 1898 verplaatst naar IJmuiden, hetgeen het begin was van de ontwikkeling van deze vissersplaats als centrum voor de visserij en de handel in verse vis.

Aan het einde van de 19de eeuw waren ook de meeste zeilloggers voorzien van stoomspillen, zodat het inhalen van de vleet met de hand verleden tijd was.

Oude methoden in nieuw jasje

In de 20ste eeuw zette de mechanisering van de zeevisserij zich voort. De Nederlandse Noordzeevloot bijvoorbeeld telde

al in 1930 geen zeilschepen meer en in de jaren zestig verdwenen ook de stoomschepen; hun plaats werd ingenomen door motortrawlers en motorkotters. De eeuwenoude beugvisserij verdween in de jaren dertig, in de jaren zestig gevolgd door de haringdrijfnetvisserij. Daarmee waren deze passieve vismethoden geheel vervangen door twee actieve: die met het trawlnet en die met de boomkor. Als gevolg van overbevissing en hoge brandstofkosten komen de laatste jaren overigens weer oude vismethoden in gebruik, zij het dan in gemoderniseerde vorm: staande netten, gemechaniseerde beug, Deense ankerzegen. Er kan selectiever mee gevist worden en ze besparen energie.

De twee wereldoorlogen hebben de zeevisserij grote schade berokkend. Gedurende de Eerste Wereldoorlog gingen als gevolg van mijnen en opzettelijke torpedering door Duitse oorlogsschepen alleen al in

Boven: een van de stalen bunschepen van de Doggermaatschappij waarmee de continuïteit in de werkgelegenheid verzekerd werd.
Onder: Vlissingse vissers bezig met het tanen van hun netten, een foto uit het begin van de 20ste eeuw.
Rechtsboven: detail van het model van de VL2, een houten zeillogger uit 1872, met een beeld van de haringdrijfnetvisserij in vol bedrijf.

Zilte tradities

In de besloten vissersgemeenschappen hielden tradities lang stand. Tot in de 20ste eeuw is in de meeste ervan de typische klederdracht gehandhaafd gebleven. Alom bekend was de Vlaardingse 'buisjesdag': daags voor het uitvaren lagen de haringschepen opgepoetst en gepavoiseerd in de haven en van heinde en verre stroomde het volk toe om ze te bewonderen. Met spanning zag men ieder jaar ook weer uit naar de aankomst van de eerste haringjager. Na een strenge keuring werden drie oranje vaatjes gevuld met Hollandse Nieuwe van de beste kwaliteit en vervolgens met de haringsjees in ijltempo naar het koninklijk paleis in Soestdijk gebracht. In de Vlaamse vissersplaatsen worden onder de naam 'zeewijding' nog elk jaar in de zomer processies of 'ommegangen' gehouden om de vissers te behoeden voor de gevaren van de zee.

Bij de Noordzeevisserij koos de schipper zijn bemanning. In Vlaardingen gebeurde dat op de 'beschipdag'; de visserslui lieten zich op die dag voor een jaar of een half jaar inhuren. De Nederlandse vissers monsterden aan voor de duur van de 'teelt'. Ze visten 'op hoop van zegen', want de eerder genoemde technische verbeteringen brachten vóór 1900 nog geen verbetering in hun materiële positie. Hun aandeel in de 'besomming' (de opbrengst van de verkochte vis na aftrek van bepaalde onkosten) werd bepaald volgens eeuwenoude verdeelsleutels.

Vissen, schepen en vistuigen

Het Visserijmuseum — Instituut voor de Nederlandse Zeevisserij te Vlaardingen —

Nederland 115 vissersvaartuigen verloren, waarbij meer dan 500 vissers het leven verloren. Bij het uitbreken van de Tweede Wereldoorlog telde de Nederlandse logger- en trawlervloot 396 schepen. Daarvan is 10% naar Engeland uitgeweken; de helft deed er dienst als mijnenveger. De Duitse bezetter nam 68% van de vloot in beslag, terwijl 7% verloren ging als gevolg van oorlogshandelingen tijdens het vissen. Met het restant is onder toezicht van de bezetter in beperkte mate de visserij vlak onder de kust uitgeoefend.

is in 1962 opgericht teneinde de Nederlandse beroepsvisserij op de Noordzee in verleden en heden te presenteren en te documenteren. Sinds 1971 is het museum gevestigd in het 'Huis met den Lindeboom' aan de Westhavenkade, dat tussen 1740 en 1742 werd gebouwd voor de Vlaardingse reder, touwslager en burgemeester Abraham van der Linden. Onweerstaanbaar wordt de bezoeker allereerst aangetrokken door het ronde Noordzeebassin waarin de grotere Noordzeevissen als kabeljauw, poon, rog enzovoort rondzwemmen en waarin allerlei platvissen laten zien hoe doeltreffend hun schutkleur is. In een ander aquarium verblijven allerlei kleinere vissen, week- en schelpdieren.

De opstelling in de schepenzaal toont een chronologisch overzicht van de ontwikkeling van het vissersvaartuig in de loop der eeuwen, vanaf 1400 tot heden. Enerzijds omvat de collectie de plat- en rondbodemschepen die, bij gebrek aan havens langs de kust, op het strand moesten kunnen landen en die bovendien in ondiepe kustwateren konden vissen: de pink, de bezaanvisschuit, de gaffelvisschuit, de blazer, de bomschuit. Anderzijds zijn er de kielschepen te zien die vanuit de vissershavens opereerden: de haringbuis, de vishoeker, de beugelsloep, de curieuze loggerbom, de zeil-, stoom- en motorlogger, de stoomtreiler, de zijtreiler, de hektreiler, de kleine motorkotter en de boomkorkotter.

Aangrenzend laat een diorama de werking zien van de belangrijkste vistuigen: de vleet, de beug, het schrobnet en het treilnet. Met het visserijbord kan met behulp van keuzeknoppen de samenhang worden gedemonstreerd tussen vissoorten, vangtechniek en vaartuig. Ook kan men zien welke vissersplaatsen in dit verband van betekenis zijn of waren, alsmede de voornaamste visgronden van de verschillende vissoorten.

Een groot model van een van de vroegste houten zeilloggers, de VL 2 'Vlaardings Bloei' (1872) geeft een beeld van de bedrijvigheid op volle zee: de bemanning die bezig is de kilometerslange vleet in te halen. In schrille tegenstelling hiermee staat het stuurhuis op ware grootte van een moderne kotter met een vrijwel complete inventaris aan elektronische navigatie- en visopsporingsapparatuur.

Het interieur van een Vlaardings rederijkantoor verraadt de grote sociale afstand tussen 'het kantoor' en het zeegaand personeel: de schipper rekent af achter het loket met de pet in de hand.

De afslagzaal is ingericht met het meubilair van de vroegere Vlaardingse haringafslag. Hier hangt ook de haringkroon die de haringhandelaren buiten hingen zodra de eerste nieuwe haring er was. Het bevolkte interieur van een klein vissershuisje contrasteert met de ernaast gelegen, stijlvolle muziekkamer van reder Abraham van der Linden. De fraaie plafondschildering van Gerard Sanders

(1750) is rechtstreeks aangebracht op de stuclaag, een zeldzaamheid voor Nederland.

De visser als knutselaar
De eerste verdieping is bereikbaar via de koffiekamer, die met scheepsfornuis, kommaliewant en scheepstafel is ingericht in de sfeer van het 'vooronder', het bemanningsverblijf van een logger. Hier hangt ook de kleurrijke Noordzeevisserijkaart uit 1887, waarop de rederijvlaggen en -merken van vele Nederlandse vissersplaatsen zijn afgebeeld.

De 'galerij' is de tentoonstellingsruimte voor schilderijen. Hier hangen onder andere enige schilderijen van H. W. Mesdag (1831-1915). Een afzonderlijke zaal is gewijd aan de volkskunde van de visserij: zeemansmodellen, scheepjes-in-de-fles, tekeningen en schilderijen, snij-, knip- en vlechtwerk, klederdrachten en sieraden. In een daarnaast gelegen kamer zijn op twee fraaie penschilderijen van Adriaan van der Salm (ca. 1670-1720) de haringvisserij en de walvisvaart uitgebeeld. Het haringvisserijbedrijf met zijn nevenbedrijven is ook te zien op een serie van twaalf Delfts blauwe bordjes uit de 18de eeuw.

Grenzend aan de galerij liggen de zaal voor tijdelijke exposities, de diazaal en de filmzaal waar 's woensdags, zaterdags en zondags om 15.30 uur en bij rondleidingen oude en nieuwe visserijfilms worden vertoond. Op de tweede verdieping bevindt zich de afdeling Informatiebeheer. De visserijbibliotheek telt duizenden boeken, tijdschriften en bibliografisch materiaal over de geschiedenis en de volkskunde van de visserij. Het foto-archief bevat meer dan 10.000 visserijfoto's. Hier worden ook de collecties tekeningen, prenten, scheepsbouwkundige tekeningen en archivalia bewaard. De afdeling is voor het publiek toegankelijk na afspraak. Het Vis-

serijmuseum zelf is van maandag tot en met zaterdag geopend van 10.00 tot 17.00 uur en op zondag van 14.00 tot 17.00 uur.

Visserijherinneringen elders
Naast het landelijke Visserijmuseum in Vlaardingen zijn er nog vele musea die aandacht schenken aan de Noordzeevisserij in eigen plaats of streek. In Nederland zijn dat het Gemeentemuseum ''t Behouden Huys' op West-Terschelling, 't Fiskerhûske te Moddergat in het noorden van Friesland, de visserijtentoonstelling 'Hulp en Steun' in Urk en 't Rijper Museum 'In 't Houten Huys' in De Rijp. Verder zijn er de verschillende musea in vissersplaatsen langs de Hollandse kust: Museum Egmond aan Zee, Museumboerderij Oud-Noordwijk, Gebouw Genootschap Oud-Katwijk, Oudheidkundig en Visserijmuseum te Scheveningen. Een weids tafereel van de Scheveningse visserij vindt men in het Panorama Mesdag in Den Haag. Ook het Gemeentemuseum te Maassluis, het Streekmuseum 'Goeree-Overflakkee' te Sommelsdijk en het Maritiem Museum 'Noorderhavenpoort' in Zierikzee besteden aandacht aan de visserij. Ook het Rijksmuseum 'Nederlands Scheepvaartmuseum' in Amsterdam (zie ook bladzijde 120) en het Maritiem Museum 'Prins Hendrik' in Rotterdam zullen in de toekomst visserij-afdelingen inrichten.

Een overzicht van de Vlaamse visserij vindt men in het Nationaal Visserijmuseum te Oostduinkerke, terwijl het Heemkundig Museum 'De Plate' in Oostende ook aandacht besteedt aan de plaatselijke visserij. Ook het Nationaal Scheepvaartmuseum te Antwerpen heeft een belangrijke en interessante visserij-afdeling.

Hand in hand
naar de tuin van Europa

HEIN VAN DER ZANDE

Aan het einde van de 19de eeuw maakten de tuinders in het westen van Nederland een einde aan een situatie waarin ze vrijwel geheel afhankelijk waren van kooplieden die tot eigen voordeel de kloof tussen producent en consument overbrugden. Ze deden dat door in coöperatief verband het unieke veilingsysteem in het leven te roepen. Hoe dat aanvankelijk werkte is nog steeds te zien in de oudste groenteveiling ter wereld, die van Broek op Langedijk.

Onder: het veilinggebouw van Broek op Langedijk dat in 1912 in gebruik werd genomen en eind 1973 zijn poorten moest sluiten. Sinds 1977 functioneert het weer, zij het nu in de vorm van een boeiend museum-in-actie. Rechtsonder: een foto uit de tijd dat de Broeker Veiling nog in vol bedrijf was en uit alle delen van het rijk der duizend eilanden de produkten werden aangevoerd. Rechtsboven: een foto uit het Westland die waarschijnlijk de leden van een tuinbouwcoöperatie voorstelt.

Op 29 juli 1887 vaart tuinder D. Jongerling uit het Noordhollandse Zuid-Scharwoude met een schuit vol bloemkool naar de Bakkersbrug in Broek op Langedijk. Het is er druk die dag. Meerdere kopers staan op de partij bloemkool te wachten. Er is een flinke vraag, want het aanbod is beperkt door het koude weer. Tot die dag zorgen kooplui voor de verkoop van de Noordhollandse tuinbouwprodukten in Amsterdam. De tuinder is aan hun willekeur overgeleverd; hij hoort later wel wat zijn groenten in de hoofdstad hebben opgebracht. Bij de Bakkersbrug staat Jongerling in dubio. Aan welke koopman zal hij zijn schaarse bloemkool meegeven; wie zal achteraf zorgen voor de beste prijs? Het verlossende woord komt van J. Dirkmaat Wzn., een van de schippers die bij de brug liggen te wachten om de groenten naar Amsterdam te vervoeren: 'Je moet je bloemkool veilen, dan krijg je ervoor wat ze waard is.'
Even later klinkt het eerste 'mijn'. De bloemkool is bij afslag verkocht aan degene die er de hoogste prijs voor wilde betalen; de concurrentie onder de kopers bij de Bakkersbrug maakt een einde aan de willekeur waarvan de tuinder tot nu toe vaak het slachtoffer werd.
Het 'mijn' van die julidag, in feite de eerste groenteveiling, legde de basis voor een nog altijd ijzersterk verkoopsysteem voor

bederfelijke produkten als groenten, fruit en bloemen dat op het ogenblik goed is voor een jaarlijkse omzet van ruim twee miljard gulden.

Vrij spel voor de handelaars

Ruim een eeuw geleden werd de Nederlandse tuinbouw geconfronteerd met een crisis, die vele bedrijven te gronde richtte. De 'gouden tijd' van de jaren zestig met zijn belangrijke aardappelexport naar Engeland was nog maar net achter de rug. Het toen al belangrijke tuinbouwgebied in de driehoek Den Haag-Rotterdam-Hoek van Holland, het Westland, zat in de jaren tachtig van de 19de eeuw in levensgrote problemen. Niemand van de tuinders bleek in staat op eigen houtje een einde te maken aan de ellendige situatie op afzetgebied. De kwekers waren geheel overgeleverd aan de willekeur van de kopers en dat was eigenlijk altijd al zo geweest. De tuinder was van 's ochtends zeer vroeg tot 's avonds laat met zijn gezinsleden en knechts in de weer. Aan de verkoop van de met zoveel zorg en moeite gekweekte produkten kwam hij eenvoudig niet toe. Daarvoor zorgden de opkopers die op de tuinen kwamen, en de commissionairs die zich voor rekening van de tuinder met de verkoop belastten. De handelaren hadden dus vrij spel en maakten daar, de goeden niet te na gesproken, gebruik van. Wat wist de tuinder immers van de marktsituatie en van eventueel te maken prijzen? De communicatiemiddelen waren primitief en de tuinders onderling spraken niet over wat ze voor hun produkten hadden gekregen. Dat was in die tijd nog een strikt persoonlijke zaak.

Die toch al afhankelijke positie werd nog verzwakt doordat de tuinder vaak kortlopende leningen bij de koopman sloot of een voorschot nam op de komende oogst.

Behalve een forse rente betekende dat ook een vaste band met die koopman. Ook waren er in die tijd nog geen regelingen over kwaliteit, sortering of verpakking. Iedere uniformiteit ontbrak, iedere eenheid eveneens.

De crisis van de jaren tachtig zorgde voor een doorbraak in die zin, dat hij de individuele tuinders bijeendreef. In deze periode werd de basis gelegd voor vele agrarische coöperaties op het terrein van afzet en financiering. Het veilingwezen en de boerenleenbanken, waarvoor in die jaren de fundamenten werden gelegd, zorgden voor een eerste herstel. Na veel strijd en dank zij het doorzettingsvermogen van

onvermoeibare pioniers groeide het besef dat men als tuinders samen sterk stond. De zwakte van het individu verkeerde in de kracht van het collectief. De coöperatieve gedachte schoot vooral in het Westland stevig wortel en zorgde er in belangrijke mate voor dat in dit gebied het grootste en sterkste glastuinbouwcentrum ter wereld kon ontstaan, een unicum dat vooral gedragen wordt door veilingen.

De groei van 'Europa's tuin'

De tuinbouw in West-Nederland was aan het einde van de 19de eeuw vooral in het Westland uitgegroeid tot een belangrijke bedrijfstak. Er was al een bescheiden tuin-

bouwtraditie door de in dit gebied gelegen buitenplaatsen met hun (moes)tuinen en de daarop aansluitende ontwikkeling werd gestimuleerd door de opkomst van steden als Den Haag, Delft, Rotterdam en, wat later, ook Leiden en Amsterdam.
Twee andere factoren die een belangrijke rol hebben gespeeld bij het ontstaan van wat we nu poëtisch 'de tuin van Europa' noemen, zijn de grondsoort en de gunstige invloed van het zeeklimaat.
Minder aandacht krijgt in deze ontwikkeling veelal de aanwezigheid van vaarwegen. Toch waren ook die voor de tuinbouwontwikkeling van belang omdat het vervoer destijds vrijwel uitsluitend over water kon plaatsvinden. Via het water werden de produkten vervoerd, werden meststoffen aangevoerd en vond de aanvoer plaats van zand uit de duinstreek ter verbetering van de grondstructuur. Pas veel later, in de jaren vijftig en zestig van de 20ste eeuw, werden veel vaarwegen gedempt en werd de auto het belangrijkste transportmiddel.
De tuinbouwbedrijven veranderden omstreeks de eeuwwisseling snel van gezicht. De 'grazige weiden, weelige akkers, vrugtbare teellanden en het heerlijk geboomte langs de wegen' van het midden van de 18de eeuw hadden al

plaats gemaakt voor met name de Westlandse boomgaard met de halfstamappel, de peer en de pruim, met daaronder allerlei soorten bessen. Snel werd echter de groenteteelt van groter belang, eerst vooral van grove groenten, later ook van aardappelen en van een Westlands produkt dat erg bekend is geworden, de druif. Tot omstreeks 1880 werden zogenoemde druivenmuren gebouwd om het gevoelige gewas te beschermen tegen gure winden. Later bouwde men aan de uiteinden van deze muren schermen die beteeld waren met pruimen of perziken. Een volgende stap was het plaatsen van ramen, de zogenoemde schietramen, schuin tegen deze muren. Omstreeks 1890 werden tegen de druivenmuren de eerste halve kassen gebouwd, niet al te lang daarna gevolgd door de eerste echte kas. Daarna ging het snel; nog juist vóór de eeuwwisseling wordt melding gemaakt van verwarmde kassen. Via de teelt van druiven was het Westland begonnen met de aanleg van wat thans is uitgegroeid tot een bijna onafzienbare glazen stad.

Opkomst van de veilingen
Inmiddels had, na veel moeilijkheden, ook het veilingwezen voet aan de grond gekregen. Vrijwel ieder Westlands dorp had zijn

Boven: de aanvoer van tuinbouwprodukten per boot bij de Broeker Veiling in het begin van deze eeuw.
Onder: de veilingklok die op het ogenblik nog in Broek op Langedijk wordt gebruikt, met een afbeelding van de veiling.
Rechts: een beeld van de Broeker veiling zoals die thans in bedrijf is, als een levende herinnering aan het verleden.

eigen veiling, gelegen aan vaarwater. De start van het coöperatieve veilingwezen vond veelal plaats in het dorpscafé. Het biljart was de uitstalplaats voor de produkten. Van verpakking was nauwelijks sprake; schitterende perziken zijn meer dan eens aangeboden in niet al te frisse sigarenkistjes.

Het veilingaanbod groeide snel en de biljarts en gelagkamers werden te klein. Er kwamen veilinglokalen en in het begin van de 20ste eeuw werd het eerste afmijntoestel, de 'veilingklok', in gebruik genomen. In de veilinggebouwen die later tot stand kwamen, was het in het aanvoerseizoen een komen en gaan van tientallen schuiten. Met behulp van de vaarboom werden de volgeladen schuiten het veilinggebouw binnengevaren en langs de veilingklok gevoerd, de beste produkten natuurlijk bovenop en vaak bekroond met een door de tuinder opgemaakte fruitmand, de grovere soorten onderin. Tot na de Tweede Wereldoorlog kende het Westland deze doorvaarveilingen. Van dit verleden, met z'n knusse veilinggebouwtjes en hun havens en overkapte aanleg- en loskaden, resten nu voornamelijk nog slechts vergeelde ansichtkaarten.

Oudste groenteveiling ter wereld

Datzelfde verleden herleeft overigens in Broek op Langedijk, in het rijk der duizend eilanden, dat al eeuwenlang een tuinbouwcentrum is. De Broeker Veiling, zo zeggen de bewoners van dit Noordhollandse dorpje met enige trots, is de oudste groenteveiling ter wereld. Tussen 29 juli 1887, toen bij de Bakkersbrug het eerste 'mijn' klonk, en het jaar 1896, toen de tuindersvereniging Langedijk en Omstreken werd opgericht, gebeurde het veilen ('mijnen') nog erg primitief. De kooplui stonden aan de kant langs de sloot; de tuinders voeren langs met hun volgeladen schuiten. Later kwam er een steiger; nog later werd die overkapt.

De gemeentebode fungeerde als onbezoldigd afslager. Hij kreeg evenwel fooien toegeschoven en wie de meeste fooien gaf, werd als koper het sterkst bevoordeeld. Later kwam er dus een bezoldigd en onpartijdig afslager, die vanaf 1903 ook het elektrische afmijntoestel bediende. De veiling groeide en in 1912 werd een nieuw veilinggebouw in gebruik genomen. Ook het produktenpakket breidde zich uit; behalve kool, aardappelen, uien, peen en kroten werden, meestal tijdelijk, ook andere groenten van de volle grond en soms wat kasgroenten aangeboden. Maar desondanks kwam de veiling niet echt tot bloei. De slechte verkaveling en ontsluiting van het gebied belemmerden de ontwikkeling van de tuinbouw en de ruilverkaveling van het Geesterambacht komt voor vele tuinders te laat. Eind 1973 moest de Broeker Veiling sluiten.

Op de plaats waar in 1887 de moderne ontwikkeling van het veilingwezen begon, herleeft nu het verleden. In het gebouw van 1912, dat thans dienst doet als

museum, werd op 23 juni 1977 het oude veilinggebeuren in ere hersteld. In de veilingbanken zit tegenwoordig het publiek dat door middel van de veilingklok kleine zakjes vroege aardappelen koopt en kroppen sla, maar ook kamerplanten en fruit. Eén druk op de knop is voldoende. In het sfeerrijke afmijnlokaal brengen meisjes in Westfriese klederdracht de koopwaar voor.

In een open of dichte boot kan de bezoeker van de Broeker Veiling dezelfde tocht maken als vroeger de tuinders met hun schuiten. Na een rondvaart om het veilinggebouw, langs het oude kerkje, de molen en de Broekersluis gaat het naar het Oosterdelgebied: het laatste ongerepte deel van het rijk der duizend eilanden. Een uitgestrekt gebied met door water omzoomde tuinderijen, rijk aan vogels. Daarna gaat het terug naar het buitenmuseum met de tuinderijen van toen. De akker met vroege aardappelen en kool, een oude boomgaard, een scheepshelling en veel historische gereedschappen. Veel visattributen herinneren aan de tijd dat de visserij een niet onbelangrijke bron van (neven)inkomsten was. Op een van de eilandjes bevindt zich een volledige kinderboerderij.

Minstens zo interessant is het binnenmuseum, met een unieke collectie schuiten en een rijke verzameling tuinbouwgereedschappen. Het veilinggebouw zelf kan van alle kanten worden bezichtigd;

een diaserie completeert het beeld van de ontwikkeling in dit gebied en verduidelijkt nog eens de gang van zaken in een doorvaarveiling. De Broeker Veiling is van 1 mei tot 1 oktober geopend van 10.00 tot 17.00 uur, met uitzondering van de weekends.

Veilingcomplexen van nu

Een volledig ander beeld dan dat van de Broeker Veiling bieden de enorme veilingcomplexen die thans in de belangrijkste tuinbouwgebieden van Nederland het beeld bepalen. In Nederland zijn nog ongeveer 60 groente- en fruitveilingen en ruim 10 snijbloemen- en potplantenveilingen. De grootste ervan vinden we in het westen van het land, waar ook de meeste glastuinbouw geconcentreerd is.

De Aalsmeerse bloemenveiling, waarvan de jaaromzet een miljard gulden gaat naderen, is zeker een bezoek waard. Ze kan het gehele jaar door worden bezocht, hetgeen ook geldt voor de bloemenveiling in het Westland, in Honselersdijk, die qua grootte op die van Aalsmeer volgt. De groenteveilingen kennen veelal geen aparte bezoekersservice maar kunnen, na afspraak, wel worden bezocht. Het Westland kent nog drie grote groenteveilingen, in De Lier, 's-Gravenzande en Poeldijk. Veilingcomplexen zijn er verder onder andere in Bleiswijk, Barendrecht, Grubbenvorst en Bemmel.

In 's konings kielzog de golven in

MARC CONSTANDT

Onder: hoe weinig er in de meeste delen van de stad is overgebleven van de oude glorie blijkt uit een vergelijking van deze foto, die de situatie van het ogenblik weergeeft, met die op de volgende bladzijde boven. Beide zijn gemaakt vanaf nagenoeg hetzelfde standpunt bij de Albert I Promenade. Hier paradeerden vroeger de rijke toeristen in wat veel weg had van een permanente modeshow.

Een van de eerste trekpleisters van het ontluikend toerisme in de 19de eeuw was de Belgische badplaats Oostende. Door de aard van het vreemdelingenverkeer in die tijd (duidelijk een 'rijkeluistoerisme') en door het feit dat de Belgische vorsten in de zomer meestal in Oostende resideerden en in hun kielzog een deel van de internationale high society in de badplaats neerstreek, kreeg deze Belgische kustplaats een stempel van bijna monumentale chique opgedrukt. De herinneringen aan die tijd zijn in het Oostende van vandaag schaars geworden, maar voor hen die er oog en gevoel voor hebben, is de sfeer van toen nog duidelijk waarneembaar.

Het toerisme in Oostende begon omstreeks 1780. Op initiatief van Engelsen werden daar toen de eerste zeebaden genomen en in 1784 kreeg de Engelsman William Heskett toestemming in een eenvoudig barakje verfrissingen te verkopen aan de badgasten.

Hoewel het baden in zee in de 19de eeuw een vrij omslachtige bezigheid was, werd het toch een populair vermaak. Na het kopen van een kaartje mocht men plaatsnemen in een genummerde badkar die vervolgens door een koetsier te paard een eindje in zee werd gereden. Daar kon dan

tenslotte de verfrissende plons plaatsvinden. Onervaren baadsters konden desgewenst, maar wel tegen betaling, de hulp krijgen van een badvrouw. Virginie Loveling, een Vlaamse schrijfster, beleefde dit als volgt: 'Wij zagen ze (de baadster) door het wijf, dat half uit het water recht bleef staan, ginder ver, vastgehouden, met het hoofd onder opkomende baren duiken.' Het vrouwelijk schoon, verpakt in een uitvoerig badpak, lokte veel geïnteresseerden; vaak werd geklaagd over gluurders. De reddingsdienst hield een oogje in het zeil om al te geestdriftige baders te

waarschuwen. Behouden uit zee teruggekeerd kon de bader zich neervlijen in
een strandstoel om van de doorstane emoties te bekomen. Intussen konden de kinderen een tochtje maken op een gehuurde
ezel of pony.

Behalve de baden vormden ook de gunstige verbindingen met Oostende een sti-
mulans voor het toerisme. Van 1838 af
kon de vakantieganger vanuit Brussel
naar de kust sporen en na 1846 was er ook
een goede verbinding met Dover. Daarbij
kwam in 1885 nog een stoomtram, die
later geëlectrificeerd werd. Omstreeks
1921 vervolmaakte een vliegveld het com-
municatienet.

Vorsten, villa's en bookmakers

Doordat de koningen Leopold I en II
's zomers meestal in Oostende verbleven,
betekende dit in feite de tijdelijke overbrenging van het koninklijke hof naar de
kust. Dit trok natuurlijk de *high society*
aan. Industriëlen, edellieden en binnen- en
buitenlandse hoogwaardigheidsbekleders
lieten zich graag in Oostende zien. Zo
kwam in 1890 en 1905 de Duitse keizer
Wilhelm II op bezoek, was in 1900, 1902
en 1905 de sjah van Perzië present en had
de Belgische koning in Oostende vrij
regelmatig contact met kolonel North, de
Engelse 'nitraatkoning', die in 1892 en
1893 in de Belgische badplaats een paar
toeristische activiteiten steunde.
Aangetrokken door de drie troeven van
Oostende – zeebaden, goede verbindingen
en koninklijke residentie – vonden veel
toeristen de weg naar de Belgische kust.
Lange tijd moesten ze onderdak zoeken in
de binnenstad, want aanvankelijk waren
daar de enige hotels gevestigd. In die binnenstad verrezen ook de eerste vermaaks-
centra: het Casino, gehuisvest in het stadhuis, in 1836, en het eerste Koninklijk
Theater in 1845. Doordat Oostende tot
1865 een militaire vesting bleef, droeg de
kuststrook langs de zee lange tijd een militair karakter; er werden uitsluitend houten
paviljoens gebouwd waarvan er een tot
Kursaal werd gepromoveerd.
Na 1865 werden op de zeedijk de eerste
stenen gebouwen opgericht, maar de grote
doorbraak vond eerst plaats in 1874. In
versneld tempo werden op de dijk villa's
en hotels in de meest luxueuze uitvoering
opgetrokken, zo zelfs dat men sprak van
een permanente architectuurtentoonstel-
ling. De bekroning van dat alles werd de
nieuwe Kursaal, die in 1878 werd ge-

opend. Grote vedetten als Caruso en Tino
Rossi brachten er de gasten in vervoering
en de roulette trok veel publiek – al was
het gokken nog niet gelegaliseerd, zodat
de politie vaak moest optreden.
Vrouwe Fortuna kon men ook tarten op
de paardenrenbaan. Engelse toeristen
zorgden al in 1830 voor de invoering van
het paardenrennen en van de eerste *book-
makers*. In de jaren daarop werd dit
vermaak op vrij onregelmatige tijdstippen
en onder primitieve omstandigheden
voortgezet. In 1883 echter werd nabij het
fort Wellington de eerste, echte renbaan
geopend, de Wellingtonbaan, die haar
naam niet alleen te danken had aan haar
ligging maar ook aan haar beschermheer,
de hertog van Wellington.
Bij de renbaan werd het Royal Palace
Hotel gebouwd. Deze 'parel onder de
hotels' genoot het voorrecht het merendeel
van de voorname bezoekers te mogen her-

bergen. Met z'n liefst 400 kamers kon het
Royal Palace zelfs ruim uitgevallen
koninklijke gevolgen zonder enige problemen huisvesten. Tijdens de Tweede
Wereldoorlog werd zowel renbaan als
hotel vernield. De renbaan herrees; van
het eens zo fameuze hotel bleef alleen de
naam bewaard. Op de plaats waar het
eens had gestaan, verscheen later een flatgebouw ten behoeve van het naoorlogse
appartementstoerisme.

Het Koninklijk Theater (het tweede; dat
van 1845 werd in 1905 vervangen), waarin
onder andere Sarah Bernhardt optrad,
ontwikkelde zich eveneens tot een
belangrijke trekpleister, al werd het stevig
beconcurreerd door music-halls en varié-
tézalen. Tot het ruime toeristische aanbod
behoorden verder panorama's (met taferelen als de Slag bij de IJzer uit de Eerste
Wereldoorlog), een zeeaquarium, schaats-

Rechtsboven: een opname
uit de jaren dertig van de
oude Kursaal aan de
zeedijk. De chique van een
eerdere epoque was toen al
danig aan het tanen, al had
de verwoestende Tweede
Wereldoorlog nog niet
toegeslagen.
Rechts: plattegrond van de
stad Oostende, met de route
en de punten die in het
artikel zijn beschreven.

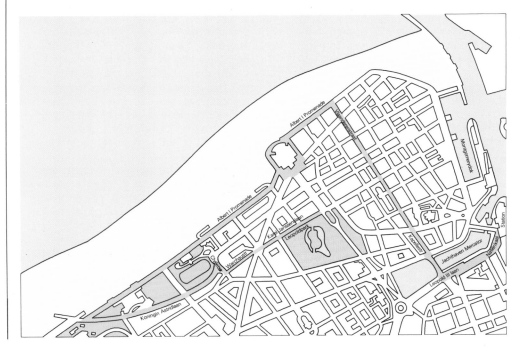

banen, tennisvelden en schietbanen. Toeristen met een wankele gezondheid hadden er een minder mogelijkheden. Lange tijd konden zij voor geneeskrachtig water alleen terecht in de kleine *Trinkhall* van het Leopoldpark. Later was het ook mogelijk kuurbaden te nemen in het Hydro-Therapeutisch Instituut (1885-1911), vlak naast de Kursaal, terwijl in 1933 bovendien het stedelijk Thermenpaleis in gebruik werd genomen.

Voor de wandelaar had (en heeft) Oostende wel heel wat te bieden. Het Leopoldpark (1861) en het Maria-Hendrikapark (1892) vormden een aantrekkelijk groengebied. Ook kon men wandelen op de zeedijk en op de pier, waar men deelnam aan een non-stop 'modeshow' van goedgeklede vakantiegangers. Bloemencorso's, vliegtuigshows, zeilwedstrijden en het strandleven zelf vormden daarvoor een uitstekend decor. Lange tijd waren dames onder zonneschermen een vertrouwd beeld op het strand – want bruinverbrand was in die tijd slechts degene die werkte...

Sporen van de 'goede, oude tijd'
De periode van het 'rijkeluistoerisme' is definitief voorbij. Door de sociaal-economische ontwikkeling en de toegenomen welvaart kreeg een steeds groter publiek de mogelijkheid deel te nemen aan een vorm van toerisme die zich ook gedurende wat langere tijd buiten de eigen woonplaats kon afspelen. Voorheen kwamen ook minder gefortuneerden wel eens per trein voor een 'zon'-dagje naar zee, maar daar bleef het dan ook wel bij. Mede door de opkomst van het massatoerisme verdwenen jammer genoeg veel restanten van het vreemdelingenverkeer dat zo kenmerkend was voor de 19de eeuw. Ook de Tweede Wereldoorlog legde veel in puin. Van het spoor van de toerist uit de 19de eeuw is dus betrekkelijk weinig terug te vinden.

Dat valt al op bij het eerste contact met Oostende. De treinreiziger komt thans aan in wat men het 'zeestation' placht te noemen. Nog altijd vertrekken vandaaruit de pakketboten, maar vroeger kwamen de treinen aan op het Ernest Feysplein, dat we passeren op onze weg van het station naar de Kapellebrug. Via deze brug komen we in de Kapellestraat, die toeristisch interessant werd doordat het eerste en het tweede station in haar verlengde lagen. Het toeristisch-commercieel belang van deze straat is opnieuw toegenomen sinds ze grotendeels tot verkeersvrije winkelstraat werd gemaakt.

Op het Wapenplein, waarop de Kapellestraat uitkomt, stond vóór de bombardementen van de Tweede Wereldoorlog het stadhuis. Het verhuisde naar het derde handelsdok en op het Wapenplein verrees een nieuw gebouw, het feestpaleis. Daarin zijn, behalve de stadsbibliotheek, ook twee musea ondergebracht: het Museum voor Schone Kunsten en het Heemkundig Museum. In dit laatste wordt een beeld opgeroepen van het leven in de vorige eeuw. Een blikvanger is de maquette van de tweede Kursaal. Interessant zijn de collectie foto's, prenten en affiches uit de gloriedagen van Oostende en de reconstructie van een visserscafé. Het museum is van 1 juli tot 30 september en tijdens de paasvakantie geopend van 10.00 tot 12.00 uur en van 15.00 tot 17.00 uur, de rest van het jaar van 10.00 tot 12.00 uur, behalve op zondag. Op dinsdagen en in de maand oktober is het gesloten.

In de Vlaanderenstraat bevindt zich op nummer 27 het Ensormuseum. Het is gevestigd in een huis waarin de oom van de schilder eertijds een souvenirwinkeltje dreef. De in Oostende geboren schilder James Ensor (1860-1949) heeft in zijn

Links: het westelijk deel van de zeedijk op een drukke stranddag in de jaren dertig.
Rechts: de Koninklijke Galerijen behoren tot de weinige, gave resten die herinneren aan het mondaine Oostende van de 19de eeuw.
Rechtsonder: ingeklemd tussen moderne flatgebouwen staan op de westelijke zeedijk deze villa's.

werk veel vastgelegd van de sfeer in zijn geboorteplaats in *La Belle Epoque*, onder meer in de ets 'Baden te Oostende' uit 1899. Een van zijn geliefde motieven was het carnaval dat in Oostende uitbundig werd gevierd en duizenden toeristen trok. Via de Vlaanderenstraat komen we op de Albert I-promenade, de voormalige zeedijk. Van de luxueuze zeedijkhotels van weleer is er maar één bewaard gebleven: het etablissement 'Les Heures Claires', een verbouwing van het 'Hôtel du Littoral'. Van andere hotels, zoals 'Belle-Vue' en 'Britannia' bleef als herinnering alleen de naam over.

Even verderop komen we aan de Kursaal, het centrum van de zeedijk en van het toeristisch gebeuren. Het huidige gebouw werd pas in 1953 geopend, ter vervanging van het 19de-eeuwse gebouw dat in de Tweede Wereldoorlog werd vernield. In de Kursaal wordt nog steeds het kansspel beoefend, terwijl er verder tentoonstellingen worden georganiseerd en muzikale evenementen plaatsvinden.

Voorbij de Kursaal, op het westelijke gedeelte van de zeedijk, zijn nog enkele herinneringen aan de 'goede, oude tijd' bewaard gebleven, onder andere een vijftal authentieke villa's tussen de Kemmelberg en de Parijsstraat. Enige ervan zijn ontworpen door de architect Antoine Dujardin (1848-1933), de bouwmeester bij uitstek van 19de-eeuwse toeristenvoorzieningen in Oostende. Aan de hand van die zeldzame voorbeelden kunnen we ons er een idee van vormen hoe de zeedijk er vroeger heeft uitgezien.

Drie gapers en dikke Matille

Aan de overzijde van de Parijsstraat is nog een onderdeel te vinden van het vroegere Koninklijk Chalet. Het zijn de zogenoemde Venetiaanse galerijen, die Leopold II in 1900 liet bouwen. De drie poorten verderop, waarvan er een gesierd is met een ruiterstandbeeld van koning Leopold II, worden in de volksmond 'de drie gapers' genoemd. Daarna bereiken we de Koninklijke Galerijen die een van de weinige overblijfselen uit *La Belle Epoque* vormen. Ze werden in 1906 gebouwd naar een ontwerp van de Franse architect Charles Girault en vormden een waarlijk koninklijk geschenk aan de stad. Na de 381,8 m galerij, met namaak-dorische zuilen, te hebben doorlopen, staan we meteen voor de nieuwe Wellingtonrenbaan die in 1947 werd geopend. Via de Koningin Astridlaan komen we voorbij het Ther-

menpaleis, een van de weinige historische gebouwen die Oostende nog rijk is. Het Thermaal Instituut geeft kuren met bron- en zeewater.

Weldra komen we bij het voor het publiek opengestelde Koningspark, dat vroeger aansloot bij het eerder vermelde Koninklijke Chalet, waarvan de plaats thans wordt ingenomen door de Koninklijke Villa. Via de Chaletstraat en de Warschaustraat komen we op het Leopoldplein met het ruiterstandbeeld van Leopold I uit 1901. Het Leopoldpark bereiken we via de Karel Janssenslaan. Voor de aanleg van dit park werd gebruik gemaakt van de grachten en glooiingen van de vroegere stadsomwallingen. Ook hier hebben veranderingen plaatsgevonden: de al eerder vermelde *Trinkhall*

is verdwenen, het oude postkantoor werd in de Tweede Wereldoorlog verwoest en een stuk park viel ten offer aan het doortrekken van de Leopold II-laan. Interessant zijn het bloemenuurwerk en de buste van James Ensor; vermakelijk het beeld dat 'de zee' voorstelt maar dat in de volksmond om voor de hand liggende redenen 'Dikke Matille' wordt genoemd. Van het 19de-eeuwse Oostende is dus in concreto niet zo heel erg veel overgebleven. Kursaal en renbaan zijn al aan hun zoveelste versie toe, het Koninklijk Theater werd vervangen door een immens flatgebouw en alleen de Koninklijke Galerijen en het Leopoldpark vormen nog vrij gave restanten die de herinnering levend houden aan de mondaine badplaats die Oostende in de 19de eeuw was.

Staalkaart
van het land van gisteren

PROF. DR. A.F. MANNING/M. LAENEN

Linkerbladzijde: steeds
meer zijn we ons de
laatste decennia bewust
geworden van een
'andere' geschiedenis
dan we gewoonlijk in
geschiedenisboekjes vinden.
Dat heeft tot gevolg gehad,
dat zowel in Nederland als
in België geprobeerd wordt
de overblijfselen van het
dagelijks leven van onze
voorouders te bewaren en
te cultiveren. Hiernaast
de restauratie van de kap
van een molen.
Onder: op veel plaatsen
werden op de avond van
11 november Sint-Maartensvuren ontstoken.

Natuurrampen, oorlogsleed, politieke
veranderingen, belastingen, pech, ordinai-
re misdaad, leven en dood: als we de
geschiedenisboeken en de moderne media
zouden geloven, bestaat de hele historie
daaruit. Toch, hoe belangrijk ook, voor de
meesten van ons is de wereld die we beleven kleiner. En tot voor honderd jaar was
dat zeker zo.
De meeste mensen leefden toen op het
platteland. Ze woonden en werkten er,
volgden het ritme van de seizoenen met
alle feesten en folklore die daarbij hoorden, dichtbij de natuur en ver van de 'grote' wereld. 's Zomers waren de dagen zo
lang, dat je nauwelijks genoeg slaap kreeg,
's winters zo kort dat de vrouwen tijd
te kort kwamen om kleren te verstellen en
de mannen om het gereedschap te onderhouden. Iedereen ging vroeg naar bed,
want tot in onze eeuw was de verlichting
slecht en op een boerderij met zoveel hout
en stro bovendien nog brandgevaarlijk.
Het leven op het platteland – dus van het
overgrote deel van de bevolking – was
geregelder en verliep minder jachtig dan
het onze. De routine overheerste: de boer
zaaide rogge, zoals zijn voorouders dat
gedaan hadden. De klompenmaker maakte dezelfde klompen op dezelfde manier
als honderd jaar daarvoor. En eeuwenlang
veranderde er vrijwel niets aan de rieten
daken van de boerderijen, de sikkels en
zeisen, in het kaasmaken of de slacht. In

het buitenland heeft men voor dit aspect
van de geschiedenis veel meer aandacht,
getuige onder meer de vele kleine plat-
telandsmusea. Maar ook daarbuiten worden in de meeste landen om ons heen
folklore en feestdagen vooral in de dorpen
in ere gehouden. Trouwens, in België leeft
dat ook sterker dan in Nederland.
In onze Lage Landen zijn de openluchtmusea van Arnhem en Bokrijk uit-
muntende gelegenheden om te zien hoe
onze voorouders eeuwenlang geleefd hebben. Het lijkt soms vreemd, maar tot twee,
drie generaties geleden verschafte de landbouw nog het overgrote deel van de bevolking werk. Zelfs de industrialisatie, die in
onze streken pas in de laatste decennia
van de vorige eeuw goed op gang kwam,
veranderde dat niet zo snel.
Als de alledaagse werkelijkheid van toen
ergens zichtbaar wordt, dan wel in die
musea waar niet de uitingen van nationale
grootheid of spectaculaire kunst bijeengebracht zijn, maar waar het gaat om het
dagelijkse doen: om de huizen van vroeger, om de oude ambachten en werktuigen, om het vervoer van vee en
akkerprodukten in waterland, om de keu-
kenuitrusting van vóór het koelkast- en
gasfornuis-tijdperk.
Zeer zeker tot de laatste wereldoorlog
stond de volkskunde of heemkunde, die
zich op wetenschappelijk niveau bezig-
houdt met de bestudering van de materiële

Hiernaast: in het voorjaar dansten de boeren om de meiboom, die werd opgericht als symbool van het nieuw ontwaakte leven.

en niet-materiële cultuur van het platteland, in de belangstelling. Doordat in Duitsland de volkskunde gekoppeld was aan politiek en nationalistische ideologie, ging men er in verschillende landen minder van horen, niet in het minst ook omdat een aantal sibbekundigen en volkskundigen in het vaarwater van de Duitse cultuurpolitiek terechtkwam. Gelukkig leeft de belangstelling voor andere aspecten van de geschiedenis dan de 'officiële' de laatste jaren weer op.

Feesten en folklore
Bij de niet-materiële cultuur hoort van alles: verhalen, liederen, toneel, processies, optochten, behendigheidsspelen, vendelzwaaien, schuttersfeesten en noem maar op.
De schietsport was in vele streken populair. Natuurlijk waren er allerlei varianten, zoals doelschieten en gaaischieten. Vaak werd geschoten op een schutsboom van 20 tot 25 m hoog, soms ook op de 'liggende wip'. Het koningschieten in Noord-Brabant was voornamelijk een groot feest, terwijl de Limburgers het schieten serieuzer beoefenden. Schietwedstrijden eindigden vaak in uitbundige feesten, maar soms ook in heftige ruzies, zoals bijvoorbeeld in 1857 tussen de schutterij van Puth en die van 'Sint Sebastiaan' in Schinnen.
Op de Brabantse zandgronden in Nederland leefden de schutters zich tijdens de schietfeesten een dag lang uit. Eén dag

waren ze hopman, schatbewaarder, cornet, busmeester, standaardrijder, vaandelzwaaier, hellebaardier, tamboer-majoor, trommelslager, deken, koningsdeken of zelfs schutterskoning. Als schitterende cavaleristen zaten ze trots te paard, de eeltige werkhanden in vuil-witte handschoenen, met hun grote hoeden zwaaiend naar de toeschouwers. De vendelier speelde met de gildevlag, die soms meer dan 16 kg zwaar was, een sierlijk spel, waar veel behendigheid en kracht voor nodig was, en waarbij de kijkers vooral geboeid werden door de ritmiek, de ingewikkelde figuren en de telkens wisselende kleuren rond het lichaam van de vendelier. En tot het feest behoorde natuurlijk het lessen van de dorst van de artiest en zijn bewonderaars, waarbij werd gezongen en waarbij de sterkste verhalen verteld werden.
Feesten waren belangrijk in die tijden, omdat zij de dagelijkse sleur doorbraken. Huwelijk, doop en begrafenis waren gebeurtenissen, waarbij, veel meer dan nu, de hele gemeenschap van buren, verwanten en dorpsgenoten betrokken werd. Eén van de belangrijkste huiselijke volksfeesten was Driekoningen. Op de schouw werd een driekoningenkaars geplaatst en onder begeleiding van de rommelpot zong men driekoningenliedjes. In protestantse streken evengoed als in roomse kozen de huisgenoten een koning door middel van een 'trekbriefje' of door een in een taart meegebakken boon. Kinderen liepen met een ster of een lampion langs de deur en

kregen een cent, wat snoep of een appel. Op Palmpasen konden kinderen zich uitleven met eieren tikken, koekhappen of trokken zij met de palmpaas – een stok versierd met een broodkrans of broodhaantje – door de buurt. Sommige feesten kenden hun eigen brood of mik: kerstbrood, paasbrood of Hubertusbrood, 'hupkes', tegen hondsdolheid.
In het zuiden was Sinterklaas een hoogtepunt, in het noorden Sint Maarten, een feest dat echter bijvoorbeeld ook in Venlo gevierd werd. Op de avond van de elfde november werden de Sint-Maartensvuren ontstoken in Utrecht, Groningen, in de Streek en op sommige plaatsen in Limburg. In een optocht droegen de kinderen hun eigengemaakte lampion rond. Die lampion was vaak uitgesneden uit een wortel, die op een stok was gestoken en waarin een kaarsje brandde. De schat aan liederen en verhalen die daarbij te pas kwam, vormt een brok rasechte volkscultuur.
Zowel op het platteland als in de steden keek men uit naar de kermis. Jubilea van een pastoor, een kapelaan, de onderwijzer of de dokter werden door de hele gemeenschap grondig gevierd. Gezelligheidsverenigingen hadden hun jaarlijkse feestdag of trokken naar regionale bijeenkomsten met al hun vaandels, uniformen en klederdrachten.
De 'gewone' zondagen verschilden eveneens van de werkdagen. Natuurlijk ging het huishouden gewoon door en moesten de dieren verzorgd worden, maar er werd minder gewerkt. Het gezin ging naar de kerk, naar de vroegmis, en de boerin en de kinderen vaak ook nog eens naar de hoogmis. Daarna deed de boerin haar inkopen bij de kruidenier of de textielwinkel en stapte de boer het café in om 'bij te praten'. Op zondag ging men, als dat nodig was, ook naar de dokter, de kwakzalver of de notaris. Na het middagmaal ging men weer naar de kerk: het 'lof', naar de 'heilige Familie' of de 'congregatie' en vervolgens naar het café om te kaarten en te kletsen. De jongens gingen naar het patronaat of naar een gezelligheidsvereniging; de meisjes flaneerden door de dorpsstraat. Men luisterde naar de fanfare, ging kijken naar de schutterij en ging kegelen of biljarten.
Het is allemaal te veel om hier te noemen: de liedjes, de verhalen die van generatie op generatie doorverteld werden, de volksdansen, de spelen, de optochten. Maar tot het cultuurbezit behoren ook het beleven van de seizoenen, het bidden om regen en mooi weer, de oogstgebruiken, en niet te vergeten het bijgeloof, de heksen en duivels, de angst voor de korendemon, voor de roggewolf, het middagspook en de watergeest.

Arnhem

In het openluchtmuseum van Arnhem ziet men, evenals in dat van Bokrijk, vooral de materiële overblijfselen van de platte-landscultuur in de vorm van huizen, hutten en gebruiksvoorwerpen. Het museum ligt even ten noorden van Arnhem op de Waterberg en werd in 1912 gesticht naar het voorbeeld van wat de Zweed Arthur Hazelius in 1891 te Skansen nabij Stockholm begonnen was. De bedoeling omschreven de Arnhemse initiatiefnemers als: 'het stichten en instandhouden van een openluchtmuseum, een verzameling van gebouwen en van al wat van belang is voor de bevordering van de studie der beschaving van de plattelandsbevolking, zoals die zich uit in woningbouw, dorpsaanleg, kleederdrachten, huisraad, werktuigen enz. enz.' Behalve door het aanleggen van een verzameling van huis-raad, kleding, gebruiksvoorwerpen en dergelijke, wilde men dit bereiken door het conserveren van complete gebouwen, door een studieoord in te richten voor de bestudering van de niet-materiële cultuur en door het organiseren van folkloristi-sche opvoeringen in het openluchttheater. Op 10 november 1913 kregen de stichters het bospark op de Waterberg van de gemeente Arnhem in erfpacht. In die tijd stond voorop dat het openluchtmuseum 'een cultuurplaats voor ons nationaal volksbestaan' dient te zijn, dat 'onze

onverbreekbare nationale eenheid' moest demonstreren, en dat de collectie 'ook van ons rijk en innerlijk volksleven' moest getuigen. Het was toen juist honderd jaar geleden dat Nederland het Franse juk had afgeschud. 'Arnhem' was een 'nationaal monument', of moest dat tenminste worden.

Boerderijen

Zoals gezegd zien de meeste bezoekers van het museum eerst en vooral de boer-derijen, hutten, molens, landbouw-werktuigen, rekken voor kannen en melk-emmers, fraaie boerensjezen, pramen, punters, interieurs van doodarme daglo-nershuisjes en pronkkamers van rijke boe-ren, volgepropt met kunst-aardewerk, snuiterijen, het koffieservies met kraantjespot, de staande klok, majestueu-ze kasten, bewerkte dekenkisten, kinder-wiegen en schommelstoelen. Het is natuurlijk onmogelijk hier de meer dan honderd grote en de duizenden kleinere objecten te beschrijven. Net zoals de bezoeker moet selecteren, is dat ook hier gebeurd.

Allereerst de boerderijen. Een in talloze varianten voorkomend type is wat men in Twente 'los hoes' noemt: woongedeelte en stal vormden één grote ruimte, waarin mens en dier leefden en waarin voorraden en werktuigen waren opgeslagen. Vorm, indeling en constructie gaan terug op de prehistorische plattelandsbouw en zijn tot

Boven: vlechtwerk met leem bepleisterd is een veel toegepaste bouwwijze. Onder: interieur van een Twents los hoes. De vloer bestaat uit kleine keitjes. In de schouw ziet men de grote koeketel om veevoer te koken. Rechts naast de schouw de draaipaal, waarmee de zware koeketel van het vuur gehaald kon worden. Geheel rechts de plaats, waar de koeien stonden, als ze op stal waren.

in de 19de eeuw nauwelijks veranderd. Uit het lemen 'los hoes' ontwikkelde zich soms de patriarchale hallehoeve: daar was het erf door forse eiken omgeven, er hoorden een boomgaard, een moestuin en een kruidentuin bij. Het geheel werd begrensd door een 'eekwal' van eikehakhout en wegedoorn. In het oosten van Nederland bleven de meeste boerderijen eenvoudig. In het woongedeelte lagen vaak veldkeitjes in plaats van een lemen vloer. Als de bewoners het wat minder arm hadden, was er een kachel of een schouw, maar meestal was het een kuil in de grond die als stookplaats diende. Daarboven bungelde een grote ketel om veevoer te koken en een kleine pot voor de boerenmaaltijd. Een houten plank op de vloer was de slaapplaats. Men sliep op stro. Water haalde men buiten uit de regenton of een waterput. Zijn behoefte deed men in een klein hokje bij de mestvaalt. De keuterboertjes vormden het landbouwproletariaat; ze beschikten alleen over een lapje slechte grond, hadden geen paard en geen andere landbouwwerktuigen dan spa, riek en bijl. Vaak probeerden zij wat bij te verdienen met hun weefgetouw. In Arnhem zijn ook andere boerderijtypen te bekijken. Bijvoorbeeld een uit het Zuidlimburgse Krawinkel. In de buurt van de dalen van Gulp, Geul en Geleen beschikten de boeren over weiden, boomgaarden en, op de lössplateaus, over vruchtbare akkers. De boerderijen werden gebouwd volgens een eenvoudige balkconstructie,

net als de schuren, waarin men pere- en appelstroop kookte. De zijgevel bestond uit vakken waarin verticale stokken stonden met horizontaal vlechtwerk. Met een pap van gehakt stro, mest en leem werd de wand dichtgemaakt. Als de boer welvarender werd, bouwde hij in baksteen en ging hij uitbreiden: uit de éénbeukige hoeve ontstond dan een monumentale gesloten hoeve, waarvan men ten zuiden van Sittard nog enkele prachtige exemplaren kan bewonderen. Aan de straatzijde ziet men een grote, gesloten poort met daarboven een pannendak en soms zelfs een torentje.
Eén vleugel bevat het woongedeelte. Stallen, schuren en andere bedrijfsgebouwen (spoelkeukens en het bakhuis om brood en vlaaien te bakken) werden daar haaks op gebouwd. Het geheel is een gesloten, vierkant complex met in het midden de mestvaalt. Vóór de boer kunstmest kon gebruiken, was de mest immers de rijkdom van de boer. Dat gold in de armere streken nog des te meer. Koeien werden in die tijd vaak alleen om de mest gehouden; geiten zorgden voor de melk.

Molens

Op de Waterberg is ook een tiental molens te bekijken. Men vindt er een oliemolen, een rosmolen, een waterradmolen waarmee papier gemaakt wordt, enkele windkorenmolens, standerdmolens en bovenkruiers.
Molens spelen in de historie, en met name

De boerderij uit Krawinkel in Zuid-Limburg: een gesloten vierkant complex.
Onder: schuur van de Limburgse boerderij in vakwerk gebouwd.
Rechterbladzijde boven: een van de bekendste plekjes in het Arnhemse Openluchtmuseum is de Zaanse Buurt. Hier de achterkant van het Koopmanshuisje.
Onder: de rosoliemolen, waarmee uit lijnzaad olie geperst werd.

in die van Nederland, een belangrijke rol. Behalve om de bakker van meel te voorzien, werd de molen voor tal van doeleinden gebruikt: de rosoliemolen, waarmee per dag 40 l olie uit koolzaad en raapzaad werd geperst; de gruttersmolen voor boekweitgrutten, waarvan de goedkope volkspap bereid werd in de tijd dat de aardappel nog niet op tafel kwam; de houtzaagmolen en de papiermolen. Sommige van deze molens werden aangedreven door een of meer paarden, andere door snelstromend water, maar de belangrijkste waren natuurlijk de windwatermolens die het grootste gedeelte van westelijk Nederland droogmaalden en drooghielden. Ze herschiepen plassen en meren tot weiland en vruchtbaar bouwland. Dat proces kwam kort na 1400 op gang en werd in de 17de eeuw vervolmaakt. Naast paardekracht was windkracht toen de belangrijkste energiebron in Nederland.

Een brouwerij

In elke streek stond vroeger wel een brouwerijtje. Dat van het Arnhemse openluchtmuseum komt uit Ulvenhout en heeft een inventaris van een brouwerijtje uit Sint-Oedenrode. De brouwer hoorde doorgaans tot de welvarende lieden van de streek. Behalve de brouwerij had hij meestal een café en exploiteerde hij een pleisterplaats voor ruiters en voerlieden. Het brouwen ging heel simpel: gerst werd natgemaakt en uitgespreid op de 'kiemvloer', werd daarna gedroogd en vervolgens gekookt in de brouwketel. Het brouwsel werd met de opgeloste suikers afgetapt, gekoeld en nog eens, maar nu te zamen met hop, gekookt. Daarna ging het nog eens de gistkuip in. De kuipen, roerijzers, graanscheppen, vatendragers en biervaten zijn ook aanwezig in het brouwerijtje.

De visserij

Op het platteland van weleer stonden her en der vissershuisjes en palingleurdershutten. Het Arnhemse openluchtmuseum heeft ook daar enkele voorbeelden van. Met eigen ogen kan men hier zien, dat het wonen daarin niet altijd even gezond was: het tochtte er, sanitaire voorzieningen ontbraken en regenwater diende als drinkwater. Tocht, vocht en slechte voeding waren de oorzaak van jicht, reumatiek of dodelijke tuberculose en waren verantwoordelijk voor een hoge zuigelingensterfte. Des te opvallender is de pronkzucht van de bewoners, zoals men dat ook kan zien in het uit Marken afkomstige exemplaar van het museum: aan de wandtegels, tabakspot, waterketel en haardplaat, aan de beschilderde meubels, de prenten van de Oranjes en de onvermijdelijke pronkbedstee, voor de sier opgemaakt, maar 's nachts gewoon in gebruik.

Het Koopmanshuisje

Eén van de grootste trekpleisters is het Koopmanshuisje uit Koog aan de Zaan. Na een wandeling komt men daar via een

schilderachtig houten ophaalbrugje en een daarop aansluitend pittoresk straatje. Het gereconstrueerde houten woonhuis dateert voor een deel uit de laatste helft van de 17de eeuw en voor de rest uit het midden van de 19de. Het was het onderkomen van een rijke burgerkoopman, die zijn huis en kantoor niet wilde hebben aan een Amsterdamse gracht, maar de voorkeur gaf aan het industriegebied aan de Zaan. Als de bezoeker binnenkomt, ziet hij eerst het kantoortje. Daarachter ligt de rijk ingerichte keuken. Dan volgt het 'luchthuis', een ruim vertrek met veel ramen en uitzicht op de rivier. De bewoners verbleven hier graag: de vrouwen zaten er te handwerken, de heren rookten er hun stenen pijp. Men deed er gezelschapsspelletjes en, naar de mode van de 18de eeuw, waren er allerlei

uitheemse snuisterijen en schelpen uitgestald en stonden er natuurkundige 'toestellen'. Door de gang teruglopend komt men aan de rechterkant tegenover het kantoortje en de keuken bij de 'pronkkamer', die overigens niet in de stijl van de tijd, maar 19de-eeuws is gemeubileerd. Iets dat men beslist niet mag overslaan is een wonderlijke collectie speelgoed, kleiner huisraad en kleding, dat bijeengebracht is in een enigszins achteraf gelegen expositiegebouwtje. Men ziet daar bijvoorbeeld de verschillen tussen de kindermutsen, die gedragen werden in Hulst en die uit het 12 km verderop gelegen Axel; verder talloze varianten aan mutsen en kappen, allerlei oorijzers, kerkschoenen van Staphorster vrouwen, lijfschorten van meisjes, zeven-weken-rouw- en driemaandse rouwkleding.

Bokrijk

In het openluchtmuseum van Bokrijk wordt een beeld gegeven van de agrarische samenleving in Vlaanderen. Dit museum vindt men in een domein te Genk, dat al in middeleeuwse geschriften vermeld wordt. De Provincie Limburg werd in 1938 eigenaar van dit domein. In 1953 werd er het openluchtmuseum gevestigd, waarin een beeld gegeven wordt van het dagelijks leven uit landelijk Vlaanderen. Er zijn door overbrenging, herbouw en herinrichting woonhuizen en bedrijfsgebouwen samengebracht uit de verschillende cultuurlandschappen.

De Kempen

Het oudste gedeelte van het museum is gewijd aan het landelijk leven in de Kempen, de arme, zandige heistreek in het noordoostelijk gedeelte van Vlaanderen. De gebouwen staan geschaard rondom een dorpsplein, waardoor als het ware een museumdorp ontstaan is: een centraal plein met kerk, herberg, pastorie en een aantal boerderijen en bedrijfsgebouwen. Het dorpje is driehoekig aangelegd, zoals dat destijds in vele Kempische dorpen het geval was. Het plein werd 'plaats', 'opstal', 'biest' of 'heuvel' genoemd en nam een belangrijke plaats in het gemeenschapsleven in. In het midden van het plein staat een indrukwekkende eik, die in het museum de functie van de oude gerechts-

boom vervult. Onder de boom vindt men een reconstructie van een schepenbank. Beide speelden een rol bij de rechtspraak tijdens het Ancien Régime. Iets verderop staat, tussen de indrukwekkende 12de-eeuwse kerk uit Erpekom en de 18de-eeuwse herberg 'In Sint Gummarus' uit Berlaar, de schandpaal of kaak, waar misdadigers tot voorwerp van bespotting en beschimping voor de gemeenschap te kijk gesteld werden.

Rond dit dorpsplein bevindt zich een aantal boerderijen, die getuigen van de armzalige omstandigheden waaronder de boeren in de Kempen hun leven sleten. Oorspronkelijk waren de Kempische bedrijven zogenaamde weidemestbedrijven: de grond werd bemest door het vee erop te weiden. Deze methode was niet toereikend om de akkers elk jaar voldoende te bemesten, zodat men al vlug naast de weidemest, die meestal door schapen werd geproduceerd, stalmest ging gebruiken. In het stalmestbedrijf stonden de dieren, meestal koeien, op stal. De stalmest werd vergaard in diep uitgegraven kuil- en potstallen. In de kuil stapelden zich het strooisel en de uitwerpselen van de dieren op. De lagen werden regelmatig met stro en heideplaggen bedekt, zodat een compacte mestlaag werd opgebouwd. Omdat de beesten grotendeels op stal stonden, was er stalvoer nodig. Daartoe werden in het 'huis', de belangrijkste leef- en werkruimte van de Kempische boerderij,

bijzondere voorzieningen getroffen. Het veevoer werd in 'den heerd' klaargemaakt in de koeketel. Met behulp van een grote draaipaal haalde men de ketel van het haardvuur af tot midden in het 'huis'. Daar werd hij op een wagentje geplaatst of werd rechtstreeks tot bij de voederbakken van de dieren gebracht.

De meest eenvoudige boerenbedrijven in de Kempen, die maar een paar hectaren akkergrond groot waren en waar men slechts enkele dieren kon houden, vindt men terug in de zogenaamde langgevelhoeven, waarin alle woon- en bedrijfsruimtes onder één dak verenigd zijn. De voorgevel staat altijd op het zuid-zuidoosten om zoveel mogelijk gebruik te maken van natuurlijk licht en warmte. De wandhaard, die sinds de tweede helft van de 15de eeuw de vroegere centrale stookplaats verving, gaf wel een aangename warmte vlak bij het vuur, maar verwarmde de rest van de ruimte nauwelijks. Pas na de introductie van de 'Leuvense stoven', omstreeks het midden van de 19de eeuw, kon de ruimte gelijkmatig verwarmd worden. Aan de oostelijke kant van de boerderij bevond zich de woonruimte, de kamer of 'beste kamer', die slechts bij bepaalde gelegenheden gebruikt werd en ook als slaapkamer diende. Verder naar de westkant volgde het reeds vermelde 'huis' of keuken, waarin men dagelijks leefde en werkte. Deze kamer stond met alle andere ruimtes van de boerderij in verbinding. Daaraan grensde de stal, waarvan de koebakken vaak in het huis zelf uitmondden. Geheel aan de westkant bevonden zich de dorsvloer en de schuur. Deze boerderijvorm dateert vermoedelijk uit de 17de eeuw.

Het oudste voorbeeld van dit soort boerderijen in het museum is van 1679 en stond in Heist-op-den-Berg in de Antwerpse Kempen. De meest recente voorbeelden zijn de 19de-eeuwse boerderijen uit Houthalen-Kwalaak en Helchteren, beide in de Limburgse Kempen.

Rechterbladzijde boven: in het Kempische dorp van het museum Bokrijk staat deze 12de-eeuwse kerk, afkomstig uit Erpekom. Onder: een voorbeeld van een Kempisch woonstalhuis: uit het begin van de 17de eeuw. Karakteristiek is de overkraging aan de oostkant. Hieronder: het Limburgse museumdorpje is gebouwd naar het dorpsplan van Ulbeek. In dit dorpje deze wat grotere pachthoeve uit Lummen. Duidelijk herkenbaar is op deze afbeelding de L-vorm.

Woonstalhuizen

De Kempische woonstalhuizen, imposante driebeukige boerderijen, waarin mens en dier onder één dak leefden, zijn veel ouder. De oogst werd hier opgeslagen in losstaande schuren. Ook elders in Europa treft men dit type aan. De Kempische variant onderscheidt zich echter van de andere door de potstal, die men, gedwongen door de bodemgesteldheid, invoerde en waardoor de eigen structuur van de boerderij bepaald werd. Ook het woonstalhuis lag met de voorgevel op het zuid-zuidoosten. Centraal vindt men het 'huis' of de keuken, vanwaaruit men alle andere ruimtes van de boerderij – de kelder, de kelderkamer, de beste kamer en de

stal – kon bereiken. Aan de noordkant van de keuken bevindt zich de zogenaamde 'moos', waar men boter karnde en de vaat deed. In het museum vindt men twee voorbeelden van dit type boerderij: een uit Oevel uit de 18de eeuw en een uit Vorselaar van omstreeks 1600. Ze werden ingericht met interieurs uit dezelfde periodes. Naast de langgevelhoeven en de woonstalhuizen vindt men in Bokrijk nog drie woonvormen uit de Kempen. Allereerst de kelderhut uit Koersel, een reconstructie naar de tekeningen van Ch. Wellens: een komwoning, half in de grond gebouwd. Een lage wand en een laagreikend strodak waren de enige beschutting tegen de soms barre weersomstandigheden. De kelderhut

Boven: het paanhuis uit Diepenbeek werd opgetrokken in Maaslandse baksteenbouw. In het paanhuis vindt men de inventaris van een complete brouwerij.
Onder: de meeste gebouwen in het openluchtmuseum van Bokrijk zijn met oorspronkelijk meubilair ingericht, zoals ook dit huis uit Lokeren.

geeft een goed beeld van de omstandigheden, waarin een arme bezembinder aan de rand van de heide in de Limburgse Kempen leefde.

Het 'hooghuis' uit Tessenderlo steekt daar schril bij af. Het is een bakstenen herenboerderij met één verdieping. De pachter van dit 'hooghuis' had het recht duiven te houden, een voorrecht dat in de middeleeuwen aan de aristocratie en de kloosters was voorbehouden. Na het verval van het feodale systeem werd dit recht ook verleend aan pachthoeven, die een bepaalde hoeveelheid bouwland omvatten.

Ook het 'teutenhuis' uit Eksel uit 1733 getuigt van de grote maatschappelijke verschillen. In dit type huizen woonden de Teuten, die zich bezighielden met de ambulante handel in de Noordlimburgse dorpen.

Zuid-Limburg

In een tweede gedeelte van het openluchtmuseum wordt een beeld gegeven van de agrarische situatie in Zuid-Limburg. Dit gebied maakt deel uit van de vruchtbare zone, die zich ten zuiden van de heidestreken van noordelijk Vlaanderen uitstrekt van de Maaskant tot in Zuidoost-Vlaanderen.

Ook in deze streek was de spil van het boerenbedrijf de mestproduktie. Doordat de boeren in staat waren de mestproduktie te verhogen, konden zij naast hetgeen nodig was voor de eigen behoefte, ook percelen bebouwen voor de handel. Dit proces kwam vanaf het midden van de 18de eeuw op gang.

Graangewassen behoorden tot de belangrijkste produkten; in het begin voornamelijk rogge, maar vanaf het begin van de 17de-eeuw werd ook tarwe verbouwd, vooral in combinatie met rogge, de zogenaamde masteluinteelt. Daarnaast werden gerst voor het brouwen van bier, haver en

hooi voor de paarden, peulvruchten en
koolgewassen voor de koeien verbouwd.
Als handelsprodukten teelden de boeren
koolzaad voor de olieproduktie en hennep
voor ruwe stoffen en touw. Van vrij recente datum is de fruitteelt. Vroeger had elke
boerderij voor eigen gebruik wel haar
eigen boomgaard met appel- en perebomen, maar tussen beide wereldoorlogen
werden nogal wat akkers en weilanden in
boomgaarden omgevormd.
Het Zuidlimburgse museumdorpje in
Bokrijk is gebouwd naar het bouwplan
van het dorpje Ulbeek, zoals dat er in het
midden van de 19de eeuw uitzag. In de
dorpskern vindt men de verschillende
ontwikkelingsfasen van de Zuidlimburgse
boerderijen. Het dorpje is omgeven door
akkers, weilanden, boomgaarden en
hagen: de typische kenmerken van de
streek.
De meest eenvoudige en archaïsche
woning ziet men in het 19de-eeuwse
daglonershuisje uit Kortessem. Duidelijk
is het verschil in grondplan in vergelijking
met de Kempische boerderijen. Het 'huis'
betreedt men via de 'nere', een klein por-
taaltje, dat men in alle Zuidlimburgse
boerderijtypen aantreft. De kleine bedrijven in deze streek werden al snel uitgebreid met schuren en stallen. Die werden, net als in Nederlands Limburg, parallel aan of haaks op het huis gebouwd,
zodat men nogal wat variatie in vorm aantreft: L-vormig, U-vormig en vierkant. De

Boven: olieslagmolen uit
Ellikom: een watermolen,
waarmee olie gewonnen werd
voor gebruik in de keuken
en voor lampen en verven.
Midden: deze boerderij is
afkomstig uit het Vlaamse
Lokeren. Zij bestaat uit
losse bestanddelen, die
haaks op elkaar zijn
geplaatst. Rechts het
bakstenen woonhuis, midden
de grote schuur.

varkenskotten werden gebouwd tussen de
schuren en stallen, en sloten zo het
vierkant af. Een voorbeeld van deze
vierkantboerderijtjes is afkomstig uit
Beverst en dateert van 1783.
De meeste kleine boerderijen in Zuid-
Limburg zijn gebouwd van hout, leem en
stro. Op dezelfde manier werden ook grotere pachthoven gebouwd, zoals de Cont-
zenboerderij uit Klein-Hoesselt die, afwijkend van de kleinere bedrijven, niet uit-
groeide tot vierkantboerderij, maar waar
losse bebouwing werd toegepast. Merkwaardig is hier de aanwezigheid van de
herenkamer: een verblijf voor de eigenaar,
waar de pachter geen toegang had. Deze
kamer bevat het beste meubilair en heeft
een WC op de verdieping.
Het Duifhuis uit Sint-Truiden is een voorbeeld van een groot boerenbedrijf; deze
grotere bedrijven waren vaak eigendom
van kloosters, kapittels of heren. Ze zijn
gebouwd in baksteen of natuursteen. In
het museumdorpje vindt men ook een
17de-eeuwse brouwerij, die naar de naam
van de grote brouwketel de 'panne' of
'paenhuys' genoemd wordt. Onder strenge
controle van de dorpsheren, die bierac-
cijns inden, brouwden de dorpelingen hier
hun eigen bier. In de panne ziet men nog
goed hoe dat gebeurde.

Oost- en West-Vlaanderen
In het derde gedeelte van het openluchtmuseum zijn, zonder dorpsverband,
boerderijen uit Oost- en West-Vlaanderen

herbouwd. Van de zandgronden van Bin-
nen-Vlaanderen, ten noorden van de grens
Diksmuiden-Tielt-Deinze-Gavere en de
Schelde zijn twee boerderijen in het
museum aanwezig: het postje uit Loppem
bij Brugge uit 1735 en de Waaslandse
hofstede uit Lokeren. Het boerderijtje uit
Loppem is één van de kleine bedrijfjes die
in deze streek werden gebouwd toen men
in de 18de eeuw deze schrale gronden
opnieuw in cultuur bracht. Het bestaat uit
een woonhuis, een schuur en een bakhuis.
De stal ontbreekt nog.
De boerderij uit Lokeren is een goed voorbeeld van het type uit deze streek. Zij
bestaat uit losse bestanddelen, die haaks
op elkaar zijn gebouwd. Het erf wordt
omzoomd door hagedoorn en voor het
woonhuis staan enkele fruitbomen. In één
van de hoeken van het erf bevindt zich een
apart bakhuis met een kelder voor stalmest, afkomstig uit Waasmunster. Typisch
voor deze streek is dat stal en schuur
onder één dak zijn gebracht. Bij de herbouw in het museum werd hout uit de
18de eeuw gebruikt.
Het woonhuis uit 1751 is in baksteen-
metselwerk opgetrokken met natuurstenen
omlijstingen voor de vensters en de deuren, waaruit duidelijk de invloed van de
stedelijke architectuur blijkt.

Brugse en Scheldepolders
Aan de afmetingen van de 13de-eeuwse
schuren uit de Brugse polders kan men de
rijkdom van dit gebied zien. Al in het

begin van de 13de eeuw werd in de door de graven van Vlaanderen en de abdijen drooggelegde polders tarwe verbouwd. De Scheldepolders kenden een meer bewogen geschiedenis: ondanks alle maatregelen werd het gebied regelmatig geteisterd door overstromingen. De meeste inpolderingen werden hier in de 18de en 19de eeuw uitgevoerd.

Ook uit deze poldergebieden zijn enkele gebouwen in het museum te zien. De schuur uit Oorderen is een typisch voorbeeld van de bouw in de Scheldepolders. De monumentale schuur met een indrukwekkende overkapping bevat de opslagruimte voor het koren en enorme paarde- en koeiestallen. De knech-

tenkamer was ook in de schuur ondergebracht. Twee daglonershuisjes in de schaduw van dit gebouw getuigen van het magere leven van de landarbeiders.

Uit het Brugse poldergebied komt de schuur uit Zuienkerke, die eigendom was van het Sint-Janshospitaal te Brugge. Het is een enorm bouwwerk van hout en baksteen uit de 14de eeuw. Aan de zuidelijke rand van het gebied in het museum staat de mikke uit Lo, een 'bergschuur' uit de 18de eeuw als voorbeeld van de nieuwe aanpak van de bouw van boerderijen uit het begin van die eeuw.

Zuidelijk Vlaanderen

Het zuidelijk gedeelte van Vlaanderen was

deels bebost en deels in cultuur gebracht. De grond, bestaand uit leem en zandleem, was betrekkelijk makkelijk te bebouwen. Uit deze streken werden verscheidene boerderijen of (voorlopig nog) onderdelen ervan bijeengebracht.

Uit Engelmunster komt een duiventoren uit 1634. Verder staan er in Bokrijk drie boerderijen uit het zuidelijk deel van West-Vlaanderen. De eerste is typisch voor de hopstreek rond Poperinge: de hommelhofstede (hommel = hop). De hoeve wordt omringd door een gracht, waarlangs knotwilgen en hazelaarstruiken groeien. Daarnaast staat een boerderij uit het Veurnse Houtland, waarvan schuur, rosmolen en woonhuis hierheen werden

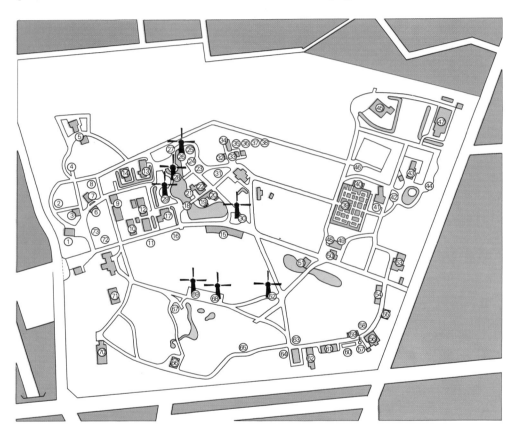

Boven: plattegrond van het Openluchtmuseum Arnhem:

1. Rosoliemolen
2. Vogelvangershut
3. Kleine Veluwse boerderij
4. Expositie bijenhouderij
5. Betuwse boerderij
6. Vloer van veldkeitjes
7. Veluwse daglonershuisjes
8. Gelderse schapestal
9. Achterhoeks boerderijtje
10. Boerderij uit het Land van Vollenhove
11. Duiventil
12. Staphorster boerderij
13. Oud-Beijerlandse boerderij
14. Giethoornse boerderij
15. Veldjes met ouderwetse akkerbouwprodukten
16. Palen voor wedstrijd-schieten
17. 'Stolp'-boerderij
18. Dubbele ophaalbrug
19. Zaans Koopmanshuis

20. Zaanse middenstandswoning
21. Zaans wagenhuis
22. Expositiegebouw
23. Scheepswerfje
24. Markens vissershuisje
25. Texelse schapeboet
26. Kleine windwatermolen (aanbrengertje)
27. Palingleurdershut
28. Windmolen voor houtzagerij
29. Windwatermolen
30. Windkorenmolen
31. Wasserij
32. Groningse burgerwoning
33. Gelders schuurtje
34. Tilburgse arbeidershuisjes
35. Klompenmakerij
36. Gronings arbeidershuisje
37. Hoefstal
38. Landarbeidershuisje
39. Kruidentuin
40. Expositieruimte
41. Herberg-boerderij 'De Hanekamp'

42. Dorpsschooltje
43. Drentse boerderij
44. Daglonershut
45. Friese boerderij
46. Schapestal
47. Oldambster boerderij
48. Pronkkamer uit Hindeloopen
49. Rosmolen voor grutterswaren
50. Gelderse boerderij
51. Waterradmolen voor papierfabricage
52. Windkorenmolen
53. Brabantse boerderij
54. Kempische boerderij
55. Brouwhuis met bakhuis
56. Kleine Zuidlimburgse boerderij
59. Zuidlimburgse schuur
60. Handboogschietbaan
61. Expositie
62. Aula en expositie
63. Drentse tuinkoepel
64. Tolgaarderswoning
65. Grenspaal van jachtgebied
66. Twents boerderijtje
67. Twents bakhuis

68. Kleine windwatermolen
69. Kleine windwatermolen
70. Expositie klederdrachten
71. Houtloods
72. Achterhoeks boerderijtje
73. Achterhoekse radmakerij

overgebracht. In beide gevallen zijn het kleinere bedrijven. De Westvlaamse abdij-hoeve, waarvan de schuur, de mikke uit Lo, al eerder genoemd werd, getuigt van een geheel andere sociale achtergrond. De boerderij, uit baksteen opgetrokken, behoorde destijds tot de bezittingen van de abdij van Eversam. Zij werd verscheidene malen verwoest en opnieuw opgebouwd en is nu een van de meest indrukwekkende gebouwen uit het Westvlaamse gedeelte van het museum. Zij bevat een zeer ruime voutekamer (opkamer) en een kelder; verder is de klassieke indeling van huis en kamer terug te vinden. Op het erf staat een rosmolen uit Lampernisse, die door paarden in beweging werd gebracht.

Met deze molen werd vroeger koren gemalen, maar er was ook een karninstallatie in aangebracht. De molen is van het binnenlooptype: het paard liep binnen het gebouw.

Hiernaast: wegkapelletjes als deze uit Lummen ziet men nog steeds in de overwegend katholieke streken van Nederland en België.

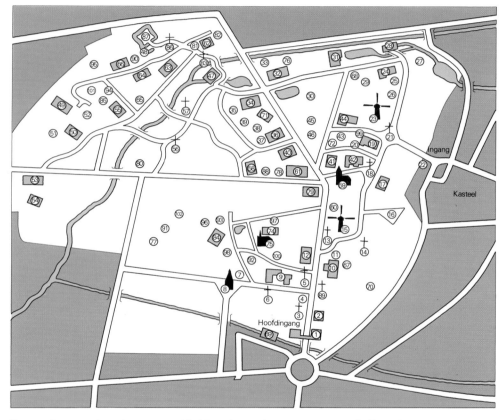

Boven: plattegrond van het Openluchtmuseum Bokrijk:

1. Woonhuis Haspengouwse vierkanthoeve
2. Tolhuisje
3. Limburgse pijlerkapel
4. Grenspaal rechtsgebied
5. Limburgs wegkruis
6. Limburgs zoenkruis
7. Grenssteen heerlijkheid
8. Kapel O.L.V. van ter beek
9. Boerderij uit Klein-Hoesselt.
10. Vakwerkhuis Kortessem
11. Bakhuis
12. Paanhuis
13. Pijlerkapelltje
14. Wegkruis
15. Windkorenmolen
16. Wip of schietboom
17. Kelderhut
18. Kapelletje uit Lummen
19. Boerderijtje uit Houthalen-Kwalaak
20. Bakhuis met varkenskot

21. Hasselts wegkruis
22. Toegangshek
23. Staak- of standerdmolen
24. Boerderijtje Helchteren
25. Varkenshok
26. Limburgse bakoven
27. Touwslagerswerkhuisje
28. Olieslagmolen
29. Schaapskooitje
30. Kempisch dorpsplein
31. Kempische Kilbershoeve
32. Kempische schuur
33. Turfhuis of turfschob
34. Oevelse abdijhoeve
35. Bakhuis
36. Kempisch boerderijtje
37. Varkenshok
38. Kempisch sekreet
39. Groot bakhuis
40. Schuurtje met hanebalkendak
41. Kempische schuur
42. Boerderij uit Lummen
43. Schuurtje met karhut
44. Boerenhuis Vorselaar
45. Schepenbank
46. Schandpaal of kaak
47. Watermolen

48. Bosschans
49. Westvlaams boerderijtje
50. Westvlaamse schuur
51. Rossekot
52. Westvlaams wagenhuis
53. Driebeukige schuur
54. Hommelkete (droogoven)
55. Mikke (westvlaamse polderschuur)
56. Wegkruis
57. Wegkapelletje
58. Zelseschans
59. Kerkje uit Erpekom
60. Grens- of paalsteen
61. Herberg 'In Sint-Gummarus'
62. Boerderij uit Lokeren
63. Schuur uit de Scheldepolder
64. Postje uit Loppem
65. Westvlaamse schuur
66. Wethuis
67. Middenlimburgse zwijnestal
68. Limburgse smidse
69. Washuis

70. Boerderij uit de Voerstreek
71. Kempense varkensstal
72. Teutenhuis uit Eksel
73. Zaagkuil
74. Vakwerkhuis uit Ulbeek
75. Kapel van de 'Natte Bampt'
76. Hooghuis uit Tessenderlo
77. Brabants boerderijtje
78. Karschob
79. Dorpswoning uit Wortel
80. Herenhuis 'Ter Borcht'
81. Oostvlaams bakhuis
82. Schuur uit Lokeren
83. Wegkruis Molenbeersel
84. Vierkantboerderij
85. Westvlaams rossekot
85. Rosmolen
86. Wegkapelletje
87. Limburgs lemen huisje
88. Pastorie uit Schriek
89. Kapel uit Kortessem
90. Wegkapelletje
91. Bakstenen veldkapel
92. Mouterij-graanspijker
93. Vierkantboerderij 'Het Duifhuis'
94. Duiventoren
95. Staak- of standerdmolen
96. Bakhuis Sint-Truiden
97. Limburgse varkensstal
98. Middenlimburgse arbeiderswoning
99. Kruidentuin
100. Dorpsschooltje
101. Westvlaams wagenhuis
102. Schaapskooi

253

Literatuurlijst

Prehistorische mijnbouw in de Nederlanden
Brongers, J. A. en P.J. Woltering, De prehistorie van Nederland, Haarlem, 1978.
Laet, S.J. de, Prehistorische kulturen in het zuiden der Lage Landen, Wetteren, 1979².
Otte, M., La préhistoire à travers les collections du Musée Curtius de Liège, Luik, 1978.
Werkgroep prehistorische vuursteenmijnbouw, Grondboor en hamer, Maastricht, 1977.

De hunebedden in Drenthe
Bom, F., Eerste Nederlandse hunebeddengids, Deventer, 1978.
Klok, R. H. J., Hunebedden in Nederland – Zorgen voor morgen, Haarlem, 1979.
Provinciaal Museum van Drenthe, diverse publikaties, Assen.
Schirnig, H. (red.), Grosssteingräber in Niedersachsen, Hildesheim, 1979.

De bewoningsgeschiedenis van de terpen
Boeles, P. C. J. A., Friesland tot de 11de eeuw, Den Haag, 1951.
Boersma, J.W. (red.), Terpen, mens en milieu, Haren, 1972.
Elzinga, G., Fynsten út Fryske groun, Leeuwarden, 1964.
Es, W. A. van, Terpen, Kampen, 1978.
Giffen, A. E. van, Die Fauna der Wurten, Leiden, 1913.
Halbertsma, H., Terpen tussen Vlie en Eems, Groningen, 1963.
Waterbolk, H.T., Siedlungskontinuität im Küstengebiet der Nordsee zwischen Rhein und Elbe. In: Probleme der Küstenforschung im südlichen Nordseegebiet 13, 1979.

Tongeren, de oudste stad van België
Baillien, H., Tongeren – van Romeinse civitas tot middeleeuwse stad, Assen, 1979.
Mertens, J., Enkele beschouwingen over Limburg in de Romeinse tijd, In: Archeologica Belgica 75, Brussel, 1964.
Mertens, J., Een Romeins tempelcomplex te Tongeren, In: Kölner Jahrbuch für Vor- und Frühgeschichte 9, Keulen, 1967/68.
Mertens, J. en W. Vanvinckenroye, Een Romeins gebouwencomplex extra-muros te Tongeren, In: Archeologica Belgica 180, Brussel, 1975.
Smeeters, J., De Romeinse monumenten van Tongeren (publikatie 20 van Provinciaal Gallo-Romeins Museum), Tongeren, 1975.
Vanvinckenroye, W., Opgravingen te Tongeren in 1963 en 1964 (publikatie 8 van Provinciaal Gallo-Romeins Museum), Tongeren, 1965.
Vanvinckenroye, W., Tongeren, Romeinse stad (publikatie 23 van Provinciaal Gallo-Romeins Museum), Tongeren, 1975.
Vanvinckenroye, W., Een Romeins gebouwencomplex extra-muros te Tongeren (aanvullend verslag op Mertens J. en W. Vanvinckenroye id., publikatie 26 van Provinciaal Gallo-Romeins Museum), Tongeren, 1979.

De kerstening van de Lage Landen in de 8ste en 9de eeuw
Coenen, J., De drie munsters der Maasgouw: Aldeneyck, Susteren en Sint-Odiliënberg, Maastricht, 1922.
Daniels, G. en W. Sangers (red.), Aldeneik, architectuur en historie, Maaseik, 1975.
Dierksen A., Les origines de l'abbaye d'Aldeneik. Examen critique, In: Le Moyen Age, 1979.
Hendrickx, M. en W. Sangers, De kerkschat van de Sint-Catharinakerk te Maaseik. Beschrijvende inventaris, Maastricht, 1963.
Schoolmeesters, E., Levensschets der H.H. maagden en abdissen Harlindis en Renildis, Luik, 1871.
Soenen, M., Abbaye d'Aldeneik à Maaseik, In: Monasticon belge VI, Brussel, 1976.
Weerd, H. van der, De heilige maagden en abdissen Harlindis en Relindis van Aldeneyck. Geschiedkundig levensverhaal, Maaseik, 1922.

De nieuwe abdijen van de 11de en 12de eeuw
Brigode, S., L'abbaye de Villers et l'architecture cistercienne, In: Revue des archéologues et historiens d'art de Louvain IV, 1971.
Brouette, E., Abbaye de Villers, à Tilly, In: Monasticon belge IV, Luik, 1968.
Despy, G., La fondation de l'abbaye de Villers (1146), In: Archives, bibliothèques et musées de Belgique XXVIII-1, Brussel, 1957.
Meer, F. van der, Atlas de l'ordre cistercien, Parijs/Brussel, 1965.
Moreau, E. de, L'abbaye de Villers-en-Brabant aux XIIe et XIIIe siècles. Etudes d'histoire religieuse et économique. Suivie d'une notice archéologique par R. Maare, Brussel, 1909.
Ploegaerts, Th. en G. Boulmont, Histoire de l'abbaye de Villers du XIIIe siècle à la Révolution, Nijvel, 1926.
Abbayes de Belgique, Brussel, 1973.

Ontstaan en ontwikkeling van een middeleeuwse burcht
Contamine, Ph., La guerre au Moyen Age, Parijs, 1980.
Javaux, J. L., Ecaussinnes-Lalaing, In: L. F. Génicot (red.), Le grand livre des châteaux de Belgique I, Châteaux forts et châteaux fermes, Brussel, 1975.
Puissant, E., Les Ecaussinnes, Bergen, 1928.
Verriest, L., Le Régime signeurial dans le comté de Hainaut du XVIe siècle à la Révolution, Leuven, 1916/17.

De Maaslandse edelsmeedkunst van de 12de en 13de eeuw
Borchgrave d'Altena, J. de en G. Derveau-van Issel, Orfèvreries mosanes, Luik, z.j..
Collon-Gevaert, S., Histoire du métal en Belgique, Brussel, 1951.
Grimme, E. G., Aachener Goldschmiedekunst im Mittelalter von Karl der Grossen bis zu Karl V, Keulen, 1957.
Röhrig, Fl., Der Verduner Altar, Klosterneuburg, 1955.
Timmers, J. J. M., De kunst van het Maasland I, Assen, 1971.
Weisberger, A., Studien zu Nikolaus von Verdun und der Rheinischen Goldschmiedekunst des 12. Jahrhunderts, Bonn, 1941.

Brugge als middeleeuws wereldhandelscentrum
Duclos, A., Bruges, histoire et souvenir, Brugge, 1910.

Häpke, R., Brügges Entwicklung zum mittelalterlichen Weltmarkt, Berlijn, 1908.
Houtte, J. A. van, Bruges, essai d'histoire urbaine, 1967.
Luyckx, T. en J. L. Broeckx, Brugge, 1943.
Maréchal, J. en J. Denduyver, Havencomplex Brugge-Zeebrugge, 1964.
Roover, R. A. de, Money, banking and credit in mediaeval Bruges (publikatie van Medieval Academy of America), Cambridge (Mass.), 1948.

Zoutleeuw: knooppunt van oude handelswegen
Bets, P. V., Zoutleeuw, beschrijving, geschiedenis, instellingen (2 delen), Tienen, 1887.
Wauters, A., Géographie et histoire des communes belges. Arrondissement de Louvain. Canton de Léau, Brussel, 1887.
Wilmet, L., Léau, la ville des souvenirs (2 delen), Brussel, 1938.

De stad Kampen ten tijde van de Hanze
Asaert, Dr. G. e.a., Maritieme geschiedenis der Nederlanden (deel 1), Bussum, 1976.
Fehrmann, C. N., Kampen vroeger en nu, Bussum, 1972.
Meilink, P. A., De Nederlandse Hanzesteden tot het laatste kwartaal der XIVe eeuw, Den Haag, 1912.
Vlis, D. van der en J. W. H. J. M. Noldus, De tuin van een stad. De geschiedenis van de IJsselkade te Kampen, Kampen, 1980.

De begijnenbeweging in de Nederlanden
Buyten, L. van, Begijnen en begijnhoven, In: Spieghel Historiael VIII/1973.
Mac Donnel, E. W., The beguines and begards in medieval culture with special emphasis on the Belgian scene, New-Brunswick, 1954.
Mens, A., Oorsprong en betekenis van de Nederlandse begijnen- en begardenbeweging, Antwerpen, 1947.
Nübel, O., Mittelalterliche Beginen- Sozialsiedlungen in den Niederlanden, Tübingen, 1970.
Olyslager, W. A., Het Groot Begijnhof van Leuven, Leuven, 1973.

De Vlaamse schilderkunst in de 15de eeuw
Coremans, P., L'agneau mystique au laboratoire, Antwerpen, 1953.
Dhanens, E., Het retabel met het Lam Gods, inventaris Kunstpatrimonium van Oost-Vlaanderen VI, Gent, 1965.
Dhanens, E., De Vijdt-Borluut fundatie en het Lam Godsretabel 1432-1797, Kon. Ac. voor Wet., Lett. en Schone Kunsten, Brussel, 1976.
Duverger, J., Het grafschrift van Hubert van Eyck en het Quatrain van het Gentse Lam Gods-retabel, Antwerpen, 1945.
Friedlaender, M. J., Die altniederländische Malerei, Berlijn, 1924-37. (Eng. vert.: Early Netherlandish painting, Leiden, 1967-76).
Panofsky, E., Early Netherlandish Painting, Cambridge (Mass.), 1953.

Brabantse gothiek
Beermann, V. A. M. e.a., Geschiedenis van Breda II: Aspecten van de stedelijke historie 1568-1795, Schiedam, 1977.
Cerutti, F. F. X. e.a., Geschiedenis van Breda I: de Middeleeuwen, Tilburg, 1952.
Foerster, R. H., Das Leben in der Gotik, München, 1977.
Goor, Th. E. van, Beschrijving der stadt en lande van Breda, Den Haag, 1744.
Kuile, E. H. ter, De grote Brabantse basiliek in Noord-Nederland, In: Kunsthistorisch Jaarboek 1947.
IJsseling, J. M. F., De Grote Kerk van Breda, In: Spieghel Historiael 1969, nr. 6.

Antwerpen: wereldhaven in de 16de eeuw
Acker, J. van, Antwerpen van Romeins veer tot wereldhaven, Antwerpen, 1975.
Brulez, W., De firma della Faille en de internationale handel van Vlaamse firma's in de 16e eeuw, Antwerpen, 1959.
Cauwenbergh, G. van, Gids voor Oud Antwerpen, Antwerpen, 1979.
Genootschap voor Antwerpse Geschiedenis, Antwerpen in de XVIde eeuw, Antwerpen, 1975.
Guicciardini, L., Beschrijvinghe van alle de Nederlanden, anderssinds ghenoemt Neder-Duytslandt, Amsterdam, 1612 (facsimile-uitgave Haarlem, 1979).
Scholliers, E., Loonarbeid en honger. De levensstandaard in de XVe en XVIe eeuw te Antwerpen, Kapellen, 1960.
Soly, H., Urbanisme en kapitalisme te Antwerpen in de 16e eeuw. De stedebouwkundige en industriële ondernemingen van Gilbert van Schoonbeke, Brussel, 1977.
Voet, L., De Gouden Eeuw van Antwerpen, Antwerpen, 1973.
Wee, H. van der, The growth of the Antwerp market and the European economy (fourteenth-sixteenth centuries), 3 delen, Den Haag, 1963.

De Zuidnederlandse tapijtweefkunst in de 15de, 16de en 17de eeuw
Cauwenbergh, E. van, Anciennes manufactures de tapisseries à Audenarde, In: Annales de l'Académie Royale d'Archéologie de Belgique XIII-1856.
Duverger, E., Jan, Jacques en Frans de Moor, tapijtwevers en tapijthandelaars te Oudenaarde en Gent (1560-ca. 1680), Gent, 1960.
Duverger, J., Bijdrage tot de geschiedenis van de Oudenaardse tapijtkunst en tapijthandel, In: Artes Textiles I-1953.
Ommeslaeghe, F. van, De Oudenaardse wandtapijten, Oudenaarde, 1979.
Vanwelden, M. van, Het tapijtweversambacht te Oudenaarde, 1441-1772, Oudenaarde, 1979.

Erasmus en het humanisme in de Nederlanden
Augustijn, C., Erasmus, vernieuwer van kerk en theologie, Baarn, 1967.
Degroote, G. e.a., Erasmus, Hasselt, 1971.
Huizinga, J., Erasmus, Haarlem, 1958⁵.
Margolin, J.-Cl., Erasme par lui-même, Parijs, 1965.
Nauwelaerts, M. A., Erasmus, Bussum, 1969.

Christoffel Plantijn en de boekdrukkunst in de 16de eeuw
Belser, R. de, The Plantin Library, In: The quarterly journal of the private libraries association IV/8, Londen, 1963.
Kingdon, A., The Plantin breviaries: a case study in the sixteenth-century business operations of a publishing house, In: Bibliothèque d'humanisme et renaissance,

Travaux et documents XXIII, Genève, 1960.

Lauwaert, R., De handelsbedrijvigheid van de Officina Plantiniana op de Büchermessen te Frankfurt am Main in de XVIe eeuw, In: De Gulden passer L, Antwerpen, 1972.

Roover, R. de, The business organisation of the Plantin press in the setting of the sixteenth century Antwerp (Gedenkboek van de Plantindagen 1555-1955), Antwerpen, 1956.

Sabbe, M., De Plantijnse werkstede. Arbeidsregeling, tucht en maatschappelijke voorzorg in de oude Antwerpse drukkerij, Ledeberg-Gent, 1935.

Voet, L., The making of books in the Renaissance as told by the archives of the Plantin-Moretus Museum, In: Printing and Graphic Arts, 1963.

Voet, L., The golden compasses. A History and evaluation of the printing and publishing activities of the Officina Plantiniana at Antwerp in two volumes. I: Christophe Plantin and the Moretuses: their lives and their world, Amsterdam/Londen/New York, 1969; II: The management of a printing and publishing house in the Renaissance and the Baroque, 2 delen, Amsterdam/Londen/New York, 1972.

Kerkelijk-religieuze troebelen in de 16de eeuw

Cuypers van Velthoven, P. (red.), Documents pour servir à l'histoire des troubles religieux du XVIme siècle dans le Brabant septentrional, Brussel/'s-Hertogenbosch, 1858.

Dijck, G. C. M. van, De Bossche optimaten; geschiedenis van de Illustere Lieve Vrouwebroederschap te 's-Hertogenbosch 1318-1973, Tilburg, 1973.

Goosens, Th., De Illustre Lieve-Vrouwe-Broederschap te 's-Hertogenbosch, In: Bossche bijdragen VIII/1927.

Hezemans, J. C. A., De Illustre Lieve-Vrouwe Broederschap in Den Bosch, Utrecht, 1877.

Politieke troebelen in de 16de eeuw

Broer, A. L., Delft vroeger en nu, Bussum, 1969.

De stad Delft – cultuur en maatschappij tot 1572, I: tekst, II: afbeeldingen, Delft, 1979.

Oosterloo, J. H., Delft in foto's, Delft, z.j..

Riemsdijk, B. W. F. van, Klooster van Sinte Agatha met het Prinsenhof te Delft, Den Haag, 1912[3].

Werff, J. van der, Het Prinsenhof te Delft, Delft, z.j..

Wijnsteek, D., Prins en Prinsenhof, Assen, 1943.

Lakenstad Leiden als Europees textielcentrum

Posthumus, N. W., De geschiedenis van de Leidse lakenindustrie, Den Haag, 1908-1939.

De betekenis van de Verenigde Oostindische Compagnie

Boxer, C. R., Jan Compagnie in oorlog en vrede. Beknopte geschiedenis van de VOC, Bussum, 1977.

Brouwer, D., Enkhuizen. Aantekeningen uit het verleden (drie delen), Enkhuizen, 1946-1949.

Coolhaas, W. Ph., A critical survey of studies on Dutch colonial history, herzien door G. J. Schutte, Den Haag, 1980[2].

Gaastra, F. S., De VOC in Azië, In: Algemene Geschiedenis der Nederlanden VII/1979 en IX/1980.

Haan, H. den, Moedernegotie en grote vaart. Een studie over de expansie van het Hollandse handelskapitaal in de 16de en 17de eeuw, Amsterdam, 1977.

Overvoorde, J. C. en P. de Roo de la Faille, De gebouwen van de Oost-indische Compagnie en van de West-indische Compagnie in Nederland, Utrecht, 1928.

Visser, M. J. A., Enkhuizen, hoeksteen van West-Friesland, Enkhuizen, 1950.

Militaire scheepvaart in de 17de eeuw

Asaert, Dr. G. e.a., Maritieme geschiedenis der Nederlanden (vier delen), Bussum, 1976-77.

Bosscher, Ph. M., Van 's lands werf tot marine-etablissement, In: Marineblad 5/1965.

Jonge, J. C. de, De geschiedenis van het Nederlandsche zeewezen, Haarlem, 1858.

Kruisinga, J. H., Adieu Kattenburg, de geschiedenis van de Oostelijke eilanden, Amsterdam, 1966.

De contrareformatie in de Zuidelijke Nederlanden

Boni, A., Scherpenheuvel. Basiliek en gemeente in het kader van de vaderlandse geschiedenis, Antwerpen, 1953.

Bortier, P., Coberger, peintre, architecte et ingénieur, Brussel, 1875.

Deckers, J., Wonderdadig beeld van Onze-Lieve-Vrouwe van Scherpenheuvel, weldoenster van het menschdom sedert vijf eeuwen, Leuven, 1959.

Lantin, A., Scherpenheuvel, oord van vrede, Retie, 1971.

Pallemaerts, J. Fr., Onze Lieve Vrouwe van Scherpenheuvel, I: Geschiedenis van het ontstaan tot het jaar 1603, Antwerpen/Mechelen, 1934; II: Beelden uit den eik, Mechelen, 1936.

De rooms-katholieken in 17de-eeuws Noord-Nederland

Gids Museum Amstelkring "Ons'Lieve Heer op Solder", Amsterdam, 1976[2].

Haaren. H. J. A. M. van, 300 jaar "ons'lieve heer op solder", In: Kunst en religie 43/1963.

Meischke, R., De huiskerk "Het hart' aan de O.Z. Voorburgwal, In: Amstelodamum 43/1956.

Polman, P., Katholiek Nederland in de achttiende eeuw (drie delen), Amsterdam, 1968.

Rogier, L. J., Geschiedenis van het katholicisme in Noord-Nederland in de 16de en 17de eeuw (vijf delen), Amsterdam, 1964[3].

Wolf, H. C. de, Kunst uit de schuilkerkentijd, In Antiek I/9, 1966-67.

Het burgerlijk cultuurpatroon in 17de-eeuws Noord-Nederland

't Hoge huis te Muiden. Teksten uit de Muiderkring, Utrecht/Antwerpen, 1978[2].

Hugenholtz, F. W. N., Floris V, Bussum, 1974.

Tricht, H. W. van, Het Leven van P. C. Hooft, Den Haag, 1980.

Tricht, H. W. van, De briefwisseling van P. C. Hooft (drie delen), Zutphen, 1967-1979.

Schilderkunst in de 17de eeuw

Baudouin, F., P. P. Rubens, Antwerpen, 1977.

Baudouin, F., Het Rubenshuis. Beknopte gids, Antwerpen, 1977[6].

Baudouin, F., Kunstwerken tentoongesteld in het Rubenshuis. Dertig afbeeldingen met commentaar, Antwerpen, 1974.

Delen, A. J. J., Het huis van Pieter Pauwel Rubens. Wat het was, wat het werd, wat het worden kan, Brussel, 1933.

Vlieghe, H., De schilder Rubens, Utrecht/Antwerpen, 1977.

De uitbreiding van Amsterdam in de 17de eeuw

Elias, J. E., Geschiedenis van het Amsterdamsche regentenpatriciaat, Den Haag, 1923.

Jansen, L., De derde vergroting van Amsterdam, In: jaarboek Amstelodamum 52/1960.

Taverne, E., In 't land van belofte: in de nieue stadt (diss.), Zutphen, 1978.

Wijman, H. F., Historische gids van Amsterdam, Amsterdam, 1974.

Internationale diplomatie in de 17de eeuw

Brinkhoff, J. M. G. M., Rondom de Stevenstoren, Zaltbommel, 1966.

Brinkhoff, J. M. G. M., Nijmegen, vroeger en nu, Bussum, 1971.

Herdenking Vrede van Nijmegen 1678-1978: In: Numaga, herdenkingsnummer, augustus 1978.

Heringa, J., De eer en de hoogheid van de staat (diss.), Groningen, 1961.

De Vrede van Nijmegen, uitgave bij herdenkingstentoonstelling in het Nijmeegs Museum Commanderie van St. Jan en het gemeente-archief in het Arsenaal, 1978.

Hollandse hofcultuur in de 17de eeuw

Oudendijk, J. K., Willem III, stadhouder van Holland, koning van Engeland, Amsterdam, 1954.

Ozinga, M. D., Daniel Marot, de schepper van een Hollandschen Lodewijk XIV-stijl, Amsterdam, 1938.

Thomson, M. A., William III and Louis XIV, essays 1680-1720, Liverpool, 1968.

Vestingsteden in de 16de en 17de eeuw

Bruijn, C. A. de en H. R. Reinders, Nederlandse vestingen, Bussum, 1967.

Gevers Leuven, A. C. Th., Overzigt van Neêrlands verdedigingsmiddelen, Den Haag, 1869.

Hemelrijck, M. van, De Vlaamse krijgsbouwkunde, Tielt, 1950.

Land van Heusden en Altena (brochure), z.p., 1973.

Munck, L. de, Heusden, kroniek van een stadje, Heusden, 1970.

Oudenhoven, J. van, Beschrijving der stadt Heusden, Amsterdam, 1743.

Roy van Zuydewijn, N. de, Verschanste schoonheid, Amsterdam, 1977.

Schukking, W. H., De oude vestingwerken van Nederland, Amsterdam, 1941.

De Luikse ijzerindustrie tussen de 16de en 18de eeuw

Bogaert-Damin, A. M., L'industrie du fer du XVIe siècle à 1815, le monde des férons, In: Wallonie, art et histoire, Paris-Gembloux, 1977.

Evrard, R., Les artistes et les usines à fer, Luik, 1955.

Evrard, R., Forges anciennes, Luik, 1956.

Evrard, R. en A. Descy, Histoire de l'usine des Vennes suivie de considérations sur les fontes anciennes, Luik, 1948.

Yernaux, J., La métallurgie liégeoise et son expansion au XVIIIe siècle, Luik, 1939.

De Gulden Boom – Grote Markt te Brussel

Bartier, J. e.a., La Grand-Place de Bruxelles, Luik, 1974[3].

Lindemans, P., Brouwerijen en brouwers van oud-Brussel, In: Eigen schoon en de Brabander 41/1958.

Lousberg, A. H., Het bier (brochure Brussels brouwerijmuseum), Kortrijk, 1976.

Martens, M. (red.), Histoire de Bruxelles, Brussel, 1976.

Saint-Hilaire, P. de, La Grand-Place de Bruxelles, Brussel/Parijs, 1978.

Makkumer aardewerk

Berendsen, A. e.a., Elseviers tegelboek, Amsterdam, 1965.

Jonghe, Jonkvr. dr. C. H. de, Delfts aardewerk, Amsterdam, 1965.

Jonghe, Jonkvr. dr. C. H. de, Nederlandse tegels, Amsterdam, 1971.

Tichelaar, J., Makkumer aardewerk, Makkum, 1960.

Vereniging vrienden van keramiek, Wat Friese gleiers bakten, In: Mededelingenblad 19/1960.

De Groninger landadel in de 18de eeuw

Feith, J. A., De Ommelander borgen, Groningen, 1979.

Formsma, W. J. e.a., De Ommelander borgen en steenhuizen, Assen, 1973.

Formsma, W. J. e.a., Historie van Groningen-Stad en Land, Groningen, 1976.

Oude luister van het Groningerland (tentoonstellingscatalogus), Groningen, 1961.

Vinkhuizen, J. en H. P. Coster, De borg Menkema te Uithuizen, Groninger Volksalmanak, 1929.

Belle van Zuylen en de 18de-eeuwse standenmaatschappij

Charrière, Isabelle de/Belle van Zuylen, Oeuvres complètes (acht delen, waarvan vier verschenen), Amsterdam, 1980.

Farnum, D., De godin van Oud-Zuilen, Amsterdam, 1960.

Scott, G., The portrait of Zélinde, Londen, 1925.

Zuylen, Belle van, De edelman en Mrs. Henley (vertaling Robert Egeter van Kuyk), Amsterdam, 1975.

Zuylen, Belle van, De geschiedenis van Calliste (vertaling Victor van Vriesland), Amsterdam, 1978[3].

Het leven van de Zuidnederlandse adel in de 18de eeuw

Bluche, F., La vie quotidienne de la noblesse française au XVIIIe siècle, Parijs, 1973.

Frederico-Lilar, M., L'hôtel Falligan, chef-d'oeuvre du Rococo gantois, Brussel, 1977.

255

Genicot, L.-F., Het groot kastelenboek van België. Burchten en hoevekastelen. Luchtkastelen (twee delen), Brussel, 1976.
Meyer, J., Noblesses et pouvoirs dans l'Europe d'ancien régime, Parijs, 1973.

De natuurwetenschappen in de 18de eeuw
Paasman, B., J. F. Martinet, een Zutphens filosoof in de achttiende eeuw, Zutphen, 1971.
Rooseboom, dr. M., Bijdrage tot de geschiedenis der instrumentmakerskunst in de noordelijke Nederlanden tot omstreeks 1840, Leiden, 1950.
Teyler 1778-1978, Studies en bijdragen over Teylers Stichting naar aanleiding van het tweede eeuwfeest, Haarlem, 1978.
Teylers Museum. Beknopte inleiding tot een aantal belangrijke objecten uit het natuurkundig kabinet, Haarlem, 1969.

De industriegemeenschap Grand-Hornu
Bruwier, M. e.a., Les ateliers et la cité du Grand-Hornu, In: Industrie 1-1968.
Delmelle, J., Le Grand-Hornu, VVV Henegouwen, Bergen, 1980.
Watelet, H., Inventaire des archives des sociétaires et de la société civile des usines et mines de la houille du Grand-Hornu, Brussel, 1964.

De 19de-eeuwse leef- en werkomstandigheden in het Drentse veen
Boer, J., Dorp in Drenthe 1930-1970, Meppel, 1975.
Edelman, C. H., Harm Tiesing over landbouw en volksleven in Drenthe (twee delen), Assen, 1974[2].
Ubink, B. R. en G. A. Bontekoe, Drents repertorium (twee delen), Assen, 1967-1979.
Verduin, J. A. Bevolking en bestaan in het oude Drenthe, Assen, 1972.

Nieuwe technieken in de Nederlandse polderbemaling
Fockema Andreae, S. J., Wat er aan de droogmaking van de Haarlemmermeer voorafging, In: Mededelingen Kon. Ned. Ak. v. Wetensch. 18-15, Amsterdam, 1953.
Gevers van Endegeest, M., Over de droogmaking van het Haarlemmermeer (drie delen), Amsterdam, 1843, 1852, 1860.
Haan, Dr. Tj. W. R. de (red.), De waterwolf getemd, Den Haag, 1969.
Huet, A., Stoombemaling van polders en boezems, Den Haag, 1885.
Schröder, Dr. P. H. (red.), Van bruisend water tot ruisend graan, Haarlem, 1955.

De ontwikkeling van de Nederlandse spoorwegen
Asselberghs, H., Vurig spoor. Een beknopte gids voor bezoekers van het Spoorwegmuseum, Wormerveer, 1960.
Asselberghs, M-A., Het ijzeren paard, Amsterdam, 1959.
Hupkes, Drs. G., Treinen. Spoorwegen van stoom tot stroom, Amsterdam/Brussel, 1964.
Jonckers Nieboer, Mr. J. H., Geschiedenis der Nederlandsche Spoorwegen, Rotterdam, 1938[2].
Nederlandse Spoorwegen, N.V., 50 jaar electrische spoorwegen in Nederland, Wormerveer, 1958.
Passchier N. en H. Knippenberg, Spoorwegen en industrialisatie in Nederland, In: Geografisch tijdschrift 1978, nr. 5.

De ontwikkeling van de Belgische buurtspoorwegen
Neyens, J., De buurtspoorwegen in de provincie Antwerpen, Lier, 1969[2].
Neyens, J., De buurtspoorwegen in de provincie Limburg, Lier, 1972.
Neyens, J., De buurtspoorwegen in de provincie Oost-Vlaanderen, Lier, 1978.
Neyens, J., De buurtspoorwegen in de provincie West-Vlaanderen, Lier, 1980.

De geschiedenis van de Nederlandse volksvertegenwoordiging
Godeau, Prof. P. M., Van Kwartier van Hun Hoogmogenden tot ministerie van Algemene Zaken, Den Haag, z.j.
Gelder, Dr. H. E. van, Het Haagsche Binnenhof, Antwerpen, 1943.
's-Gravenhage (gemeentelijk maandblad) 19-8, augustus 1964, Den Haag, 1964.
Ising, A. (bew.), Het Binnenhof te 's-Gravenhage in plaat en schrift, Den Haag, 1879.
Schone kunsten der gemeente 's-Gravenhage, Dienst voor, Haagse historie, beknopte gids, Den Haag, 1967.
Stuers, Jhr. mr. V. de, gebr. J. en H. Langenhuijsen, Het Binnenhof en 's-lands gebouwen in de residentie, z.p., 1891.
Voorlichting van de Tweede Kamer der Staten Generaal, Afdeling, De Tweede Kamer (zeven delen), Den Haag, 1970.
Voorlichting van de Tweede Kamer der Staten Generaal, Afdeling, Al meer dan 500 jaar, Den Haag, 1970.

Steenbakkerijen van de Rupelstreek
Isacker, K. van, Het Daenisme, Antwerpen, 1965.
Preumont, E., Boom door het kapitalisme verslonden, 1913.
Scholl, S. A., 150 jaar katholieke arbeidsbeweging in België 1789-1939, z.p., 1963.
Winne, A. de, A travers les Flandres, Gent, 1902.

De Twentse textielindustrie in de 19de eeuw
Blonk, A., Fabrieken en menschen, Enschede, 1929.
Boot, J. A. P. G., De Twentsche katoennijverheid 1839-1873, Amsterdam, 1935.
Boot, J. A. P. G. en A. Blonk, Van smiet- tot snelspoel, Hengelo, 1957.
Heerkens, C. F. L. M., Een industriestad: Enschede, In: Nijhof, P. (red.), Monumenten van bedrijf en techniek, Zutphen, 1978.
IJzerman, Th. J., Beroepsaanzien en arbeidsvoldoening, Leiden. 1959.

De Noordzeevisserij in de 19de eeuw
Boelmans Kranenburg, H. A. H., Achter de branding; de visserij van de Nederlandse kustplaatsen, Bussum, 1977.
Boelmans Kranenburg, H. A. H. en J. P. van de Voort, Een zee te hoog; scheepsrampen bij de Nederlandse zeevisserij 1860-1976, Bussum, 1979.
Bruyne, P. de, De Nederlandse vissers te Fleetwood 1940-1945, In: Mededelingen van de Ned. Ver. voor Zeegeschied. 35, dec. 1977.
Desnerck, G. en R., Vlaamse visserij en vissersvaartuigen (twee delen),

Oostduinkerke, 1974-1976.
Hoogendijk Jz., A., De grootvisscherij op de Noordzee, Haarlem, 1893; beknopte uitgave 1895.
Voort, J. P. van de, Vissers van de Noordzee; het Nederlandse visserijbedrijf in geschiedenis en volksleven, Den Haag, 1975.

De ontwikkeling van de Nederlandse tuinbouwcoöperaties
Barendse, J., Hollands tuin, de Westlandse tuinbouw vroeger en nu, z.p., z.j.
Geschiedenis van de Broeker Veiling, Heerhugowaard, z.j.
Kronenburg, H. G., De Nederlandse tuinbouwproduktie, z.p., 1970.
Zande, H. van der, Het Westland, de tuin van Europa, Den Haag, z.j.

Het ontluikend toerisme in de 19de eeuw
Constandt, M., Evolutie van het toerisme te Oostende (onuitgegeven licentiaatsverhandeling), Gent, 1980.
Farasyn, D., De eerste gebouwen langs de Oostendse zeedijk, Oostende, 1979.
Ranieri, L., Leopold II, urbaniste, Brussel, 1973.
Vanhove, N., Het Belgisch kusttoerisme vandaag en morgen, Brugge, 1973.
Vilain, O., Kleine Oostendse histories (drie delen), Oostende, 1973 e.v.

Beeldverantwoording